상상 그 이상

모두의 새롭고 유익한 즐거움이
비상의 즐거움이기에

아무도 해보지 못한 콘텐츠를 만들어
학교에 새로운 활기를 불어넣고

전에 없던 플랫폼을 창조하여
배움이 더 즐거워지는 자기주도학습 환경을
실현해왔습니다

이제, 비상은
더 많은 이들의 행복한 경험과
성장에 기여하기 위해

글로벌 교육 문화 환경의
상상 그 이상을 실현해 나갑니다

상상을 실현하는 교육 문화 기업 비상

자율학습시
비상구
완자로 53

사회·문화

Structure

01 | 핵심 내용 파악하기

이 단원에서 꼭 알아야 하는 핵심 개념을 확인하고, 친절하게 설명된 내용 정리로 사회·문화 교과 내용을 이해할 수 있습니다.

이 단원에서 학습해야 할 핵심 개념을 한눈에 파악할 수 있습니다.

교과서에서 다루는 내용을 명확하게 정리하고, 어려운 개념이나 용어, 사례 등에는 친절한 설명을 덧붙였습니다.

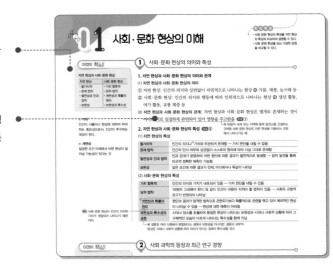

03 | 다양한 유형의 내신 문제 풀기

학교 시험에 자주 출제되는 유형의 문제들을 단계별로 풀어 보면서 실력을 향상시킬 수 있습니다. 또한 시험에서 비중이 높아진 서술형 문제도 자신있게 대비할 수 있습니다.

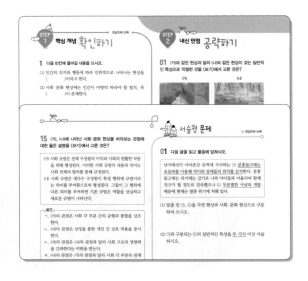

04 | 수능 문제로 1등급 정복하기

사고력과 변별력을 요구하는 수능 유형의 문제를 풀면서 실력을 향상시키고 난이도 있는 시험 문제에도 자신감을 얻을 수 있습니다.

02 | 빈출 자료 파악하기

교과서에서 강조하는 빈출·핵심 자료는 포인트를 확실하게
짚어 주는 자료 설명으로 구성하였습니다.

한눈에 보이는 정리 비법, 간단한 문제
로 확인하는 개념, 함께 알아 두어야 할
자료 등을 선생님이 강의하듯 꼼꼼하게
정리하였습니다.

학교 시험은 물론 수능에도 출제될 가
능성이 높은 중요 자료를 질문과 답변
형식으로 철저하게 분석하였습니다.

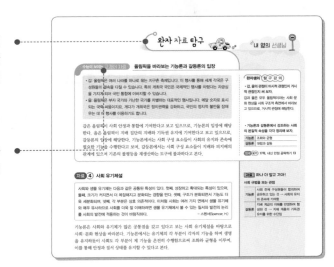

05 | 통합형 문제로 마무리하기

대단원의 핵심 내용을 한눈에 정리하고, 통합형 문제까지
풀어보면서 대단원 학습을 최종 점검할 수 있습니다.

06 | 주제별 논술형 문제

교과 내용에서 강조하는 논술 주제들을 별도 구성하고, 논
술 포인트, 자료 분석 등을 통해 입체적인 논술 답안을 제공
하였습니다.

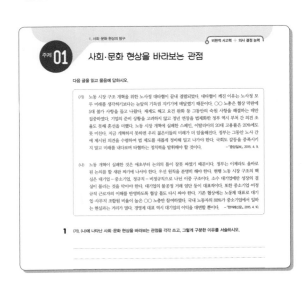

Contents

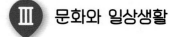

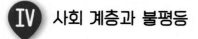
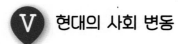

완자와 내 교과서 비교하기

사회·문화 현상의 탐구

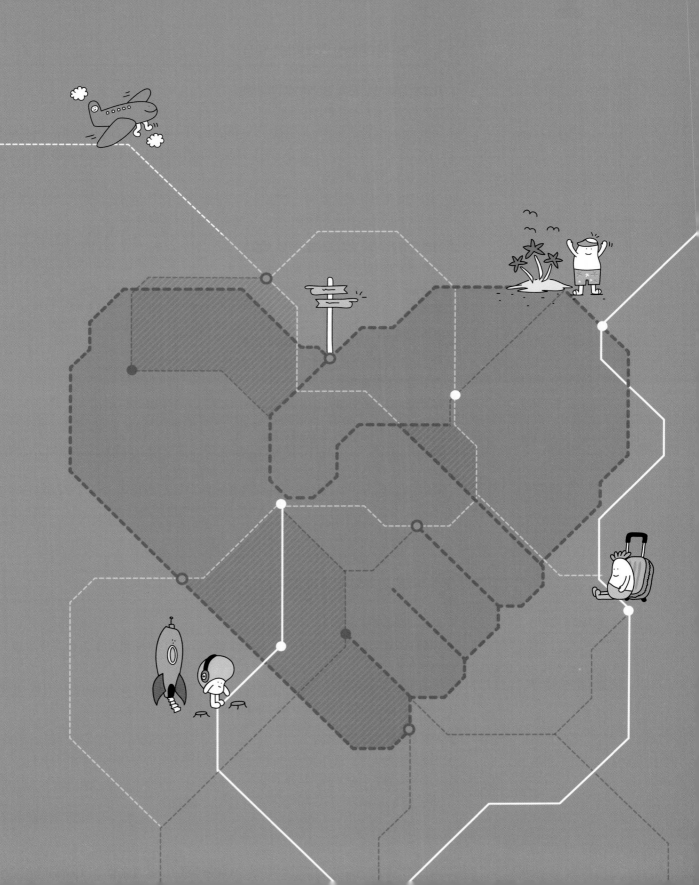

01 사회·문화 현상의 이해

① 사회·문화 현상의 의미와 특성

이것이 **핵심!**

자연 현상과 사회·문화 현상

자연 현상	사회·문화 현상
• 몰가치적	• 가치 함축적
• 존재 법칙	• 당위 법칙
• 필연성과 인과 법칙	• 개연성과 확률의 원리
• 보편성	• 보편성과 특수성

★ 가치
인간이 사물이나 현상에 대하여 부여하는 중요성으로서, 인간이 추구하는 대상이 된다.

★ 개연성
일정한 조건 아래에서 어떤 현상이 일어날 가능성이 있다는 것

1. 자연 현상과 사회·문화 현상의 의미와 관계

(1) **자연 현상과 사회·문화 현상의 의미**

① 자연 현상: 인간의 의지와 상관없이 자연적으로 나타나는 현상 **예** 가뭄, 태풍, 눈사태 등

② 사회·문화 현상: 인간의 의지와 행동에 따라 인위적으로 나타나는 현상 **예** 생산 활동, 여가 활동, 교통 체증 등

(2) **자연 현상과 사회·문화 현상의 관계**: 자연 현상과 사회·문화 현상은 별개로 존재하는 것이 아니라 서로 밀접하게 관련되어 있어 영향을 주고받음 **자료①**

└ **예** 바람이 세게 부는 지역에 풍력 발전소를 건설하는 것처럼 사회·문화 현상은 자연 현상을 이용하는 과정에서 나타나기도 해.

2. 자연 현상과 사회·문화 현상의 특성 **자료②**

(1) **자연 현상의 특성**

몰가치적	인간의 의지나 ★가치와 무관하게 존재함 → 가치 판단을 내릴 수 없음
존재 법칙	인간의 인식 여부와 상관없이 스스로의 원리에 따라 사실 그대로 존재함
필연성과 인과 법칙	인과 관계가 분명하여 어떤 원인에 따른 결과가 필연적으로 발생함 → 법칙 발견을 통해 비교적 정확한 예측이 가능함
보편성	같은 조건에 따른 결과가 언제, 어디에서나 똑같이 나타남

(2) **사회·문화 현상의 특성**

가치 함축적	인간의 의지와 가치가 내포되어 있음 → 가치 판단을 내릴 수 있음
당위 법칙	'마땅히 그러해야 한다.'와 같이 인간이 마땅히 지켜야 할 법칙이 있음 → 사회의 규범적 요구가 반영되어 나타남
★개연성과 확률의 원리	원인과 결과가 엄격한 법칙으로 관련되기보다 확률적으로 관련을 맺고 있어 예외적인 현상이 나타날 수 있음 → 현상에 대한 예측이 어려움
보편성과 특수성의 공존	시대나 장소를 초월하여 동일한 현상이 나타나는 보편성과 시대나 사회적 상황에 따라 그 구체적인 모습이 다르게 나타나는 특수성을 함께 지님

Q에? 사회·문화 현상이 인간의 의지와 가치가 개입되어 나타나기 때문이야.

└ **예** 결혼은 여러 사회에서 관찰된다는 점에서 보편성을 지니지만, 결혼의 세부적 양상은 시대나 사회적 상황에 따라 차이가 있다는 점에서 특수성을 지녀.

② 사회 과학의 등장과 최근 연구 경향

이것이 **핵심!**

사회 과학의 연구 경향

전문화·세분화	사회 과학이 보다 전문화된 영역으로 세분화됨
간학문적 탐구	개별 학문의 연구 성과를 종합하여 탐구함

1. 사회 과학의 발달 과정

(1) **사회 과학의 성립**: 근대 이후 자연 과학의 발달로 사회·문화 현상에 관한 과학적 탐구가 이루어짐

(2) **사회 과학의 발달**: 사회 구조가 분화되고 사회·문화 현상이 복잡해지면서 사회 과학은 여러 학문으로 분화되어 더욱 체계적이고 과학적인 연구가 이루어짐

└ **예** 사회학, 경제학, 정치학, 문화 인류학 등

2. 사회 과학의 최근 연구 경향

┌ **예** 사회학이 도시 사회학, 농촌 사회학, 노인 사회학 등으로 분화하였어.

(1) **전문화·세분화 경향**: 특정 현상을 더욱 세밀하고 심층적으로 연구하는 경향이 나타남

(2) **간학문적 탐구 경향**: 사회·문화 현상을 총체적으로 이해하기 위해 개별 학문의 관점이나 연구 성과를 종합하여 탐구하는 경향이 나타남 **자료③**

완자 자료 탐구

자료 1 자연 현상과 사회·문화 현상의 관계

아르헨티나 파타고니아의 국립 공원에는 페리토 모레노라는 거대한 빙하가 있다. 최근 빙하 내부가 약화되면서 주기적으로 굉음과 함께 빙하가 무너져 내리는데, 이 모습을 보기 위해 전 세계에서 관광객이 모여든다. 이러한 현상은 지구 온난화로 빙하가 녹아 무너져 내리기 때문에 나타난다. 역설적이게도 인간의 활동으로 지구 온난화가 심화되어 빙하가 붕괴되는 횟수가 늘어나면 관광객이 증가하고, 관광객이 증가하면 빙하의 붕괴가 더 빠르게 진행된다.

제시된 글에서는 인간의 활동이라는 사회·문화 현상이 지구 온난화의 심화에 따른 빙하 붕괴라는 자연 현상에 영향을 미치고 있으며, 빙하 붕괴라는 자연 현상이 빙하를 관람하려는 관광객의 증가라는 사회·문화 현상에 영향을 미치고 있음을 보여 준다. 이처럼 자연 현상과 사회·문화 현상은 서로 밀접하게 관련되어 있어서 자연 현상이 사회·문화 현상에 영향을 주기도 하고, 반대로 사회·문화 현상이 자연 현상에 영향을 주기도 한다.

자료 2 자연 현상과 사회·문화 현상의 특성

(가) 물의 끓는점은 100℃이다. 집에서 냄비의 물에 열을 가해 100℃가 되면 물이 끓는데, 이를 사무실에서 끓였다고 해서 물의 끓는점이 바뀌지는 않는다. 즉 열을 가해 100℃가 되면 물이 끓는 것은 언제, 어디에서나 변함이 없다.

(나) 수요 법칙은 상품의 가격이 상승하면 수요량이 감소하고 가격이 하락하면 수요량이 증가한다는 것이다. 그러나 물건 가격이 계속 오르는데도 사재기를 하는 경우나 비쌀수록 잘 팔리는 과시 소비 현상은 수요 법칙이 적용되지 않는 예외적인 현상이다.

(가)에서처럼 자연 현상은 일정한 원인이 있으면 그에 따른 특정 결과가 반드시 발생한다는 점에서 필연성으로 설명할 수 있다. 반면 (나)에서처럼 사회·문화 현상은 일정한 조건에서 예외적인 현상이 나타날 수 있다. 즉 사회·문화 현상은 특정 조건에 따라 특정 결과가 발생할 가능성만 갖는다는 점에서 개연성으로 설명할 수 있다. 이는 사회·문화 현상이 복합적인 요인에 따라 발생하고, 인간의 의지와 가치가 개입되어 나타나기 때문이다.

자료 3 간학문적 탐구 경향

제시된 내용은 성 불평등 현상에 대해 사회학, 경제학, 법학, 정치학 등 다양한 학문적 관점을 종합하여 총체적으로 접근하는 간학문적 탐구 경향을 보여 준다. 실제 사회·문화 현상은 다양한 분야가 상호 밀접한 관계를 맺고 있으므로 사회·문화 현상을 올바르게 이해하기 위해서는 개별 학문의 경계를 뛰어넘어 종합적·총체적으로 연구할 필요가 있다.

---

01 사회·문화 현상의 이해

이것이 핵심!

사회·문화 현상을 보는 관점

기능론	사회 구성 요소 간의 상호 연관성 및 사회의 질서와 조화를 중시함
갈등론	갈등과 대립을 강조하며, 갈등을 사회 변화와 발전의 원동력으로 봄
상징적 상호 작용론	상징을 활용한 개인 간 상호 작용에 초점을 두며, 상황 정의를 중시함

★ **관점**
어떤 것에 초점을 두고서 그것을 관찰하여 인식할 때 이해하는 태도나 방향

★ **유기체**
각 부분이 일정한 목적을 지향하면서 통일적으로 조직되어 전체의 생존과 유지를 위해 일정한 기능을 담당하고 있는 조직체

★ **사회적 희소가치**
부, 명예, 권력처럼 누구나 갖고 싶어 하지만 모두를 충족할 만큼 충분하지 않은 사회적 가치

★ **상황 정의**
행위 주체가 자신이 처해 있는 특정 상황에 대하여 해석하고 의미를 부여하는 것

★ **상징**
인간이 추상적인 의미를 구체적으로 표현하기 위해 사용하는 기호나 매개물 예 언어, 기호, 몸짓 등

③ 사회·문화 현상을 보는 관점

VS 거시적 관점이 전체적인 숲의 규모를 중시하는 관점이라면, 미시적 관점은 숲에 어떤 나무가 자라고 그 나무의 생김새가 어떤지를 중시하는 관점이야.

1. 사회·문화 현상을 보는 거시적 관점과 미시적 관점

(1) **거시적 관점**: 사회 제도나 구조에 초점을 두고 사회라는 큰 체계 속에서 사회·문화 현상을 이해하려는 *관점 예 기능론, 갈등론

(2) **미시적 관점**: 사회적 행위자인 개인 간의 상호 작용이나 개인의 행위에 초점을 맞추어 사회·문화 현상을 이해하려는 관점 예 상징적 상호 작용론

2. 사회·문화 현상을 보는 다양한 관점 〔교과서 자료〕

(1) **기능론** 〔자료④〕 — 꼭! 기능론에서는 사회의 통합과 안정, 조화와 균형을 중시해.

사회에 대한 인식	사회를 하나의 살아 있는 *유기체로 보고, 사회를 이루는 사회 제도나 집단 등이 상호 연관되어 있다고 봄
기본 입장	• 사회의 각 부분은 사회 전체가 합의한 규범에 따라 사회의 안정과 질서 유지에 필요한 기능을 수행함 • 사회 문제와 갈등은 사회 구성 요소가 제 기능을 수행하지 못해 발생하는 현상임 → 문제가 되는 부분이 원래의 기능을 회복하면 사회는 다시 안정을 이룸
장점	사회 질서와 조화를 설명하는 데 유용함
한계	• 사회 안정과 합의를 지나치게 강조하여 혁명과 같은 급격한 사회 변동을 설명하기 어려움 • 지배 집단의 이익을 옹호하고 사회 변동을 거부하는 보수적인 논리로 이용될 우려가 있음

(2) **갈등론** — 꼭! 갈등론에서는 사회 문제나 갈등을 자연스러운 현상으로 봐.

사회에 대한 인식	사회를 *사회적 희소가치를 둘러싼 사회 구성원 간의 갈등과 대립의 장이라고 봄
기본 입장	• 지배 집단의 억압에 대해 피지배 집단이 저항하는 과정에서 나타나는 갈등과 대립은 불가피한 현상임 • 사회 각 부분의 기능과 역할은 지배 집단이 자신의 이익을 위해 규정한 것이며, 불평등을 재생산하는 도구에 불과함 • 갈등은 사회의 본질적인 속성이며, 사회 변화와 사회 발전의 원동력이 됨
장점	사회 속에 존재하는 지배와 피지배의 관계와 갈등의 측면을 이해하는 데 유용함
한계	• 사회 각 부분 간의 복잡한 관계를 지배와 피지배의 관계로 단순화함 • 지나치게 갈등을 강조함으로써 현실 속에 존재하는 협동과 조화의 현상을 경시함

(3) **상징적 상호 작용론** 〔자료⑤〕

사회에 대한 인식	사회는 개인 간의 일상적인 상호 작용 과정에서 주관적인 의미 규정과 해석을 주고받으며 형성되고 변화함
기본 입장	• 인간은 각자의 *상황 정의를 바탕으로 행위를 선택하고, 의미 전달의 수단으로서 *상징을 활용하여 타인과 상호 작용을 함 • 사회·문화 현상의 의미는 그것이 발생하는 상황 맥락에 따라 달라짐 • 상징을 활용한 상호 작용과 사회 구성원인 인간 개인의 능동성을 강조함
장점	개인의 행위에 초점을 두어 사회·문화 현상을 심층적으로 이해할 수 있음
한계	개인의 행위에 영향을 미치는 사회 구조나 사회 제도의 측면을 소홀히 함

꼭! 인간이 자율성을 갖고 사회·문화 현상에 의미를 부여하는 주체라는 점을 강조하지.

3. 사회·문화 현상을 보는 균형적인 관점

(1) **사회·문화 현상을 보는 균형적인 관점의 필요성**: 사회·문화 현상은 발생 원인과 양상이 복합적이며, 사회·문화 현상을 보는 관점 중 어느 한 관점만이 타당하다고 보기 어려움

(2) **다양한 관점의 조화와 균형**: 여러 관점에서 주장하는 현상의 원인과 의미, 대책 등을 함께 파악하여 상호 보완적으로 활용하려는 노력이 필요함

└ 특정 관점이 현상을 설명할 때 갖는 장점과 한계를 비교하면서 여러 관점을 균형 있게 적용해야 해.

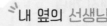

완자 자료 탐구

내 옆의 선생님

수능이 보이는 교과서 자료 **올림픽을 바라보는 기능론과 갈등론의 입장**

> • 갑: 올림픽은 여러 나라를 하나로 묶는 지구촌 축제입니다. 이 행사를 통해 세계 각국은 구성원들의 결속을 다질 수 있습니다. 특히 개최국 국민은 국제적인 행사를 치렀다는 자긍심을 가지게 되어 국민 통합에 이바지할 수 있습니다.
>
> • 을: 올림픽은 부자 국가와 가난한 국가를 차별하는 대표적인 행사입니다. 메달 숫자로 표시되는 국력 싸움이지요. 게다가 개최국은 정치권력을 강화하고, 국민의 정치적 불만을 잠재우는 데 이 행사를 이용하기도 합니다.

갑은 올림픽이 사회 안정과 통합에 기여한다고 보고 있으므로, 기능론의 입장에 해당한다. 을은 올림픽이 지배 집단의 지배와 기득권 유지에 기여한다고 보고 있으므로, 갈등론의 입장에 해당한다. 기능론에서는 사회 구성 요소들이 사회의 유지와 존속에 필요한 기능을 수행한다고 보며, 갈등론에서는 사회 구성 요소들이 지배와 피지배의 관계에 있으며 기존의 불평등을 재생산하는 도구에 불과하다고 본다.

완자샘의 탐구 강의

• 갑, 을의 관점이 미시적 관점인지 거시적 관점인지 써 보자.

갑과 을은 모두 올림픽이라는 사회·문화 현상을 사회 구조적 측면에서 바라보고 있으므로, 거시적 관점에 해당한다.

• 기능론과 갈등론에서 강조하는 사회의 본질적 속성을 각각 정리해 보자.

기능론	조화와 균형
갈등론	대립과 갈등

함께 보기 17쪽, 내신 만점 공략하기 13

자료 ④ 사회 유기체설

> 사회와 생물 유기체는 다음과 같은 공통된 특성이 있다. 첫째, 성장하고 확대되는 특성이 있으며, 둘째, 크기가 커지면서 더 복잡해지고 분화되는 경향을 띤다. 셋째, 구조가 분화되면서 기능도 더욱 세분화되며, 넷째, 각 부분은 상호 의존적이다. 이처럼 사회는 여러 가지 면에서 생물 유기체와 매우 유사하므로 사회를 더욱 잘 이해하려면 생물 유기체에서 볼 수 있는 질서와 발전의 논리를 사회의 발전에 적용하는 것이 바람직하다.
>
> – 스펜서(Spencer, H.)

기능론은 사회와 유기체가 많은 공통점을 갖고 있다고 보는 사회 유기체설을 바탕으로 사회·문화 현상을 바라본다. 기능론에서는 유기체의 각 부분이 각자의 기능을 하며 생명을 유지하듯이 사회도 각 부분이 제 기능을 온전히 수행함으로써 조화와 균형을 이루며, 이를 통해 안정과 질서 상태를 유지할 수 있다고 본다.

자료 ⑤ 상징적 상호 작용론과 상황 정의

> 우리는 중요한 시험을 앞두고 있는 주변 사람들에게 다양한 종류의 선물을 한다. 떡이나 엿을 선물 받은 사람은 '시험에 떨어지지 말고 잘 붙어야 한다.'라는 합격 기원의 의미를 생각하게 된다. 또한 포크나 두루마리 휴지를 선물 받은 사람은 시험 문제를 잘 '찍고', 잘 '풀라'는 의미로 이해하고 고맙게 여긴다. 그런데 이런 상징에 익숙하지 않은 외국인에게 시험을 앞두고 포크나 두루마리 휴지를 선물한다면 매우 당황할 수 있다.

제시된 글에서는 시험을 앞둔 사람에게 주는 선물의 의미가 받는 사람에 따라 다르게 해석될 수 있음을 보여 준다. 상징적 상호 작용론에서는 사람들이 주어진 사회적 상황에 어떤 의미를 부여하는지에 대한 상황 정의를 중시한다. 이는 동일한 상황을 어떻게 정의하느냐에 따라 서로 다른 행위 유형을 가질 수 있기 때문이다.

자료 하나 더 알고 가자!

사회 규범을 보는 관점

기능론	사회 전체 구성원들이 합의하여 공유하고 있는 것 → 사회의 유지와 존속에 기여함
갈등론	지배 계급의 이해를 반영하여 형성된 것 → 지배 계층의 기득권 유지를 위한 수단임

문제로 확인할까?

상징적 상호 작용론에 대한 설명으로 옳은 것은?
① 거시적 관점이다.
② 개인의 능동성을 강조한다.
③ 사회 구성원 간의 합의를 중시한다.
④ 갈등을 사회의 본질적 속성으로 본다.
⑤ 사회를 하나의 통합된 기능적 체계로 본다.

② ⑤

STEP 1 핵심 개념 확인하기

정답친해 02쪽

1 다음 빈칸에 들어갈 내용을 쓰시오.

(1) 인간의 의지와 행동에 따라 인위적으로 나타나는 현상을 (　　　　)이라고 한다.

(2) 사회·문화 현상에는 인간이 마땅히 따라야 할 법칙, 즉 (　　　　)이 존재한다.

2 다음 괄호 안에 들어갈 알맞은 말에 ○표를 하시오.

(1) 사회·문화 현상은 자연 현상과 달리 (필연성, 개연성)의 원리가 작용한다.

(2) 사회·문화 현상은 시대나 사회적 상황에 따라 구체적 모습이 다르게 나타나는 (보편성, 특수성)을 갖는다.

3 ㉠, ㉡에 들어갈 내용을 각각 쓰시오.

> 사회·문화 현상을 보는 관점 중 (㉠　　　　) 관점은 사회 제도나 구조 등에 초점을 두는 반면, (㉡　　　　) 관점은 개인 간의 상호 작용과 인간의 행위에 담긴 의미 등에 초점을 둔다.

4 다음 내용에 해당하는 사회·문화 현상을 바라보는 관점을 〈보기〉에서 골라 기호를 쓰시오.

> **보기**
> ㄱ. 기능론　　　ㄴ. 갈등론　　　ㄷ. 상징적 상호 작용론

(1) 개인이 부여하는 주관적 의미를 중시한다. (　　)

(2) 갈등이 사회 변동의 원동력이 된다고 본다. (　　)

(3) 사회 구성 요소 간의 균형과 안정을 강조한다. (　　)

5 다음 설명이 맞으면 ○표, 틀리면 ✕표를 하시오.

(1) 기능론은 구성원 간의 합의된 가치와 규범을 중시한다. (　　)

(2) 갈등론은 지배 집단의 권력 유지에 기여하는 보수적 관점이다. (　　)

(3) 상징적 상호 작용론은 인간이 상황 정의에 기초하여 행동하는 자율적인 존재라고 본다. (　　)

STEP 2 내신 만점 공략하기

01 (가)와 같은 현상과 달리 (나)와 같은 현상이 갖는 일반적인 특성으로 적절한 것을 〈보기〉에서 고른 것은?

(가)	(나)

↑ 빙하	↑ 빙하를 관람하는 관광객

> **보기**
> ㄱ. 몰가치적이다.
> ㄴ. 가치 판단을 내릴 수 있다.
> ㄷ. 예외가 없는 규칙적인 현상이다.
> ㄹ. 개연성과 확률의 원리가 작용한다.

① ㄱ, ㄴ　　　② ㄱ, ㄷ　　　③ ㄴ, ㄷ
④ ㄴ, ㄹ　　　⑤ ㄷ, ㄹ

02 (가), (나) 현상에 대한 설명으로 옳지 <u>않은</u> 것은?

> (가) 미세 먼지는 사람의 폐까지 깊숙이 침투한다.
> (나) 최근 미세 먼지 수치를 낮춰 주는 제품들의 판매량이 크게 증가하고 있다.

① (가)와 같은 현상은 존재 법칙의 지배를 받는다.
② (나)와 같은 현상은 인간의 의지가 개입되어 나타난다.
③ (가)와 같은 현상은 (나)와 같은 현상과 달리 당위 법칙을 따른다.
④ (가)와 같은 현상은 (나)와 같은 현상에 비해 결과의 예측이 용이하다.
⑤ (나)와 같은 현상은 (가)와 같은 현상에 비해 특수성이 강하다.

03 밑줄 친 ㉠~㉣과 같은 현상의 일반적인 특성에 대한 설명으로 옳은 것은?

> 영동 지방에서는 초봄에 ㉠ 습기를 많이 머금은 동풍의 영향으로 폭설이 자주 내린다. 다른 지역은 이미 ㉡ 봄꽃이 만발한 계절이지만, 이 지역에서 ㉢ 도로와 지붕에 쌓인 두터운 눈을 치우는 광경은 낯선 일이 아니다. 이 지역의 자치 단체에서는 도로에 쌓인 눈으로 차량 사고가 잦을 것에 대비하여 ㉣ 제설 장비와 모래함을 도로 곳곳에 비치하고 있다.

① ㉠과 같은 현상은 ㉢과 같은 현상과 달리 가치 함축적이다.
② ㉡과 같은 현상은 ㉣과 같은 현상과 달리 같은 조건하에서 동일한 현상이 발생한다.
③ ㉢과 같은 현상은 ㉡과 같은 현상과 달리 몰가치적이다.
④ ㉣과 같은 현상은 ㉠과 같은 현상에 비해 보편성이 강하게 나타난다.
⑤ ㉠, ㉡과 같은 현상은 ㉢, ㉣과 같은 현상과 달리 인과 관계가 나타난다.

---

04 ⭐중요 다음 글을 통해 알 수 있는 사회·문화 현상의 특성으로 가장 적절한 것은?

> 수요 법칙은 상품의 가격이 상승하면 수요량이 감소하고 가격이 하락하면 수요량이 증가한다는 것이다. 그러나 물건 가격이 계속 오르는데도 사재기를 하는 경우나 비쌀수록 잘 팔리는 과시 소비 현상은 수요 법칙이 적용되지 않는 예외적인 현상이다.

① 개연성의 원리가 작용한다.
② 당위 법칙의 지배를 받는다.
③ 시·공간적 특수성을 갖는다.
④ 인과 관계가 존재하지 않는다.
⑤ 확실성의 원리가 적용되기 때문에 정확한 예측이 가능하다.

---

05 다음은 사회 수업 시간의 한 장면이다. (가)에 들어갈 학생의 답변으로 가장 적절한 것은?

> • 교사: 사람을 만났을 때 인사하는 방법은 사회에 따라 다양하게 나타납니다. 우리나라 사람들은 일반적으로 허리를 숙여 인사하며, 미국 사람들은 주로 악수를 합니다. 그리고 아프리카의 마사이족은 상대방의 얼굴에 침을 뱉습니다. 이러한 인사법에는 서로 만났을 때의 반가움과 예절을 표현한다는 의미가 담겨 있습니다. 이를 통해 알 수 있는 사회·문화 현상의 특성은 무엇일까요?
> • 학생: 사회·문화 현상은 _____ (가) _____

① 확률의 원리가 지배합니다.
② 미래에 대한 예측이 불가능합니다.
③ 보편성과 특수성이 동시에 존재합니다.
④ 자연 현상과 독립적인 관계에 있습니다.
⑤ 시대에 따라 구체적인 모습이 달라집니다.

---

06 다음 신문 기사를 통해 추론할 수 있는 사회·문화 현상의 특성으로 적절한 것을 〈보기〉에서 고른 것은?

> ## ○○ 신문   2016. 1. 16.
>
> 32년 만에 지독한 한파가 기승을 부렸던 제주도에는 3일 동안 엄청난 폭설이 쏟아졌다. 계속되는 폭설과 강풍으로 비행기의 이착륙이 어려워지자 한국 공항 공사에서는 제주 공항의 운영 중단을 결정하였다. 제주 공항을 이용하고자 했던 승객들은 공항에서 대기하였고, 제주특별자치도청에서는 승객들에게 담요와 이불을 제공하는 등 대책 마련에 힘썼다.

보기
ㄱ. 반복과 재현이 불가능하다.
ㄴ. 일반적인 법칙 발견이 용이하다.
ㄷ. 자연 현상과 밀접하게 연관되어 있다.
ㄹ. 인간의 의지와 의도가 개입되어 나타난다.

① ㄱ, ㄴ   ② ㄱ, ㄷ   ③ ㄴ, ㄷ
④ ㄴ, ㄹ   ⑤ ㄷ, ㄹ

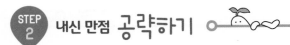

07 다음은 어느 공청회의 홍보물이다. 이와 관련된 사회 과학의 연구 경향으로 가장 적절한 것은?

> **성 불평등 현상 해결을 위한 공청회**
> • 일시: 2019년 3월 10일
> • 장소: ○○회관 대회의실
> • 발표 주제
> – 경제학자 A: 노동 시장에서의 성차별 연구
> – 사회학자 B: 가부장제적 사회 구조와 가족 제도 연구
> – 법학자 C: 성차별적 법 또는 성차별 개선을 위한 법 연구
> – 정치학자 D: 국회 의원, 고위 공직자의 성비 불평등 연구

① 개별 학문의 전문성을 중시한다.
② 가치 중립적인 입장에서 사회·문화 현상을 연구한다.
③ 자연 과학과 같은 방법으로 사회·문화 현상을 연구한다.
④ 복잡한 사회·문화 현상을 간학문적 관점에서 접근하여 연구한다.
⑤ 하나의 학문 영역을 통해 사회·문화 현상을 심층적으로 분석한다.

08 실업 문제를 바라보는 갑, 을의 관점에 대한 설명으로 옳은 것은?

> • 갑: 실업은 산업 구조 변화에 그 원인이 있습니다. 산업 구조의 중심이 섬유, 건설 등에서 반도체, 정보 기술(IT) 등과 같이 고용 창출 효과가 작은 산업으로 옮겨 갔기 때문입니다.
> • 을: 실업자가 주변 사람들과 상호 작용하면서 낙오자로 인식되는 과정에 초점을 두어야 합니다. 사회 구성원이 실업자를 낙오자로 바라보면 실업자는 자신을 스스로 낙오자로 인식하여 사회에 더욱더 적응하지 못하게 됩니다.

① 갑의 관점은 개인 간의 상호 작용에 초점을 둔다.
② 을의 관점은 사회 제도나 구조에 초점을 둔다.
③ 갑의 관점은 을의 관점과 달리 인간 행위에 담긴 의미에 주목한다.
④ 을의 관점은 갑의 관점과 달리 실업 문제에 관한 사회적 책임을 강조한다.
⑤ 갑은 거시적 관점, 을은 미시적 관점에서 실업 문제를 바라본다.

[09~10] 다음 글을 읽고 물음에 답하시오.

> 사회는 여러 가지 면에서 생물 유기체와 매우 유사하다. 따라서 사회를 더욱 잘 이해하려면 생물 유기체에서 볼 수 있는 질서와 발전의 논리를 사회의 발전에 적용하는 것이 바람직하다. 생물 유기체의 각 기관은 생존을 위해 존재하고, 생물 유기체의 소멸은 각 기관 혹은 부분의 소멸을 의미한다. 사회도 이와 마찬가지로 사회의 각 부분은 사회 전체의 질서와 통합을 위해 존재하며, 각자의 역할을 수행한다.

09 윗글에 나타난 사회·문화 현상을 바라보는 관점에 대한 설명으로 옳은 것은?

① 행위 주체인 개인이 부여하는 의미를 중시한다.
② 개인을 자율성을 지닌 능동적인 존재로 가정한다.
③ 사회적 희소가치를 둘러싼 집단 간 이해관계의 대립을 강조한다.
④ 사회 각 부분의 기능과 역할은 사회적으로 합의된 것이라고 본다.
⑤ 사회 구성 요소들이 불평등을 재생산하는 도구에 불과하다고 본다.

10 윗글에 나타난 사회·문화 현상을 바라보는 관점이 갖는 한계로 적절한 것을 〈보기〉에서 고른 것은?

> **보기**
> ㄱ. 혁명과 같은 급격한 사회 변동을 설명하기 어렵다.
> ㄴ. 사회에서 나타나는 협동과 조화의 현상을 경시한다.
> ㄷ. 지배 집단의 이익을 옹호하는 논리로 이용될 우려가 있다.
> ㄹ. 개인의 행위에 영향을 미치는 사회 구조나 제도와 같은 측면을 간과한다.

① ㄱ, ㄴ   ② ㄱ, ㄷ   ③ ㄴ, ㄷ
④ ㄴ, ㄹ   ⑤ ㄷ, ㄹ

11 다음 글에 나타난 사회·문화 현상을 바라보는 관점에 대한 옳은 설명을 〈보기〉에서 고른 것은?

> 학교에서 학생들은 학교가 시키는 대로 규칙을 따르고 공부를 하며, 이 과정에서 학생들은 권위에 복종하고 묵묵하게 규칙을 지키며 수직적인 위계질서를 자연스럽게 받아들이게 된다. 결국 학교는 지배 집단인 자본가의 명령에 순종하고 잘 따르는 노동자를 길러 내는 역할을 함으로써 사회의 불평등 구조를 재생산하는 데 이바지한다.

〈보기〉
ㄱ. 사회 변동의 불가피성을 강조한다.
ㄴ. 사회 구성원의 주관적인 상황 정의를 중시한다.
ㄷ. 사회 갈등과 대립을 사회 발전의 원동력이라고 본다.
ㄹ. 사회의 각 부분이 상호 유기적 관계를 맺고 있다고 본다.

① ㄱ, ㄴ   ② ㄱ, ㄷ   ③ ㄴ, ㄷ
④ ㄴ, ㄹ   ⑤ ㄷ, ㄹ

12 다음과 같은 관점에서 사회·문화 현상을 바라보는 사람이 갖는 견해로 가장 적절한 것은?

> 사회는 서로 대립하는 집단들로 구성되어 있다. 직업이나 소득 등 사회적 가치가 희소하여 모든 집단에 이익이 되는 사회 제도는 존재할 수 없으므로 갈등이 나타날 수밖에 없다. 사회의 안정과 유지는 지배 집단이 자신들의 기득권을 유지하는 데 유리한 규범이나 사회 제도 등을 통해 피지배 집단을 억압한 결과이다.

① 법은 사회 구성원의 합의를 반영하여 제정된다.
② 학교는 사회가 요구하는 지식과 가치관을 전수한다.
③ 축제에 참여한 사람들은 축제에 제각각의 의미를 부여한다.
④ 아동 학대 문제는 부모와 자녀 간의 왜곡된 상호 작용으로 나타난다.
⑤ 부와 권력을 가진 중년층이 사회적 역할에서 노인들을 배제함으로써 노인 소외 문제가 발생한다.

13 사회·문화 현상을 바라보는 갑, 을의 관점에 대한 옳은 설명을 〈보기〉에서 고른 것은?

> • 갑: 올림픽을 통해 세계 각국은 구성원들의 결속을 다질 수 있습니다. 특히 개최국 국민은 국제적인 행사를 치렀다는 자긍심을 갖게 되어 사회의 통합에 이바지합니다.
> • 을: 올림픽은 부유한 국가와 가난한 국가를 차별하는 대표적인 행사입니다. 게다가 개최국은 정치권력을 강화하고, 국민의 정치적 불만을 잠재우는 데 올림픽을 이용하고 있어요.

〈보기〉
ㄱ. 갑의 관점은 사회 안정보다 사회 변동을 강조한다.
ㄴ. 갑의 관점은 사회가 스스로 균형을 유지하려는 속성을 지닌다고 본다.
ㄷ. 을의 관점은 갈등을 사회의 본질적인 속성이라고 본다.
ㄹ. 을의 관점은 갑의 관점과 달리 행위자의 주체적 능동성을 강조한다.

① ㄱ, ㄴ   ② ㄱ, ㄷ   ③ ㄴ, ㄷ
④ ㄴ, ㄹ   ⑤ ㄷ, ㄹ

14 다음 글에 나타난 사회·문화 현상을 바라보는 관점에 부합하는 진술로 가장 적절한 것은?

> 사랑하는 사람들은 기념일에 빨간 장미 꽃다발을 주고받는다. 그 이유는 연인에게 빨간 장미는 단순히 꽃이 아니라 꽃말에 담겨 있는 열정적 사랑을 전하는 상징물이기 때문이다.

① 사회 갈등은 자연스러운 현상이다.
② 사회의 각 부분은 고유의 역할을 수행한다.
③ 사회 전체적으로 합의된 규범에 의해 사회 질서가 유지된다.
④ 사회·문화 현상을 이해하려면 사회 구조나 제도에 주목해야 한다.
⑤ 개인은 자신이 상황에 부여한 의미에 기초하여 사회적 상황에 반응한다.

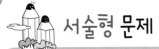 **서술형 문제**

● 정답친해 04쪽

15 (가), (나)에 나타난 사회·문화 현상을 바라보는 관점에 대한 옳은 설명을 〈보기〉에서 고른 것은?

> (가) 사회 규범은 전체 구성원의 이익과 사회의 원활한 작동을 위해 형성된다. 이러한 사회 규범의 내용과 의미는 사회 전체의 합의를 통해 규정된다.
> (나) 사회 규범은 대다수 구성원이 특정 행위에 규범이라는 의미를 부여함으로써 형성된다. 그들이 그 행위에 다른 의미를 부여하면 기존 규범은 역할을 상실하고 새로운 규범이 나타난다.

보기
- ㄱ. (가)의 관점은 사회 각 부분 간의 균형과 통합을 강조한다.
- ㄴ. (나)의 관점은 상징을 통한 개인 간 상호 작용을 중시한다.
- ㄷ. (가)의 관점은 (나)의 관점과 달리 사회 구조의 영향력을 간과한다는 비판을 받는다.
- ㄹ. (나)의 관점은 (가)의 관점과 달리 사회 각 부분의 관계를 지배와 피지배의 관계로 인식한다.

① ㄱ, ㄴ ② ㄱ, ㄷ ③ ㄴ, ㄷ
④ ㄴ, ㄹ ⑤ ㄷ, ㄹ

16 표는 사회·문화 현상을 바라보는 관점을 구분한 것이다. (가)~(다)에 대한 설명으로 옳지 않은 것은? (단, (가)~(다)는 각각 기능론, 갈등론, 상징적 상호 작용론 중 하나이다.)

구분	(가)	(나)	(다)
사회 구성원의 상황 정의를 중시하는가?	예	아니요	아니요
사회가 유기체와 유사한 특성을 지닌다고 보는가?	아니요	예	아니요

① (가)는 개인의 능동성을 중시한다.
② (나)는 사회를 구성하는 요소들이 상호 보완적 관계에 있다고 본다.
③ (다)는 사회 각 부분의 역할은 지배 집단의 이익을 위해 규정한 것이라고 본다.
④ (나)는 (가), (다)와 달리 인간이 의미를 추구하는 존재임을 전제한다.
⑤ (가)는 미시적 관점, (나), (다)는 거시적 관점에 해당한다.

01 다음 글을 읽고 물음에 답하시오.

> 남아메리카 아마존강 유역에 서식하는 ㉠ 분홍돌고래는 초음파를 이용해 먹이와 장애물의 위치를 감지한다. 분홍돌고래는 과거에는 강가로 나와 아이들과 어울리며 함께 친구가 될 정도로 친숙했으나 ㉡ 무분별한 사냥과 개발 때문에 현재는 멸종 위기에 처해 있다.

(1) 밑줄 친 ㉠, ㉡을 자연 현상과 사회·문화 현상으로 구분하여 쓰시오.

(2) ㉠과 구분되는 ㉡의 일반적인 특성을 두 가지 이상 서술하시오.

02 다음 글을 읽고 물음에 답하시오.

> 새끼손가락 하나라도 다치면 정상적인 활동에 지장이 생기듯이 사회에서도 시내버스 운전기사들의 파업으로 버스 운행이 중단되면 시민들은 불편함을 느낀다. 이처럼 사회의 어느 구성 요소라도 그 기능을 제대로 수행하지 못하면 사회 구조가 정상적으로 작동하기 어렵다. 하지만 다친 손가락에서 피가 흐르면 몸의 여러 기관이 작동해서 피를 멈추게 하고, 노사 협상을 통해 시내버스도 다시 운행하는 것처럼 사회 구조는 항상 균형을 향해 작동한다.

(1) 윗글에 나타난 사회·문화 현상을 바라보는 관점을 쓰시오.

(2) (1)의 장점과 한계를 각각 서술하시오.

STEP 3 1등급 정복하기

평가원 응용

1 밑줄 친 ㉠~㉣과 같은 현상의 일반적인 특성에 대한 질문에 모두 옳게 응답한 학생은?

> 전염성이 강한 AI 바이러스는 닭과 오리 등의 ㉠ 체내에 침투한 뒤 세포에 붙어 폐사에 이르게 해 농가에 막대한 피해를 주고 있다. 이에 국내 연구팀은 ㉡ SL이 조류의 체내에 침투한 AI 바이러스가 세포에 달라붙는 것을 막아 감염을 차단하는지를 확인하기 위해 동물 실험을 했다. 이 실험에서 닭에게 SL을 먹이면 AI 바이러스가 체내에 있는 ㉢ SL의 올리고당과 결합해 체외로 배출되는 결과를 확인했다. 이를 토대로 ㉣ 닭의 사료에 SL를 섞어 사육하면 AI 바이러스 감염과 확산을 예방할 수 있다고 발표했다.
>
> * AI: 조류 인플루엔자의 약자
> ** SL: 인체의 면역 성분인 시알릭락토스의 약자

질문 \ 학생	갑	을	병	정	무
㉠과 같은 현상은 존재 법칙을 따르는가?	×	○	○	○	×
㉡과 같은 현상은 동일 조건하에서 동일 현상이 발생하는가?	○	○	×	×	○
㉢과 같은 현상은 가치 판단이 가능한가?	×	×	○	○	×
㉣과 같은 현상은 보편성과 특수성이 공존하는가?	×	○	×	○	○

(○: 예, ×: 아니요)

① 갑   ② 을   ③ 병   ④ 정   ⑤ 무

▶ 자연 현상과 사회·문화 현상의 특성

완자샘의 시험 꿀팁

자연 현상과 사회·문화 현상의 특성을 비교하는 문제가 자주 출제된다. 제시된 현상을 인간의 의지나 가치가 개입되었는지 여부에 따라 자연 현상과 사회·문화 현상으로 구분할 수 있어야 한다.

2 다음 두 사례에서 공통으로 부각되는 사회·문화 현상의 특성으로 가장 적절한 것은?

> • ○○군에서 지역 경제 활성화를 위해 지역 축제를 기획하였으나 재정 부담을 이유로 반대 여론이 높았다. 우여곡절 끝에 시작된 축제는 그 지역을 배경으로 한 드라마의 큰 인기에 힘입어 관광객이 몰려든 덕분에 대성황을 이루었다.
> • 어떤 주식 전문가 몇 가지 자료를 제시하면서, △△ 회사의 주가가 이번 주에 상승할 것이라고 분석하였다. 이 분석에 따라 많은 사람들이 △△ 회사의 주식을 샀는데, 전 세계적으로 주가가 폭락하면서 △△ 회사의 주가 역시 크게 하락하였다.

① 경험적 관찰이 불가능하다.
② 인과 관계가 성립하지 않는다.
③ 개연성을 띠고 있어 정확한 예측이 어렵다.
④ 마땅히 따라야 한다는 당위 법칙이 적용된다.
⑤ 시대나 사회적 상황에 따라 다른 모습으로 나타난다.

▶ 사회·문화 현상의 특성

STEP 3 1등급 정복하기

[3~4] 표는 가족학의 연구 범위를 나타낸 것이다. 이를 보고 물음에 답하시오.

구분	(가) 관점	(나) 관점
이론적 연구	• 역사적·제도적 접근: 시기별로 가족의 형태 및 유형이 어떻게 변화하였는지 연구함 • 구조적·기능론적 접근: 사회 구조와 기능의 변화로 인해 나타나는 가족 문제의 양상에 관해 연구함	• 상호 작용적 접근: 가족 구성원 간의 관계에 초점을 두어 연구함 • 가족 발달적 접근: 가족 형성기, 확대기, 축소기에서의 가족 구성원의 역할 변화를 연구함
실제적 연구	• 법학: 가족 관계와 관련된 법률을 연구함 • 사회 복지학: 가족 정책과 복지의 실현에 관해 연구함	심리학 및 정신 의학: 개인의 심리적 문제와 가족 간의 상호 작용 연구를 통해 가족 문제의 치료 방안을 연구함

3 위 표에 나타난 사회 과학의 연구 경향에 부합하는 진술로 가장 적절한 것은?

① 가치 중립적인 연구 방법을 추구해야 한다.
② 자연 과학을 중심으로 사회 과학을 통합해야 한다.
③ 학문 간의 융합보다 개별 학문의 독자성을 중시해야 한다.
④ 각각의 학문 영역에 적합한 특정한 연구 대상이 존재한다.
⑤ 다양한 학문적 관점에서 사회·문화 현상을 총체적으로 파악해야 한다.

> 사회 과학의 연구 경향
>
> ┃ 완자 사전 ┃
>
> • 가치 중립
> 연구자가 주관적인 가치나 이해관계를 배제하고 객관적 증거에 따라 탐구하는 것

4 위 표의 (가), (나) 관점에 대한 설명으로 적절한 것을 〈보기〉에서 고른 것은?

┌ 보기 ┐
ㄱ. (가) 관점은 사회 구조에 대한 분석을 전제로 사회·문화 현상을 이해하고자 한다.
ㄴ. (나) 관점은 인간 행위의 자율성과 능동성을 강조한다.
ㄷ. (가) 관점은 사회 갈등과 대립을, (나) 관점은 사회 각 부분 간 균형과 통합을 중시한다.
ㄹ. 사회·문화 현상의 올바른 이해를 위해서는 (가), (나) 관점 중 한 가지만 선택하여 심층적으로 연구해야 한다.

① ㄱ, ㄴ   ② ㄱ, ㄷ   ③ ㄴ, ㄷ
④ ㄴ, ㄹ   ⑤ ㄷ, ㄹ

> 거시적 관점과 미시적 관점
>
> ┃ 완자 사전 ┃
>
> • 사회 구조
> 사회 구성원 간의 상호 관계를 맺는 방식이 정형화되어 안정된 틀을 이룬 상태

5 사회·문화 현상을 바라보는 갑~병의 관점에 대한 설명으로 옳은 것은?

사회·문화 현상을 바라보는 관점

> **완자샘의 시험 꿀팁**
> 동일한 사회·문화 현상이더라도 어떤 관점으로 바라보는가에 따라 다양하게 해석될 수 있으므로, 각 관점의 특징을 정확히 파악해 두어야 한다.

> • 갑: 성 불평등은 사회 전체의 조화와 균형을 이루기 위해 반드시 필요한 거야. 사회에는 남성이 수행해야 할 역할과 여성이 수행해야 할 역할이 따로 있어. 성 역할을 나누는 것은 합리적이고, 이 과정에서 성 불평등이 발생하게 되는 거지.
> • 을: 성 불평등은 사회적 자원과 권력 등이 남성과 여성 사이에 불평등하게 배분된 결과로 생긴 현상이야. 지금까지 남성들은 교육이나 제도 등을 통해 여성들에 대한 지배적인 위치를 항상 유지해 왔어.
> • 병: 성 불평등은 성별에 따른 역할 행동을 학습한 결과야. 아이들은 부모의 일상적인 행동과 상호 작용, 부모가 기대하는 역할을 통해 성 정체성을 형성해 가며, 그 과정에서 성 불평등이 발생해.

① 갑의 관점은 사회가 필연적으로 변화하며, 집단 간 갈등이 변화의 원동력이라고 본다.

② 을의 관점은 사회 구성원의 주관적 상황 정의에 기초한 상호 작용을 중시한다.

③ 병의 관점은 사회가 본질적으로 균형을 지향한다고 본다.

④ 갑의 관점은 을의 관점과 달리 기존의 질서나 권력관계 유지에 기여하는 보수적 관점이라는 비판을 받는다.

⑤ 을, 병의 관점은 갑의 관점과 달리 개인의 행위를 강제하는 사회 구조의 영향력을 중시한다.

평가원 응용

6 표는 질문 (가)~(다)를 통해 사회·문화 현상을 바라보는 관점 A~C를 구분한 것이다. 이에 대한 옳은 설명을 〈보기〉에서 고른 것은? (단, A~C는 각각 기능론, 갈등론, 상징적 상호 작용론 중 하나이다.)

사회·문화 현상을 바라보는 관점

> **완자샘의 시험 꿀팁**
> 사회·문화 현상을 바라보는 각 관점의 기본적인 입장을 질문을 통해 구분하는 문제가 자주 출제된다.

질문＼관점	A	B	C
(가)	예	아니요	예
(나)	아니요	㉠	㉡
(다)	아니요	예	아니요

* 단, 질문에 대해 '예' 또는 '아니요'로만 답변할 수 있다.

보기

ㄱ. (가)에는 '인간의 능동적 사고와 자율적 행위의 측면을 강조하는가?'가 적절하다.

ㄴ. (나)가 '사회 질서와 안정을 위한 행위자의 역할을 강조하는가?'이면, ㉠과 ㉡의 답변은 서로 다르다.

ㄷ. (다)에는 '개인의 행위를 초월한 사회 체계를 중시하는가?'가 적절하다.

ㄹ. A, B가 각각 기능론과 갈등론 중 하나라면, (다)에는 '사회 규범이 특정 집단의 합의에 의해 형성됩니까?'가 적절하다.

① ㄱ, ㄴ   ② ㄱ, ㄹ   ③ ㄴ, ㄷ

④ ㄴ, ㄹ   ⑤ ㄷ, ㄹ

02 사회·문화 현상의 탐구 방법

학 습 목 표

• 양적 연구 방법과 질적 연구 방법의 특성과 차이점을 비교할 수 있다.
• 다양한 자료 수집 방법의 유형과 특징을 설명할 수 있다.

이것이 핵심!

사회·문화 현상의 연구 방법

양적 연구 방법	질적 연구 방법
경험적 자료를 계량화하여 통계 분석 → 현상의 일반화된 법칙 도출	경험적 자료에 대한 연구자의 해석 → 인간 행위의 동기와 의미 파악

★ **경험적 자료**
연구자가 어떤 현상에 대하여 직접적인 관찰이나 조사를 통해 습득한 자료

★ **계량화**
어떤 현상의 특성이나 경향을 객관적인 수량으로 나타내는 것으로, 수치화라고도 함

★ **일반화**
개별적인 사례를 통해 알아낸 결론을 전체 사례로 확장하여 적용하는 과정

★ **직관적 통찰**
현상 전체에 담겨 있는 의미를 꿰뚫어 보는 것으로, 연구자의 지식과 판단 능력에 의존하여 감각적으로 현상의 의미를 파악하는 것

★ **감정 이입적 이해**
연구자가 연구 대상자의 처지가 되어 연구 대상자가 가질 수 있는 느낌이나 의도 등에 공감대를 형성하여 대상을 이해하는 것

① 사회·문화 현상의 연구 방법

1. 사회·문화 현상의 과학적 탐구

(1) **과학적 지식**: 사회·문화 현상을 엄격한 절차와 방법에 따라 체계적으로 분석하여 얻은 지식 ┐ 경험적 자료를 통해 증명한 것이므로 신뢰할 만하고 타당하다고 인정할 수 있어.

(2) **과학적 탐구의 필요성**: 편견에 근거한 지식은 사회·문화 현상을 정확히 인식하는 것을 어렵게 함 → 과학적 탐구를 통해 객관적이고 과학적인 지식을 쌓아야 함

2. 양적 연구 방법(실증적 연구 방법) 자료 ①

(1) **의미**: *경험적 자료를 *계량화하여 사회·문화 현상을 분석하는 방법

(2) **전제**: 사회·문화 현상도 자연 현상 연구와 동일한 방법으로 연구할 수 있다는 방법론적 일원론에 기초함 ┌ Qм? 사회·문화 현상도 일정한 원리나 규칙성에 따라 발생한다는 점에서 자연 현상과 본질적인 특성이 같다고 보기 때문이야.

(3) **목적**: 사회·문화 현상에 존재하는 일반적인 법칙을 발견하고자 함

(4) **연구 방법**: 개념의 조작적 정의를 통해 계량화된 자료를 수집함 → 수집한 자료를 통계 분석하여 인과 관계를 파악하고, 이를 토대로 하여 *일반화된 법칙을 끌어냄 자료 ②
┌ 꼭! 변수와 변수 간의 관계를 파악하고자 해.

(5) **장점과 한계**

장점	• 정확하고 정밀한 연구가 가능하며, 연구자의 가치나 이해관계가 개입될 가능성이 낮음 • 일반화나 인과 법칙 발견이 용이하여 사회·문화 현상을 설명하거나 예측할 수 있음
한계	• 계량화하기 어려운 인간의 주관적이고 정신적인 영역을 연구하는 데 제약이 있음 • 사회·문화 현상을 지나치게 단순화하고 기계적으로 인식함

└ 사회·문화 현상에 대한 피상적인 사실 파악에 그칠 우려가 있어.

3. 질적 연구 방법(해석적 연구 방법) 자료 ③

(1) **의미**: 연구자의 *직관적 통찰을 통해 사회·문화 현상의 의미를 해석하고 이해하려는 방법

(2) **전제**: 사회·문화 현상은 자연 현상과 본질적으로 다르므로 자연 현상 연구와 다른 방법으로 연구해야 한다는 방법론적 이원론에 기초함

(3) **목적**: 사회·문화 현상에 담긴 인간 행위의 동기와 의미를 파악하고자 함

(4) **연구 방법**

① 연구자의 경험과 지식, 직관적 통찰을 통해 인간 내면을 심층적으로 이해함

② 개인이 처한 상황이나 사회적 맥락에서 의미를 해석함 → *감정 이입적 이해 추구

③ 인간 행위의 의미를 깊이 탐구할 수 있는 비공식적인 자료를 중요하게 활용함
└ 예 일기, 대화록, 관찰 일지, 편지 등

(5) **장점과 한계**

장점	• 계량화하기 어려운 영역을 연구할 수 있음 • 겉으로 드러난 행위 이면에 담긴 의미를 심층적으로 이해하는 데 유용함
한계	• 연구자의 주관이 개입될 소지가 있어 연구의 객관성에 대한 문제 제기를 받을 수 있음 • 연구 결과를 일반화하기 어려움

4. 양적 연구 방법과 질적 연구 방법의 상호 보완

(1) **필요성**: 양적 연구 방법과 질적 연구 방법은 각각 장단점이 있어 어느 한쪽이 더 우월하다고 볼 수 없음

(2) **상호 보완적 활용**: 두 연구 방법을 상호 보완적으로 활용할 경우 사회·문화 현상에 대한 객관적 분석 및 심층적 이해가 모두 가능해지므로 현상을 보다 정확히 파악할 수 있음

완자 자료 탐구 내 옆의 선생님

자료 ① 양적 연구 방법의 사례

연구 주제	부모와 자녀의 친밀도가 자녀의 스마트폰 중독에 어떤 영향을 미칠까?
연구 방법	• 개념의 조작적 정의: 부모와 자녀의 친밀도는 '하루 평균 가족과 대면하여 대화하는 시간'으로, 스마트폰 중독은 '스마트폰을 하루 평균 5시간 이상 사용하는 정도'로 나타낸다. • 조사 대상: 전국에서 선정된 고등학생 1,000명 • 조사 방법: 조사 대상에게 설문 조사지를 배포하여 자료를 조사하고, 이를 점수화한다.
자료 분석	수집한 자료를 분류하고, 계량화된 자료에 대한 통계 분석을 수행한다.
결론	부모와 자녀의 친밀도가 낮을수록 자녀의 스마트폰 중독이 심화한다는 결론을 내렸다.

제시된 사례에서는 부모와 자녀의 친밀도와 자녀의 스마트폰 중독 정도 간의 관계를 계량화하여 통계 분석하는 양적 연구 방법이 사용되었다. 양적 연구 방법은 계량화된 자료를 바탕으로 연구를 수행하므로 정확하고 정밀한 연구가 가능하다. 반면 인간 행위의 주관적인 측면에 대한 깊이 있는 이해가 어렵다는 한계가 있다.

자료 ② 개념의 조작적 정의

• 학업 성취도를 중간고사와 기말고사 성적으로 정의한다.
• 경제 성장을 1인당 국내 총생산(GDP)의 증가로 정의한다.
• 자녀의 학업 의욕을 일주일 동안 자녀가 스스로 학습한 시간으로 정의한다.

제시된 사례에서처럼 추상적인 개념을 측정 가능하도록 계량화된 지표로 바꾸는 과정을 개념의 조작적 정의라고 한다. 양적 연구 방법에서는 개념의 조작적 정의에 의해 수치화한 자료를 수집하여 통계 기법을 활용하여 분석하며, 이 과정을 거치면서 일반화된 지식과 인과 법칙을 발견할 수 있다.

자료 ③ 질적 연구 방법의 사례

연구자 갑은 놀이를 이용한 아동의 심리 치료에서 활용되는 보드게임이 치료 도구로서 가치가 있는지 알아보기로 하였다. 이를 위해 갑은 놀이 치료 경험이 10년 이상인 놀이 치료자 17명을 만나 심층적으로 대화를 나누면서 보드게임 사용과 관련한 그들의 경험과 생각을 알아보았다. 또한 보드게임을 통한 놀이 치료 과정을 직접 관찰하면서 보드게임 활용의 효과를 파악하였다. 갑은 자료 분석 결과를 토대로 보드게임의 활용이 아동의 심리 치료에 효과가 있다는 근거를 확보하고, 보드게임을 활용할 때 겪는 어려움과 그에 따른 대처 방안을 파악할 수 있었다.

제시된 사례에서 갑은 아동 심리 치료에서의 보드게임 활용이 효과가 있는지 파악하기 위해 놀이 치료자들을 대상으로 심층 면접하고, 놀이 치료 과정에 직접 참여하여 관찰하는 질적 연구를 수행하고 있다. 질적 연구 방법에서는 연구자의 직관적 통찰을 통해 인간의 내면을 심층적으로 이해하고자 하며, 연구 대상의 관점에서 현상을 이해하기 위해 감정 이입적 이해를 추구한다. 이처럼 질적 연구 방법은 계량화하기 어려운 영역을 탐구할 수 있고, 연구 대상을 심층적으로 이해할 수 있다. 하지만 연구 과정에서 연구자의 주관이 개입될 가능성이 크고, 연구 결과를 일반화하기 어렵다는 한계가 있다.

자료 하나 더 알고 가자!

방법론적 일원론과 방법론적 이원론

방법론적 일원론	사회·문화 현상은 자연 현상과 같이 내재된 법칙이 있으므로, 자연 과학과 동일한 방법으로 연구해야 한다는 입장
방법론적 이원론	사회·문화 현상은 자연 현상과 본질적으로 다르므로, 자연 과학과는 다른 방법으로 연구해야 한다는 입장

정리 비법을 알려줄게!

양적 연구 방법과 질적 연구 방법

구분	양적 연구 방법	질적 연구 방법
의미	경험적 자료를 계량화하여 현상 분석	연구자의 직관적 통찰을 통해 현상의 의미 해석
장점	정확한 연구 가능, 법칙 발견 용이	현상의 의미를 심층적으로 이해
한계	계량화하기 어려운 영역에 대한 탐구 곤란	연구자의 주관 개입 우려, 일반화 곤란

문제 로 확인할까?

양적 연구 방법과 비교하여 질적 연구 방법이 갖는 상대적 특징으로 가장 적절한 것은?
① 통계적 분석
② 법칙의 발견
③ 실증적 연구
④ 직관적 통찰
⑤ 자료의 계량화

⑦ 📖

02 사회·문화 현상의 탐구 방법

이것이 핵심!

다양한 자료 수집 방법

질문지법	조사 내용을 질문지로 구성하고 연구 대상자의 답변을 얻어 자료를 수집함
실험법	가상 상황을 설정하여 인위적인 자극을 주고 그 변화를 관찰하여 자료를 수집함
면접법	연구 대상자와 대화하면서 질문을 통해 얻은 응답을 바탕으로 자료를 수집함
참여 관찰법	연구 대상자와 함께 생활하면서 관찰을 통해 자료를 수집함
문헌 연구법	기존의 연구 결과물, 통계 자료 등을 활용하여 자료를 수집함

★ **자료의 구분**
- 1차 자료: 연구 진행 과정에서 연구 목적에 따라 연구 대상에게서 직접 구한 원자료
- 2차 자료: 기존의 자료를 활용하여 연구자가 자신의 연구 목적에 따라 새롭게 구성한 자료

★ **모집단**
연구 대상이 되는 집단 전체

★ **표본**
모집단 중 실제 조사를 위해 선택한 대상자 집단

★ **독립 변수**
인위적인 자극이 된 변수로 인과 관계에서 원인으로 작용함

★ **종속 변수**
독립 변수의 영향을 받아 변화하는 변수

② 다양한 자료 수집 방법

VS 질문지법과 실험법은 주로 양적 연구 방법에서, 면접법과 참여 관찰법은 주로 질적 연구 방법에서 사용돼.

1. 질문지법 (자료④)

의미	조사 내용을 질문지로 구성한 후 연구 대상자에게 답변을 얻어 자료를 수집하는 방법
특징	구조화된 자료 수집 방법으로, 통계 분석을 위한 양적 자료를 수집할 때 활용함
연구 방법	일반적으로 모집단을 대표할 수 있는 표본을 선정하여 자료를 수집함
장점	• 비교적 짧은 시간에 다수의 대상자에게서 자료를 얻을 수 있음 • 조사 결과의 통계적인 분석과 비교 분석이 용이함
단점	• 문맹자에게 활용하기 어려움 • 연구 대상자가 무성의하게 응답하거나 질문지 회수율이 낮으면 자료의 신뢰도가 떨어질 수 있음

2. 실험법 (자료⑤)

VS 실험 집단은 인위적인 자극을 가한 집단이고, 그러한 자극이 가해지지 않은 집단을 통제 집단이라고 해.

의미	가상의 상황을 설정하여 인위적인 자극을 주고 그에 따른 변화를 관찰하여 자료를 수집하는 방법
연구 방법	동일한 조건의 연구 대상을 실험 집단과 통제 집단으로 나누고, 실험 집단에 인위적인 자극을 가한 후 그 자극에 따른 변화를 통제 집단과 비교하여 파악함
장점	독립 변수와 종속 변수 간의 인과 관계를 비교적 정확히 파악할 수 있음 → 가설 검증을 통해 일반적인 법칙을 찾아내는 데 유리함
단점	• 인간을 실험 대상으로 하므로 윤리적인 문제가 발생할 수 있음 • 완벽히 통제된 실험이 어려움

Q에? 실험에 영향을 주는 외부 변수의 개입을 통제하기 어렵기 때문이야.

3. 면접법

의미	연구자가 연구 대상자와 대화하면서 질문을 통해 얻은 응답을 바탕으로 자료를 수집하는 방법
특징	심층적인 조사를 위해 소수를 대상으로 함
장점	• 문맹자에게도 실시할 수 있음 • 무성의한 응답이나 악의적인 응답을 줄일 수 있음 • 추가 질문을 할 수 있어 심층적인 자료 수집이 가능함
단점	• 시간과 비용이 많이 드는 편임 • 연구자의 편견이나 주관적 가치가 개입할 소지가 있음

4. 참여 관찰법 (교과서 자료)

의미	연구자가 연구 대상자와 함께 생활하거나 연구 대상 집단에 직접 참여하여 현상을 보고 듣고 느끼면서 자료를 수집하는 방법
장점	• 연구 대상자의 행동을 직접 관찰하고 대화한 내용을 기록하므로 자료의 실제성이 높음 • 생동감 있고 깊이 있는 자료를 수집할 수 있음 • 의사소통이 어려운 사람이나 집단을 조사할 때 유용함
단점	• 관찰하고자 하는 현상이 나타날 때까지 기다려야 하므로 시간과 비용이 많이 드는 편임 • 예상치 못한 돌발 상황이 발생할 경우 통제가 어려움 • 연구 대상자가 연구자를 의식해 평소와 다르게 행동하면 정확한 자료를 수집하기 어려움 • 연구자의 편견이나 주관적 가치가 개입할 소지가 있음

5. 문헌 연구법

의미	기존의 연구 결과물이나 통계 자료, 기록물 등을 참고하여 2차 자료를 수집하는 방법
특징	최근 연구 동향이나 현재까지의 연구 성과를 살펴본다는 점에서 모든 연구의 기초가 되기도 함
장점	• 시·공간적 제약을 극복하여 자료를 수집할 수 있음 • 직접 조사하는 것보다 시간과 비용을 절약할 수 있음
단점	• 문헌의 신뢰도에 문제가 있으면 연구 자체에 문제가 생길 수 있음 • 문헌을 해석하는 과정에서 연구자의 주관이 개입될 수 있음

자료 ④ 질문지법

꿀! 일반적으로 모든 연구 대상자에게 제시되는 질문은 똑같은 형식과 내용, 순서로 구성되어 있어서 질문지법은 구조화된 자료 수집 방법에 해당해.

1. 귀하의 인터넷 이용 시간은 얼마나 됩니까?
① 1시간 미만   ② 1시간 이상~2시간 미만
③ 3시간 이상
2. 귀하는 게임이나 검색을 즐겨하십니까?
① 예   ② 아니요
3. 청소년의 게임 중독이 사회 문제가 되고 있습니다. 청소년의 게임 접속 시간을 제한하는 것에 찬성하십니까?
① 예   ② 아니요

질문지법에서는 묻고자 하는 것을 응답자들이 쉽게 이해하고 정확하게 답변할 수 있도록 질문지를 작성하는 것이 중요하다. 제시된 질문지에서 1번 문항은 2시간 이상~3시간 미만이 선택할 응답 항목이 없으므로 포괄성을 갖추지 못했으며, 2번 문항은 게임이나 검색의 두 가지 내용을 한 문항에서 묻고 있다. 그리고 3번 문항은 특정 응답을 유도하거나 가치를 개입한 내용을 넣어 질문하고 있다는 점에서 문제가 있다.

자료 ⑤ 실험법

연구자 갑은 어린아이들의 '협동적 작품 만들기' 활동 경험이 사회성 발달에 미치는 영향을 알아보기 위해 연구를 시작하였다. 만 5세 어린이 40명을 대상으로 하여 A반 어린이 20명에게는 서로 협동하여 작품을 만들게 하였고, B반 어린이 20명은 그러한 활동을 시키지 않으면서 평소와 같이 유치원 생활을 하도록 하였다. 일정 시간이 지난 후 두 어린이 집단의 사회적 행동을 비교한 결과 실험 집단과 통제 집단 간 사회적 행동에 유의미한 차이가 있었다.

제시된 연구에서 협동적 작품 만들기는 독립 변수, 사회성 발달은 종속 변수이다. 그리고 서로 협동하여 작품을 만든 A반은 실험 집단, 그렇지 않은 B반은 통제 집단이다. 실험법을 사용할 때 연구자는 독립 변수 이외에 다른 변수가 종속 변수에 영향을 미치지 않도록 실험 집단과 통제 집단이 어느 정도 동질적인 특성을 가지도록 구성해야 한다.

수능이 보이는 교과서 자료 참여 관찰법

한 연구자는 현대 사회의 폐쇄된 공간에서 정형화된 유아 교육을 받는 유아들에게 자연 속에서 뛰어노는 '자연 놀이'의 경험이 갖는 의미를 알아보고자 1년간 매주 3회씩 한 어린이집을 방문하여 유아들의 생활을 관찰하였다. 연구자는 유아들의 자연 놀이 활동에 참여하여 활동 모습을 녹화하고, 관찰한 바를 공책에 기록하였다. 관찰의 결과, 연구자는 자연 놀이의 경험이 유아들에게는 '탐색과 발견의 경험'이고 '상상과 창조의 경험'이라고 결론 내렸다.

제시된 사례에서는 연구자가 직접 연구 대상과 함께 생활하면서 관찰을 통해 자료를 수집하는 참여 관찰법이 사용되었다. 참여 관찰법은 의사소통이 어려운 집단을 조사할 때 유용하고, 현장에서 생생한 자료를 얻을 수 있다. 그러나 연구 대상이 연구자의 의도를 알게 되면 평소와 다른 행동이 나타나 정확한 자료 수집이 어려울 수 있으며, 연구자의 주관이나 편견이 개입될 우려도 크다.

자료 하나 더 알고 가자!

질문지 작성 시 유의 사항

• 한 문항에는 한 가지 질문만 해야 한다.
• 응답 가능한 모든 보기를 제시해야 한다.
• 응답 보기 간에 중복된 내용이 없어야 한다.
• 특정 응답을 유도하는 질문을 하지 않아야 한다.
• 묻는 내용이 명료하지 않아서 응답에 혼란을 주어서는 안 된다.

문제로 확인할까?

실험법의 일반적인 특징으로 옳은 것은?
① 자료의 실제성이 보장된다.
② 질적 연구에서 주로 사용된다.
③ 2차 자료를 수집하는 방법이다.
④ 연구자의 편견이 개입될 가능성이 크다.
⑤ 변수 간의 관계를 비교적 정확히 파악할 수 있다.

⑤ 답

완자쌤의 탐구 강의

• 유아를 대상으로 하는 연구에서 참여 관찰법이 유용한 이유를 써 보자.
연구 대상의 행동을 직접 관찰하므로, 언어적 의사소통이 어려운 유아에게서도 자료를 수집할 수 있다.

• 연구자가 활용한 자료 수집 방법에서 유의해야 할 점을 서술해 보자.
연구자의 행동이 연구 대상에 영향을 끼쳐 연구 목적에 부합하는 정확한 자료 수집을 방해하지 않도록 해야 한다.

함께 보기 29쪽, 내신 만점 공략하기 12

STEP 1 핵심 개념 확인하기

1 다음 빈칸에 들어갈 내용을 쓰시오.

(1) (　　　　) 연구 방법에서는 개념의 조작적 정의 과정을 중시한다.

(2) (　　　　) 연구 방법은 연구자의 직관적 통찰을 통해 인간 행위의 이면을 이해하려고 한다.

2 다음 내용이 양적 연구 방법에 해당하면 '양', 질적 연구 방법에 해당하면 '질'이라고 쓰시오.

(1) 일반적인 법칙 발견이 용이하다. (　　　)

(2) 객관적이고 정밀한 연구가 가능하다. (　　　)

(3) 연구자의 주관이 개입될 우려가 있다. (　　　)

(4) 사회·문화 현상이 자연 현상과 본질적으로 다르다고 전제한다. (　　　)

3 다음 설명이 맞으면 ○표, 틀리면 ×표를 하시오.

(1) 면접법은 다수의 응답자를 대상으로 하기에 적절하다. (　　　)

(2) 실험법은 연구자의 주관적 가치가 개입될 가능성이 크다. (　　　)

(3) 문헌 연구법은 시간과 공간의 제약을 뛰어넘는 자료 수집이 가능하다. (　　　)

4 ㉠, ㉡에 들어갈 내용을 각각 쓰시오.

실험법에서 인위적인 자극이 된 변수를 (㉠　　　)라고 하며, 그 영향을 받아 변화하는 변수를 (㉡　　　)라고 한다.

5 다음 괄호 안의 내용 중 알맞은 말에 ○표를 하시오.

(1) (면접법, 질문지법)은 문맹자를 대상으로 자료를 수집할 수 있다.

(2) (문헌 연구법, 참여 관찰법)은 실제성이 높은 자료를 수집하기 용이하다.

(3) (질문지법, 참여 관찰법)은 통계 분석을 위한 양적 자료를 수집하는 데 유리하다.

STEP 2 내신 만점 공략하기

01 다음 주장에 근거한 사회·문화 현상의 연구 방법에 대한 옳은 설명을 〈보기〉에서 고른 것은?

자연 현상에 대한 우리의 지식은 항상 외부로부터 온다. 우리는 단지 그 현상을 관찰하고 법칙을 발견할 뿐이다. 사회·문화 현상도 마찬가지이다. 사회·문화 현상은 자연 현상과 본질적으로 다르지 않으므로 동일한 연구 방법을 적용해야 한다.

보기

ㄱ. 일반적인 법칙 발견을 목적으로 한다.
ㄴ. 연구자의 감정 이입적 이해를 중시한다.
ㄷ. 변수와 변수 간의 관계를 파악하고자 한다.
ㄹ. 계량화하기 어려운 영역의 연구에 적합하다.

① ㄱ, ㄴ　　② ㄱ, ㄷ　　③ ㄴ, ㄷ
④ ㄴ, ㄹ　　⑤ ㄷ, ㄹ

02 다음에서 사용된 사회·문화 현상의 연구 방법에 대한 설명으로 옳지 않은 것은?

연구 주제	청소년의 이성 교제 여부와 학교 적응의 관계
연구 목적	청소년의 학교 적응을 위한 교육 방안 모색
연구 설계	• 연구 대상: 이성 교제 경험이 있는 중고생 300명(남 150명, 여 150명), 이성 교제 경험이 없는 중고생 300명(남 150명, 여 150명) • 조사 방법: 학교 적응 관계를 학교생활 적응, 학교 친구 적응, 학교 교사 적응, 학교 수업 적응으로 구체화하고, 이를 측정할 수 있게 개발된 질문지를 활용하여 600명의 학생을 조사하고 각각을 100점 만점으로 점수화함

① 방법론적 일원론에 기초한다.
② 개념의 조작적 정의 과정을 거친다.
③ 수집한 자료를 통계적으로 분석한다.
④ 경험적 자료의 분석을 통한 일반화가 용이하다.
⑤ 연구자의 직관적 통찰을 통해 현상의 의미를 파악한다.

[03~04] 다음 글을 읽고 물음에 답하시오.

> 이 연구 방법은 사회·문화 현상이 주관적 가치와 행위의 동기를 가진 인간에 의해 만들어진다는 점을 강조한다. 사회·문화 현상은 개별적인 상황 맥락 속에서만 의미가 있고, 규칙성을 발견하기 어려우며, 통계 분석을 통해 의미를 찾는 것이 적절하지 않다. 따라서 이 연구 방법은 사회·문화 현상의 연구에 자연 과학적인 연구 방법을 적용해서는 안 된다고 본다.

03 밑줄 친 '이 연구 방법'에 대한 옳은 설명을 〈보기〉에서 고른 것은?

┌─ 보기 ─────────────────────────────
ㄱ. 연구자의 직관적 통찰을 중시한다.
ㄴ. 행위 이면의 의미 파악을 강조한다.
ㄷ. 일반화나 인과 법칙 발견이 용이하다.
ㄹ. 사회·문화 현상을 행위자의 동기나 가치로부터 엄격히 분리하여 연구한다.
└──────────────────────────────────

① ㄱ, ㄴ   ② ㄱ, ㄷ   ③ ㄴ, ㄷ
④ ㄴ, ㄹ   ⑤ ㄷ, ㄹ

04 밑줄 친 '이 연구 방법'을 적용할 수 있는 연구 주제로 가장 적절한 것은?

① 한국과 중국의 경제 성장률을 비교한다.
② 부모의 소득 수준과 자녀 성적 간의 관계를 파악한다.
③ 여성의 경제 활동 참가율과 합계 출산율 간의 관계를 파악한다.
④ 비행 청소년이 일탈 행동을 반복하게 되는 동기를 파악한다.
⑤ 정규직 근로자와 비정규직 근로자의 임금 격차를 비교한다.

05 다음에서 사용된 사회·문화 현상의 연구 방법이 갖는 한계로 가장 적절한 것은?

> 연구자 갑은 스마트폰에 중독된 고등학생의 학교생활에서 나타나는 중독 양상을 알아보기로 하고, 스마트폰에 중독된 ○○ 고등학교 학생 3명을 대상으로 3개월간 연구를 수행하였다. 학교 수업 시간과 같이 스마트폰을 사용하지 못하는 환경에서 나타나는 연구 대상자들의 행동을 관찰하면서 필요한 장면을 녹화하고, 관찰 과정에서 연구 대상자의 행동에 특이한 사항이 발견되면 방과 후에 면담을 시행하여 그러한 행동을 하는 동기나 목적 등을 알아보았다.

① 피상적인 사실 파악에만 그친다.
② 현상을 지나치게 단순화하여 기계적으로 인식한다.
③ 행위 주체인 연구 대상자의 주관적 의도가 배제된다.
④ 인간의 주관적인 영역에 대한 심층적인 이해가 곤란하다.
⑤ 자료를 분석하는 과정에서 연구자의 편견이 개입될 수 있다.

☆중요
06 사회·문화 현상의 연구 방법 (가), (나)에 대한 옳은 설명을 〈보기〉에서 고른 것은?

연구 주제	청소년의 봉사 활동 실태 연구	
연구 방법	(가)	(나)
연구 설계	A 학교의 학생 300명을 대상으로 봉사 활동 여부, 평균 봉사 활동 시간 등을 설문 조사를 통해 파악함	A 학교의 학생 5명을 만나 심층적인 대화를 통해 봉사 활동이 그들에게 어떤 의미를 갖는지 파악함

┌─ 보기 ─────────────────────────────
ㄱ. (가)는 연구자의 주관이 개입될 가능성이 크다.
ㄴ. (나)는 객관적이고 정밀한 연구에 적합하다.
ㄷ. (가)는 (나)에 비해 현상에 대한 예측이 용이하다.
ㄹ. (가)는 방법론적 일원론, (나)는 방법론적 이원론에 기초한다.
└──────────────────────────────────

① ㄱ, ㄴ   ② ㄱ, ㄷ   ③ ㄴ, ㄷ
④ ㄴ, ㄹ   ⑤ ㄷ, ㄹ

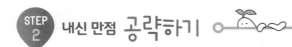

07 (가)에 들어갈 내용으로 가장 적절한 것은?

> 양적 연구 방법은 일반화된 법칙 발견에는 유리하지만 인간의 내면에 담긴 의미를 이해하기는 어렵다. 반면 질적 연구 방법은 사회·문화 현상의 의미를 심층적으로 이해할 수 있으나 객관적인 법칙을 발견하기 어렵다. 따라서 사회·문화 현상에 대한 전체적인 경향을 발견하고, 그러한 경향을 만들어 내는 행위자에 대해 심층적으로 이해하기 위해서는 _____ (가)

① 추상적 개념을 측정 가능하도록 조작해야 한다.
② 연구 과정에서 연구자의 주관적인 가치를 완전히 배제해야 한다.
③ 양적 연구 방법과 질적 연구 방법을 상호 보완적으로 활용해야 한다.
④ 자연 과학적 연구 방법을 통해서만 사회·문화 현상을 탐구해야 한다.
⑤ 양적 연구 방법과 질적 연구 방법 중 한 가지만을 선택해서 사용해야 한다.

08 다음 연구에서 사용된 자료 수집 방법의 일반적인 특징으로 옳은 것은?

> ○○ 기업은 회사생활에 대한 만족도를 조사하기 위하여 직원들에게 설문 조사를 실시하였다. 성별, 연령별, 직책별로 적절한 비율의 직원을 선정한 후 질문지를 배포하여 직접 답변을 기재하게 하였으며, 일정한 장소에 질문지 수거함을 마련하여 이를 수거하였다.

① 시간과 비용이 많이 든다.
② 연구자의 주관이 개입될 가능성이 크다.
③ 글을 모르는 사람에게도 실시할 수 있다.
④ 다수를 대상으로 자료를 수집하기 용이하다.
⑤ 연구 대상자로부터 심층적인 정보를 얻을 수 있다.

09 밑줄 친 ㉠~㉣에 대한 설명으로 옳지 않은 것은?

> ㉠ 본 연구는 어린아이들의 ㉡ 협동적 작품 만들기 활동 경험이 ㉢ 사회성 발달에 미치는 영향을 알아보는 것을 목적으로 한다. 이 연구를 위해 ㉣ 만 5세 어린이 40명을 대상으로 하여 ㉤ A반 어린이 20명에게는 서로 협동하여 작품을 만들게 하였고, ㉥ B반 어린이 20명은 그러한 활동을 시키지 않으면서 평소와 같이 유치원 생활을 하도록 하였다. 일정 시간이 지난 후 두 어린이 집단의 사회성 발달 정도를 측정하여 ㉦ 점수화한 결과 두 집단 간 사회적 행동에 유의미한 차이가 나타난다는 점을 확인하였다.

① ㉠은 변수 간의 관계 파악에 용이한 자료 수집 방법을 사용하였다.
② ㉡은 독립 변수, ㉢은 종속 변수이다.
③ ㉣은 모집단이다.
④ ㉤은 실험 집단, ㉥은 통제 집단이다.
⑤ ㉦은 1차 자료이다.

10 자료 수집 방법 (가), (나)의 일반적인 특징에 대한 설명으로 옳은 것은?

> (가) 가상의 상황을 설정하여 인위적인 자극을 주고 그에 따른 행동이나 태도 등의 변화를 관찰하여 자료를 수집한다.
> (나) 연구자가 연구 대상과 대화하면서 질문을 통해 얻은 응답을 바탕으로 자료를 수집하는 방법으로, 수집하고자 하는 현상과 직접 관련 있는 사람을 연구 대상으로 선정한다.

① (가)는 일상생활을 심층적으로 파악하기 용이하다.
② (나)는 무성의하거나 악의적인 응답을 줄일 수 있다.
③ (가)는 (나)에 비해 연구자의 주관적 가치가 개입되기 쉽다.
④ (나)는 (가)와 달리 구조화된 자료 수집 방법에 해당한다.
⑤ (가), (나) 모두 질적 연구에서 주로 활용된다.

11 다음 연구에서 사용된 자료 수집 방법의 일반적인 특징에 대한 옳은 설명을 〈보기〉에서 고른 것은?

> 누리 소통망(SNS)을 활용하는 청소년과의 면담을 통해 누리 소통망을 어떻게 활용하며 그 과정에서 무엇을 느끼고 생각하는지 등에 관한 대화를 나눔으로써 누리 소통망의 활용이 청소년의 행복한 삶에 어떤 의미가 있는지 알아보았다.

〈보기〉
ㄱ. 문맹자에게도 실시할 수 있다.
ㄴ. 연구자의 편견이 개입될 수 있다.
ㄷ. 비교적 짧은 시간에 대량의 자료를 수집할 수 있다.
ㄹ. 수집한 자료의 통계적인 분석과 비교 분석이 용이하다.

① ㄱ, ㄴ   ② ㄱ, ㄷ   ③ ㄴ, ㄷ
④ ㄴ, ㄹ   ⑤ ㄷ, ㄹ

12 다음 연구에서 사용된 자료 수집 방법의 일반적인 특징으로 옳은 것은?

> 연구자 갑은 유아들에게 자연 속에서 뛰어노는 '자연 놀이'의 경험이 어떤 의미를 지니는지 알아보고자 1년간 매주 3회씩 한 어린이집을 방문하여 3~4세 유아 40명을 관찰하였다. 갑은 유아들의 자연 놀이 활동에 참여하여 활동 모습을 녹화하기도 하고, 관찰한 바를 공책에 기록하기도 하였다. 관찰의 결과, 갑은 자연 놀이의 경험이 유아들에게는 '탐색과 발견의 경험'이고 '상상과 창조의 경험'이라고 결론 내렸다.

① 시간과 비용을 절약할 수 있다.
② 언어를 매개로 한 상호 작용이 필수적이다.
③ 예상치 못한 상황에 대한 통제가 용이하다.
④ 실제성이 높은 생생한 자료를 수집하기 용이하다.
⑤ 자료 해석 시 연구자의 주관을 배제하기 용이하다.

13 다음 사례를 통해 알 수 있는 참여 관찰법의 한계로 가장 적절한 것은?

> 연구자 갑은 초등학생의 갈등 대처 방식을 알아보기 위해 참여 관찰법을 활용하여 자료를 수집하기로 하였다. 갑은 초등학교 교사와 학생들에게 이 연구 활동의 취지를 숨김없이 이야기하고, 두 달 동안 ○○ 초등학교 학생들의 생활을 관찰하였다. 초등학교에서 발생한 친구끼리의 다툼은 예상보다 적었고, 몸싸움보다는 말다툼으로 끝나는 경우가 많았다. 연구가 끝나고 나서 초등학교 교사는 갑에게 연구 진행 동안 평소와 달리 아이들이 더 얌전해지고 말을 잘 들어 편하였다고 고마움을 표시하였다.

① 표본 확보가 어렵다.
② 시간과 비용이 많이 든다.
③ 심층적인 자료를 얻기 어렵다.
④ 윤리적인 문제가 발생될 소지가 많다.
⑤ 연구자의 개입이 연구 대상에게 영향을 미칠 경우 정확한 자료 수집이 어려워진다.

14 다음 연구에 대한 옳은 설명을 〈보기〉에서 고른 것은?

> 연구자 갑은 청소년의 온라인 게임 중독 실태를 알아보기로 하였다. 우선 청소년 500명을 대상으로 설문 조사를 하여 온라인 게임 이용에 대한 일반적 현황 및 다양한 배경적 요인을 파악하였다. 그리고 하루에 세 시간 이상 게임을 하는 청소년 3명을 선정하여 그들과 함께 게임하면서 게임상에서 그들의 대화 내용이나 인간관계 등을 깊이 파악하였다.

〈보기〉
ㄱ. 양적 자료와 질적 자료를 모두 수집하였다.
ㄴ. 자료 수집 방법으로 문헌 연구법을 사용하였다.
ㄷ. 실제성이 높은 현장 자료를 얻기 유용한 자료 수집 방법이 사용되었다.
ㄹ. 인위적으로 통제된 상황에서 변수의 변화를 관찰하는 자료 수집 방법이 사용되었다.

① ㄱ, ㄴ   ② ㄱ, ㄷ   ③ ㄴ, ㄷ
④ ㄴ, ㄹ   ⑤ ㄷ, ㄹ

15 다음 연구에서 사용된 자료 수집 방법의 일반적인 특징에 대한 옳은 설명을 〈보기〉에서 고른 것은?

- 연구 주제: 우리나라의 저출산 현황 및 극복 방안 연구
- 자료 수집 방법: 통계청 누리집에서 우리나라의 합계 출산율 추이를 찾아보고, 저출산 문제에 대응하는 다른 나라의 사례를 연구한 논문을 조사하였다.

〈보기〉
ㄱ. 시·공간적 제약을 적게 받는다.
ㄴ. 자료의 실제성을 확보할 수 있다.
ㄷ. 1차 자료를 수집하는 데 사용된다.
ㄹ. 기존 연구의 경향성 파악에 용이하다.

① ㄱ, ㄴ   ② ㄱ, ㄹ   ③ ㄴ, ㄷ
④ ㄴ, ㄹ   ⑤ ㄷ, ㄹ

16 자료 수집 방법 A~C에 대한 설명으로 옳은 것은? (단, A~C는 각각 면접법, 질문지법, 참여 관찰법 중 하나이다.)

- A는 B와 달리 언어를 매개로 한 상호 작용이 필수적이다.
- C는 A와 달리 주로 계량화된 자료를 수집하는 데 사용된다.

① A는 대규모 집단을 대상으로 자료를 얻는 데 유용하다.
② B는 주로 양적 자료를 수집하는 데 활용된다.
③ C는 연구자의 주관적 가치가 개입될 우려가 크다.
④ A는 C보다 연구 대상자의 깊이 있는 답변을 유도하기 용이하다.
⑤ C는 A, B와 달리 경험적인 자료 수집이 불가능하다.

서술형 문제

01 다음 글을 읽고 물음에 답하시오.

연구 대상을 상대로 수집한 자료를 통계적인 기술을 사용하여 분석함으로써 현상에 존재하는 인과 관계를 밝혀내고자 한다. 이때 연구 대상은 연구자와는 별도로 분리되어 객관적으로 존재하기 때문에 개인들의 주관적인 상태에는 관심을 두지 않는다.

(1) 윗글에서 설명하는 사회·문화 현상의 연구 방법을 쓰시오.

(2) (1)의 장점과 한계를 각각 서술하시오.

02 다음과 같은 특징이 나타나는 자료 수집 방법을 쓰고, 그 장단점을 각각 서술하시오.

- 양적 연구에서 주로 활용된다.
- 자료 수집에서 연구 대상의 응답이 필수 조건이다.

03 다음 연구에서 사용된 자료 수집 방법을 쓰고, 그 장점을 **두 가지** 이상 서술하시오.

연구자 갑은 외부 사회와 차단된 채 살아가는 원시 부족의 생활을 알아보기 위해 3년간 그곳에서 그들과 함께 생활하며, 그들의 모습을 관찰하였다.

030   I. 사회·문화 현상의 탐구

STEP 3 1등급 정복하기

1 다음 주장에 부합하는 사회·문화 현상의 연구 방법에 대한 옳은 설명만을 〈보기〉에서 있는 대로 고른 것은?

> 어떤 현상에 대해 연구한다는 것은 그 껍데기를 묘사하거나 숫자를 헤아리는 것 이상이어야 한다. 연구자는 그 현상과 관련된 사람이 어떤 상황에서 어떤 이유와 느낌으로 그러한 행동을 하게 되었는지를 알아내야 한다. 이런 과정은 연구자가 풍부한 상상력과 주어진 상황에 대한 감정 이입을 통해 추론해 내야 하는 것이다. 마치 과거의 사건을 여러 조건을 갖추어 반복하는 것과 같은 이런 작업을 '상상적 재연'이라고 한다.

> **보기**
> ㄱ. 객관적이고 정확한 연구가 어렵다는 한계가 있다.
> ㄴ. 주로 실험법이나 질문지법을 통해 자료를 수집한다.
> ㄷ. 연구 대상자가 구성해 내는 생활 세계에 연구의 초점을 둔다.
> ㄹ. 연구자의 직관적 통찰을 통해 인간 행위의 이면보다 행위 자체를 분석하고자 한다.

① ㄱ, ㄷ ② ㄴ, ㄹ ③ ㄱ, ㄴ, ㄷ
④ ㄱ, ㄷ, ㄹ ⑤ ㄴ, ㄷ, ㄹ

> 사회·문화 현상의 연구 방법

2 그림은 사회·문화 현상의 연구 방법 A, B를 구분한 것이다. 이에 대한 설명으로 옳은 것은?

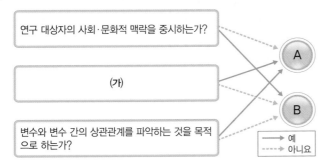

① A는 사회·문화 현상의 의미가 인식 주체에 의해 다르게 규정된다고 본다.
② B는 연구 대상자의 동기나 의도를 객관화할 수 있다고 본다.
③ A는 B와 달리 경험적 자료를 바탕으로 연구한다.
④ 대화록이나 관찰 일지 등과 같은 비공식적 자료는 B보다 A에서 더 중시된다.
⑤ (가)에 들어갈 질문으로 '자연 현상과 사회·문화 현상의 본질이 같음을 전제하는가?'가 적절하다.

> 사회·문화 현상의 연구 방법
>
> **완자샘의 시험 꿀팁**
>
> 양적 연구 방법과 질적 연구 방법의 특징을 비교하는 문제가 자주 출제된다. 양적 연구 방법과 질적 연구 방법의 일반적인 특징을 주요 키워드를 통해 구분할 수 있어야 한다.

3 다음 질문지에 대한 옳은 분석을 〈보기〉에서 고른 것은?

> 질문지 작성 시 유의 사항

우리나라 국민의 여가 시간 활용 실태 연구

1. 당신의 나이가 어떻게 됩니까?
① 만 20세 이하　　　　　　　　② 만 21세~만 30세
③ 만 41세~만 50세　　　　　　　④ 만 51세 이상

2. 당신의 여가 시간과 여가 비용은 적절하다고 생각하십니까?
① 예　　　　　　　　　　　　　② 아니요

3. 청소년이 놀지 못하고 공부만 하면 인간관계에 문제가 생길 수 있다고 합니다. 당신은 청소년의 여가 활동을 늘려야 한다는 주장에 찬성하십니까?
① 예　　　　　　　　　　　　　② 아니요

〔보기〕
ㄱ. 특정 응답을 유도하는 질문을 하지 않았다.
ㄴ. 응답 가능한 모든 보기를 제시하지 않았다.
ㄷ. 답지가 상호 배타적이지 않은 문항이 있다.
ㄹ. 한 문항에서 두 가지 내용을 묻는 문항이 있다.

① ㄱ, ㄴ　　　　　　② ㄱ, ㄹ　　　　　　③ ㄴ, ㄷ
④ ㄴ, ㄹ　　　　　　⑤ ㄷ, ㄹ

〔평가원 응용〕

4 다음 연구에 대한 옳은 설명만을 〈보기〉에서 있는 대로 고른 것은?

> 자료 수집 방법

┃ 한자 사전 ┃
• 방관자
어떤 일에 직접 나서서 관여하지 않고 곁에서 보기만 하는 사람

연구자 갑은 주변에 방관자들이 있으면, 곤경에 처한 사람이 낯선 사람으로부터 도움을 받을 가능성이 줄어든다는 '방관자 효과'를 검증하기 위한 연구에 착수하였다. 우선 갑은 접이식 커튼을 쳐, 보이지는 않지만 소리를 들을 수 있는 공간을 만들었다. 그리고 그곳에서 연구 대상자들에게 의자에 오르다 떨어져 도움을 청하는 노인의 녹음된 비명을 듣게 하였다. 연구 대상자들은 두 집단으로 구분되었는데, 한 연구 조건에서는 ⊙ 연구 대상자만 있게 했고, 다른 연구 조건에서는 의도적으로 노인의 비명에 반응하지 않도록 연구자와 공모한 방관자들을 ⓒ 연구 대상자와 함께 있게 했다. ⓒ 방관자들의 존재 여부에 따른 반응을 비교한 결과, 나 홀로 조건에서는 연구 대상자의 70%가 도움을 주려 한 반면, 방관자 조건에서는 20%만이 도움을 주려 하였다.

〔보기〕
ㄱ. ⊙은 실험 집단, ⓒ은 통제 집단이다.
ㄴ. ⓒ은 독립 변수이다.
ㄷ. 생생한 자료를 얻기 위해 인위적 조작의 정도가 낮은 자료 수집 방법을 사용하였다.
ㄹ. 계획적으로 어떤 조건을 만들어 변화를 주고 연구 대상자의 행동을 관찰하는 자료 수집 방법을 사용하였다.

① ㄱ, ㄷ　　　　　　② ㄴ, ㄹ　　　　　　③ ㄱ, ㄴ, ㄷ
④ ㄱ, ㄴ, ㄹ　　　　⑤ ㄴ, ㄷ, ㄹ

5 자료 수집 방법 (가)~(다)의 일반적인 특징에 대한 설명으로 옳은 것은?

자료 수집 방법	사례
(가)	○○ 지역 공공 도서관의 인터넷 홈페이지와 언론 자료를 토대로 공공 도서관의 장서 현황과 공공 도서관에서 제공하는 서비스와 행사 등을 살펴보았다.
(나)	연예인 팬클럽 활동을 하는 1,000명의 청소년을 대상으로 설문 조사를 하여 청소년의 팬덤 정도가 청소년의 자아 정체성 인식, 사회성 등과 어떤 상관관계가 있는지 파악하였다.
(다)	인종 차별에 대한 연구를 수행하기 위해 △△ 지역을 직접 다니며 호텔과 식당 등에서 인종에 따라 서비스가 달라지는지 여부를 살펴보면서 상세한 기술을 통하여 자료를 수집하였다.

① (가)는 (나)와 달리 1차 자료를 수집하는 데 사용된다.
② (나)는 (다)와 달리 연구 대상의 주관적인 인식을 파악할 수 없다.
③ (다)는 (나)에 비해 자료 수집에 대한 통제 수준이 높다.
④ (나)는 (가), (다)에 비해 연구 대상에 대한 연구자의 감정 이입을 중시한다.
⑤ (다)는 (가), (나)에 비해 연구 대상과 연구자 간 신뢰감 형성의 중요성이 강조된다.

> **완자샘의 시험 꿀팁**
> 사례에서 활용된 자료 수집 방법을 찾아내고, 해당 자료 수집 방법의 특징을 비교하는 문제가 자주 출제된다.

수능 응용

6 표는 자료 수집 방법 A~D를 구분한 것이다. 이에 대한 설명으로 옳은 것은? (단, A~D는 각각 면접법, 실험법, 질문지법, 참여 관찰법 중 하나이다.)

구분		주로 양적 자료를 수집하는 데 활용되는가?	
		예	아니요
(가)	예	A	B
	아니요	C	D

① (가)는 '대규모 집단을 대상으로 한 자료를 수집하기 용이한가?'가 적절하다.
② (가)가 '자료 수집에서 연구 대상자의 응답이 필수 요건인가?'라면 A는 질문지법, D는 참여 관찰법이다.
③ (가)가 '언어적 상호 작용에 의한 자료 수집이 필수적인가?'라면 B는 면접법, C는 질문지법이다.
④ A가 실험법이라면 (가)는 '인위적으로 상황을 통제함으로써 변수의 효과를 관찰하는 방법인가?'가 적절하다.
⑤ B가 참여 관찰법이라면 (가)는 '연구자가 현상이 실제로 발생한 현지에 가서 연구해야 하는가?'가 적절하다.

> **완자샘의 시험 꿀팁**
> 사회·문화 현상의 연구 방법에 활용된 자료 수집 방법의 공통점과 차이점을 복합적으로 묻는 문제가 자주 출제된다.

03 사회·문화 현상의 탐구 절차와 태도

학 습 목 표
- 양적 연구의 탐구 절차와 질적 연구의 탐구 절차를 파악할 수 있다.
- 사회·문화 현상의 탐구에서 요구되는 연구자의 태도와 연구 윤리를 설명할 수 있다.

① 사회·문화 현상의 탐구 절차

이것이 핵심!

사회·문화 현상의 탐구 절차

양적 연구의 탐구 절차	연구 문제 인식 → 가설 설정 → 연구 설계 → 자료 수집 및 분석 → 가설 검증 및 결론 도출
질적 연구의 탐구 절차	연구 문제 인식 → 연구 설계 → 자료 수집 및 해석 → 결론 도출

★ 가설
탐구하고자 하는 주제에 관한 잠정적인 결론으로, 원인과 결과의 관계를 진술한 문장을 말한다.

1. 양적 연구의 탐구 절차 자료①

연구 문제 인식	기존 이론을 바탕으로 새로운 이론을 개발하거나 현실 생활에서 부딪히는 문제를 해결하기 위해 무엇이 문제인지 인식하고 연구 주제를 선정함
가설 설정	연구 주제와 관련 있는 기존의 이론과 연구물을 검토하고, 이를 바탕으로 *가설을 설정함
연구 설계	연구 대상과 연구 기간, 자료 수집 방법 등을 결정하여 연구에 대한 구체적인 계획을 세움
자료 수집 및 분석	수량화된 자료 수집이 용이한 질문지법이나 실험법 등을 주로 사용하여 자료를 수집함 → 자료 수집 후에는 통계 기법을 이용하여 자료를 분류하고 분석함
가설 검증 및 결론 도출	자료 분석 결과를 바탕으로 가설을 검증하여 가설의 수용 및 기각 여부를 결정함 → 이를 토대로 결론을 도출하며, 가설이 입증되면 이 가설을 전체 연구 집단의 특성으로 일반화함

2. 질적 연구의 탐구 절차 자료② ─vs 양적 연구와 달리 일반적으로 가설을 설정하지 않아.

연구 문제 인식	사회·문화 현상의 의미를 이해하고 해석하기 위해 문제를 인식하고 연구 주제를 선정함
연구 설계	연구 대상과 연구 기간, 자료 수집 방법 등을 결정하여 연구에 대한 구체적인 계획을 세움
자료 수집 및 분석(해석)	현상의 이해와 해석에 도움이 되는 심층적인 자료가 필요하므로 주로 면접법이나 참여 관찰법 등을 활용함 → 연구자의 직관적 통찰과 감정 이입적 이해를 통해 자료를 해석함
결론 도출	자료를 바탕으로 해석한 행위자의 주관적 세계가 가지는 의미를 종합하여 결론을 도출함 → 결론이 특정 상황에 관한 것이므로, 이를 다른 상황에 그대로 일반화하기 어려움

꿀! 연구 대상을 이해하는 새로운 관점을 제시하거나 대안적 이론을 제안하기도 해.

② 사회·문화 현상의 탐구 태도와 가치 중립

이것이 핵심!

사회·문화 현상의 탐구 태도

객관적 태도	제삼자의 관점에서 있는 그대로 사실을 관찰하는 태도
개방적 태도	새로운 주장의 가능성과 자신의 주장에 대한 비판을 인정하는 태도
상대주의적 태도	사회·문화 현상이 지닌 특수성을 인정하는 태도
성찰적 태도	사회·문화 현상의 이면에 담긴 의미나 인과 관계를 살펴보는 태도

★ 반증
기존의 주장에서 활용된 근거에 반대되는 근거를 통해 기존의 주장이 참이 아님을 증명하는 것

1. 사회·문화 현상을 탐구하는 태도

(1) 객관적 태도 자료③ ─ 관찰을 통해 경험적으로 얻은 증거에 근거해야 해.

의미	연구자가 자신의 주관적 가치나 이해관계를 떠나 제삼자의 관점에서 있는 그대로 사실을 관찰하는 태도
필요성	연구자가 자신의 선입견, 주관적 가치, 이해관계 등을 연구에 개입시키면 연구 결과가 왜곡될 수 있음

(2) 개방적 태도

의미	자신의 주장과 다른 주장이 존재할 수 있음을 인정하고, 자신의 주장에 대한 비판을 허용하며 타당성이 있는 다른 주장을 받아들이는 태도
필요성	사회·문화 현상은 끊임없이 변화하고 상황에 따라 달라지므로, 연구는 언제든지 *반증으로 진리가 아님이 밝혀질 수 있음

꿀! 논리적으로 완벽해 보이는 주장이라고 하더라도 경험적 증거로 확인되기 전까지는 하나의 가설로 받아들여야 해.

(3) 상대주의적 태도

의미	사회·문화 현상을 연구할 때 그 현상이 나타나는 사회의 특수성을 인식하고 그 현상이 지닌 고유한 가치와 의미를 그 사회의 맥락에서 이해하는 태도
필요성	같은 사회·문화 현상이더라도 시대와 사회에 따라 다른 의미를 지닐 수 있음

(4) 성찰적 태도 ─꿀! 연구자 자신이 연구 절차나 연구 방법 등을 제대로 지키고 있는지 되짚어 보게 한다는 점에서 요구되지.

의미	사회·문화 현상을 수동적으로 받아들이지 않고 현상의 이면에 담겨 있는 의미를 이해하고, 그것의 발생 원인이나 결과 등에 관해 적극적이고 능동적으로 살펴보는 태도
필요성	아무런 의문이나 반성 없이 사회·문화 현상을 무조건 수용하면 그 발생 원인이나 의미를 제대로 파악하기 어려움

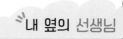
자료 ① 가설의 조건

- 변수 간의 인과 관계가 명확해야 한다.
- 과학적인 연구 방법을 통해 경험적으로 검증할 수 있어야 한다.
- 가치 중립적이어야 한다. 가치가 개입된 당위적 진술은 객관적 관찰이 불가능하므로 가설은 사실과 관련된 진술이어야 한다.

예 '동아리 활동 참여가 높은 학생일수록 학교생활의 만족도가 높을 것이다.'와 같은 진술을 말한다.

가설이란 두 개 이상의 변수 간의 관계를 검증 가능한 형태로 서술하는 것으로, 연구 주제에 대한 잠정적 결론을 의미한다. 양적 연구의 과정은 연구자가 연구 주제에 관한 가설을 설정하고 이를 검증하는 방식으로 이루어진다.

자료 ② 질적 연구의 탐구 절차

연구 문제 인식	고등학생의 아르바이트 경험은 그들에게 어떤 의미로 남을까?
연구 설계	• 연구 대상: ○○ 지역의 고등학생 10명 • 조사 내용: 아르바이트 종류, 아르바이트 목적, 아르바이트를 통해 얻은 것 등 • 자료 수집 방법: 면접법
자료 수집 및 분석(해석)	연구 대상의 학교 근처에서 2회 이상, 1회당 2시간 정도의 심층 면접을 하였다. 학생들은 아르바이트를 통해 경제관념이나 성취감 등을 배웠으며, 아르바이트를 통해 일탈 행동을 하게 되는 경우도 있었다고 답변하였다.
결론 도출	고등학생의 아르바이트 경험은 단순히 돈을 벌기 위한 수단이 아니라 살아 있는 사회 경험으로 보아야 한다.

제시된 사례는 질적 연구의 탐구 절차에 해당한다. 질적 연구의 목적은 법칙 발견이 아니라 사회·문화 현상의 함축된 의미를 이해하고 해석하는 것이므로 양적 연구의 탐구 절차와 달리 가설을 세우지 않는 것이 일반적이다. 또한 질적 연구에서는 양적 연구와 달리 자료를 수집하는 과정과 해석하는 과정이 분명히 구분되지 않는다. 왜냐하면 질적 연구는 일반적으로 연구 대상자와 함께 생활하며 관찰하거나 심층 면접을 하면서 자연스럽게 직관적 통찰과 감정 이입이 이루어지기 때문이다.

자료 ③ 사회 과학의 객관성과 상호 주관성

길을 걷다가 돌을 본 사람들 중 어떤 사람은 돌멩이를 보았다고 하고, 어떤 사람은 자갈을 보았다고 하며, 어떤 사람은 작은 바윗덩어리를 보았다고 할 수 있다. 사람들은 같은 것을 보고도 자신이 느낀 바에 따라 그것을 다르게 표현할 수 있다. 하지만 여기에는 모두 돌을 보았다고 말하는 유사성이 있다. 자신의 주관에 따라 어떤 현상을 보더라도 여러 사람의 주관이 모이면서 그 안에 담긴 나름의 유사성을 발견할 수 있고, 그 유사성으로 일정한 결론에 도달할 수 있다. 이처럼 여러 사람의 주관 속에 담긴 나름의 공유되는 주관성을 '상호 주관성'이라고 하며, 우리가 흔히 주장하는 '객관성'이란 사회 과학에서는 실제로 '상호 주관성'을 가리킬 때가 많다.

사회·문화 현상 속에는 인간의 가치와 의도가 내포되어 있고, 연구자 자신도 사회·문화 현상의 일부이므로 엄격한 객관성을 확보하기가 어렵다. 연구자는 자신의 주관에 치우치지 않고 객관적으로 연구하려고 노력해야겠지만, 어떤 때는 '그것인 것 같다.'라는 인식이 가능한 상호 주관성만 확보해도 객관적인 연구가 이루어졌다고 볼 수 있다.

정리 비법을 알려줄게!

양적 연구와 질적 연구에서 주로 사용되는 자료 수집 방법

양적 연구	질적 연구
질문지법, 실험법, 문헌 연구법	면접법, 참여 관찰법, 문헌 연구법

문제 로 확인할까?

질적 연구의 과정에서 반드시 행해져야 하는 탐구 절차가 아닌 것은?
① 가설 설정
② 자료 수집
③ 자료 해석
④ 결론 도출
⑤ 연구 문제 인식

① 답

자료 하나 더 알고 가자!

포퍼의 반증 가능성과 개방적 태도

포퍼에 따르면 반증이란 경험적 근거를 들어 반박하는 것을 말하는데, 이론은 반증 가능성을 갖고 있어야 과학적 진술이며, 반증 불가능한 명제를 탐구하는 것은 과학이라고 할 수 없다.

사회 과학은 경험적 근거를 들어 반증할 수 있고, 이를 통해 기존의 이론이 수정되고 변경되어 더 새로운 이론으로 발전해 나간다. 이때 반증을 받아들이고 기존의 이론을 수정하며 변경하는 데 필요한 태도가 개방적 태도이다.

★ 사실
인간의 주관적인 평가가 개입되지 않고 경험적 근거에 의해 증명 가능한 것

★ 가치
인간의 주관적인 평가가 개입되어 경험적 근거에 의해 증명할 수 없는 것

2. 사회·문화 현상 탐구에서의 가치 개입과 가치 중립

(1) **가치 개입**: 연구자가 자신의 주관이나 가치를 연구 과정에 개입하여 연구하는 것

(2) **가치 중립**

① 의미: 연구자의 주관적인 가치나 이해관계를 배제하고 객관적 증거에 따라 탐구하는 것
→ *사실과 *가치를 분리해야 함

② 필요성: 연구자가 자신의 주관에 따라 사회·문화 현상을 해석하고 연구할 경우 연구 결과가 왜곡될 수 있음

┗ 꼭! 연구자도 사회 속의 행위자이므로 연구 과정에서 연구자의 가치나 감정을 완전히 배제하기는 어려워.

(3) **연구 과정에서의 가치 개입과 가치 중립** 자료④

연구 단계	가치문제	내용
연구 문제 인식	가치 개입	연구자는 자신이 관심이 있고 중요하다고 생각하는 문제를 연구 주제로 선정함
연구 설계	가치 개입	연구 주제에 적합하다고 생각하는 연구 대상을 상대로 어떤 자료 수집 방법을 사용할지 결정함
자료 수집 및 분석	가치 중립	연구자가 자신이 원하는 결론을 유도하거나 자신의 가치를 개입하면 왜곡된 결론이 도출되므로 엄격한 가치 중립이 요구됨
결론 도출	가치 중립	연구자는 존재하는 현상을 객관적으로 서술해야 하고, 현상 자체를 주관적으로 평가하여 좋다거나 나쁘다는 결론을 내려서는 안 됨
연구 결과의 활용	가치 개입	연구 결과를 적절하게 활용하기 위해 바람직한 가치 판단 및 가치 개입이 필요함

┗ 예) 사회적 가치나 인류의 보편적 가치를 존중하는 가치 판단

★ 익명성
어떤 행위를 한 사람이 누구인지 드러나지 않는 특성

★ 저작권
인간의 사상 또는 감정을 표현한 창작물인 저작물에 대한 배타적·독점적 권리

③ 사회·문화 현상의 탐구와 연구 윤리

1. 사회·문화 현상의 탐구에서 연구 윤리의 필요성: 사회 과학은 연구 대상이 인간이므로 연구 윤리를 엄격하게 지켜야 함

2. 연구자가 지켜야 할 연구 윤리

(1) **연구 대상자에 관한 윤리** 교과서 자료

┗ 꼭! 연구 목적을 알려 주는 것이 연구 결과에 크게 영향을 미치는 경우라면 사후에 연구 목적을 밝히고, 수집한 자료의 활용에 대하여 동의를 얻어야 해.

연구 대상자의 자발적 참여	연구자는 연구 대상자에게 연구의 성격과 목적, 내용 등에 관한 정보를 사전에 제공하고, 연구 대상자의 동의를 얻어 연구해야 함
연구 대상자의 인권 보호	• 연구자는 자료 수집 과정에서 연구 대상자에게 수치심을 주는 질문을 하거나 강제로 답변을 요구하면 안 됨 • 연구자는 연구 대상자에게 해로운 영향을 줄 수 있는 실험을 해서는 안 됨
연구 대상자의 사생활 보호	• 연구자는 연구 대상자에게 사생활 노출이나 명예 훼손 등의 피해를 주지 말아야 함 • 연구자는 연구 대상자의 *익명성과 비밀을 보장해야 함 • 수집한 자료를 연구 이외의 목적으로 활용해서는 안 됨

(2) **연구 과정 및 연구 결과 활용에서의 윤리** 자료⑤

┗ 특정한 답변을 유도하거나 자신이 원하는 결과에 도움이 될 만한 조사 대상자만을 골라 조사해서는 안 돼.

① 자료 수집 과정에서 자료를 편파적으로 수집하거나 의도적으로 조작해서는 안 됨

② 결과를 발표하는 과정에서 연구 결과를 확대하거나 축소하여 결과를 왜곡해서는 안 됨

③ 연구 과정과 결과를 보고할 때 타인의 연구 결과를 도용하여 *저작권을 침해해서는 안 됨

④ 연구 결과에 따라 정책 제안을 할 때 그 내용이 사회 다수에게 악영향을 미치거나 비윤리적으로 사용되지 않도록 유의해야 함

완자 자료 탐구
내 옆의 선생님

[자료 4] **사회·문화 현상의 탐구에서 가치 중립의 중요성**

> 연구자가 사회·문화 현상을 과학적이고 객관적으로 연구하기 위해서는 가치로부터 자유로워야 한다. 그런데 연구자가 연구 주제를 선택하는 단계에서는 자신의 개인적 관심, 사회적 헌신, 종교적 신념 등과 같이 매우 다양한 가치가 작용하는데, 이것이 연구의 객관성을 해치는 것은 아니다. 한편 자료를 수집하고 분석하여 결론을 도출하는 과정에서는 자신의 가치 판단을 배제하고 철저히 사실 판단에 따라야 한다.
>
> – 베버(Weber, M.)

사회·문화 현상의 탐구에서 연구 주제의 선정이나 연구 설계, 연구 결과의 활용 과정에서는 연구자의 가치 개입이 허용된다. 그러나 자료 수집과 분석 및 결론 도출 과정에서는 연구자의 가치나 이해관계를 엄격하게 배제하는 가치 중립이 필요하다. 이처럼 탐구 과정에서의 가치 중립은 연구자가 어떠한 가치도 가져서는 안 된다는 것이 아니라, 주관적 가치 때문에 연구 과정이나 결과가 왜곡되어서는 안 된다는 것이다.

[정리] 비법을 알려줄게!

연구 과정에서의 가치문제

> 연구 문제 인식 및 연구 목적 설정
> ↓
> 연구 방법 선택 및 연구 설계
> ↓
> 자료 수집 및 분석·해석
> ↓
> 결론 도출
> ↓
> 연구 결과의 활용

☐ 가치 개입 ☐ 가치 중립

수능이 보이는 교과서 자료 **연구 대상자에 관한 윤리**

> 연구자 갑은 인간의 특성이 후천적으로 결정된다는 생각을 증명하기 위해 부모에게서 동의를 구한 후 태어난 지 9개월 정도 된 아기인 을을 대상으로 공포 조성 실험을 하였다. 갑은 을에게 토끼, 강아지와 같은 털 달린 동물을 차례대로 보여 주면서 동시에 망치로 쇠막대를 두들겨 깜짝 놀라게 하는 과정을 반복하였다. 그 결과 을은 털 달린 다른 동물뿐만 아니라 비슷하게 생긴 물건만 보아도 공포를 느끼는 반응을 보였다.

제시된 실험은 반인권적이고 비윤리적인 방법으로 이루어졌으므로, 연구 대상자에 관한 윤리가 지켜지지 않았음을 알 수 있다. 사회·문화 현상의 연구는 대개 인간을 대상으로 하므로 연구자는 연구 과정에서 연구 대상자의 인권을 보호해야 하며, 연구가 연구 대상자에게 해로운 영향을 미치지 않도록 고려해야 한다.

완자쌤의 탐구 강의

• 제시된 실험이 연구 대상자에게 미친 영향을 써 보자.

실험을 통해 연구 대상자는 심리적으로 해를 입었으며, 인권을 침해당했다.

• "갑의 실험이 사람들의 인식 변화에 이바지했으므로 정당하다."라는 주장에 관해 비판해 보자.

연구 결과가 정당하다고 해서 인권을 침해하는 실험을 정당화할 수 없다.

함께 보기 45쪽. 1등급 정복하기 6

[자료 5] **「연구 윤리 확보를 위한 지침」에 명시된 표절의 의미**

> **제12조(연구 부정행위의 범위)** 3. '표절'은 다음 각 목과 같이 일반적 지식이 아닌 타인의 독창적인 아이디어 또는 창작물을 적절한 출처 표시 없이 활용함으로써, 제삼자에게 자신의 창작물인 것처럼 인식하게 하는 행위
> 　가. 타인의 연구 내용 전부 또는 일부를 출처를 표시하지 않고 그대로 활용하는 경우
> 　나. 타인의 저작물의 단어·문장 구조를 일부 변형하여 사용하면서 출처 표시를 하지 않는 경우
> 　다. 타인의 독창적인 생각 등을 활용하면서 출처를 표시하지 않은 경우
> 　라. 타인의 저작물을 번역하여 활용하면서 출처를 표시하지 않은 경우
> – 교육부 훈령 제153호

사회·문화 현상의 탐구에서 연구자는 정직해야 한다. 연구 과정과 연구 결과의 공표에 있어서 다른 연구를 표절하는 행위, 인용이나 출처 표시를 하지 않고 활용하는 행위, 자신의 연구 결과를 중복하여 학술지에 게재하는 행위 등은 정직하지 못한 행위에 해당한다.

[문제]로 확인할까?

연구자가 지켜야 할 연구 윤리로 옳지 <u>않은</u> 것은?

① 연구 대상자의 익명성을 보장해야 한다.
② 연구 대상자의 사생활을 보호해야 한다.
③ 타인의 연구 결과를 도용해서는 안 된다.
④ 연구 목적을 연구 대상자에게 알려주어서는 안 된다.
⑤ 수집한 자료를 연구 외의 목적으로 활용해서는 안 된다.

㉔ 📖

STEP 1 핵심 개념 확인하기

1 다음 괄호 안의 내용 중 알맞은 말에 ○표를 하시오.

(1) (양적, 질적) 연구에서는 가설을 설정하고, 이를 검증하는 절차를 거친다.

(2) 질적 연구에서는 (면접법, 질문지법)과 같은 자료 수집 방법을 주로 사용한다.

2 다음 빈칸에 들어갈 내용을 쓰시오.

(1) (   ) 연구는 '연구 문제 인식 → 연구 설계 → 자료 수집 및 해석 → 결론 도출'의 순서로 이루어진다.

(2) (   )은 변수 간의 관계를 검증 가능한 형태로 서술하는 것으로, 연구 주제에 대한 잠정적 결론을 의미한다.

3 사회·문화 현상의 탐구 태도와 그 설명을 옳게 연결하시오.

(1) 객관적 태도 •   • ㉠ 타인의 비판 허용하기

(2) 개방적 태도 •   • ㉡ 각 사회의 맥락 고려하기

(3) 성찰적 태도 •   • ㉢ 제삼자의 시각으로 바라보기

(4) 상대주의적 태도 •   • ㉣ 현상의 이면에 담긴 의미 살펴보기

4 ㉠, ㉡에 들어갈 내용을 각각 쓰시오.

사회·문화 현상의 탐구에서 연구 주제의 선정이나 연구 설계, 연구 결과의 활용 과정에서는 연구자의 (㉠   )이 인정될 수 있다. 그러나 자료 수집 및 분석, 가설 검증과 결론 도출 과정에서는 연구자의 (㉡   )이 필수적이다.

5 사회·문화 현상의 연구 윤리에 대한 설명이 맞으면 ○표, 틀리면 ×표를 하시오.

(1) 연구 대상자의 동의를 얻어 연구해야 한다. (   )

(2) 수집한 자료를 연구 목적 이외의 용도로 활용할 수 있다. (   )

(3) 가설 검증에 도움이 될 만한 자료만을 선택하여 분석해야 한다. (   )

STEP 2 내신 만점 공략하기

01 다음은 '환율과 국제 수지의 관계'에 대한 양적 연구의 탐구 절차이다. (가) 단계에서 이루어질 수 있는 연구 내용으로 가장 적절한 것은?

연구 문제 인식 → 가설 설정 → (가) → 자료 수집 및 분석 → 결론 도출

① 환율 변화가 국제 수지에 미치는 영향이 궁금해졌다.

② 환율이 상승하면 국제 수지가 개선된다는 결론을 내렸다.

③ 환율이 상승하면 국제 수지가 개선될 것이라는 잠정적 결론을 내렸다.

④ 통계 자료를 통해 환율의 변화와 국제 수지 간의 상관관계를 분석하였다.

⑤ 최근 5년간 환율과 국제 수지 관련 자료를 수집하고 통계 기법을 활용하여 이를 분석하기로 계획하였다.

02 제시된 조건을 모두 충족한 가설을 〈보기〉에서 고른 것은?

• 학습 주제: 가설의 조건
 – 가치 중립적이어야 한다.
 – 변수 간의 인과 관계가 명확해야 한다.
 – 과학적인 연구 방법을 통해 경험적으로 검증할 수 있어야 한다.

사회 과학에서 가설은 다음과 같은 조건을 충족해야 합니다.

보기

ㄱ. 최근 10년간 다문화 가정 수가 증가했을 것이다.

ㄴ. 자기 주도 학습 정도와 학업 성취도는 비례할 것이다.

ㄷ. 학업 스트레스가 심한 학생일수록 인터넷 게임 중독 정도가 심할 것이다.

ㄹ. 의미 있는 학교생활을 하기 위해서는 좋은 담임교사를 만나야 할 것이다.

① ㄱ, ㄴ   ② ㄱ, ㄷ   ③ ㄴ, ㄷ

④ ㄴ, ㄹ   ⑤ ㄷ, ㄹ

[03~04] 다음 연구를 보고 물음에 답하시오. (단, (가)~(라)는 연구 과정을 순서 없이 나타낸 것이다.)

- 연구 문제 인식: 노인의 인간관계가 삶에 어떤 영향을 끼치는지 알아보기로 하였다.
- (가) 65세 이상 남녀 각각 200명을 대상으로 구조화된 질문지를 통해 자료를 수집하였다.
- (나) 노인의 인간관계 밀도가 높을수록 삶의 만족도가 높을 것이라고 잠정적 결론을 내렸다.
- (다) 신뢰하는 사람들과의 접촉 빈도가 높을수록 노인들의 삶의 만족도가 더 높은 것으로 드러났다.
- (라) 인간관계 밀도는 신뢰하는 사람들과의 접촉 빈도로, 삶의 만족도는 현재의 삶에 대한 만족 여부를 묻는 문항을 통해 5점 만점의 척도 지표로 확인하기로 하였다.

03 위 (가)~(라)를 사회·문화 현상의 탐구 과정의 순서대로 옳게 나열한 것은?

① (가)-(나)-(라)-(다)
② (나)-(가)-(다)-(라)
③ (나)-(라)-(가)-(다)
④ (다)-(라)-(나)-(가)
⑤ (라)-(가)-(나)-(다)

04 위 연구에 대한 옳은 설명을 〈보기〉에서 고른 것은?

보기
ㄱ. (가)에서 양적 연구에 적합한 자료 수집 방법이 사용되었다.
ㄴ. (나)에서 결론이 도출되었다.
ㄷ. (다)로 보아 가설은 기각되었을 것이다.
ㄹ. (라)에서 노인의 인간관계 밀도를 측정하기 위한 조작적 정의가 이루어졌다.

① ㄱ, ㄴ   ② ㄱ, ㄹ   ③ ㄴ, ㄷ
④ ㄴ, ㄹ   ⑤ ㄷ, ㄹ

05 밑줄 친 ㉠~㉤에 대한 설명으로 옳지 <u>않은</u> 것은?

질적 연구의 탐구 절차는 양적 연구와 마찬가지로 ㉠ 연구자의 문제 인식에서 시작한다. 연구 주제가 정해지면 자료 수집 방법과 분석 방법을 정하는 ㉡ 연구 설계를 한다. 그리고 실제로 ㉢ 자료를 수집하고, 수집한 ㉣ 자료를 분석하며, 자료 분석 결과를 바탕으로 ㉤ 결론을 도출한다.

① ㉠ - 사회·문화 현상에 대한 의문을 제기한다.
② ㉡ - 보편적인 법칙 발견을 위해 반드시 가설을 세워야 한다.
③ ㉢ - 주로 면접법이나 참여 관찰법을 사용한다.
④ ㉣ - 연구자의 감정 이입적 이해를 통한 의미 해석이 이루어진다.
⑤ ㉤ - 도출된 결론을 전체 집단의 특성으로 일반화하기는 어렵다.

06 다음 연구에 대한 옳은 설명을 〈보기〉에서 고른 것은?

연구 문제 인식	고등학생에게 스마트폰이 어떤 의미를 갖는지 알아보기로 하였다.
연구 설계	• 연구 대상: 스마트폰을 사용하는 ○○ 고등학교 2학년 학생 5명 • 자료 수집 방법: 연구 대상자의 수업 시간 및 학교생활 관찰, 비정기적 면접
자료 수집 및 분석	3개월간 스마트폰을 사용하는 연구 대상자의 행동을 관찰하고, 그들과 심층 면담을 시행하였다. 연구 대상자는 스마트폰으로 하는 단체 대화를 통해 친구 관계를 형성하는 경우가 많았으며, 학습을 위해 강의를 듣기도 하였다.
결론 도출	고등학생의 스마트폰 사용은 인간관계 형성에 도움이 될 뿐만 아니라 학습에도 유용하다.

보기
ㄱ. 가설 검증을 위한 연구 설계가 이루어졌다.
ㄴ. 수집한 자료를 통계 기법을 활용하여 분석하였다.
ㄷ. 연구자의 직관적 통찰을 통한 자료 해석이 이루어졌다.
ㄹ. 연구 대상자의 주관적 가치를 측정하고자 하는 연구 방법이 사용되었다.

① ㄱ, ㄴ   ② ㄱ, ㄷ   ③ ㄴ, ㄷ
④ ㄴ, ㄹ   ⑤ ㄷ, ㄹ

STEP 2 내신 만점 공략하기

07 밑줄 친 '몇 가지 태도'에 해당하는 내용으로 적절하지 <u>않은</u> 것은?

> 우리는 종종 같은 현상을 다르게 이해하기도 하고 잘못된 판단을 하기도 한다. 또한 사회·문화 현상을 자기에게 유리한 쪽으로만 판단한다면 어떤 현상도 제대로 이해할 수 없을 것이다. 따라서 사회·문화 현상을 과학적으로 탐구하기 위해서 연구자에게 <u>몇 가지 태도</u>가 요구된다.

① 경험적 증거에 입각하여 탐구하려는 태도
② 개별 사회의 문화적 맥락이나 배경을 고려하는 태도
③ 여러 가지 가능성이 동시에 공존할 수 있음을 인정하는 태도
④ 자신이 확신을 갖는 주장에 대해서는 어떠한 비판도 허용하지 않는 태도
⑤ 현상을 있는 그대로 받아들이지 않고 원인이나 결과에 대해 적극적으로 살펴보는 태도

08 다음에서 강조하는 사회·문화 현상의 탐구 태도에 대한 진술로 가장 적절한 것은?

> 연구자는 제삼자의 관점에서 사실을 있는 그대로 바라보는 태도를 갖추어야 한다. 이러한 태도를 갖추지 못한 연구자는 사실을 정확하게 파악할 수 없을 뿐만 아니라 연구 결과를 왜곡하는 문제를 일으킬 수도 있다.

① 다른 주장에 대해 개방적인 자세를 가져야 한다.
② 사회·문화 현상은 그 현상이 발생한 맥락에 따라 다른 의미를 지닌다.
③ 윤리적으로 정당화될 수 있는 방법으로 사회·문화 현상을 연구해야 한다.
④ 사회·문화 현상의 탐구 시 자신의 주관적 가치나 이해관계를 배제해야 한다.
⑤ 사회·문화 현상의 이면에 담긴 의미나 인과 관계를 파악하려고 노력해야 한다.

09 (가), (나)에서 강조하는 사회·문화 현상의 탐구 태도를 옳게 연결한 것은?

> (가) 사회·문화 현상은 끊임없이 변화하므로, 자신의 연구는 언제든지 반증으로 진리가 아님이 밝혀질 가능성이 있다. 따라서 자신의 연구 결과에 관한 비판과 다른 주장의 가능성을 항상 허용해야 한다.
> (나) 같은 사회·문화 현상이라도 시대와 사회에 따라 다른 의미를 지닐 수 있다. 연구자는 사회·문화 현상을 연구할 때 그 현상이 지닌 고유한 가치와 의미를 그 사회의 맥락에서 이해하는 태도를 지녀야 한다.

	(가)	(나)
①	객관적 태도	개방적 태도
②	개방적 태도	성찰적 태도
③	개방적 태도	상대주의적 태도
④	성찰적 태도	상대주의적 태도
⑤	상대주의적 태도	객관적 태도

10 다음에서 강조하는 사회·문화 현상의 탐구 태도에 대한 진술로 적절한 것을 〈보기〉에서 고른 것은?

> 과거에는 지구가 우주의 중심으로 고정되어 있어서 움직이지 않으며, 태양, 달, 별들이 모두 지구를 중심으로 회전한다고 보았다. 그러나 지구가 자전하면서 태양 주위를 회전한다고 보는 지동설의 근거가 증명되면서 점차 지동설이 확고한 위치를 차지하게 되었다. 이를 통해 인간이 발견한 과학적 원리가 항상 완벽한 것이 아님을 알 수 있다. 이러한 지식의 불완전성은 자연 현상뿐만 아니라 사회·문화 현상을 연구할 때에도 적용된다.

〈보기〉
ㄱ. 새로운 주장의 가능성을 인정해야 한다.
ㄴ. 자신의 연구에 대한 비판을 수용해야 한다.
ㄷ. 각 사회가 지닌 고유한 가치를 인정해야 한다.
ㄹ. 연구 절차나 방법이 제대로 수행되었는지 되짚어 보아야 한다.

① ㄱ, ㄴ   ② ㄱ, ㄷ   ③ ㄴ, ㄷ
④ ㄴ, ㄹ   ⑤ ㄷ, ㄹ

11 (가)에 들어갈 사회·문화 현상의 탐구 태도로 가장 적절한 것은?

> 우리는 사회·문화 현상을 탐구할 때 ＿＿＿(가)＿＿＿를 가져야 한다. 이러한 태도를 우리 사회의 제사 관습에 비추어 보자. 우리 사회의 많은 가정에서는 제사를 지낼 때 음식은 주로 여자들이 차리고 절은 주로 남자들이 한다. 우리는 왜 이러한 관습이 오랫동안 행해지고 있는지 그 관습의 이면에 담긴 의미를 이해하고 의문을 제기할 수 있어야 한다.

① 사실 그대로를 관찰하는 태도
② 현상을 성찰적으로 바라보는 태도
③ 개별 사회의 특수성을 인정하는 태도
④ 개인과 공동체의 조화를 중시하는 태도
⑤ 타인의 비판을 편견 없이 받아들이는 태도

12 사회·문화 현상의 탐구에서 ㉠, ㉡이 적용되어야 할 연구 단계로 옳은 것만을 〈보기〉에서 있는 대로 고른 것은?

> 사회·문화 현상을 탐구할 때 연구자는 주관적인 가치와 이해관계를 배제하는 (㉠)적인 태도를 지녀야 한다. 하지만 연구자도 사회 속의 행위자이기 때문에 연구 과정에서 연구자의 주관이나 가치가 고려되는 (㉡)이/가 허용되는 단계도 있다.

보기
ㄱ. ㉠ – 결론 도출
ㄴ. ㉠ – 연구 결과의 활용
ㄷ. ㉡ – 자료 수집 및 분석
ㄹ. ㉡ – 연구 문제 인식 및 연구 설계

① ㄱ, ㄹ ② ㄴ, ㄷ ③ ㄱ, ㄴ, ㄷ
④ ㄱ, ㄴ, ㄹ ⑤ ㄴ, ㄷ, ㄹ

13 다음 사례에 나타난 연구 윤리상의 문제점으로 가장 적절한 것은?

> 연구자 갑은 비행 청소년들의 비행을 심층적으로 이해하기 위해 학교 학생들의 동의를 얻어 그들을 참여 관찰하였다. 갑은 그들의 비행이 어떤 맥락에서 발생하는지 알아보기 위해 그들의 학교생활은 물론 가족 간의 관계도 관찰하기 시작하였고, 이를 위해 그 가족들의 일거수일투족을 모두 관찰하려고 하였다. 이에 학생들은 물론 그 가족들까지도 큰 불쾌감을 느꼈다.

① 연구 목적이 사회 정의에 어긋난다.
② 연구 대상자의 사생활을 침해하였다.
③ 수집한 자료를 의도적으로 조작하였다.
④ 연구 결과를 비윤리적으로 활용하였다.
⑤ 연구 대상자에게 연구와 관련된 정보를 제공하지 않았다.

14 다음 사례를 연구 윤리 측면에서 평가한 내용으로 가장 적절한 것은?

> 연구자 갑은 북한 이탈 청소년의 한국 사회 적응 현황을 연구하기로 하였다. 갑은 한 북한 이탈 주민 단체를 방문하여 연구의 목적을 설명한 후 북한 이탈 주민들의 동의를 얻어, 북한 이탈 청소년 100여 명의 학교 재적 현황과 졸업 이후의 진로, 가족 현황 등의 자료를 받아 연구 보고서를 작성하였다. 그리고 연구의 신뢰도를 확보하기 위해 북한 이탈 주민 단체의 이름과 북한 이탈 청소년 100여 명의 명단을 부록에 첨부하였다.

① 자료를 편파적으로 수집하였다.
② 타인의 연구 결과를 도용하였다.
③ 연구 대상자의 익명성을 보장하지 않았다.
④ 수집한 자료를 연구 외의 목적으로 사용하였다.
⑤ 연구자의 이익을 위해 자료를 조작하여 분석하였다.

15 (가)에 들어갈 내용으로 가장 적절한 것은?

제2차 세계 대전 당시 원자 폭탄을 만든 미국의 과학자들은 국민적인 영웅으로 추앙받았다. 하지만 원자 폭탄으로 인해 수많은 인명 피해와 재산 손실 등이 일어나자 이들은 많은 사람들의 비난을 받게 되었으며, 스스로도 양심의 가책 때문에 많은 고통을 겪었다. 이처럼 사회·문화 현상의 탐구에서 연구자는 _____(가)_____

① 엄격한 가치 중립을 지켜야 한다.
② 연구 대상자의 사적인 정보를 보호해야 한다.
③ 연구 대상자에게 연구 참여에 대한 동의를 얻어야 한다.
④ 연구 결과의 활용에 관한 윤리적 책임을 고려해야 한다.
⑤ 편파적인 자료 수집으로 연구의 신뢰성을 떨어뜨려서는 안 된다.

16 다음 사례를 연구 윤리 측면에서 적절하게 평가한 것을 〈보기〉에서 고른 것은?

· 갑은 ○○ 기업의 이미지 제고를 위한 연구를 진행하였다. 갑은 ○○ 기업의 입사 시험을 보러 온 지원자에게 그 기업의 이미지 연구를 위한 설문 조사에 반드시 응답하게 하고, 설문 조사를 거부한 지원자는 입사 시험에 응시하지 못하게 하였다.
· 특정 지역의 부동산을 소유한 을은 해당 지역의 부동산 가격 변화 예측 연구를 진행하였다. 을은 수집한 자료 중 해당 지역의 부동산 가격 상승을 예측한 자료만을 근거 자료로 제시하여 해당 지역의 부동산 가격이 단기간에 대폭 상승할 것이라고 발표하였다.

보기
ㄱ. 갑은 연구 대상자의 자발적 참여를 보장하지 않았다.
ㄴ. 을은 수집한 자료를 고의로 선별하여 분석하였다.
ㄷ. 갑은 을과 달리 연구 결과를 사회적으로 악용하였다.
ㄹ. 갑은 자료 분석 단계에서, 을은 연구 결과 발표 단계에서 연구 윤리를 위반하고 있다.

① ㄱ, ㄴ ② ㄱ, ㄷ ③ ㄴ, ㄷ
④ ㄴ, ㄹ ⑤ ㄷ, ㄹ

서술형 문제

● 정답친해 11쪽

01 다음 연구를 보고 물음에 답하시오. (단, (가)∼(마)는 연구 과정을 순서 없이 나열한 것이다.)

(가) 청소년이 인터넷 게임 중독에 빠지는 원인을 탐구하기로 하였다.
(나) 부모와 자녀 간 유대가 약할수록 자녀의 인터넷 게임 중독 정도가 높을 것으로 추정하였다.
(다) 부모와의 유대가 약한 청소년일수록 인터넷 게임 중독에 빠질 가능성이 높아진다는 사실을 확인하였다.
(라) 인터넷 게임 중독은 게임 빈도 및 시간으로, 부모와 자녀의 유대 정도는 부모와 자녀 간 대화 시간으로 측정하기로 하였다.
(마) A 지역 청소년 300명을 대상으로 구조화된 질문지로 자료를 수집하여 분석한 결과 인터넷 게임 빈도 및 시간은 부모와 자녀 간 대화 시간과 부(-)의 관계에 있음을 확인하였다.

(1) 위 (가)∼(마)를 사회·문화 현상의 탐구 과정의 순서대로 옳게 나열하시오.

(2) 위 (가)∼(마)에서 연구자에게 엄격한 가치 중립이 요구되는 단계를 쓰고, 그 이유를 서술하시오.

02 다음 글을 읽고 물음에 답하시오.

사람들이 자신이 믿고 있던 기존의 믿음을 무너뜨리는 새로운 경험과 마주치게 될 때 어떠한 태도를 가져야 할까? 이러한 상황에서 사람들은 기존의 견해와 새로운 견해를 비교해 보아야 한다. 그리고 새로운 견해가 자신이 가지고 있던 견해보다 타당하다고 생각할 경우 자신의 견해를 수정하려는 노력을 해야 한다.

(1) 윗글에서 강조하는 사회·문화 현상의 탐구 태도를 쓰시오.

(2) 사회·문화 현상의 탐구에서 (1)과 같은 태도가 중요한 이유를 서술하시오.

STEP 3 1등급 정복하기

수능 응용

1 다음 연구에 대한 설명으로 옳은 것은? (단, (가)~(라)는 연구 과정을 순서 없이 나열한 것이다.)

> • 연구 주제 설정: 정보 격차 문제를 파악하기 위해 A 지역 고등학생의 인터넷 이용 형태에 부모의 경제 수준 및 부모의 인터넷 이용 형태가 미치는 영향을 파악하기로 하였다.
> (가) ㉠ 부모의 경제 수준이 높을수록 자녀의 정보 지향적 인터넷 이용 정도가 높아지고 ㉡ 부모의 정보 지향적 인터넷 이용 정도가 높을수록 자녀의 정보 지향적 인터넷 이용 정도가 높아질 것이라고 가설을 설정하였다.
> (나) A 지역에서 선정된 6개 ㉢ 고등학교 학생 1,000명 중 ㉣ 부모도 응답 가능한 300명을 대상으로 구조화된 질문지를 통해 자료를 수집하였다.
> (다) 경제 수준은 ㉤ 월평균 소득으로, 정보 지향적 인터넷 이용 정도는 ㉥ 인터넷 이용 시간 중 정보 검색 시간 비중으로 측정하기로 하였다.
> (라) 부모의 월평균 소득에 따라 자녀의 정보 검색 시간 비중은 통계적으로 유의미한 차이가 나타나지 않았다. 반면 부모의 정보 검색 시간 비중이 높을수록 자녀의 정보 검색 시간 비중은 통계적으로 유의미하게 높아지는 것으로 나타났다.

① ㉠은 독립 변수, ㉡은 종속 변수이다.
② ㉢은 모집단, ㉣은 표본이다.
③ ㉤은 독립 변수를 조작적으로 정의한 것이다.
④ ㉤, ㉥을 알아보기 위해 수집한 자료는 2차 자료이다.
⑤ (다) – (가) – (나) – (라) 순서로 연구가 진행되었다.

> ▶ 사회·문화 현상의 탐구 절차
>
> **완자샘의 시험 꿀팁**
> 사회·문화 현상의 탐구 절차에서 각 단계별 특성을 묻는 문제가 자주 출제된다.
>
> **완자 사전**
> • 정보 격차
> 정보의 소유와 접근 정도에 따라 계층 간에 나타나는 격차

2 다음에서 강조하는 사회·문화 현상의 탐구 태도에 관한 진술로 가장 적절한 것은?

> 1975년 영국의 과학자 스티븐 호킹은 "블랙홀은 모든 것을 빨아들여 파괴해 그 안에 정보는 없다."라는 이론을 내놓았다. 세계 학계에 큰 반향을 일으켰던 그의 이론은 이후 완전히 소실되는 정보란 없다는 양자 이론의 도전을 거세게 반박하면서, 과연 정보가 소실될 수 있는 것이냐는 논란을 일으켰다. 그런데 최근 스티븐 호킹은 자신의 기존 이론을 부정하는 새로운 이론을 제시하였다. 일부 정보가 블랙홀 밖으로도 나올 수 있다고 처음으로 인정한 것이다. 이는 세계적인 과학자의 주장도 절대적으로 옳지 않음을 보여 준다.

① 자신과 관련된 이해관계를 떠나 사실을 있는 그대로 관찰해야 한다.
② 사회·문화 현상과 관련된 모든 요인 간의 관계를 종합적으로 파악해야 한다.
③ 같은 현상일지라도 각 사회의 현실적 조건을 고려하여 다른 의미로 이해해야 한다.
④ 어떤 주장이나 이론이 경험적 증거로 검증되기 전까지는 잠정적인 가설로 받아들여야 한다.
⑤ 당연해 보이는 현상을 수동적으로 받아들이지 않고 현상의 이면에 담긴 의미나 인과 관계를 파악해야 한다.

> ▶ 사회·문화 현상의 탐구 태도

3 (가), (나)에서 강조하는 사회·문화 현상의 탐구 태도에 대한 옳은 설명을 〈보기〉에서 고른 것은?

> (가) 연구자 역시 특정 사회의 가치와 규범을 내면화하기 때문에 사회·문화 현상을 연구할 때 현상이 가진 사실에만 근거하여 파악해야 한다.
> (나) 동일한 사회·문화 현상이라도 시대와 사회에 따라 다른 의미를 지닐 수 있으므로 연구자는 사회·문화 현상의 연구에서 역사적 전통과 사회적 맥락을 고려해야 한다.

> **보기**
> ㄱ. (가)는 연구자의 가치 중립적인 태도를 중시한다.
> ㄴ. (나)는 사회·문화 현상의 연구에서 유연하고 수용적인 태도를 갖는 것을 강조한다.
> ㄷ. (나)는 (가)와 달리 현상이 지닌 고유한 가치에 대한 인정을 중시한다.
> ㄹ. (가)는 연구 대상자의 관점, (나)는 제삼자의 관점을 중시한다.

① ㄱ, ㄴ   ② ㄱ, ㄷ   ③ ㄴ, ㄷ
④ ㄴ, ㄹ   ⑤ ㄷ, ㄹ

> **사회·문화 현상의 탐구 태도**
>
> **│완자 사전│**
> • 내면화
> 한 개인이 사회적 영향을 받아서 타인의 신념이나 가치, 규범 등을 자신의 것으로 받아들이는 것

4 다음은 어느 논문의 목차 및 주요 연구 과정을 정리한 것이다. 밑줄 친 ㉠~㉤에 대한 설명으로 적절한 것은?

> • 연구 주제: ㉠ 스마트폰 사용 정도가 청소년의 자아 존중감에 미치는 영향
> Ⅰ. 서론: ㉡ 연구의 목적, 연구의 필요성
> Ⅱ. 이론적 배경: 정보 사회에서 스마트폰의 필요성, 청소년기의 특징, 자아 존중감
> Ⅲ. 연구 가설 설정
> Ⅳ. ㉢ 연구 설계: 연구 대상 선택, 측정 도구 선택, 자료의 처리 방법 선택
> Ⅴ. ㉣ 자료 분석 및 결론 도출: 스마트폰 사용 정도와 청소년의 자아 존중감 간 상관관계 분석, 결과 분석 및 결론 도출
> Ⅵ. ㉤ 연구 결과의 활용

① ㉠을 연구하는 데 있어서 연구자는 질적 연구를 수행했을 것이다.
② ㉡을 정하는 단계에서 연구자는 어떠한 가치도 개입시켜서는 안 된다.
③ ㉢ 단계에서는 자료 수집 방법으로 면접법이나 참여 관찰법을 선택했을 것이다.
④ ㉣ 단계에서는 연구자에게 엄격한 가치 중립이 요구된다.
⑤ ㉤ 단계에서 연구 결과가 악용되는 것을 막기 위해 연구자는 가치 판단을 해서는 안 된다.

> **연구 과정에서의 가치문제**
>
> **완자쌤의 시험 꿀팁**
> 사회·문화 현상의 탐구 절차와 연구자의 가치문제를 복합적으로 묻는 문제가 자주 출제된다. 연구 과정에서 연구자의 가치 개입이 불가피한 단계와 가치 중립이 필요한 단계를 구분할 수 있어야 한다.

평가원 응용

5 다음 사례를 연구 윤리 측면에서 평가한 내용으로 가장 적절한 것은?

> 연구자 갑은 학술 대회 논문 발표를 위해 노인의 요양 기간과 가족 유대감 간의 관계를 연구하기로 하였다. 이를 위해 ○○ 요양 병원 원장에게 허락을 구하고 해당 병원의 노인들을 대상으로 설문 조사와 면접을 실시하였다. 면접 중에 피로를 호소하거나 정서적 불안을 토로하는 노인들의 경우, 면접을 중단하고 미리 대기시켜 놓은 의료진의 보살핌을 받도록 하였다. 그 대신 본인에게는 알리지 않고 가족으로부터 노인들의 편지, 수첩 등을 확보하였다. 수집한 자료 중 기대한 것과 다른 내용이 있었지만 수정하지 않고 그대로 분석에 반영하여 논문을 발표하였다. 그 후, 가족 유대감이 낮은 노인들의 명단 등 조사 자료를 노인 전문 상담 기관에 제공하고 금전적 보상을 받았다.

① 연구 대상자의 자발적 참여를 보장하였다.
② 수집한 자료를 연구 목적 이외의 용도로 활용하였다.
③ 자료 수집 과정에서 연구 대상의 안전을 고려하지 않았다.
④ 자료 분석 과정에서 연구자가 가치 중립적 태도를 지키지 않았다.
⑤ 원하는 결과를 얻기 위해 자의적으로 자료를 선별하여 분석하였다.

> 사회·문화 현상 탐구에서의 연구 윤리

완자쌤의 시험 꿀팁
연구자가 지켜야 할 연구 윤리 원칙에 비추어 연구 사례를 평가하는 문제가 자주 출제된다.

6 다음 사례에 나타난 연구 윤리상의 문제점으로 적절한 것을 〈보기〉에서 고른 것은?

> 갑은 유리창 너머 학습실에 한 사람을 앉히고, 공개적으로 모집한 연구 대상에게 실험을 실시하였다. 학습실 안에 있는 사람이 틀린 반응을 하면 연구 대상이 연구자의 명령에 따라 전기 장치를 눌러서 상대방에게 고통을 주도록 한 것이다. 연구 대상에게는 징벌에 의한 학습 효과를 실험한다고 했지만, 실제로는 상관이 전적으로 책임진다고 하면서 사람을 죽음에까지 이르는 일을 하라고 명령했을 때 그것에 복종하는지를 실험한 것이었다. 실제로 고통을 주는 전기 장치는 없었고, 학습실 안에 있던 사람은 고통스러운 척 연기를 하였다. 연구 대상은 이 사실을 알지 못했으며, 실험 후 죄책감에 시달리기도 하였다.

> 사회·문화 현상 탐구에서의 연구 윤리

보기
ㄱ. 연구 대상자의 인권을 침해하였다.
ㄴ. 연구 목적을 속이고 자료를 수집하였다.
ㄷ. 원하는 결과가 나오도록 자료를 조작하였다.
ㄹ. 연구 결과를 연구 목적에 어긋나는 용도로 활용하였다.

① ㄱ, ㄴ   ② ㄱ, ㄹ   ③ ㄴ, ㄷ
④ ㄴ, ㄹ   ⑤ ㄷ, ㄹ

01 사회·문화 현상의 이해

1. 사회·문화 현상의 의미와 특성

(1) 자연 현상과 사회·문화 현상의 의미

자연 현상	인간의 의지와 상관없이 자연적으로 나타나는 현상
(❶)	인간의 의지에 따라 인위적으로 나타나는 현상

(2) 자연 현상과 사회·문화 현상의 특성

자연 현상	사회·문화 현상
• 몰가치적 • 존재 법칙 • 필연성과 인과 법칙 • 보편성	• 가치 함축적 • 당위 법칙 • 개연성과 확률의 원리 • 보편성과 특수성의 공존

2. 사회 과학의 연구 경향

전문화·세분화 경향	특정 현상을 더욱 세밀하고 심층적으로 연구하는 경향이 나타남
(❷) 탐구 경향	사회·문화 현상의 총체적 이해를 위해 개별 학문의 관점이나 연구 성과를 종합하는 경향이 나타남

3. 사회·문화 현상을 보는 관점

(1) 거시적 관점과 미시적 관점

거시적 관점	미시적 관점
사회 제도나 구조에 초점을 두고 사회·문화 현상을 파악함 예 기능론, 갈등론	개인의 행위에 초점을 두고 사회·문화 현상을 파악함 예 상징적 상호 작용론

(2) 사회·문화 현상을 보는 기능론과 갈등론

기능론	• 사회 = 하나의 유기적 통합 체계 • 사회의 각 부분은 사회 전체가 합의한 규범에 따라 사회 유지에 필요한 기능을 수행한다고 봄 • 사회 질서와 조화를 설명하기 유용함 • 혁명과 같은 급격한 사회 변동을 설명하기 어려우며, 사회 변동을 거부하는 보수적 관점이라는 비판을 받음
갈등론	• 사회 = 희소가치를 둘러싼 집단 간의 갈등과 대립의 장 • (❸)이 사회 발전의 원동력이 된다고 봄 • 지배와 피지배 관계 및 갈등의 측면을 이해하는 데 유용함 • 사회에서 나타나는 협동과 조화의 현상을 설명하기 어려움

(3) 사회·문화 현상을 보는 상징적 상호 작용론

사회에 대한 인식	사회는 개인 간의 상호 작용 과정에서 주관적인 의미 규정과 해석을 주고받으면서 형성되고 변화함
기본 입장	• 개인 간 상호 작용에 초점을 두며, 상황 정의를 중시함 • 개인의 능동성을 강조함
장점	개인의 행위에 초점을 두어 사회·문화 현상을 심층적으로 이해할 수 있음
한계	개인의 행위에 영향을 미치는 사회 구조나 사회 제도의 측면을 소홀히 함

02 사회·문화 현상의 탐구 방법

1. 사회·문화 현상의 연구 방법

(1) 양적 연구 방법(실증적 연구 방법)

의미	경험적 자료를 계량화하여 사회·문화 현상을 분석하는 방법
전제	사회·문화 현상도 자연 현상과 동일한 방법으로 연구할 수 있다고 보는 (❹)에 기초함
연구 방법	개념의 조작적 정의를 통해 계량화된 자료를 수집 → 수집한 자료를 통계 분석하여 인과 관계 파악, 일반화된 법칙 도출
장점	• 정확하고 정밀한 연구 가능 • 연구자의 가치나 이해관계의 개입 가능성 낮음 • 일반화나 인과 법칙 발견 용이 → 현상에 대한 예측 가능
한계	• 인간의 주관적·정신적 영역에 대한 탐구 곤란 • 현상을 지나치게 단순화하여 기계적으로 인식

(2) 질적 연구 방법(해석적 연구 방법)

의미	연구자의 직관적 통찰을 통해 사회·문화 현상의 의미를 해석하고 이해하려는 방법
전제	사회·문화 현상은 자연 현상과 본질적으로 다르므로 다른 방법으로 연구해야 한다는 방법론적 이원론에 기초함
연구 방법	• 연구자의 경험과 지식, (❺)을 통한 인간 내면의 심층적 이해 • 개인이 처한 상황이나 사회적 맥락에서 의미 해석 → 감정 이입적 이해 추구 • 일기, 대화록 등 비공식적인 자료 중시
장점	• 계량화하기 어려운 영역의 탐구 가능 • 겉으로 드러난 행위 이면에 담긴 의미의 심층적 이해 가능
한계	• 연구자의 주관 개입 우려 • 연구 결과의 일반화 곤란

2. 다양한 자료 수집 방법

질문지법	• 의미: 조사 내용을 질문지로 구성한 후 연구 대상자에게 답변을 얻어 자료를 수집하는 방법 • 장점: 시간과 비용 절약, 조사 결과의 통계 분석 용이 • 단점: 문맹자에게 사용 곤란, 연구 대상자의 무성의한 응답 시 자료의 신뢰도 저하
실험법	• 의미: 가상 상황을 설정하여 인위적인 자극을 주고 그에 따른 변화를 관찰하여 자료를 수집하는 방법 • 장점: 변수 간 명확한 인과 관계 규명 → 일반적인 법칙 발견 용이 • 단점: 인간을 실험 대상으로 하여 윤리적 문제 발생 우려, 완벽하게 통제된 실험 곤란
면접법	• 의미: 연구자가 연구 대상자와 대화하면서 질문을 통해 얻은 응답을 바탕으로 자료를 수집하는 방법 • 장점: 문맹자에게 실시 가능, 심층적 자료 수집 가능 • 단점: 많은 시간과 비용 소요, 연구자의 주관이나 편견 개입 우려
(❻)	• 의미: 연구 대상자의 행동을 직접 관찰하여 자료를 수집하는 방법 • 장점: 자료의 실제성 보장, 깊이 있는 정보 수집 가능, 의사소통이 곤란한 경우에도 실시 가능 • 단점: 많은 시간과 비용 소요, 돌발 상황에 대한 통제 어려움, 연구자의 주관이나 편견 개입 우려
문헌 연구법	• 의미: 기존의 연구 결과물이나 기록물 등을 참고하여 (❼)를 수집하는 방법 • 장점: 시·공간의 제약 극복, 시간과 비용 절약 • 단점: 연구자의 주관 개입 우려

03 사회·문화 현상의 탐구 절차와 태도

1. 사회·문화 현상의 탐구 절차

(1) 양적 연구의 탐구 절차

연구 문제 인식	연구 문제를 인식하고 연구 주제 선정
가설 설정	연구 주제와 관련된 기존 이론을 검토하고, 이를 바탕으로 가설 설정
연구 설계	연구 대상과 연구 기간, 자료 수집 방법 등에 관한 구체적 계획 수립
자료 수집 및 분석	주로 (❽)이나 실험법을 통해 자료 수집 → 통계 기법을 활용하여 자료 분석
가설 검증 및 결론 도출	가설 검증 후 결론 도출 → 가설이 수용될 경우 전체 연구 집단의 특성에 적용하는 일반화 시도

(2) 질적 연구의 탐구 절차

연구 문제 인식	연구 문제를 인식하고 연구 주제 선정
연구 설계	연구 대상과 연구 기간, 자료 수집 방법 등에 관한 구체적 계획 수립
자료 수집 및 분석(해석)	주로 면접법, 참여 관찰법 등을 통해 자료 수집 → 직관적 통찰, 감정 이입적 이해를 통해 자료 해석
결론 도출	결론 도출 → 특정 상황에 관한 것으로 일반화 곤란

2. 사회·문화 현상의 탐구 태도와 가치 중립

(1) 사회·문화 현상의 탐구 태도

(❾)	연구자의 주관적 가치, 이해관계를 떠나 제삼자의 관점에서 있는 그대로 사실을 관찰하는 태도
개방적 태도	새로운 주장의 가능성을 인정하고, 자신의 주장에 대한 비판을 허용하는 태도
상대주의적 태도	사회·문화 현상의 특수성을 인정하고, 그 현상이 지닌 고유한 가치와 의미를 그 사회의 맥락에서 이해하는 태도
성찰적 태도	사회·문화 현상의 이면에 담긴 의미나 인과 관계를 살펴보는 태도

(2) 사회·문화 현상 탐구에서의 가치 개입과 가치 중립

구분	가치 개입	(❿)
의미	연구자가 자신의 주관이나 가치를 연구 과정에 개입하여 탐구하는 것	연구자가 주관적인 가치나 이해관계를 배제하고 객관적 증거에 따라 탐구하는 것
연구 단계	연구 문제 인식, 연구 설계, 연구 결과의 활용	자료 수집 및 자료 분석, 결론 도출

3. 사회·문화 현상의 탐구와 연구 윤리

(1) 연구 윤리의 필요성: 사회 과학의 연구 대상은 인간이므로 연구 윤리를 엄격하게 지켜야 함

(2) 연구자가 지켜야 할 연구 윤리

연구 대상자 관련	• 연구 대상자의 자발적 참여를 보장해야 함 • 연구 대상자의 인권과 사생활을 보호해야 함
연구 과정 및 결과 활용 관련	• 자료를 편파적으로 수집하거나 의도적으로 조작해서는 안 됨 • 연구 결과를 왜곡해서는 안 됨 • 타인의 연구 결과를 도용해서는 안 됨 • 연구 결과를 비윤리적으로 활용해서는 안 됨

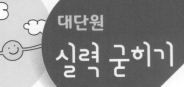
01 밑줄 친 ㉠~㉢과 같은 현상의 일반적인 특성에 대한 설명으로 옳은 것은?

우리나라에서는 ㉠ 한 달 넘게 폭염이 이어지고 있다. 이러한 폭염은 ㉡ 티베트 고원에서 발생한 고기압이 한반도 지역으로 이동하여 북태평양 고기압과 상호 작용하면서 더욱 심화하고 있다. 정부에서는 국민들에게 ㉢ 야외활동을 자제할 것을 당부하고 있으며, 기상청에서는 티베트 고기압이 약화하기 시작하는 ㉣ 8월 말 이후 폭염이 누그러질 것이라고 전망하였다.

① ㉠과 같은 현상은 당위 법칙을 따른다.
② ㉡과 같은 현상은 가치 함축적이다.
③ ㉢과 같은 현상은 인과 관계가 명확하다.
④ ㉣과 같은 현상은 보편성과 특수성이 공존한다.
⑤ ㉠, ㉡과 같은 현상은 ㉢, ㉣과 같은 현상과 달리 경험적 자료에 의해 연구가 가능하다.

02 다음 글을 통해 알 수 있는 사회·문화 현상의 특성으로 가장 적절한 것은?

공급 법칙에 따르면 가격이 상승하면 공급량이 증가하고 가격이 하락하면 공급량이 감소한다. 이러한 공급 법칙은 노동 시장에도 적용되는데, 임금이 상승하면 노동 공급량이 증가하고 임금이 하락하면 노동 공급량이 감소한다. 하지만 일정 수준 이상 임금에 도달하면 사람들이 일을 줄이고 여가를 즐기려는 경향이 나타나 오히려 임금이 상승할수록 노동 공급량이 감소하기도 한다.

① 인과 관계를 파악하기 쉽다.
② 현상에 대한 예측이 용이하다.
③ 개연성과 확률의 원리가 작용한다.
④ 자연 현상과 밀접하게 연관되어 있다.
⑤ 시대에 따라 특수한 모습으로 나타난다.

03 다음과 같은 배경에서 나타난 사회 과학의 연구 동향으로 가장 적절한 것은?

• 사회·문화 현상은 매우 복잡하고 다양할 뿐만 아니라 급속하게 변하기 때문에 단순히 몇 개의 학문만으로 설명하기 어렵다.
• 사회·문화 현상은 그 내용 하나하나가 별개로 떨어져 존재하는 것이 아니라, 여러 요인들이 복잡하게 얽혀 유기적인 관계를 맺고 있다.

① 규칙성을 발견하여 미래를 예측하고자 한다.
② 개별 학문을 세분화하여 보다 전문적으로 연구한다.
③ 사회·문화 현상에서 나타나는 보편성과 특수성의 조화를 강조한다.
④ 객관적이고 공개적인 과정을 통해 사회·문화 현상을 탐구하고자 한다.
⑤ 다양한 학문적 관점에서 사회·문화 현상을 종합적으로 탐구하고자 한다.

04 사회·문화 현상을 바라보는 갑, 을의 관점에 대한 설명으로 옳은 것은?

• 사회자: 최근 증가하고 있는 아동 학대 문제에 관한 의견을 말씀해 주십시오.
• 갑: 아동 학대 문제는 가족만의 문제가 아닙니다. 가족, 학교, 사회가 모두 제 기능을 하지 못하기 때문에 아동 학대 문제가 발생합니다.
• 을: 최근 사건을 보면 대부분 빈곤층에서 발생하고 있습니다. 자녀 양육에 필요한 사회적 자원을 기득권에서 독점하면서 아동 학대 문제가 발생합니다.

① 갑의 관점은 사회 안정보다 변동을 중시한다.
② 갑의 관점은 사회 구성 요소의 기능과 역할이 사회적으로 합의된 것으로 본다.
③ 을의 관점은 상징을 통한 개인 간 상호 작용에 초점을 맞춘다.
④ 을의 관점은 기득권층의 이익을 대변하는 논리로 사용된다는 비판을 받는다.
⑤ 갑의 관점은 을의 관점과 달리 사회 구조에 대한 분석을 통해 사회·문화 현상을 이해하고자 한다.

05 다음 글에 나타난 사회·문화 현상을 보는 관점에 대한 옳은 설명을 〈보기〉에서 고른 것은?

> 올림픽 메달의 의미는 선수마다 다를 수 있다. 어떤 선수는 은메달을 땄지만 금메달을 따지 못해서 상심하는 반면, 어떤 선수는 메달을 따지는 못했지만 올림픽 참가 자체에 더 큰 의미를 두기도 한다. 이에 따라 선수마다 경기 결과를 받아들이는 모습이 다양하게 나타난다.

┌ 보기 ┐
ㄱ. 사회 구성원의 상황 정의를 중시한다.
ㄴ. 개인의 행위를 강제하는 사회 체계를 중시한다.
ㄷ. 개인의 능동적 사고와 자율적 행위의 측면을 강조한다.
ㄹ. 사회 각 부분이 상호 보완적 관계를 수행한다고 본다.

① ㄱ, ㄴ   ② ㄱ, ㄷ   ③ ㄴ, ㄷ
④ ㄴ, ㄹ   ⑤ ㄷ, ㄹ

06 사회·문화 현상의 연구 방법 (가), (나)에 대한 설명으로 옳지 <u>않은</u> 것은?

> (가)는 세상의 질서를 비교 가능하도록 단순화하여 최대한 효율적으로 설명하려고 한다. 그에 비해 (나)는 세상의 복잡함을 섣불리 단순화하기보다는 최대한 있는 그대로 들여다보고 이해하려고 한다. 예를 들어 (가)에서는 '우정'과 같은 개념을 다룰 때 친구와 함께 지내는 시간, 대화의 빈도, 서로 주고받은 편지와 선물 등으로 우정의 개념을 계량화한다. 반면 (나)에서는 '우정'의 일상적 행동을 구체적 맥락과 함께 기록하고, 그 행동의 의미를 당사자의 주관적 세계 속에서 해석한다.

① (가)는 연구자의 경험과 지식을 통해 행위 이면의 의미를 해석하고자 한다.
② (나)는 수치화하기 어려운 영역을 탐구할 수 있다.
③ (가)는 (나)에 비해 경험적 자료의 분석을 통한 일반화가 용이하다.
④ (나)는 (가)에 비해 연구자와 연구 대상자 간의 상호 주관적 이해가 중시된다.
⑤ (가)는 방법론적 일원론, (나)는 방법론적 이원론에 기초한다.

07 다음에서 사용된 사회·문화 현상의 연구 방법에 대한 설명으로 옳은 것은?

연구 대상	○○ 지역에 거주하는 여성 결혼 이민자들
연구 목적	○○ 지역에 거주하는 여성 결혼 이민자들이 겪는 문화 차이와 갈등을 이해하고자 함
자료 수집	• ○○ 지역에 함께 거주하면서 일상생활을 관찰함 • 여성 결혼 이민자들이 가족과 주고받은 편지, 일기 등을 수집하여 연구에 참고함 • 심층 면접을 통해 여성 결혼 이민자들의 국제결혼 동기, 경험한 문화 차이와 갈등 등에 대해 물음

① 현상에 대한 예측이 용이하다.
② 개념의 조작적 정의 과정을 거친다.
③ 경험적 자료를 계량화하여 현상을 분석한다.
④ 인간의 주관적인 영역에 대한 심층적인 이해가 곤란하다.
⑤ 연구 대상에 대한 연구자의 감정 이입적 이해가 중시된다.

08 (가), (나)에서 사용된 자료 수집 방법의 일반적인 특징에 대한 옳은 설명을 〈보기〉에서 고른 것은?

> (가) 교도소 출소자들이 사회 적응에 어떤 어려움을 겪는지 알아보기 위해 그들과 대화 형식의 면담을 5회 이상 실시하였다.
> (나) ○○ 지역의 공공 도서관 이용 현황을 알아보기 위해 지역 주민의 공공 도서관 이용 실태와 만족도 등에 대한 질문지를 작성하여 답변을 기재하게 하였다.

┌ 보기 ┐
ㄱ. (가)는 무성의한 응답을 방지하기 용이하다.
ㄴ. (나)는 글을 모르는 사람에게 사용하기 곤란하다.
ㄷ. (나)는 (가)에 비해 연구자의 주관이 개입되기 쉽다.
ㄹ. (가), (나) 모두 양적 연구에서 주로 활용된다.

① ㄱ, ㄴ   ② ㄱ, ㄷ   ③ ㄴ, ㄷ
④ ㄴ, ㄹ   ⑤ ㄷ, ㄹ

09 밑줄 친 ㉠~㉆에 대한 옳은 설명을 <보기>에서 고른 것은?

연구자 갑은 안전 교육이 교통 법규 위반 건수에 미치는 영향을 알아보기로 하였다. 갑은 ○○ 지역의 ㉠ 운전자 200명을 선정하여 ㉡ 운전자의 나이, 성별, 운전 경력 등에서 차이가 나지 않도록 조정하여 각각 100명씩 A, B 집단으로 구성한 후 사전 검사를 실시하였다. 이후 ㉢ A 집단에게는 ㉣ 안전 교육을 실시하고, ㉤ B 집단에게는 이를 실시하지 않았다. 한 달 후 두 집단을 대상으로 ㉥ 교통 법규 위반 여부를 조사한 결과 A 집단이 B 집단에 비해 교통 법규 위반 건수가 더 적게 나타났다.

보기
ㄱ. ㉠은 모집단이다.
ㄴ. ㉡은 독립 변수 이외의 다른 변수가 종속 변수에 영향을 미치지 않도록 하기 위한 것이다.
ㄷ. ㉢은 실험 집단, ㉤은 통제 집단이다.
ㄹ. ㉣은 종속 변수, ㉥은 독립 변수이다.

① ㄱ, ㄴ　　　② ㄱ, ㄷ　　　③ ㄴ, ㄷ
④ ㄴ, ㄹ　　　⑤ ㄷ, ㄹ

10 표는 자료 수집 방법 (가)~(다)를 구분한 것이다. 이에 대한 설명으로 옳은 것은? (단, (가)~(다)는 각각 질문지법, 면접법, 참여 관찰법 중 하나이다.)

구분	(가)	(나)	(다)
대량의 구조화된 자료를 수집하기 용이한가?	예	아니요	아니요
의사소통이 곤란한 집단을 대상으로 한 자료 수집에 적합한가?	아니요	예	아니요

① (가)는 (나)에 비해 자료의 실제성을 확보하기 용이하다.
② (나)는 (가)에 비해 일상생활을 심층적으로 파악하기 용이하다.
③ (다)는 (가)보다 시간과 비용 측면에서 효율성이 높다.
④ (가)는 (나), (다)와 달리 2차 자료를 수집하는 방법이다.
⑤ (다)는 (가), (나)와 달리 자료 해석 시 연구자의 주관을 배제하기 용이하다.

11 다음 연구에 대한 설명으로 옳은 것은? (단, (가)~(라)는 연구 과정을 순서 없이 나열한 것이다.)

• 연구 주제 설정: 고등학생의 ㉠ 아르바이트 경험이 그들의 ㉡ 소비 의식에 영향을 주는지 알아보기로 하였다.
(가) 전국의 고등학생 중 ㉢ 3,600명을 대상으로 구조화된 질문지를 통해 자료를 수집하였다.
(나) 아르바이트 경험이 있는 고등학생이 그렇지 않은 고등학생에 비해 소비 지향성이 높을 것으로 추정하였다.
(다) 아르바이트 경험이 있는 학생의 소비 지향성은 3.5점이고, 그렇지 않은 학생의 소비 지향성은 2.0점으로, 이를 통계 처리한 결과 이 차이는 유의미하다.
(라) 아르바이트 경험 여부는 지난 ㉣ 3년간 아르바이트를 해 본 경우와 그렇지 않은 경우로 구분하고, 소비 지향성은 ㉤ 물건을 사고 싶은 마음이 생기는 횟수나 유혹을 느끼는 정도로 정하였다.

① ㉠은 종속 변수, ㉡은 독립 변수이다.
② ㉢은 모집단이다.
③ ㉣은 ㉠의, ㉤은 ㉡의 조작적 정의에 해당한다.
④ (다)에서는 연구자의 감정 이입적 이해가 요구된다.
⑤ (가)-(라)-(다)-(나) 순서로 연구가 진행되었다.

12 다음은 어느 연구 논문의 목차를 나타낸 것이다. 이에 대한 설명으로 옳지 않은 것은?

Ⅰ. 서론: 연구 목적, 연구 주제 선정 배경
Ⅱ. 이론적 배경: 선행 연구 검토
Ⅲ. 연구 내용
　1. 연구 설계: 자료 수집 방법의 선택
　2. 북한 이탈 청소년 10명의 생애 분석
　　1) 북한에서의 출생과 성장
　　2) 중국 등 제3국 유랑 시절
　　3) 남한에서의 정착
Ⅳ. 결론

① Ⅰ에서는 연구자의 엄격한 가치 중립이 요구된다.
② Ⅱ에서는 문헌 연구법이 사용되었을 것이다.
③ Ⅲ-1에서는 면접법이 사용되었을 것이다.
④ Ⅲ-2에서는 연구자의 직관적 통찰이 중시된다.
⑤ Ⅳ에서 얻은 결론을 일반화하기는 어렵다.

13 다음에서 강조하는 사회·문화 현상의 탐구 태도에 관한 진술로 가장 적절한 것은?

전통 사회든 현대 사회든 나름대로 모두 의미 있는 삶의 모습들을 가지고 있다. 우리 사회에서 쉽게 통용되는 행위 양식들이 다른 사회에서도 받아들여질 것이라고 생각해서는 안 된다. 마찬가지로 서구 사회를 바라보는 관점이 우리 사회에서도 반드시 타당성을 가질 것이라고 생각할 수는 없다.

① 사실을 있는 그대로 바라보아야 한다.
② 여러 가능성이 공존할 수 있음을 인정해야 한다.
③ 현상의 이면에 담긴 의미나 인과 관계를 능동적으로 살펴보아야 한다.
④ 어떤 주장이 경험적으로 실증될 때까지는 하나의 가설로만 받아들여야 한다.
⑤ 사회·문화 현상이 지닌 고유한 가치와 의미를 그 사회의 맥락에서 이해해야 한다.

14 다음에서 강조하는 사회·문화 현상의 탐구 태도로 가장 적절한 것은?

사회·문화 현상에 관한 연구는 익숙한 현상에 의문을 가지는 것에서부터 시작한다. 예를 들어 커피를 마시는 일상 행위에 대해서도 '세계화 시대에 커피를 윤리적으로 소비한다는 것의 의미는 무엇일까?', '커피는 사람들의 사회적 관계 맺기에 어떤 역할을 할까?' 등처럼 어떤 사회 현상을 단선적으로 이해하는 것이 아니라, 관련 주제를 확대하면서 다양한 연구 질문을 통해 이해해야 한다. 이러한 의문은 존재하는 것을 당연하게 여기는 사고에서 벗어나게 해 준다.

① 경험적 자료를 중시하는 태도
② 사실과 가치를 엄격히 분리하는 태도
③ 각 사회가 지닌 고유한 가치를 인정하는 태도
④ 현상에 대한 깊이 있는 성찰을 중시하는 태도
⑤ 타인의 주장이나 비판을 개방적으로 받아들이는 태도

15 (가), (나)에서 강조하는 연구 윤리에 대한 옳은 설명을 〈보기〉에서 고른 것은?

(가) 연구자는 연구의 목적과 과정, 연구가 연구 대상자에게 미칠 영향을 연구 대상자에게 공지하고, 자료 수집에 관해 허락을 받아야 한다.
(나) 연구자는 연구 대상자와 그가 제공한 정보를 분리해야 한다. 즉 연구 결과가 공개되더라도 연구 대상자가 누군지를 확인할 수 없게 해야 한다.

보기
ㄱ. (가)는 연구 대상자의 자발적 참여를 보장하기 위한 것이다.
ㄴ. (가)에 따르면 연구 과정에 연구자의 가치가 개입되는 것을 차단해야 한다.
ㄷ. (나)는 연구 대상자의 익명성을 보장하는 데 기여한다.
ㄹ. (나)에 따르면 연구 대상자 본인만 알고 있는 비밀스러운 정보에 대해 질문해서는 안 된다.

① ㄱ, ㄴ   ② ㄱ, ㄷ   ③ ㄴ, ㄷ
④ ㄴ, ㄹ   ⑤ ㄷ, ㄹ

16 다음 사례를 연구 윤리 측면에서 평가한 내용으로 가장 적절한 것은?

갑은 ○○시에 카지노 시설을 유치해야 한다고 주장하고 있다. 이에 범죄 증가를 우려하는 ○○시의 주민들을 설득하기 위해 2014년부터 카지노 시설을 운영하는 □□시의 범죄 건수 변동 양상을 연구하였다. 갑은 아래 표와 같은 자료를 수집하였는데, 백의 자리에서 반올림하여 범죄 건수 증가율을 분석하고, 카지노 시설 유치와 범죄 발생 간에 관계가 없다고 발표하였다.

〈□□시의 범죄 건수 추이〉

연도	2013년	2014년	2015년	2016년
범죄 건수	13,516건	14,435건	14,472건	14,493건

① 연구 대상자의 자발적 참여를 침해하였다.
② 연구 대상자의 사적인 정보를 유출하였다.
③ 수집한 자료를 연구 이외의 목적으로 활용하였다.
④ 타인의 연구 결과를 도용하여 저작권을 침해하였다.
⑤ 특정 방향으로 결론을 유도하기 위해 자료를 조작하여 분석하였다.

개인과 사회 구조

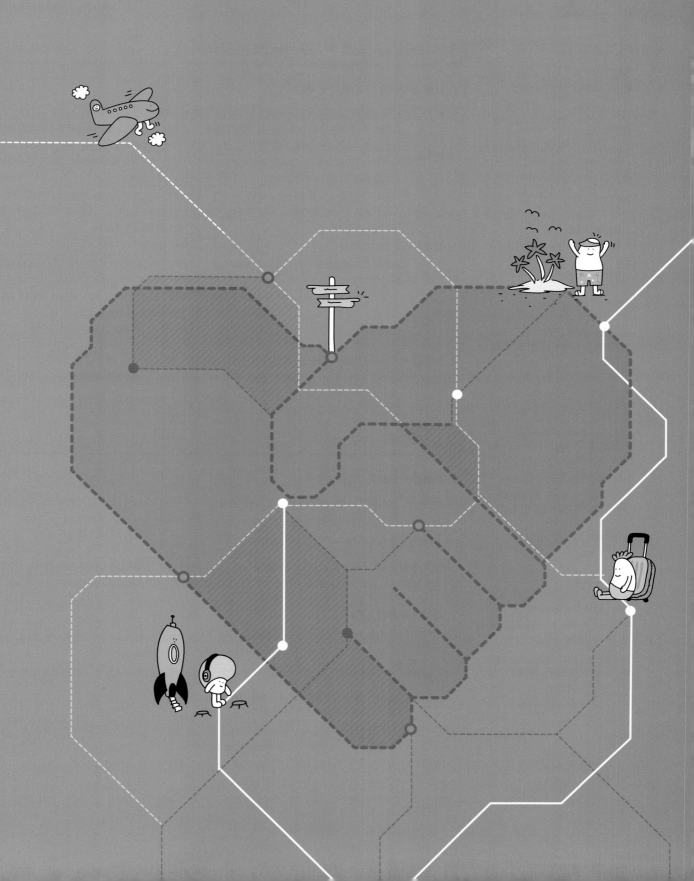

사회적 존재로서의 인간

이것이 핵심!

개인과 사회의 관계를 보는 관점

사회 실재론	• 사회는 개인의 합 이상임 • 사회는 개인의 사고와 행동을 구속함
사회 명목론	• 사회는 개인의 집합체에 붙여진 이름에 불과함 • 개인은 자신의 자유 의지에 따라 행동함

★ **사회 유기체설**
사회를 생물 유기체에 비유하고, 사회 구성원으로서의 개인을 생물 유기체의 각 기관에 비유한 이론

★ **사회 계약설**
국가는 개인 간의 계약에 따라 형성되었으므로, 국가의 의무는 개인의 자유와 권리를 보장하는 것이라고 설명하는 이론

① 개인과 사회의 관계를 바라보는 관점

1. 사회 실재론과 사회 명목론 (자료①)

구분	사회 실재론	사회 명목론
기본 입장	• 사회는 개인의 단순한 합 이상이며, 개인은 사회를 이루는 구성 요소에 불과함 • 사회는 개인의 외부에 실제로 존재하며, 고유한 특성을 지니는 독립적 실체임	• 사회는 개인들의 집합체에 붙여진 이름에 불과함 • 사회는 개인의 이익 실현을 위한 수단에 불과함 • 사회는 명목상으로 존재하며, 실제로 존재하는 것은 개인뿐임
주요 내용	• 사회는 개인의 사고와 행동을 구속함 • 사회·문화 현상을 이해할 때 사회 구조나 사회 제도를 탐구해야 함	• 개인은 자신의 자유 의지에 따라 행동함 • 사회·문화 현상의 분석 단위로 개인의 의식, 정서, 심리 상태를 중시함
관련 학설	*사회 유기체설	*사회 계약설
장점	사회가 개인의 행동에 어떤 영향을 미치는지 설명할 수 있음	개인의 자유 의지에 기초한 능동적인 행동을 설명할 수 있음
한계	• 인간의 주체적이고 능동적인 행위를 설명하기 곤란함 ┌ (예) 전체주의 • 전체를 위한 개인의 희생을 정당화할 우려가 있음	• 사회 제도나 사회 구조가 개인의 행위에 미치는 영향력을 간과할 수 있음 • 극단적 이기주의를 초래할 우려가 있음

2. 개인과 사회의 관계를 바라보는 바람직한 관점: 개인과 사회는 서로 영향을 주고받음 → 사회 실재론과 사회 명목론을 조화롭게 취하여 균형 잡힌 시각으로 사회 현상을 이해해야 함

이것이 핵심!

사회화의 의미와 유형

의미	개인이 사회에서 요구하는 행동 양식, 지식, 기능, 가치, 규범 등을 습득하는 과정
유형	재사회화, 예기 사회화 등

★ **자아 정체성**
자신의 성격, 취향, 가치관, 능력 등에 대해 비교적 명료하게 이해하고 있으며, 그러한 이해가 지속성과 통합성을 지니고 있는 상태

재사회화 과정에서 기존에 습득한 규범이나 생활 방식을 버리는 탈사회화가 동시에 나타나기도 해.

② 사회화

1. 사회화의 의미와 기능 (자료②)

(1) **사회화**: 한 개인이 다른 사람과의 상호 작용을 통해 그가 속한 사회에서 요구하는 행동 양식과 지식, 기능, 가치, 규범 등을 습득하는 과정 ─ 꼭! 사회화는 평생에 걸쳐 이루어지며, 그 내용은 시대와 사회에 따라 다르게 나타나.

(2) **사회화의 기능**

개인적 차원	사회생활에 필요한 행동 양식을 습득하고, *자아 정체성과 인성을 형성하면서 사회적 존재로 성장함
사회적 차원	그 사회의 문화를 공유하고, 규범과 가치를 세대 간 전승함 ─ 사회의 유지와 존속 및 발전에 기여해.

2. 사회화의 유형 (자료③)

재사회화	사회 변화나 새로운 환경에 적응하기 위해 이전과는 다른 지식이나 규범, 가치 및 기능 등을 습득하는 과정 (예) 정보 사회에 적응하기 위한 노인들의 컴퓨터 교육 등
예기 사회화	미래에 속하게 될 집단에서 요구되는 행동 양식을 미리 습득하는 과정 (예) 신입생 예비 교육 등

3. 사회화 과정
┌ 언어적 상호 작용, 보상과 처벌의 경험, 모방과 동일시 등의 방법을 통해 사회화가 이루어져.

구분	주요 사회화 내용
유아기	기본적인 욕구 충족 방법 및 정서적 반응 방식 습득
아동기	언어, 규칙, 가치관 습득
청소년기	지식과 기술 습득, 진로 및 직업 탐색
성인기	새로운 지식과 기술, 생활 양식 습득

완자 자료 탐구 내 옆의 선생님

자료 ① 팀 정신과 개개인의 기량으로 본 사회 실재론과 사회 명목론

- 갑: 우리 선수들 한 명 한 명의 기량이 상대 팀보다 뛰어난 것은 아니었지만, 우리 팀은 '하나'라는 강한 팀 정신이 있었기 때문에 이번 야구 대회에서 우승할 수 있었습니다.
- 을: 선수 각자의 실력이 다른 팀 선수들보다 못하면 시합에서 이길 수 없기 때문에 이번 대회를 준비하면서 제가 가장 신경을 썼던 부분은 선수 개개인의 기량 향상이었습니다. 그 결과 지난 대회보다 더 나은 성적을 기록할 수 있었습니다.

팀 정신을 강조하는 것은 사회를 개인들의 합 이상으로 보는 사회 실재론적 관점에 해당한다. 이와 달리 선수 개개인의 기량을 강조하는 것은 사회를 개인들의 집합체에 붙여진 이름에 불과하다고 보는 사회 명목론적 관점에 해당한다. 그런데 대부분의 사회 현상은 사회 구성원 개개인의 특성과 사회 구조나 제도 등이 상호 작용을 하면서 나타나는 경우가 많다. 따라서 사회 현상을 제대로 이해하기 위해서는 사회 실재론과 사회 명목론을 상호 보완적으로 적용해야 한다.

자료 ② 사회화의 중요성

한 선교사가 늑대 굴에서 두 소녀를 발견하였다. 이들은 늑대처럼 네 발로 걷고 뛰었으며, 어두운 곳에서도 잘 볼 수 있었고, 멀리 떨어진 곳의 냄새도 잘 맡았다. 물론 의사소통은 불가능하였고, 이들이 할 수 있었던 유일한 소리는 울부짖음뿐이었다. 소녀 중 한 명은 바로 죽었지만 나머지 한 소녀는 9년을 더 살았는데, 그동안의 교육에도 불구하고 약 30개의 어휘만 구사할 수 있었다.

인간은 사회 속에서 다른 사람들과 관계를 맺고 서로 영향을 주고받으면서 살아가는 사회적 존재이다. 따라서 사회 구성원들과의 상호 작용을 통해 사회생활에 필요한 지식, 기술, 규범 등을 학습하는 사회화 과정을 거쳐야 인간다운 모습을 갖추게 된다.

└ 꼭! 특히 어릴 때 이루어지는 사회화는 그 결과가 평생에 걸쳐 영향을 미치므로 매우 중요해.

자료 ③ 재사회화와 예기 사회화

(가)는 한국 사회에 적응하기 위해 이전과는 다른 행동 양식을 습득하는 과정이므로, 재사회화에 해당한다. (나)는 ○○국에서 요구되는 행동 양식을 미리 습득하는 과정이므로, 예기 사회화에 해당한다. 그리고 이는 새로운 행동 양식을 습득하는 과정이므로, 재사회화에도 해당한다. 하지만 (나)의 사례처럼 모든 예기 사회화가 재사회화는 아니다. 예를 들어, 고등학교 신입생을 위한 오리엔테이션은 예기 사회화이지만 재사회화는 아니다. 고등학교 생활이 중학교 생활과 완전히 새로운 생활이 아니기 때문이다.

문제 로 확인할까?

사회 실재론에 부합하는 진술이 아닌 것은?
① 개인보다 사회가 중요하다.
② 사회는 개개인의 단순한 합에 불과하다.
③ 사회는 개인의 사고와 행위를 구속한다.
④ 사회는 개인의 외부에 실제로 존재한다.
⑤ 사회 구조에 주목하여 사회를 연구해야 한다.

② 圖

자료 하나 더 알고 가자!

1차적 사회화와 2차적 사회화

1차적 사회화	영·유아기에 이루어지는 사회화로서 개인이 사회적 존재로 성장하고 생활하는 데 필요한 가장 기초적이고 중요한 행동 양식을 습득하는 과정 → 원초적 사회화라고도 함
2차적 사회화	청소년기와 성년기에 들어선 후 영·유아기에 익힌 사회화의 내용을 심화하거나 전문화하여 새로운 규범과 문화를 습득하는 과정

정리 비법을 알려줄게!

사회화의 유형

재사회화	사회 변화에 적응하기 위해 이전과는 다른 지식, 규범, 가치 등을 습득하는 과정
예기 사회화	미래에 속하게 될 집단에서 요구되는 행동 양식을 미리 습득하는 과정
탈사회화	기존에 습득한 규범이나 생활 방식을 버리는 과정

01 사회적 존재로서의 인간

이것이 핵심!

사회화 기관의 유형 분류

사회화의 내용	1차적 사회화 기관 예 가족, 또래 집단 등
	2차적 사회화 기관 예 학교, 직장, 대중 매체 등
형성 목적	공식적 사회화 기관 예 학교, 직업 훈련소 등
	비공식적 사회화 기관 예 가족, 직장, 대중 매체 등

★ 또래 집단
같거나 비슷한 나이 또래의 구성원들로 이루어진 집단

★ 뉴 미디어
과학 기술의 발전에 따라 생겨난 새로운 전달 매체로 인터넷, 누리 소통망(SNS) 등이 있다.

③ 사회화 기관

1. 사회화 기관의 유형 ─ 개인의 사회화에 영향을 미치는 기관

분류 기준	유형	내용
사회화의 내용	1차적 사회화 기관	인성의 기본 틀을 형성하고, 기초적인 행동 양식을 습득하는 데 영향을 미치는 기관 예 가족, *또래 집단 등
	2차적 사회화 기관	전문적인 지식과 기능의 사회화를 담당하는 기관 예 학교, 직장, 대중 매체 등
형성 목적	공식적 사회화 기관	사회화 자체를 목적으로 설립된 기관 예 학교, 직업 훈련소 등
	비공식적 사회화 기관	사회화 이외의 목적으로 형성되었으나, 부수적으로 사회화 기능을 수행하는 기관 예 가족, 직장, 대중 매체 등

2. 사회화 기관의 특징과 기능 (자료 ④)

Q₩? 가족을 통해 이루어지는 사회화는 그 결과가 평생에 걸쳐 영향을 미치기 때문이야.

가족	• 가장 기초적이고 중요한 사회화 기관임 • 유아기와 아동기에 인성의 기본 틀을 형성하는 데 큰 영향을 미침
또래 집단	• 또래 집단과의 상호 작용을 통해 집단생활에 필요한 규칙이나 질서 의식 등을 습득함 • 청소년기의 자아 정체성 형성에 큰 영향을 미침
학교	• 지속적·체계적으로 교육을 담당하는 기관 → 공식적 사회화 기관 • 전문화된 지식과 기술 등을 습득하고, 사회생활에 필요한 규칙을 배움
직장	• 업무에 필요한 지식과 기술을 배우고, 조직 생활에 필요한 규범과 행동 양식을 습득함 • 업무나 지위의 변화에 적응하기 위한 다양한 재사회화가 이루어짐
대중 매체	• 신문, 텔레비전, 인터넷 등을 통해 새로운 정보와 지식 등을 빠르게 습득함 • 오늘날 개인의 사회화 과정에 미치는 *뉴 미디어의 영향력이 더욱 커지고 있음

이것이 핵심!

지위와 역할

지위	한 개인이 집단이나 사회 속에서 차지하는 위치
역할	일정한 지위에 대해 사회적으로 기대되는 행동 양식
역할 행동	개인이 자신의 역할을 실제로 수행하는 구체적인 방식
역할 갈등	한 개인이 동시에 여러 역할을 수행해야 하는 상황에서 역할 간 충돌이 발생하여 나타나는 심리적 갈등

④ 지위와 역할

1. 지위
(1) **지위**: 한 개인이 집단이나 사회 속에서 차지하는 위치
(2) **지위의 종류** ─ 꼭! 전통 사회에서는 귀속 지위가 중요했지만, 현대 사회로 올수록 성취 지위의 중요성이 더 커지고 있어.

귀속 지위	개인의 능력이나 노력과 관계없이 자연적으로 가지게 되는 지위 예 딸, 아들, 맏이, 손자 등
성취 지위	개인의 의지나 노력으로 후천적으로 얻게 되는 지위 예 어머니, 아버지, 아내, 남편, 학생 등

2. 역할과 역할 행동 (자료 ⑤)

꼭! 지위와 역할은 고정된 것이 아니야. 사회가 변화함에 따라 지위에 대한 평가가 달라지기도 하고, 지위에 따른 역할이 변화하기도 해.

(1) **역할**: 일정한 지위에 대해 사회적으로 기대되는 행동 양식
(2) **역할 행동**: 개인이 자신의 역할을 실제로 수행하는 구체적인 방식

3. 역할 갈등 (교과서 자료) ─ 사회의 다원화로 인해 한 개인이 가지는 지위와 그에 따른 역할이 다양해지면서 역할 갈등이 증가하고 있다.

(1) **역할 갈등**: 둘 이상의 서로 다른 지위에 따른 역할을 동시에 수행해야 하는 상황에서 역할 간 충돌이 발생하여 나타나는 심리적 갈등
(2) **역할 갈등의 해결 방안** ─ 역할 갈등을 원만하게 해결하지 않으면 개인은 심리적 불안감을 느낄 수 있으며, 사회는 혼란에 빠질 수 있어.

개인적 측면	• 역할의 우선순위를 정하여 중요한 것부터 수행하거나 하나의 역할만을 선택함 • 갈등을 일으키는 지위와 역할을 분석하여 타협점을 찾음
사회적 측면	• 어떤 역할을 우선하는 것이 바람직한지에 대한 사회적 합의를 마련함 • 여러 가지 역할을 동시에 수행할 수 있도록 사회 제도적 장치를 마련함

└ 예 직장 내 보육 시설 설치 의무화

자료 ④ 뉴 미디어와 사회화

> 명절 즈음이 되면 차례상 차리는 법을 알려 주는 애플리케이션의 다운로드 수가 급격히 늘어난다. 애플리케이션은 차례상에 어떤 음식을 올려야 하는지, 음식을 어디에 배치해야 하는지 알려 주며, 차례 상차림 외에도 지방 쓰는 법, 절하는 법, 차례 순서 등도 알려 준다. 친척들의 촌수나 호칭 정보를 알려 주는 애플리케이션도 명절이 되면 다운로드 수가 급증한다.

최근 정보화의 진전으로 뉴 미디어의 보급이 확산하면서 사회화의 방식에 많은 변화가 나타나고 있다. 컴퓨터와 스마트폰을 사용하는 사람들이 늘어나면서 제시된 사례에서처럼 사회생활에서 알아야 할 많은 것을 인터넷과 같은 뉴 미디어를 통해 배우는 추세가 강화되고 있다.

자료 ⑤ 역할과 역할 행동

> 갑은 축구팀에서 공격수라는 지위를 가지고 있다. 공격수에게는 상대편의 골문에 공을 넣는 것을 기대한다. 이를 공격수의 역할이라고 하며, 이러한 역할은 공격수 누구에게나 기대된다. 그런데 공격수마다 역할을 수행하는 방식은 다르다. 어떤 공격수는 자기편 선수가 패스한 공을 잘 받아 상대편의 골대 안으로 공을 넣는가 하면, 또 다른 공격수는 자기편 선수가 만들어 준 기회를 헛발질로 날려 버리는 경우가 있다. 이는 공격수마다 역할 행동이 다르기 때문이다.

동일한 지위를 가지고 있더라도 개인에 따라 역할 행동은 다양하게 나타난다. 개인의 역할 행동이 사회적 기대에 부합하면 칭찬과 보상이 따르지만, 역할을 제대로 수행하지 못하면 사회적 비난이나 제재가 따른다. 이는 사회 구성원이 사회적으로 바람직한 행동을 하도록 유도하고, 바람직하지 않은 행동을 하지 않도록 억제하는 기능을 한다.

수능이 보이는 교과서 자료 — 역할 갈등

경영학과와 사회학과 중 어느 과에 원서를 내지?
갑

큰일이네. 딸에게 집에 빨리 간다고 약속했는데, 부장님은 이 일을 오늘 중으로 끝내라고 하고…….
을

역할 갈등이란 한 개인에게 요구되는 역할들이 충돌하여 나타나는 심리적 갈등이므로, 역할 갈등이라고 말하기 위해서는 두 개 이상의 역할이 나타나야 하고, 그 역할들이 충돌을 빚어야 한다. 제시된 사례에서 갑이 대학 진학 학과에 대해 고민하는 것은 역할 갈등이 아니지만, 을이 아버지로서 딸과의 약속을 지켜야 할지, 직장인으로서 상사의 지시를 따라야 할지 고민하는 것은 역할 갈등이라 볼 수 있다.

정리 비법을 알려줄게!

주요 사회화 기관의 특징

가족	가장 기초적이고 중요한 사회화 기관
또래 집단	청소년기의 자아 정체성 형성에 큰 영향을 미치는 사회화 기관
학교	지속적이고 체계적으로 교육을 담당하는 사회화 기관
직장	업무에 필요한 지식과 기술을 배우고 조직 생활에 필요한 규범 등을 습득하는 사회화 기관
대중 매체	현대 사회에서 영향력이 커지고 있는 사회화 기관

문제 로 확인할까?

역할과 관련한 설명으로 옳은 것은?
① 하나의 지위에는 하나의 역할만 있다.
② 역할에 따라 보상이나 제재가 주어진다.
③ 하나의 역할 수행을 둘러싼 고민을 역할 갈등이라고 한다.
④ 지위에 대해 기대하는 일정한 행동 방식을 역할 행동이라고 한다.
⑤ 동일한 지위를 가지고 있더라도 역할 행동은 사람에 따라 다양하게 나타난다.

⑤

완자쌤의 탐구강의

• 갑의 상황을 역할 갈등이라고 볼 수 없는 이유를 서술해 보자.
역할 갈등은 한 개인이 가진 서로 다른 지위에 따른 역할 간에 충돌이 발생하여 나타나는 것이다. 갑이 지원 학과를 고민하는 것은 단순한 내적 갈등에 불과하므로 역할 갈등이라고 볼 수 없다.

함께 보기 61쪽. 내신 만점 공략하기 14

STEP 1 핵심 개념 확인하기

정답친해 15쪽

1 다음 괄호 안의 내용 중 알맞은 말에 ○표를 하시오.

(1) (사회 실재론, 사회 명목론)에 따르면 사회는 개인들의 집합체에 붙여진 이름에 불과하다.

(2) (사회 실재론, 사회 명목론)에 따르면 사회는 개인의 외부에 실제로 존재하며, 독자적인 특성을 지닌다.

2 다음 설명이 맞으면 ○표, 틀리면 ×표를 하시오.

(1) 사회화는 평생에 걸쳐 이루어진다. ( )

(2) 가족과 또래 집단은 1차적 사회화 기관에 해당한다. ( )

(3) 재사회화는 미래에 속하게 될 집단에서 요구되는 행동 양식을 미리 습득하는 과정이다. ( )

3 다음 설명에 해당하는 사회화 기관을 〈보기〉에서 골라 기호를 쓰시오.

보기
ㄱ. 가족   ㄴ. 직장
ㄷ. 학교   ㄹ. 직업 훈련소

(1) 사회화 자체를 목적으로 설립된 기관이다. ( )

(2) 사회화 이외의 목적으로 형성되었으나, 부수적으로 사회화 기능을 수행하는 기관이다. ( )

4 다음 빈칸에 들어갈 내용을 쓰시오.

(1) ( )는 한 개인이 집단이나 사회 속에서 차지하는 위치이다.

(2) ( )은 일정한 지위에 대해 사회적으로 기대되는 행동 방식이다.

(3) ( )은 둘 이상의 서로 다른 지위에 따른 역할 간에 충돌이 발생하여 나타나는 심리적 갈등이다.

5 지위의 유형과 그 사례를 옳게 연결하시오.

(1) 귀속 지위 •   • ㉠ 딸
                                  • ㉡ 맏이

(2) 성취 지위 •   • ㉢ 학생
                                  • ㉣ 아버지

STEP 2 내신 만점 공략하기

01 다음 글에 나타난 개인과 사회의 관계를 바라보는 관점에 부합하는 진술을 〈보기〉에서 고른 것은?

> 사회는 구성원 개인으로만 이루어져 있는 것이 아니다. 구성원들은 출생과 사망, 이주의 과정을 통해 사회에 존재하다 없어지기도 하지만, 사회는 여전히 생명력을 가지고 있다. 사회의 규범이나 문화, 민족성 등은 개인의 생각이나 행동에 영향을 미친다.

보기
ㄱ. 사회는 실제로 존재하지 않는다.
ㄴ. 사회는 개인들의 단순한 합에 불과하다.
ㄷ. 사회적 사실은 개인적 사실로 환원될 수 없다.
ㄹ. 사회를 떠난 개인은 존재 의미를 가질 수 없다.

① ㄱ, ㄴ   ② ㄱ, ㄷ   ③ ㄴ, ㄷ
④ ㄴ, ㄹ   ⑤ ㄷ, ㄹ

02 다음 글에 나타난 개인과 사회의 관계를 바라보는 관점에 부합하는 견해로 적절한 것은?

> 사회에는 단순히 외양적 관찰이나 주관적 의미의 이해를 통해서는 포착할 수 없는 보이지 않는 심층적 구조가 있다. 이러한 구조를 파악하기 위해서는 개인의 의도와 무관하게 형성되고 변화되는 사회적 관계들의 작동 규칙들을 이해하는 것이 필요하다.

① 선거에서 정당보다는 후보자 개인의 능력을 보고 투표해야 한다.

② 편법이 만연한 사회에서는 사람들의 도덕성이 떨어지기 마련이다.

③ 부부가 이혼하는 이유는 두 사람의 성격이 서로 맞지 않기 때문이다.

④ 배우자를 고를 때 집안 분위기보다는 배우자의 성품을 살펴봐야 한다.

⑤ 청소년들이 올바른 가치관을 내면화할 때 청소년 문제는 해결될 수 있다.

03 다음 글에 나타난 개인과 사회의 관계를 바라보는 관점에 대한 옳은 설명을 〈보기〉에서 고른 것은?

> 사회는 서로 일정한 상호 작용을 하는 개인들 간의 복합적인 관계망으로 구성된다. 따라서 모든 사회 현상에 관한 참다운 이론은 개인의 본성과 그들 간의 상호 작용 형식을 밝힘으로써 가능해진다.

보기

ㄱ. 사회 구조에 주목하여 사회를 연구한다.
ㄴ. 사회 현상은 개인들의 자율적인 의지에 의해 만들어진다고 본다.
ㄷ. 사회를 개개인의 특성과 다른 고유한 특성을 지니는 실체라고 본다.
ㄹ. 사회 현상의 분석 단위로 개인의 의식, 정서, 심리 상태 등을 중시한다.

① ㄱ, ㄴ   ② ㄱ, ㄷ   ③ ㄴ, ㄷ
④ ㄴ, ㄹ   ⑤ ㄷ, ㄹ

04 다음 글에 나타난 개인과 사회의 관계를 바라보는 관점의 한계로 적절한 것은?

> 자연 상태에서 인간은 자연법에 따라 자유롭고 평등하게 생활하지만, 분쟁이 발생하는 경우 자연권이 침해될 수 있다. 이러한 분쟁을 해결하고 재산을 안전하게 보호하기 위해 인간은 계약을 맺어 국가를 수립하였다.

① 사회를 위한 개인의 희생을 정당화한다.
② 지나칠 경우 전체주의로 변질될 수 있다.
③ 극단적인 이기주의를 초래할 가능성이 있다.
④ 인간의 능동적인 사고와 행위의 측면을 간과한다.
⑤ 사회 구조가 개인이 활동할 수 있는 한계를 설정한다.

05 (가), (나)에 나타난 개인과 사회의 관계를 바라보는 관점에 대한 설명으로 옳은 것은?

> (가) 사회는 단지 개인들이 모여 있는 것에 지나지 않는다. 사회는 개인의 목표를 실현시켜 주는 도구에 불과하다.
> (나) 법이나 관습, 종교 생활, 화폐 체계와 같은 '사회적 사실'은 개인과 무관할 뿐만 아니라 개인에 외재하면서 개인을 제약하는 객관적 실재이다.

① (가) 관점은 사회를 생물 유기체에 비유한다.
② (가) 관점은 인간의 주체적이고 능동적인 행위를 설명하기 어렵다.
③ (나) 관점은 공익보다 개인의 이익이나 권리 보장을 중시한다.
④ (나) 관점은 개인의 의식 개혁을 통해 사회 문제를 해결할 수 있다고 본다.
⑤ (가) 관점은 개인의 자율성을, (나) 관점은 사회 규범의 구속성을 중시한다.

06 다음 글을 통해 내릴 수 있는 결론으로 가장 적절한 것은?

> 최근 숲속에서 동물과 함께 살아온 것으로 추정되는 소년이 발견되었다. 소년은 발견 당시 마치 동물처럼 행동하였다. 사람들이 소년에게 다양한 교육을 시키자 소년은 화장실 사용, 옷 입는 것, 몇 개의 간단한 단어를 습득하였고, 다른 아이들과 어울리기 시작하였다.

① 사회화의 내용이나 방법은 사회마다 다르다.
② 인간은 사회화를 통해 사회적 존재로 성장한다.
③ 사회화는 태어나서 죽을 때까지 평생에 걸쳐 계속된다.
④ 사회화는 공식적 사회화 기관을 통해서 이루어져야 한다.
⑤ 사회화는 타인의 행위를 모방하거나 보상과 처벌의 경험 등을 통해 이루어진다.

07 (가), (나)에 해당하는 사회화의 기능을 〈보기〉에서 골라 옳게 연결한 것은?

구분	사회화의 기능
개인적 차원	(가)
사회적 차원	(나)

〈보기〉
ㄱ. 자아 정체성 형성
ㄴ. 문화의 세대 간 전승
ㄷ. 사회의 유지 및 통합
ㄹ. 사회생활에 필요한 행동 양식 습득

	(가)	(나)
①	ㄱ, ㄴ	ㄷ, ㄹ
②	ㄱ, ㄹ	ㄴ, ㄷ
③	ㄴ, ㄷ	ㄱ, ㄹ
④	ㄴ, ㄹ	ㄱ, ㄷ
⑤	ㄷ, ㄹ	ㄱ, ㄴ

★중요
08 다음 법 조항에서 강조하는 사회화의 유형에 대한 설명으로 옳은 것은?

다문화 가족 지원법 제6조 ⑤ …… 다문화 가족 구성원은 결혼 이민자 등이 한국어 교육 등 사회 적응에 필요한 다양한 교육을 받을 수 있도록 노력하여야 한다.

① 개인의 인성 형성에 결정적인 영향을 끼친다.
② 주로 가족이나 또래 집단을 통해 이루어진다.
③ 기존 사회의 생활 방식을 반드시 버릴 것을 요구한다.
④ 빠르게 변화하는 현대 사회에서 필요성이 강조되고 있다.
⑤ 미래에 속하게 될 집단에서 요구되는 행동 양식을 미리 학습하는 것이다.

09 다음 사례에 대한 옳은 분석만을 〈보기〉에서 있는 대로 고른 것은?

• 스마트폰 사용에 어려움을 겪은 갑은 최근 딸에게 스마트폰 사용법을 배우기 시작했다.
• 1년 뒤 미국으로의 이민을 계획하고 있는 을은 주변의 미국인 친구들로부터 미국 문화에 대해 배우고 있다.

〈보기〉
ㄱ. 갑은 재사회화를 경험하고 있다.
ㄴ. 을은 예기 사회화를 경험하고 있다.
ㄷ. 갑과 을은 모두 환경 변화에 적응하기 위한 사회화를 경험하고 있다.
ㄹ. 갑과 을은 모두 공식적 사회화 기관에 의한 사회화를 경험하고 있다.

① ㄱ, ㄴ 　　② ㄴ, ㄷ 　　③ ㄷ, ㄹ
④ ㄱ, ㄴ, ㄷ 　　⑤ ㄴ, ㄷ, ㄹ

10 (가), (나)에 나타난 사회화에 대한 설명으로 옳지 <u>않은</u> 것은?

(가) 영·유아기에 이루어지는 사회화로, 사회적 존재로 성장하고 생활하는 데 필요한 기초적이고 중요한 행동 양식을 습득하는 과정이다.
(나) 청소년기와 성년기에 들어선 후 영·유아기에 익힌 사회화의 내용을 심화하거나 전문화하여 새로운 규범과 문화를 습득하는 과정이다.

① (가)는 원초적 사회화라고도 한다.
② (가)를 통해 인성의 기본 틀을 형성한다.
③ (가)는 주로 가족이나 또래 집단 등 주변의 가까운 사람들에 의해 이루어진다.
④ (나)를 통해 사회생활에 필요한 전문적인 지식과 기능을 습득한다.
⑤ (나)는 주로 주변 사람들의 역할 행동에 대한 모방을 통해 이루어진다.

11 표는 사회화 과정을 나타낸 것이다. ⊙~⊙에 대한 설명으로 옳은 것은?

구분	유아기	아동기	청소년기	성인기
사회화 내용	⊙	언어, 규칙, 가치관 습득	⊜	새로운 지식과 기술 등의 습득
대표적 사회화 기관	ⓒ	ⓓ	또래 집단, 학교	ⓔ

① ⊙에는 '정서적 반응 방식 습득'이 들어갈 수 있다.
② ⓒ에는 학교가 들어갈 수 있다.
③ ⓓ에는 가족이 들어갈 수 없다.
④ ⊜에는 '기본적인 욕구 충족 방법 습득'이 들어갈 수 있다.
⑤ ⓔ에 해당하는 사회화 기관은 재사회화의 기능을 수행하지 않는다.

12 표는 사회화의 내용 및 형성 목적을 기준으로 사회화 기관을 유형화한 것이다. 이에 대한 옳은 설명만을 〈보기〉에서 있는 대로 고른 것은?

분류 기준		사회화의 내용	
		(가)	(나)
형성 목적	(다)	A	B
	(라)	C	가족

보기
ㄱ. (가)는 1차적 사회화 기관이다.
ㄴ. (다)는 사회화 자체를 목적으로 설립된 기관이다.
ㄷ. A는 학교, C는 직장이 될 수 있다.
ㄹ. C는 언어나 기본적인 생활 방식 등 초기 사회화를 주로 담당한다.

① ㄱ, ㄴ   ② ㄱ, ㄷ   ③ ㄴ, ㄷ
④ ㄱ, ㄴ, ㄹ   ⑤ ㄴ, ㄷ, ㄹ

13 밑줄 친 ⊙~⊙에 대한 옳은 설명을 〈보기〉에서 고른 것은?

⊙ 가정 통신문

존경하는 학부모님께 드립니다. 학교 폭력 걱정이 없는 행복하고 안전한 ⓛ 학교를 만들기 위한 방안을 마련하고자, 전국 시·도 교육청은 2018년 2차 학교 폭력 실태 조사를 다음과 같이 실시합니다.

1. **일정** 9. 18. ~ 10. 27.
2. **대상**
   • ⓒ 학생: 초등학교 4학년 ~ 고등학교 2학년 재학생 전체
   • ⓓ 부모: 표집 조사 대상 학교의 희망 학부모
3. **조사 참여** 학교 폭력 실태 조사 ⓔ 인터넷 홈페이지

보기
ㄱ. ⊙에서는 주로 재사회화가 이루어진다.
ㄴ. ⓛ에서는 지속적이고 체계적으로 사회화가 이루어진다.
ㄷ. ⓒ과 ⓓ은 모두 성취 지위이다.
ㄹ. ⓔ은 오늘날 사회화 기관으로서의 영향력이 점차 축소되고 있다.

① ㄱ, ㄴ   ② ㄱ, ㄷ   ③ ㄴ, ㄷ
④ ㄴ, ㄹ   ⑤ ㄷ, ㄹ

14 다음 두 사례에 대한 분석으로 옳지 <u>않은</u> 것은?

• 장남인 갑은 가족과 함께 저녁 식사를 하기로 한 날짜와 동아리 모임 날짜가 겹쳐 고민에 빠졌다.
• ○○ 고등학교의 학생인 을은 경영학과에 원서를 내야 할지, 경제학과에 원서를 내야 할지 고민 끝에 담임선생님께 상담을 요청하였다.

① 갑은 귀속 지위를 가지고 있다.
② 갑은 비공식적 사회화 기관에 속해 있다.
③ 을은 성취 지위를 가지고 있다.
④ 을은 2차적 사회화 기관에 속해 있다.
⑤ 갑과 을은 모두 역할 갈등을 겪고 있다.

15 밑줄 친 ㉠~㉤에 대한 옳은 설명을 〈보기〉에서 고른 것은?

> ㉠ 사진 찍는 것을 업으로 하는 ㉡ 사진작가인 갑은 아프리카 수단에서 굶주림으로 무릎을 꿇고 있는 소녀와 소녀가 쓰러지면 그녀를 먹으려는 독수리의 모습을 보게 되었다. 갑은 ㉢ 셔터를 눌렀다. 그런 후 독수리를 내쫓고 소녀를 구했다. 갑이 찍은 「수단의 굶주린 소녀」 사진은 전 세계로 퍼져나가 수단 문제에 대한 국제 여론을 환기시켰으며, 갑은 이 사진으로 ㉣ 퓰리처상을 수상하였다. 그러나 인간으로서 촬영보다 소녀를 먼저 도왔어야 했다는 비판이 일었다. 갑 또한 ㉤ 사진을 찍을 당시 고민을 하지 않았던 것은 아니었다.

> **보기**
> ㄱ. ㉠과 ㉢은 갑의 역할이다.
> ㄴ. ㉡은 갑의 성취 지위이다.
> ㄷ. ㉣은 갑의 역할에 대한 보상이다.
> ㄹ. ㉤은 갑의 역할 갈등이다.

① ㄱ, ㄴ   ② ㄱ, ㄹ   ③ ㄴ, ㄷ
④ ㄴ, ㄹ   ⑤ ㄷ, ㄹ

16 밑줄 친 ㉠~㉤에 대한 설명으로 옳은 것은?

> 을은 자동차를 생산하는 ㉠ 회사에서 ㉡ 영업부 부장으로 근무하고 있다. 을은 자신의 아이디어로 ㉢ 새로운 영업 시스템을 개발하여 회사에 큰 이익을 남겼고, 이에 회사에서는 그에게 ㉣ 성과급과 더불어 2주간의 휴가를 주었다. 한편, 을은 경쟁사로부터 좋은 조건으로 스카우트 제의를 받았다. 그는 회사를 옮길지 ㉤ 고민에 빠졌다.

① ㉠은 1차적 사회화 기관이다.
② ㉡은 을의 역할에 해당한다.
③ ㉢은 을의 역할 행동이다.
④ ㉣은 을의 역할 행동에 대한 제재이다.
⑤ ㉤은 을의 역할 갈등에 해당한다.

서술형 문제

● 정답친해 17쪽

01 다음 글을 읽고 물음에 답하시오.

> 자신의 개성을 보다 잘 드러내기 위해서 자신의 마음에 드는 옷을 스스로 선택했다고 생각하는 사람들이 있다. 그런데 그들은 정말 스스로의 선택으로 옷을 구매했을까? 특정 세대나 특정 연령대에 유행하는 스타일이 있다는 이야기를 자주 듣는다. 만약 스타일을 정하는 것이 개개인이라면 특정 세대나 특정 연령대에 어떤 스타일이 유행한다는 것은 확률적으로 희박하다. 이것은 그 세대, 그 연령대에 동시에 작용하는 어떤 외부적인 요인이 있음을 암시한다.

(1) 윗글의 필자가 개인과 사회의 관계를 바라보는 관점을 쓰시오.

(2) (1)의 장점과 한계에 대해 각각 서술하시오.

02 다음 글을 읽고 물음에 답하시오.

> 갑은 여름 방학 때 방과 후 수업을 들으러 등교하던 중 친한 친구로부터 집에 안 좋은 일이 있어 매우 우울하니 지금 자신과 함께 있어 줄 수 있느냐는 연락을 받았다. 갑은 친구의 연락을 받고 학교로 가야 할지 친구에게 가야 할지 고민하였다.

(1) 위 사례에서 갑이 겪고 있는 상황을 의미하는 사회학적 개념을 쓰시오.

(2) (1)을 해결하기 위한 개인적 차원의 노력을 <u>두 가지</u> 서술하시오.

STEP 3 1등급 정복하기

1 다음 사례에서 갑이 게임의 승자가 되기 직전 손에 가지고 있었을 단어 카드로 적절한 것을 〈보기〉에서 고른 것은?

> • **게임 규칙**: 참가자는 두 장의 단어 카드를 배부 받은 후, 배부 받은 카드 중 하나를 버리고 바닥에서 하나의 카드를 가져갈 수 있다. 이러한 과정을 반복하여 두 장의 카드 모두가 사회 실재론 또는 사회 명목론에 부합하는 것이면 게임의 승자가 된다.
> • **게임 결과**: 갑이 '조직력이 강한 팀을 개인기가 강한 팀이 이길 수 없다.'가 쓰여 있는 단어 카드를 버리고 '개인의 이익이 곧 사회 전체의 이익이다.'가 쓰여 있는 단어 카드를 가져와 게임의 승자가 되었다.

　보기

ㄱ. 사원들을 보면 그 기업의 경쟁력이 높은 이유를 알 수 있다.
ㄴ. 한 사회의 자살률은 그 사회의 결속력과 반비례 관계에 있다.
ㄷ. 국가는 공동체의 목적을 위해 개인에게 희생을 강요할 수 있다.
ㄹ. 학교의 학습 분위기는 학교의 전통보다는 학생들의 태도에 달려 있다.

① ㄱ, ㄴ   ② ㄱ, ㄹ   ③ ㄴ, ㄷ
④ ㄴ, ㄹ   ⑤ ㄷ, ㄹ

> ▶ 사회 실재론과 사회 명목론
>
> **완자샘의 시험 꿀팁**
> 사회 실재론과 사회 명목론의 관점에 부합하는 진술을 찾는 문제가 자주 출제된다. 사회 실재론과 사회 명목론의 기본 입장과 주요 내용 등을 비교하여 정리해 두어야 한다.

2 다음 글을 통해 도출할 수 있는 결론으로 가장 적절한 것은?

> 꼭두각시 인형은 그가 매달린 줄이 당겨졌다 늦추어졌다 하는 것에 따라 오르락내리락 움직이면서 미리 정해진 배역을 충실히 수행한다. 사회 속의 우리 자신 또한 그러한 움직임을 하곤 한다. 우리는 사회 속에서 정해진 우리 자신의 자리와 그 사회의 미묘한 줄에 매달린 스스로의 위치를 인식하게 된다. 하지만 꼭두각시 극장과 인간 사회 사이에는 차이가 있다. 우리는 꼭두각시 인형과 달리, 움직이다 말고 고개를 들어 우리를 움직이는 기제 그 자체를 지각할 가능성을 가지고 있다. 바로 이 행위에서 우리는 자유에로의 첫걸음을 본다.

① 개인은 사회에 전적으로 종속된다.
② 개인과 사회는 독립적으로 존재한다.
③ 개인은 사회의 구성 요소에 불과하다.
④ 사회는 개인에게 불가항력적 존재이다.
⑤ 개인과 사회는 서로 영향을 주고받는다.

> ▶ 개인과 사회의 관계를 바라보는 바람직한 관점
>
> **완자 사전**
> • 기제
> 인간의 행동에 영향을 미치는 심리의 작용이나 원리

3 (가), (나)에 대한 설명으로 옳지 <u>않은</u> 것은?

▶ 사회화의 유형과 사회화 기관

완자샘의 시험 꿀팁
구체적인 사례에서 사회화의 유형
과 사회화 기관을 찾고, 그 특징을
비교하는 문제가 자주 출제된다.

(가)

시대에 뒤쳐질 수 없지! 손녀에게 열심히 컴퓨터 사용법을 배워야겠어!

(나)

내년 해외 영업부 발령이 확정되었으니, 영어 공부를 위해 학원을 열심히 다녀야겠어!

① (가)에는 재사회화가 나타나 있다.
② (가)는 비공식적 사회화 기관에 의한 사회화의 사례이다.
③ (나)에는 2차적 사회화 기관에 의한 사회화가 나타나 있다.
④ (나)는 결혼 이민자가 이전의 생활 습관을 버리는 사회화의 유형과 같다.
⑤ (가), (나)에 나타난 사회화는 모두 새로운 사회에 적응하는 데 도움이 된다.

수능 응용

4 다음 글은 '읍참마속(泣斬馬謖)'이라는 고사성어의 유래이다. 이에 대한 분석 및 추론으로 옳지 <u>않은</u> 것은?

▶ 지위와 역할, 역할 갈등

촉나라 군대의 수장 제갈량이 위나라와 싸울 때 일이다. 제갈량이 가정 지역을 누구에게 맡길까 고심하고 있는데, 장수 '마속'이 지원하였다. 그는 제갈량이 가장 신임하는 참모이자 절친한 친구인 '마량'의 동생이다. 목숨을 걸고 가정 지역을 지키겠다는 마속의 간청에 제갈량은 가정의 산기슭을 지키라고 작전을 지시하였다. 하지만 마속은 지시를 어기고 제멋대로 작전을 펼치다가 결국 참패하고 말았다. 제갈량은 오랜 고민 끝에 군법의 준엄함을 보이기 위해 눈물을 흘리며 마속을 처형하였다. 이와 같은 제갈량과 마속의 일화에서 비롯된 읍참마속(泣斬馬謖)은 공정한 업무 처리와 법 적용을 위해 사사로운 정을 포기함을 이르는 말이다.

① 제갈량은 역할 갈등을 경험하였다.
② 마속은 여러 지위를 동시에 가지고 있다.
③ 마속에 대한 처형은 사회적 제재에 해당한다.
④ 제갈량은 마속의 역할에 대하여 실망하였을 것이다.
⑤ 마속이 촉나라 군대에서 차지하는 지위는 성취 지위이다.

5 밑줄 친 ㉠~㉠에 대한 설명으로 옳지 <u>않은</u> 것은?

사회화 기관과 지위 및 역할

> 갑은 중산층 가정의 ㉠ <u>아들</u>로 태어났다. 그의 ㉡ <u>아버지</u>는 세속적인 즐거움을 즐기는 사람이었고, ㉢ <u>어머니</u>는 쾌락이 없는 금욕적인 삶을 추구하였다. 그러다 보니 항상 부부 간에 ㉣ <u>긴장</u>이 존재하였다. 갑은 여러 ㉤ <u>대학</u>에서 다양한 학문을 공부한 끝에 대학교수가 되었다. 이후 그는 ㉥ <u>어머니의 가치관이 자신에게 큰 영향을 끼쳤음</u>을 깨닫고 어머니의 종교성을 학문적 수준으로 승화시켜, ㉦ <u>책을 저술하였다.</u>

① ㉠은 ㉡, ㉢과 달리 태어나면서 갖게 되는 지위이다.
② ㉣은 부부의 역할 갈등이다.
③ ㉤은 공식적 사회화 기관이자 2차적 사회화 기관이다.
④ ㉥은 가족이 사회화의 기능을 수행하였음을 보여 준다.
⑤ ㉦은 갑의 역할 행동이다.

환자샘의 시험 꿀팁

사회화 기관, 지위, 역할, 역할 행동 등의 개념을 구체적인 사례에 적용하는 문제가 자주 출제된다.

6 다음 글에서 강조하고 있는 역할 갈등의 해결 방안으로 가장 적절한 것은?

역할 갈등의 해결 방안

> ### ○○ 신문
>
> 여성의 사회 활동은 활발해지고 있지만 '워킹맘'의 속앓이는 좀처럼 끊이지 않고 있다. 워킹맘의 사전적 정의는 '사회 활동과 가정을 병행하는 여성'이다. 이들은 사회 활동을 하지만 가사·육아로부터 자유롭지 않다. 출산·육아에 대한 부담은 여성들 어깨를 짓누르며 경력 단절, 저출산 현상 심화로 이어진다. 이러한 문제에 착안해 '여성이 일하기 좋은 직장', '아이를 마음 놓고 키울 수 있는 곳'으로 거듭나려는 기업들이 하나둘씩 늘어나고 있다. 사내 어린이집을 설치·운영해 여성 근로자의 근무 환경을 개선하는 기업이 있는가 하면, 출퇴근 시간을 자유롭게 조정하는 유연 근무제를 도입해 효율적인 시간 활용을 지원하는 기업도 있다.

① 상황에 따라 특정 역할을 포기한다.
② 경제적으로 이익이 되는 역할만을 수행한다.
③ 역할의 우선순위를 정해 중요한 것부터 수행한다.
④ 어떤 역할을 우선하는 것이 바람직한지에 대해 사회적으로 합의한다.
⑤ 여러 가지 역할을 동시에 수행할 수 있도록 지원하는 사회 제도를 마련한다.

환자 사전

• 유연 근무제
일정한 시간과 장소를 벗어나 개인의 특성에 맞는 다양한 근무 형태를 도입함으로써 생산성을 높이고 기업 조직에 유연성을 부여하는 제도

02 사회 집단과 사회 조직

학습목표
• 사회 집단의 유형별 특징을 비교할 수 있다.
• 사회 조직의 유형별 특징을 비교할 수 있다.

이것이 핵심!

사회 집단

의미	둘 이상의 사람들이 소속감이나 공동체 의식을 가지고 지속적인 상호 작용을 하는 모임
유형	• 접촉 방식에 따른 구분: 1차 집단, 2차 집단 • 결합 의지에 따른 구분: 공동 사회, 이익 사회 • 소속감의 유무에 따른 구분: 내집단, 외집단

★ **전인격적인 인간관계**
집단 구성원의 부분적 특성이 아닌, 모든 측면에 관심을 가지며 형성하는 인간적인 관계

★ **본질적 의지**
자신이 선택할 수 없는 자연적·본능적 의지

★ **선택적 의지**
합리적으로 사고하고 이해득실에 따라 행동하려는 의지

★ **이해타산**
자신에게 도움이 되는지를 따져 헤아리는 일

★ **소속 집단**
한 개인이 실제로 소속하고 있는 집단

① 사회 집단의 의미와 유형

1. 사회 집단 〔자료①〕

(1) **사회 집단**: 둘 이상의 사람들이 소속감이나 공동체 의식을 가지고 지속적인 상호 작용을 하는 모임 예 가족, 또래 집단, 학교, 직장, 동호회 등

(2) **사회 집단의 기능**: 집단이 추구하는 가치와 규범의 습득 및 내면화, 사회적 관계의 형성 등 → 개인의 자아 정체성 형성에 큰 영향을 미침

2. 사회 집단의 유형

(1) **구성원 간의 접촉 방식에 따른 구분** 〔자료②〕

┌─ 사회가 분화되고 전문화되면서 그 수가 증가하고, 영향력도 커지고 있어.

구분	1차 집단	2차 집단
의미	구성원 간의 직접적인 대면 접촉을 바탕으로 *전인격적인 인간관계가 나타나는 집단	구성원 간 간접적 접촉과 수단적 만남이 이루어지는 집단
특징	• 구성원 간의 인간관계 자체가 목적임 • 개인의 인성 형성과 정서적 안정에 큰 영향을 미침 • 비공식적인 제재가 일반적임	• 특정한 목적을 달성하기 위해 형성됨 • 구성원 간의 인간관계가 도구적이고 형식적임 • 규칙과 법률 등에 의한 공식적 통제가 일반적임
사례	가족, 또래 집단 등	학교, 회사, 정당 등

(2) **구성원의 결합 의지에 따른 구분**

┌─ 과거에 비해 현대 사회에서는 2차 집단의 비중과 역할이 커지고 있어.

구분	공동 사회(공동체)	이익 사회(결사체)
의미	인간의 *본질적 의지에 의해 자연 발생적으로 형성된 집단	구성원의 *선택적 의지에 의해 인위적으로 형성된 집단
특징	• 결합 자체가 목적임 • 구성원 간의 관계가 친밀하고 정서적이며, 상호 신뢰와 협동심이 강하게 나타남	• 특정한 목적을 달성하기 위해 결합함 • 구성원 간의 관계가 *이해타산적이고 목적 지향적이며, 구성원 사이에 경쟁심이 나타남
사례	가족, 친족, 전통적인 촌락 공동체 등	학교, 회사, 정당, 국가 등

(3) **소속감의 유무에 따른 구분** 〔자료③〕

꼭! 내집단 의식이 지나치게 강하면 집단 간 갈등을 일으켜 사회 통합을 저해할 수 있어.

구분	내집단(우리 집단)	외집단(그들 집단)
의미	자신이 소속해 있으면서 소속감을 느끼는 집단	자신이 소속해 있지 않으면서 이질감을 느끼는 집단
특징	자아 정체성을 형성하고, 사회생활에 필요한 판단과 행동의 기준을 학습함	외집단과의 갈등은 내집단 의식을 강화하는 요인으로 작용하기도 함
사례	우리나라, 우리 학교, 우리 반, 우리 팀 등	다른 나라, 다른 학교, 다른 반, 상대 팀 등

3. 준거 집단

(1) **준거 집단**: 한 개인이 자신의 신념, 태도, 가치 등을 규정하고 행동의 지침으로 삼는 집단 → 한 사람의 준거 집단을 알면 그 사람의 행동이나 특성을 이해하는 데 도움이 됨

(2) **준거 집단과 *소속 집단의 관계**

준거 집단과 소속 집단의 일치	• 소속 집단에 대한 만족감이 높음 • 자신의 판단과 행동에 자신감을 가져 안정적인 생활을 할 수 있음
준거 집단과 소속 집단의 불일치	• 상대적 박탈감을 느낄 수 있음 • 소속 집단에 불만을 가져 집단 구성원과 갈등을 겪을 수 있음 • 준거 집단의 일원이 되기 위하여 열심히 노력하는 동기를 부여하기도 함

완자 자료 탐구

내 옆의 선생님

자료 1 사회 집단과 사회 집단이 아닌 것

⬆ 야구 관중

⬆ 특정 가수의 팬클럽

둘 이상의 사람들이 모여 있다고 해서 반드시 사회 집단인 것은 아니다. 야구 경기를 보러 경기장에 모인 관중은 소속감이나 지속적인 상호 작용 없이 일시적으로 한 장소에 모인 사람들이므로, 사회 집단으로 볼 수 없다. 반면 특정 가수의 팬클럽은 구성원들이 소속감을 가지고 지속적으로 상호 작용하므로, 사회 집단으로 볼 수 있다.

자료 2 1차 집단의 성격을 가진 2차 집단

규모가 큰 무역 회사에 계약직 사원으로 들어간 갑은 기본적인 사무도 처리하지 못해 많은 어려움을 겪는다. 이러한 상황에서 소리를 지르고 야단을 치면서도 갑을 살뜰히 챙기는 아버지 같은 직장 상사가 등장하고, 갑에게 처리해야 할 업무를 하나부터 열까지 가르치며 격려하는 어머니 같은 직장 상사도 등장한다. 갑이 속한 팀은 직장의 한 부서이지만, 동료들의 관계만 보면 마치 가족처럼 보인다.

회사는 수단적이고 형식적인 접촉이 주로 이루어지는 2차 집단이다. 하지만 갑이 회사 동료들과 친밀한 인간관계를 맺고 정서적 유대가 깊어지면서 회사는 1차 집단으로서의 기능도 하고 있다. 현대 사회에서는 2차 집단의 비중이 커지고 있는데, 형식적·계약적 관계로만 이루어지는 사회생활 속에서 친밀하고 인간적인 접촉과 만남을 원하는 사람들의 욕구가 점점 커지면서 2차 집단이 1차 집단의 성격을 가지는 사례가 점차 증가하고 있다.

자료 3 내집단과 외집단의 구분

교내 합창 대회를 며칠 앞두고 1반 학생들은 신경이 몹시 곤두서 있었다. 왜냐하면 2반이 강력한 우승 후보로 손꼽히고 있었기 때문이다. 내심 실수라도 하기를 바랐지만, 결국 교내 합창 대회 대상은 2반이 받게 되었고, 1반 학생들은 크게 아쉬워했다. 하지만 2반이 지역 합창 대회에 학교 대표로 나가게 되자, 1반 학생들은 언제 그랬냐는 듯이 2반을 응원해 주었다. 지역 합창 대회에서 2반이 다른 학교 대표들을 제치고 대상을 받았다는 소식을 들었을 땐 모두가 자기 일처럼 기뻐하며 환호성을 질렀다.

제시된 사례에서 1반 학생들의 내집단과 외집단은 상황에 따라 달라졌다. 2반은 교내 합창 대회 때 외집단이었지만, 지역 합창 대회 때는 내집단이 되었다. 이는 상대 학교가 외집단이 되고, 학교 내 모든 학급이 우리 학교라는 내집단에 포함되었기 때문이다. 이처럼 내집단과 외집단의 구분은 고정불변하는 것이 아니며 상황에 따라 상대적으로 결정된다.

자료 하나 더 알고 가자!

사회적 범주와 군중

사회적 범주	공통의 속성에 따라 구분되는 사람들의 집합체 예 남성, 여성, 청소년, 노인 등
군중	같은 장소에 일시적으로 모인 사람들 예 야구 경기를 관람하기 위해 모인 관중, 지하철 승객 등

정리 비법을 알려줄게!

사회 집단의 유형

접촉 방식에 따른 구분	• 1차 집단: 직접적인 대면 접촉을 바탕으로 전인격적인 인간관계가 나타나는 집단 • 2차 집단: 간접적 접촉과 수단적 만남이 이루어지는 집단
결합 의지에 따른 구분	• 공동 사회: 본질적 의지에 의해 자연 발생적으로 형성된 집단 • 이익 사회: 선택적 의지에 의해 인위적으로 형성된 집단
소속감에 따른 구분	• 내집단: 자신이 소속되어 있으면서 소속감을 느끼는 집단 • 외집단: 자신이 소속되어 있지 않으면서 이질감을 느끼는 집단

문제 로 확인할까?

사회 집단에 대한 설명으로 옳지 않은 것은?
① 내집단과 외집단의 구분은 고정불변하다.
② 2차 집단에서는 공식적 통제가 일반적으로 나타난다.
③ 준거 집단은 한 개인이 행동의 지침으로 삼는 집단이다.
④ 결합 의지에 따라 공동 사회와 이익 사회로 나눌 수 있다.
⑤ 사회 집단의 구성원들은 소속감을 가지고 지속적인 상호 작용을 한다.

① 답

02 사회 집단과 사회 조직

이것이 핵심!

사회 조직, 비공식 조직, 자발적 결사체

사회 조직	목표가 뚜렷하고, 지위와 역할이 명확하며, 공식적인 규범과 절차가 규정되어 있는 사회 집단
비공식 조직	공식 조직 내에서 공통의 관심사나 취미를 가진 구성원들이 자발적으로 만든 사회 집단
자발적 결사체	공통의 관심사나 목표를 가진 사람들이 자발적으로 만든 사회 집단

★ **공식 조직**
특정한 목표 달성과 과업 수행을 위해 의도적이고 합리적인 기준에 따라 만들어진 사회 집단

★ **자발적 결사체의 종류**

시민 단체	사회 문제의 해결과 공익 증진을 목적으로 만들어진 집단 예 환경 단체, 소비자 단체 등
이익 집단	특정 집단의 이익을 추구할 목적으로 만들어진 집단 예 노동조합, 각종 직능 단체 등
친목 집단	취미나 친목을 목적으로 만들어진 집단 예 동호회, 동창회 등

② 사회 조직

1. 사회 조직 자료④

(1) **사회 조직**: 사회 집단 중에서 구체적인 목표를 지니고 있고, 그 목표를 달성하기 위한 구성원의 지위와 역할이 명확하며, 공식적인 규범과 절차가 체계적으로 규정되어 있는 사회 집단 → 일반적으로 *공식 조직을 의미함 예 회사, 학교 등

(2) **사회 조직의 특징**: 공식적인 규범과 절차에 따른 구성원의 행동 통제, 다른 집단과의 뚜렷한 경계, 형식적이고 수단적인 인간관계 등

2. 비공식 조직
> 꿀! 비공식 조직은 공식 조직의 구성원으로 이루어지며, 공식 조직과 상호 보완적 관계에 있어.

(1) **비공식 조직**: 공식 조직 내에서 공통의 관심사나 취미를 가진 구성원들이 자발적으로 만든 사회 집단 예 직장 내 동호회, 직장 내 동문회, 직장 내 봉사 모임 등

(2) **비공식 조직의 기능**

순기능	공식 조직에서 느낄 수 있는 긴장감을 해소하고 사기를 증진함 → 공식 조직의 업무 효율성 향상에 기여
역기능	공식 조직과 상충하는 목표를 추구하거나 친밀한 인간관계를 내세워 공식 조직의 규칙과 절차를 깨뜨릴 경우 공식 조직의 효율성을 저해할 수 있음

3. *자발적 결사체 교과서 자료

(1) **자발적 결사체**: 공통의 관심사나 목표를 가진 사람들이 자발적으로 만든 사회 집단

(2) **자발적 결사체의 특징**: 구성원의 자발적 참여, 비교적 자유로운 가입과 탈퇴, 민주적인 조직 운영, 1차 집단과 2차 집단의 성격 공존 등

(3) **자발적 결사체의 영향**

긍정적 영향	정서적 만족감 제공, 자아실현의 기회 제공, 사회의 다원화와 민주화 촉진에 기여 등
부정적 영향	다른 집단에 대해 배타적이거나 집단 이기주의에 빠지면 공익과 충돌할 우려가 있음

이것이 핵심!

관료제와 탈관료제

관료제	• 업무의 세분화·전문화 • 서열화된 위계질서 • 규칙, 절차에 따른 업무 수행 • 연공서열에 따른 보상
탈관료제	• 유연한 조직 구조 • 수평적 조직 체계 • 능력과 성과에 따른 보상

★ **연공서열**
근속 연수나 나이가 많아짐에 따라 조직 내에서 지위나 임금이 올라가는 체계

★ **목적 전치 현상**
업무 수행에서 조직의 목적보다 규칙과 절차의 준수가 우선시되는 현상

③ 관료제와 탈관료제

1. 관료제 ― 산업화 이후 대규모 조직을 효율적으로 운영하기 위해 등장한 조직 체계를 의미해.

(1) **관료제의 특징**

업무의 세분화·전문화	업무 수행의 효율성이 높음
서열화된 위계질서	구성원들의 권한과 책임 소재가 명확함
규칙과 절차에 따른 업무 수행	구성원이 바뀌더라도 안정적이고 지속적인 과업 수행이 가능함
*연공서열에 따른 보상	구성원들이 안정적으로 일할 수 있음

(2) **관료제의 문제점**: *목적 전치 현상, 인간 소외 현상, 무사안일주의, 조직의 경직성 등

> Q! 획일화된 업무 처리로 구성원들이 자율성과 창의성을 발휘하기 어렵기 때문이야.

> Q! 연공서열에 따른 승진과 보상으로 인해 업무 수행이 나태해질 수 있기 때문이야.

2. 탈관료제 자료⑤

(1) **탈관료제의 등장 배경**: 관료제의 한계와 문제점을 극복하기 위한 새로운 조직의 필요성 증가

(2) **탈관료제의 특징**: 유연한 조직 구조, 수평적 조직 체계, 능력과 성과에 따른 보상 등

(3) **탈관료제의 문제점**: 권한과 책임의 불명확성에 따른 갈등 발생, 조직의 안정성 저하에 따른 조직원의 심리적 불안감 증가 등

자료 4 사회 집단과 사회 조직의 관계

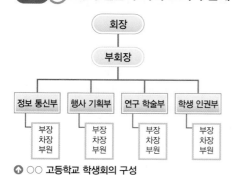

↑ ○○ 고등학교 학생회의 구성

└ 사회 조직은 사회 집단이 좀 더 발전된 형태이므로 모든 사회 조직은 사회 집단이기도 해.

학생회는 구성원들이 학생회에 소속감을 느끼고 지속적인 상호 작용을 하므로, 사회 집단에 해당한다. 이 학교의 학생회는 회장과 부회장, 그리고 네 개의 부서로 이루어져 있으며, 각 부서에는 부장과 차장, 부원이 있다. 학생회는 학생 자치 실현 등의 분명한 목적을 지니고 있으며, 구성원의 지위가 명확하게 구분되어 있고 그에 따른 역할이 있다. 따라서 학생회는 <u>사회 조직</u>에도 해당한다.

문제로 확인할까?

사회 집단과 사회 조직에 대한 설명으로 옳지 않은 것은?
① 모든 사회 조직은 사회 집단에 속한다.
② 모든 사회 집단은 사회 조직이기도 하다.
③ 사회 조직은 일반적으로 공식 조직을 의미한다.
④ 비공식 조직은 공식 조직의 구성원으로 이루어진다.
⑤ 시민 단체, 이익 집단, 친목 집단은 자발적 결사체이다.

② 답

수능이 보이는 교과서 자료 · 자발적 결사체

↑ 시민 단체

↑ 사내 축구 동호회

꼭! 자발적 결사체는 공식 조직의 형태를 띠기도 하고, 공식 조직 내 비공식 조직의 형태를 띠기도 해.

시민 단체는 구체적인 목표를 지니고 있고, 구성원의 지위와 역할이 명확하게 구분되어 있으므로, 공식 조직에 해당한다. 또한 공통의 관심사나 목표를 가진 사람들이 자발적으로 결성한 집단이라는 점에서 자발적 결사체에도 해당한다. 반면 사내 축구 동호회는 회사라는 공식 조직 내에서 같은 취미를 가진 사람들이 자발적으로 모여 결성하였으므로, 비공식 조직이자 자발적 결사체에 해당한다.

완자쌤의 탐구 강의

• 사내 축구 동호회와 동네 친구들끼리 만든 축구 동호회의 조직 유형을 비교하여 서술해 보자.

사내 축구 동호회는 비공식 조직이자 자발적 결사체이다. 그러나 비공식 조직은 반드시 공식 조직 내에 있어야 하므로 동네 친구들끼리 만든 축구 동호회는 비공식 조직이 아니며, 자발적 결사체에만 해당한다.

함께 보기 75쪽, 1등급 정복하기 2

자료 5 탈관료제 조직

↑ 팀제 조직   ↑ 네트워크형 조직   ↑ 아메바형 조직

팀제 조직은 특정한 과업 수행을 위해 전문가로 팀을 구성하여 과업을 수행하는 조직 형태이다. 네트워크형 조직은 독립성과 자율성을 가진 부서나 업무 단위체가 핵심 영역을 중심으로 연결되어 긴밀하게 상호 협력하는 조직 형태이다. 아메바형 조직은 외부 환경에 능동적으로 대처하기 위해 조직의 형태를 특정하게 고정하지 않고 과업이나 목표에 따라 변경, 분할, 증식하는 유연한 조직 형태이다.

자료 하나 더 알고 가자!

관료제 조직의 구성

관료제는 수직적으로는 계층화되고, 수평적으로는 기능상 분업 체계를 이루고 있다.

1 둘 이상의 사람들이 소속감이나 공동체 의식을 가지고 지속적인 상호 작용을 하는 모임을 (   )이라고 한다.

2 사회 집단의 분류 기준과 유형을 옳게 연결하시오.

(1) 소속감의 유무 •   • ㉠ 내집단과 외집단

(2) 구성원의 결합 의지 •   • ㉡ 1차 집단과 2차 집단

(3) 구성원 간 접촉 방식 •   • ㉢ 공동 사회와 이익 사회

3 그림은 사회 집단과 사회 조직의 관계를 나타낸 것이다. A와 B가 무엇인지 각각 쓰시오.

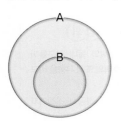

4 다음 설명이 맞으면 ○표, 틀리면 ×표를 하시오.

(1) 사내 동호회는 공식 조직에 해당한다. (   )

(2) 모든 비공식 조직은 자발적 결사체이다. (   )

(3) 시민 단체는 자발적 결사체에 해당한다. (   )

(4) 자발적 결사체는 공식 조직의 형태를 띠기도 하고, 비공식 조직의 형태를 띠기도 한다. (   )

5 관료제와 탈관료제의 일반적인 특징을 〈보기〉에서 골라 기호를 쓰시오.

┌ 보기 ┐
ㄱ. 능력에 따른 보상
ㄴ. 수평적 조직 체계
ㄷ. 업무의 세분화와 전문화
ㄹ. 규칙과 절차에 따른 업무 수행
└─────────────┘

(1) 관료제 (   )

(2) 탈관료제 (   )

01 ㉠을 ㉡과 달리 사회 집단이라고 하지 않는 이유로 적절한 것은?

┌─────────────────────────────┐
한국 축구 국가 대표팀의 친선 경기가 열리면 전국에서 ㉠ 수만 명의 축구 팬들이 경기장을 찾아 대표팀의 승리를 응원한다. 그중에는 한국 축구 국가 대표팀을 조직적으로 응원하기 위해 축구 팬들이 자발적으로 결성한 단체인 ㉡ 붉은 악마도 있다.
└─────────────────────────────┘

① 구성원의 선택적 의지에 의해 형성되었기 때문이다.

② 구성원 간 지속적인 상호 작용을 하지 않기 때문이다.

③ 수단적인 인간관계가 지배적으로 나타나기 때문이다.

④ 구성원 간 직접적인 대면 접촉을 하지 않기 때문이다.

⑤ 인간의 본질적 의지에 의해 자연 발생적으로 형성되었기 때문이다.

02 표는 사회 집단을 결합 의지와 접촉 방식에 따라 구분한 것이다. (가), (나)의 사례를 옳게 연결한 것은?

분류 기준		결합 의지	
		본질적 의지	선택적 의지
접촉 방식	대면 접촉	(가)	
	간접적 접촉		(나)

	(가)	(나)
①	가족	회사
②	가족	친족
③	국가	가족
④	학교	정당
⑤	회사	또래 집단

03 다음 글을 통해 내릴 수 있는 결론으로 가장 적절한 것은?

> 한 사람이 동호회에 가입했다고 가정해 보자. 이때 동호회는 특정 목적을 달성하기 위해 수단적 관계를 바탕으로 형성된 집단이다. 하지만 이 사람이 동호회 활동을 하면서 동호회 회원들과 매우 친밀한 인간관계를 맺는다면, 동호회 내에 전인격적인 인간관계가 나타날 수도 있다.

① 1차 집단은 특정한 목적을 달성하기 위해 형성된다.
② 2차 집단은 구성원 간의 인간관계 자체가 목적이다.
③ 1차 집단의 성격을 가진 2차 집단이 존재할 수 있다.
④ 오늘날 1차 집단보다 2차 집단의 수가 증가하고 있다.
⑤ 오늘날 개인의 생활에 미치는 2차 집단의 영향력이 커지고 있다.

04 밑줄 친 ㉠, ㉡에 해당하는 사회 집단의 유형에 대한 옳은 설명만을 〈보기〉에서 있는 대로 고른 것은?

> 교내 체육 대회 피구 경기에서 ㉠ <u>우리 반</u>은 ㉡ <u>옆 반</u>을 가까스로 이겼다. 다른 모든 경기에서 옆 반에 졌기 때문에 피구는 반드시 승리해야 한다는 각오로 반 친구들이 단합하여 승리할 수 있었다.

보기
ㄱ. ㉠을 통해 개인은 사회생활에 필요한 판단과 행동의 기준을 학습한다.
ㄴ. ㉡을 '우리 집단'이라고도 한다.
ㄷ. ㉠과 ㉡은 상황에 따라 상대적으로 결정된다.
ㄹ. ㉡과의 갈등은 ㉠에 소속되어 있다는 의식을 강화하기도 한다.

① ㄱ, ㄴ   ② ㄴ, ㄹ   ③ ㄷ, ㄹ
④ ㄱ, ㄷ, ㄹ   ⑤ ㄴ, ㄷ, ㄹ

05 다음 사례를 통해 내릴 수 있는 결론으로 가장 적절한 것은?

> 같은 응원봉을 흔들면서 한 스타에게 무한한 애정을 드러내는 팬클럽은 대중문화가 지배하는 현대 사회에서 분명한 색깔을 드러내는 집단 중 하나이다. 그런데 자신이 좋아하는 스타에 대한 무한한 애정이 다른 스타에 대한 미움으로 나타나기도 한다. 이는 자신이 좋아하는 스타가 아닌 다른 스타의 팬클럽에 대해 '다르다'고 보지 않고, '잘못되었다'고 여기기 때문이다.

① 개인은 내집단을 통해 자아 정체감을 형성한다.
② 강한 내집단 의식은 집단 간 갈등을 일으킬 수 있다.
③ 소속 집단과 준거 집단의 불일치는 상대적 박탈감을 유발한다.
④ 내집단과 외집단의 경계와 범위는 상황에 따라 달라질 수 있다.
⑤ 비공식 조직은 공식 조직의 목표를 달성하는 데 기여하기도 한다.

06 ㉠에 들어갈 사회 집단의 유형에 대한 옳은 설명을 〈보기〉에서 고른 것은?

> 학과 점퍼는 등판에 대학과 소속 학과의 이름을 새긴 야구 점퍼를 말하는데, 최근 학과 점퍼가 중고 시장에서 활발하게 거래되고 있다. 소위 명문대 학과 점퍼는 비싼 가격에도 팔려 나갈 뿐 아니라 품귀 현상도 나타나고 있다. 이는 수험생들이 명문대 학과 점퍼를 사 입고 대학생처럼 행동하고 싶어 하는 경향이 있기 때문이다. 이를 통해 수험생들에게 대학생은 (㉠)임을 알 수 있다.

보기
ㄱ. 한 개인이 실제로 소속된 집단이다.
ㄴ. 이질감과 적대감을 느끼는 집단이다.
ㄷ. 개인의 행동이나 특성을 이해하는 데 중요한 역할을 한다.
ㄹ. 소속 집단과 일치하지 않을 경우 개인은 상대적 박탈감을 느낄 수 있다.

① ㄱ, ㄴ   ② ㄱ, ㄷ   ③ ㄴ, ㄷ
④ ㄴ, ㄹ   ⑤ ㄷ, ㄹ

07 밑줄 친 ㉠과 구별되는 ㉡의 특징을 〈보기〉에서 고른 것은?

> 고등학교 동창생 5명이 자주 어울리며 ㉠ 친목 모임을 이어 갔다. 그러다가 친목 모임에 참여하는 친구들이 70명까지 늘었다. 이에 한 친구의 제안으로 ㉡ 친목회를 조직하기로 하여 회칙을 만들고 회장과 부회장, 총무까지 선출하였다.

보기

> ㄱ. 구성원들이 지속적으로 상호 작용을 한다.
> ㄴ. 구성원의 지위와 역할이 체계적으로 정해져 있다.
> ㄷ. 공식적인 규범과 절차에 따라 구성원의 행동을 통제한다.
> ㄹ. 같은 집단의 구성원이라는 소속감과 공동체 의식을 지닌다.

① ㄱ, ㄴ   ② ㄱ, ㄷ   ③ ㄴ, ㄷ
④ ㄴ, ㄹ   ⑤ ㄷ, ㄹ

08 사회 조직의 유형 (가), (나)에 대한 설명으로 옳지 않은 것은?

> (가) ○○ 회사
> (나) ○○ 회사 내 낚시 동호회

① (가)는 공식 조직이다.
② (나)는 비공식 조직이다.
③ (나)는 (가)의 구성원으로 이루어진다.
④ (가)와 (나)는 모두 구성원의 선택적 의지에 의해 형성된 집단이다.
⑤ (가)와 (나)는 모두 공통의 관심사나 목표를 가진 사람들이 자발적으로 결성한 집단이다.

09 사회 집단 (가)~(다)의 공통점으로 옳은 것은?

> (가) 취미나 친목을 목적으로 만들어진 집단
> (나) 특정 집단의 이익을 추구할 목적으로 만들어진 집단
> (다) 사회 문제의 해결과 공익 증진을 목적으로 만들어진 집단

① 공동 사회에 해당한다.
② 공식 조직에 해당한다.
③ 비공식 조직에 해당한다.
④ 자발적 결사체에 해당한다.
⑤ 구성원의 지위와 역할이 명확하게 구분된다.

10 그림은 사회 집단 간의 관계를 도식화하여 나타낸 것이다. (가)~(다)에 들어갈 사회 집단을 옳게 연결한 것은?

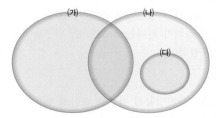

* 그림에 나타난 사회 집단의 관계는 개념상의 관계를 의미함

	(가)	(나)	(다)
①	공동 사회	이익 사회	자발적 결사체
②	공식 조직	비공식 조직	자발적 결사체
③	공식 조직	자발적 결사체	비공식 조직
④	이익 사회	공식 조직	비공식 조직
⑤	비공식 조직	공동 사회	이익 사회

11 ☆중요 (가), (나) 집단에 대한 설명으로 옳지 <u>않은</u> 것은?

(가) 집단 회칙	(나) 집단 회칙
• 제1조 본 회의 명칭은 ○○ 회사의 '볼사람(볼링을 사랑하는 사람들) 동호회'라 칭한다.	• 제1조 본 단체는 우리 사회의 정의를 실현하기 위한 평화적 시민 운동을 목적으로 한다.
• 제2조 ○○ 회사에 근무하면서 본 회에 참여를 희망하는 자는 본 회의 회원이 된다.	• 제2조 본 단체의 사업에 참여하고자 하는 자로서 회원 명부에 등록한 자는 본 단체의 회원이 된다.

① (가)는 공동 사회, (나)는 이익 사회이다.
② (가)는 비공식 조직, (나)는 공식 조직이다.
③ (가)는 친목, (나)는 과업을 목적으로 모인 집단이다.
④ (가)와 (나)는 모두 자발적 결사체이다.
⑤ (가)와 (나)는 모두 가입과 탈퇴가 비교적 자유롭다.

12 그림은 갑과 을이 소속된 집단을 나타낸 것이다. 이에 대한 설명으로 옳지 <u>않은</u> 것은?

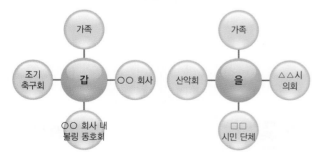

① 갑과 을은 1차 집단에 속해 있다.
② 갑과 을이 소속된 공식 조직의 수는 같다.
③ 갑은 을과 달리 비공식 조직의 구성원이다.
④ 갑과 을이 소속된 자발적 결사체의 수는 같다.
⑤ 갑과 을은 모두 공동 사회와 이익 사회에 속해 있다.

13 그림에 나타난 사회 조직 유형의 특징으로 옳은 것은?

① 개인의 창의성과 자율성을 중시한다.
② 환경 변화에 유연하게 대처할 수 있다.
③ 규칙과 절차에 따른 업무 수행을 중시한다.
④ 경력보다 성과에 따른 차등적 보상을 중시한다.
⑤ 위계 서열적 관계에서 벗어나 수평적 조직 체계를 이루고 있다.

14 다음 대화에 나타난 관료제의 문제점으로 가장 적절한 것은?

① 구성원이 바뀌면 지속적인 업무 처리가 불가능하다.
② 조직의 목적보다 규칙과 절차를 지나치게 중시한다.
③ 연공서열에 따른 보상 체계로 인해 무사안일주의가 나타난다.
④ 과업 수행에 있어서 책임 소재가 불분명하여 갈등을 유발한다.
⑤ 조직의 안정성이 떨어지기 때문에 구성원에게 심리적 불안감을 준다.

15 밑줄 친 '△△ 조직'에 대한 옳은 설명을 〈보기〉에서 고른 것은?

○○ 회사에 구성된 △△ 조직의 운영 방식

• 구성 목적: 상품 판매를 위한 새로운 시장 개척
• 조직 구성: 갑(상품 개발부), 을(해외 영업부), 병(자재부), 정(국내 영업부), 무(총무부), 기(기획 조정실)
• 의사 결정 구조: 수평적 의사 결정 구조
• 활동 기간: 2018. 4. 1. ~ 2018. 9. 30.

보기
ㄱ. 조직의 안정성이 높다.
ㄴ. 구성원이 창의성을 발휘하기 용이하다.
ㄷ. 환경 변화에 유연하게 대응하기 어렵다.
ㄹ. 구성원 간 자유로운 의사소통이 가능하다.

① ㄱ, ㄴ ② ㄱ, ㄷ ③ ㄴ, ㄷ
④ ㄴ, ㄹ ⑤ ㄷ, ㄹ

16 사회 조직 유형 A, B의 일반적인 특징에 대한 설명으로 옳지 않은 것은? (단, A, B는 각각 관료제와 탈관료제 중 하나이다.)

A는 장기, B는 바둑에 비유된다. 장기의 말들은 각자의 위치와 가는 길이 정해져 있다. 바둑에도 룰은 있지만 각 알의 위치가 정해져 있는 것은 아니며, 필요한 경우 아무 데나 가서 자리를 잡을 수 있다. 그리고 장기의 말들은 차부터 졸까지 수직 계층화되어 있는 데 반해 바둑돌들은 모두 평등하다는 점에서 차이가 있다.
---

① A는 업무가 표준화되어 있다.
② B는 유연한 조직 구조를 가진다.
③ A는 B에 비해 의사 결정 권한이 분산되어 있다.
④ B는 A에 비해 업적에 따른 보상을 더 중시한다.
⑤ A와 B는 모두 조직 운영의 효율성을 추구한다.

서술형 문제

 정답친해 21쪽

01 다음 글을 읽고 물음에 답하시오.

가수 지망생인 갑은 매일 학교가 끝나자마자 연습실로 달려가 노래와 춤 연습을 한다. 저녁 늦게까지 연습을 하고 집에 돌아와서는 체력 관리를 위해 운동으로 하루를 마무리한다. 갑은 친구들과 놀고 싶을 때도 있지만, 오디션에 통과할 날을 꿈꾸며 매일 구슬땀을 흘린다.
---

(1) 갑의 준거 집단을 쓰시오.

(2) 윗글을 통해 알 수 있는 준거 집단의 기능을 서술하시오.

02 그림은 사회 조직 유형 A, B를 도식화하여 나타낸 것이다. 이를 보고 물음에 답하시오. (단, A, B는 각각 관료제와 탈관료제 중 하나이다.)

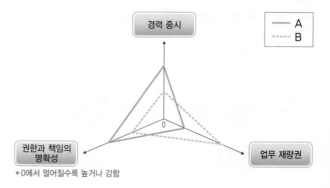

* 0에서 멀어질수록 높거나 강함

(1) A, B에 해당하는 조직의 운영 원리를 각각 쓰시오.

(2) 어느 기업이 조직의 운영 원리를 A에서 B로 변화시켰을 때 기대되는 효과를 두 가지 이상 서술하시오.

STEP 3 1등급 **정복하기**

1 다음 연구 결과가 시사하는 바로 가장 적절한 것은?

> 연구자는 친구 사이인 소년 8명을 불러 서로의 얼굴을 보지 못하게 한 뒤 그들에게 A부터 H까지 기호만 부여하였다. 소년들은 무작위로 A~D까지는 1집단, E~H까지는 2집단으로 분류되었다. 다음 단계로 연구자는 8명의 소년에게 동전을 나눠 주고, 기호 2명을 골라 동전을 나눠 주라고 했다. 그러자 소년들은 자신의 집단에 더 이익이 가게 하는 행동을 보였다. 자신이 1집단인 소년은 1집단의 기호에 속한 소년들에게, 2집단인 소년은 2집단의 기호에 속한 소년들에게 돈을 나눠 주었다. 소년들은 누구인지도 모르는 자신의 집단 구성원에게 돈을 주는 반응을 보인 것이다.

① 인간은 내집단에 호의적인 반응을 보인다.
② 준거 집단은 개인의 행동과 생각에 기준을 제공한다.
③ 준거 집단이 자신의 소속 집단과 항상 일치하는 것은 아니다.
④ 한 개인이 여러 집단에 소속하는 경우 역할 갈등이 나타난다.
⑤ 대부분의 사회 집단은 1차 집단과 2차 집단의 특성을 동시에 갖는다.

> 내집단 의식

> **완자 사전**
> • 역할 갈등
> 한 개인이 둘 이상의 서로 다른 지위에 따른 역할을 동시에 수행해야 하는 상황에서 역할 간 충돌이 발생하여 나타나는 심리적 갈등

수능 응용

2 밑줄 친 ㉠~㉢을 그림의 A~C와 같이 분류할 때 옳게 연결한 것은?

> ㉠ ○○ 금융 회사에 다니고 있는 갑은 회사를 사랑하고 회사를 위해 열심히 일한다. 갑은 음악에 관심 있는 동료들과 함께 ㉡ △△ 사내 밴드를 만들어 애착을 두고 활동하고 있다. 갑의 밴드는 지난주에 ㉢ □□ 시민 단체가 주최한 자선 콘서트에서 공연하였다.

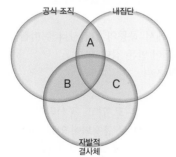

> 사회 집단의 유형

> **완자샘의 시험 꿀팁**
> 한 개인이 속해 있는 사회 집단 및 사회 조직을 구체적으로 제시하고, 유형을 구분하는 문제가 자주 출제된다.

	A	B	C
①	㉠	㉡	㉢
②	㉠	㉢	㉡
③	㉡	㉠	㉢
④	㉢	㉠	㉡
⑤	㉡	㉠	㉢

3 표는 갑이 성장하는 과정에서 속한 사회 집단을 나타낸 것이다. 이에 대한 분석으로 옳은 것은?

시기	소속 집단
유아기	가족, 친족, 유치원, 또래 집단
아동기	가족, 친족, 초등학교, 피아노 학원
청소년기	가족, 친족, 중학교, 고등학교, 교내 봉사 동아리
청년기	가족, 친족, 대학교, 고등학교 동문회, 교내 봉사 동아리, 환경 운동 단체
성인기	가족, 친족, 고등학교 동문회, 대학교 동문회, 회사, 회사 내 봉사 활동 단체, 노동조합

① 유아기에는 이익 사회에 속하지 않았다.
② 아동기에 속한 집단은 모두 공동 사회이다.
③ 청소년기부터 비공식 조직에 속하였다.
④ 성인기에 속한 비공식 조직의 수는 2개이다.
⑤ 청년기와 성인기에 속한 자발적 결사체의 수는 동일하다.

> 사회 집단의 유형
>
> **완자샘의 시험 꿀팁**
> 사회 집단 및 사회 조직의 유형을 구분하고, 그 특징을 비교하는 문제가 자주 출제된다.

4 ㉠~㉤에 들어갈 사회학적 개념에 대한 설명으로 옳지 <u>않은</u> 것은?

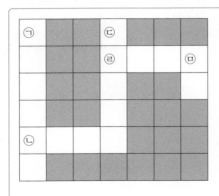

〈세로 열쇠〉
㉠ 공통의 관심사를 가진 사람들이 자발적으로 만든 사회 집단
㉢ 공식 조직 내에서 공통의 관심사나 취미를 가진 구성원들이 만든 집단
㉤ 대표적인 2차 집단

〈가로 열쇠〉
㉡ 구체적인 목표를 지니고 있고, 공식적인 규범과 절차가 체계적으로 규정되어 있는 집단
㉣ 구성원의 본질적 의지에 의해 자연 발생적으로 형성된 집단

① ㉠은 ㉣에 해당한다.
② ㉢은 ㉠에 해당한다.
③ ㉤은 ㉡의 예이다.
④ ㉤ 내에 ㉢이 존재하기도 한다.
⑤ ㉤은 ㉣이 아니다.

> 사회 집단의 유형
>
> **완자 사전**
> • 본질적 의지
> 자신이 선택할 수 없는 자연적·본능적 의지

5 사회 집단의 유형 A~D에 대한 옳은 설명만을 〈보기〉에서 있는 대로 고른 것은?

> 비공식 조직과 자발적 결사체

구분	과업 중심	친목 중심
비공식 조직	A 유형	B 유형
자발적 결사체	C 유형	D 유형

완자샘의 시험 꿀팁

비공식 조직과 자발적 결사체의 관계를 묻는 문제가 자주 출제된다.

┌─ 보기 ─┐
ㄱ. 회사 내 동호회는 A 유형의 사회 집단에 해당한다.
ㄴ. B 유형의 사회 집단은 반드시 공식 조직 내에 존재한다.
ㄷ. 이익 집단과 시민 단체는 C 유형의 사회 집단에 해당한다.
ㄹ. D 유형의 사회 집단은 모두 B 유형의 사회 집단에 해당한다.
└─────┘

① ㄱ, ㄴ   ② ㄴ, ㄷ   ③ ㄷ, ㄹ
④ ㄱ, ㄷ, ㄹ   ⑤ ㄴ, ㄷ, ㄹ

┌ 수능 응용 ┐

6 표는 사회 조직 유형 A, B를 비교한 것이다. 이에 대한 설명으로 옳은 것은? (단, A, B는 각각 관료제와 탈관료제 중 하나이다.)

> 관료제와 탈관료제

질문＼사회 조직 유형	A	B
정해진 규칙에 따른 업무 처리를 중시하는가?	예	아니요
(가)	아니요	예
(나)	예	예

① A는 B에 비해 상향식 의사 결정 방식을 강조한다.
② A는 B에 비해 환경 변화에 유연하게 대응할 수 있다.
③ B는 A에 비해 2차적 관계가 지배적이다.
④ (가)에는 '의사 결정 권한의 집중을 지향하는가?'가 들어갈 수 있다.
⑤ (나)에는 '효율적인 과업 수행을 지향하는가?'가 들어갈 수 있다.

사회 구조와 일탈 행동

학습목표
• 사회 구조를 이해하고, 사회 구조와 개인의 행위의 관계를 설명할 수 있다.
• 일탈 행동을 다양한 관점에서 분석할 수 있다.

이것이 핵심!

사회 구조

의미	사회적 관계를 맺는 방식이 정형화되어 안정된 틀을 이룬 상태
특징	지속성, 안정성, 강제성, 변동성

★ **사회적 관계**
사회적 상호 작용이 지속해서 반복되어 형성된 일정한 행위의 방식

★ **구조화된 행동**
사회 구조의 영향을 받아 사회 구성원 대부분이 당연한 것으로 받아들이고 따르는 행동

① 사회 구조

1. 사회 구조

(1) **사회 구조**: 사회 구성원 간의 *사회적 관계를 맺는 방식이 정형화되어 안정된 틀을 이룬 상태

(2) **사회 구조의 특징** 자료①

지속성	사회 구성원들이 바뀌어도 쉽게 바뀌지 않고 유지됨
안정성	사회 구성원들은 *구조화된 행동을 함으로써 사회적 관계를 안정적으로 유지함
강제성	사회 구성원들의 의지와는 상관없이 어떤 특정한 행동을 하도록 구속함
변동성	사회 구성원들의 행동이나 가치, 규범 등의 변화에 의해 그 성격이 달라질 수 있음

2. 사회 구조와 개인의 행위의 관계 자료②

(1) **개인에 대한 사회 구조의 영향**: 사회 구조는 개인의 사고와 행위를 구속하고 강제함 → 사회 구성원들의 행위를 예측할 수 있게 함

(2) **사회 구조에 대한 개인의 영향**: 개인들의 행위에 의해 사회 구조가 변화할 수 있음 ┐
사회 구조가 일방적으로 개인에게 영향을 주는 것은 아니야.

이것이 핵심!

일탈 행동

의미	사회 규범에 어긋나는 행위
특징	일탈 행동을 판단하는 기준은 시대나 상황, 사회에 따라 다를 수 있음
영향	• 부정적 영향: 사회 부적응 유발, 사회의 통합과 존속 저해, 사회적 자원의 낭비 등 • 긍정적 영향: 심리적 긴장 해소의 기회 제공, 사회 변화의 원동력으로 작용 등

★ **사회 규범**
법, 도덕, 관습, 종교 규범처럼 사회 구성원이 지켜야 할 행위의 기준이나 규칙

② 일탈 행동

1. 일탈 행동의 의미와 특징

(1) **일탈 행동**: *사회 규범에 어긋나는 행위 → 사회적 제재의 대상이 됨 ⓔ 친구와의 약속을 어기는 것, 거짓말을 하는 것, 절도와 같은 범죄 등
┌ ⓔ 비난, 처벌 등
└ 꿀! 일탈 행동은 범죄보다 더 넓은 개념이야.

(2) **일탈 행동의 특징**: 일탈 행동을 판단하는 기준은 시대나 상황, 사회에 따라 다를 수 있음 → 같은 행동이라도 판단 기준에 따라 일탈 행동이 될 수도 있고 안 될 수도 있음 자료③

2. 일탈 행동의 영향

(1) **부정적 영향**

개인적 차원	다른 사회 구성원으로부터 부정적인 평가를 받는 일탈 행동을 지속하면 사회 부적응에 빠질 우려가 있음
사회적 차원	• 사회적 가치와 규범이 무너져 사회가 무질서 상태에 빠질 수 있음 → 사회의 통합과 존속을 저해함 • 일탈 행동의 예방과 대책 마련에 사회적 자원이 낭비됨

(2) **긍정적 영향**

개인적 차원	사회적 통제에서 벗어나 창의성을 발휘하는 통로가 될 수 있으며, 심리적 긴장에서 벗어나는 기회를 제공하기도 함
사회적 차원	사회의 문제를 표출함으로써 사회 변화를 이끌어 내는 요인이 되기도 함 → 사회가 한 단계 더 발전할 수 있는 계기가 되기도 함

3. 일탈 행동의 발생 원인

(1) **개인적 차원**: 개인의 신체적 특징이나 심리적 특성 등에서 일탈 행동의 원인을 찾음

(2) **사회적 차원**: 사회적 환경이나 사회 구조 등 사회적 요인에서 일탈 행동의 원인을 찾음
ⓔ 아노미 이론, 차별 교제 이론, 낙인 이론 등
└ 과거에는 일탈 행동의 원인을 개인의 타고난 특성 탓으로 돌리기도 했지만, 오늘날에는 사회적 요인에 주목하여 일탈 행동을 설명하고 있어.

완자 자료 탐구 내 옆의 선생님

자료 ① 사회 구조의 특징

> 축구 경기 중에 선수가 손으로 공을 들어 골을 넣으려고 한다거나, 수업 시간 중에 학생이 창문을 넘어 교실에 들어오려고 한다면 우리는 그 선수나 학생을 이상한 눈빛으로 볼 것이다. 그 이유는 그들의 행동은 구조화된 행동이 아니기 때문이다.

제시된 사례에서처럼 구조화되지 않은 행동은 정상적인 행위로 받아들여지지 않으며, 상대방을 당황하게 만들 수 있다. 일반적으로 사람들은 사회 구조의 영향을 받아 구조화된 행동을 한다. 따라서 사회 구성원의 행동 양식을 예측할 수 있으며, 이를 통해 사회적 관계를 안정적으로 유지할 수 있다.

자료 ② 사회 구조와 개인의 행위의 관계

> 사회 구조는 상대적으로 안정적이고 지속적이기는 하지만, 건축 구조처럼 아무런 변화 없이 고정적으로 유지되는 것은 아니다. 건축 구조에서 구성 요소들은 오랜 세월에도 크게 변화하지 않지만 사회 구조에서 개인이라는 요소들은 생명체로서 의식을 가지고 생각하고 행동한다. 이때 개인들은 규칙적이고 유사한 행위를 반복함으로써 사회 구조를 안정적으로 재생산하기도 하지만, 새로운 행위를 통해 사회 구조를 변형시키기도 한다.

사회 구조는 개인으로 하여금 구조화된 행동을 하도록 강제한다. 그러나 사회 구조가 일방적으로 개인의 행위를 구속하고 강제하는 것은 아니다. 인간의 주체적인 노력으로 사회 구조가 변동하기도 한다. 따라서 사회 현상을 이해하고 사회 문제의 원인과 해결 방안을 제시하기 위해서는 개인의 행위에 영향을 미치는 사회 구조는 물론 사회 구조에 영향을 미치는 개인의 행위에 대해서도 고려해야 한다.

자료 ③ 일탈 행동의 상대성

> (가) 어떤 나라에서는 여성이 교통수단으로 자전거를 이용할 수 없다. 자전거를 취미로 탈 수는 있지만, 교통수단으로 탈 수는 없다. 여성이 교통수단으로 자전거를 탈 경우에는 처벌을 받는다.
> (나) 군인이 전쟁 중에 자신을 공격하는 적군을 향해 총을 쏘는 것은 정상적인 행위로 간주한다. 하지만 군인이 전쟁 중에 무장하지 않은 민간인을 향해 총을 쏜다면 그 행위에 사회적인 비난이 가해질 것이다.
> (다) 1980년대까지만 하더라도 우리나라에서는 흡연을 규제하지 않았다. 흡연자는 거리에서 담배를 피웠고, 심지어 영화관이나 버스에서도 담배를 자유롭게 피울 수 있었다. 하지만 현재 흡연은 강력한 규제의 대상이 되어, 특정 장소를 제외한 대부분 장소에서 흡연을 금지하고 있다.

(가)는 사회, (나)는 상황, (다)는 시대에 따라 일탈 행동을 판단하는 기준이 다름을 보여 준다. 이처럼 일탈 행동은 한 개인이 구체적으로 무엇을 했는지 보다 그 행위가 어떤 상황에서 발생했는지, 특정 시대와 사회의 구성원이 그것을 어떻게 판단하는지에 따라 규정되는 상대성을 지닌다.

정리 비법을 알려줄게!

사회 구조의 형성 과정

| 사회적 상호 작용 | → 지속 | 사회적 관계 | → 정형화 | 사회 구조 |

문제 로 확인할까?

사회 구조에 대한 설명으로 옳지 않은 것은?
① 사회 구성원들의 행동을 구속한다.
② 사회 구성원이 바뀌면 쉽게 변화한다.
③ 사회 구성원들에 의해 변화하기도 한다.
④ 사회 구조에 의해 사회적 관계가 안정적으로 유지된다.
⑤ 사회적 관계가 긴밀하게 조직되어 하나의 안정된 틀을 이루고 있는 상태이다.

② 🅐

자료 하나 더 알고 가자!

범죄와 일탈 행동

> 음주 운전은 법을 위반하는 범죄이면서 동시에 일탈 행동이다. 반면 학교에 무단결석하는 것은 범죄는 아니지만 일탈 행동이다.

범죄는 법을 위반하는 행위로, 모든 범죄는 일탈 행동에 해당한다. 하지만 사회 규범에 어긋나는 행동이라고 해서 모두 법적 제재의 대상이 되지는 않으므로, 모든 일탈 행동이 범죄인 것은 아니다.

03 사회 구조와 일탈 행동

이것이 핵심!

일탈 행동의 발생 원인

아노미 이론	• 뒤르켐: 사회적 규범의 약 화나 부재 또는 혼재 상태 • 머튼: 문화적 목표와 제도 적 수단 간의 괴리
차별 교제 이론	일탈 행동을 하는 사람들 과의 상호 작용
낙인 이론	특정 행동에 대한 낙인

★ **문화적 목표**
사회 구성원이 사회적으로 달성하고
자 하는 목표

★ **제도적 수단**
합법적 수단과 절차

★ **1차적 일탈**
일시적으로 발생하여 다른 사람의 눈
에 띄지 않고, 문제시되지 않는 일탈
행동

★ **2차적 일탈**
1차적 일탈을 한 사람이 낙인으로 인
해 일탈자라는 정체성을 형성하여 반
복적으로 저지르는 일탈 행동

③ 일탈 행동을 설명하는 다양한 이론 교과서 자료

1. 아노미 이론

(1) 뒤르켐의 아노미 이론

일탈 원인	급격한 사회 변동으로 사회 규범이 약화하거나 부재할 때 또는 기존의 규범과 새로운 규범이 혼재 하면서 나타나는 아노미 상태에서 일탈 행동이 발생함
사례	노인을 공경해야 한다는 의식이 약화하면서 젊은이가 노인을 함부로 대하는 경우
해결 방안	사회적 합의에 바탕을 둔 지배적 규범 확립 → 사회 통제 기능 강화
유용성	일탈 행동의 발생 원인을 사회 구조적 측면에서 접근함
한계	일탈 행동이 발생하게 된 구체적인 맥락이나 과정을 간과함

(2) 머튼의 아노미 이론 자료 ④   ┌─ 예 절도, 사기 등

일탈 원인	*문화적 목표를 달성하기 위한 *제도적 수단이 없을 때 개인은 아노미 상태에 빠지고, 이러한 아노 미적 상황에서 비합법적인 수단을 사용해서 문화적 목표를 달성하려고 할 때 일탈 행동이 발생함
사례	선거에 당선되기 위해 금품과 향응을 제공하는 경우
해결 방안	목표와 수단 간의 괴리를 줄이기 위한 적절한 기회 제공
유용성	기회 구조가 차단된 집단의 범죄를 설명하는 데 유용함
한계	• 중상류층의 범죄를 설명하는 데 한계가 있음 ──── Q왜? 중상류층은 문화적 목표를 달성하기 위한 제도적 • 문화적 목표에 상관없이 발생하는 일시적 범죄를 설명하기 어려움 수단을 가지기 때문에 이들의 범죄를 설명하는 데 한계가 있어.

2. 차별 교제 이론   ┌─ 차별 교제 이론은 일탈 행동도 다른
  행동과 마찬가지로 학습된다고 봐.

일탈 원인	일탈 행동을 하는 사람들과의 상호 작용을 통해 일탈 행동의 방법과 일탈 행동을 정당화하는 가치 관을 학습하여 사회화한 결과 일탈 행동이 발생함
사례	우범자들과 지속해서 교류함으로써 일탈자가 되는 경우
특징	개인의 일탈 행동 발생 가능성은 일탈 행동을 하는 집단과 얼마나 긴밀한 접촉을 하느냐에 달려 있음
해결 방안	일탈 행위자와의 접촉을 차단하고 정상적인 집단과의 교류를 촉진
유용성	일탈 행동이 발생하는 과정을 설명하는 데 유용함
한계	• 일탈 행위자와 장기간 접촉해도 일탈자가 되지 않은 경우나 반대로 일탈 행위자와 접촉 없이 나타 나는 일탈 행동을 설명하기 어려움 • 우연적이고 충동적인 범죄를 설명하기 어려움

3. 낙인 이론 자료 ⑤

일탈 원인	사회적으로 특정한 행동을 일탈로 규정하고, 그러한 행동을 한 사람들을 일탈자로 낙인찍었기 때문 에 일탈 행동이 발생함
사례	전과자가 출소 후에 사회적 편견 때문에 다시 범죄를 저지르는 경우
특징	• 일탈 행동을 규정하는 객관적 기준이 없음 → 일탈은 특정 행위 자체가 가지는 본질적인 특성이 아니라, 사회가 특정 행위를 일탈로 규정지었기 때문에 발생하는 것임 • *1차적 일탈을 한 사람에 대해 낙인을 찍으면 부정적 자아가 형성되고 이로 인해 *2차적 일탈을 저 지르게 됨 └─ 꿀! 일탈 행동에 대한 규정이 상대적이라고 봐.
해결 방안	• 사회적 낙인에 대한 신중한 접근 • 일탈 행위자의 올바른 정체성 회복을 위한 지원
유용성	전과자가 지속해서 일탈 행동을 저지르는 경우를 설명하는 데 유용함
한계	• 1차적 일탈의 원인을 설명하기 어려움 • 낙인찍히지 않았음에도 반복적으로 일탈 행동을 하는 경우나 반대로 낙인이 있었음에도 일탈이 일어나지 않은 경우를 설명하기 어려움 • 일탈 행동을 합리화할 수 있음

완자 자료 탐구　내 옆의 선생님

함께 보기 87쪽, 내신 만점 공략하기 20

수능이 보이는 교과서 자료　일탈 행동을 설명하는 다양한 이론적 관점

교사: 학교 폭력은 왜 발생하는 것일까요?

을: 폭력을 행사하는 친구들과 어울리면서 폭력에 대한 기술을 습득하고 그것이 정당하다고 생각하기 때문에 학교 폭력이 발생한다고 생각합니다.

갑: 폭력을 행사하는 학생을 사회가 포용하지 못하고 문제로 단정 짓는 것이 원인이라고 생각합니다. 이 때문에 스스로를 문제라고 여기고 폭력을 계속 행사하게 되는 것입니다.

병: 학생들도 물질적 풍요를 누리고 싶어합니다. 그런데 정상적인 방법으로는 이를 충족할 수 없어서 금품 갈취 등과 같은 폭력을 저지르는 것입니다.

갑은 타인이 가한 낙인에 맞추어 자신의 정체성을 형성함으로써 일탈 행동이 발생한다고 보고 있으므로, 낙인 이론의 입장이다. 을은 일탈자와의 상호 작용을 통해 일탈 행동을 학습한 결과 일탈 행동이 발생한다고 보고 있으므로, 차별 교제 이론의 입장이다. 병은 비합법적인 방법으로 문화적 목표를 달성하려고 할 때 일탈 행동이 발생한다고 보고 있으므로, 아노미 이론(머튼)의 입장이다.

완자쌤의 탐구 강의

· 갑~병의 관점에서 학교 폭력의 해결 방안을 서술해 보자.

갑	폭력을 행사하는 학생에 대한 부정적 낙인을 신중히 함
을	폭력을 행사하는 학생과의 접촉을 차단하고, 정상적인 학생 집단과의 교류를 촉진함
병	경제적 어려움에 처해 있는 학생에 대한 지원을 강화함

· 차별 교제 이론과 관련 있는 속담을 써 보자.

– 친구 따라 강남 간다.
– 까마귀 노는 곳에 백로야 가지 마라.

자료 ④ 머튼의 아노미 이론

적응 유형	문화적 목표	제도적 수단
동조형	+	+
혁신형	+	−
의례형	−	+
도피형	−	−
반역형	±	±

* '+'는 수용, '−'는 거부, '±'는 대치를 의미함

머튼은 문화적 목표와 제도적 수단의 수용 여부에 따라 적응 방식을 5가지 유형으로 구분하였다. 사회적으로 인정되는 문화적 목표와 제도적 수단을 모두 수용하는 동조형은 일탈 행동이 아니지만, 둘 사이에 괴리가 나타나는 혁신형, 의례형, 도피형, 반역형은 일탈 행동이다.

자료 ⑤ 1차적 일탈과 2차적 일탈

누구나 때로는 일탈적 행동을 할 수 있지만, 대부분 가볍고 일시적이며 쉽게 감추어질 수 있다. 이를 '1차적 일탈'이라고 한다. 1차적 일탈은 모르는 채 지나가는 것이 대부분이다. 그러나 이러한 일탈 행동이 세상에 알려지면 그 개인은 일탈자로 낙인찍히고, 다른 사람들은 그를 일탈자로 대하기 시작한다. 결과적으로 일탈자로 낙인찍힌 사람은 그 낙인을 받아들여 일탈자로서의 새로운 정체성을 형성하고, 그에 따라 행동하기 시작한다. 이를 '2차적 일탈'이라고 한다.

낙인 이론은 1차적 일탈에 대한 주위 사람들의 부정적 낙인이 2차적 일탈을 유발한다고 보고 있다. 즉, 일탈 행동은 행동 자체가 가지는 본질적 특성이 아니라 그 행동에 대한 주위 사람들의 반응에 따라 규정된다고 보며, 특정 개인이나 집단이 일탈자로 규정되는 과정에 주목한다.

문제 로 확인할까?

머튼의 아노미 이론은 문화적 목표와 (　　　　)의 괴리를 일탈의 발생 원인으로 본다.

답 제도적 수단

정리 비법을 알려줄게!

일탈을 규정하는 기준

구분	일탈을 규정하는 객관적 기준
아노미 이론	○
차별 교제 이론	
낙인 이론	×

정답친해 22쪽

STEP 1 핵심 개념 확인하기

1 빈칸에 들어갈 용어를 쓰시오.

> 사회 속에서 개인과 집단들은 상호 작용을 하면서 다양한 사회적 관계를 맺는다. 이러한 사회적 관계가 긴밀하게 조직되어 하나의 안정된 틀을 이루고 있는 상태를 (   )라고 한다.

2 다음 설명에 해당하는 사회 구조의 특징을 쓰시오.

(1) 사회 구조는 사회 구성원들의 사고와 행동을 제약한다.

(   )

(2) 사회 구조는 사회 구성원들의 의지에 따라 변화하기도 한다.

(   )

(3) 사회 구조는 사회를 구성하는 구성원들이 바뀌어도 크게 달라지지 않는다. (   )

(4) 사회 구성원들은 구조화된 행동을 함으로써 안정된 사회적 관계를 유지할 수 있다. (   )

3 다음 설명이 맞으면 ○표, 틀리면 ×표를 하시오.

(1) 모든 일탈 행동이 범죄인 것은 아니다. (   )

(2) 사회 규범에 어긋나는 행위를 일탈 행동이라고 한다.

(   )

(3) 일탈 행동을 판단하는 기준은 어느 시대, 어느 사회에서나 동일하다. (   )

4 다음 괄호 안의 내용 중 알맞은 말에 ○표를 하시오.

(1) (낙인 이론, 차별 교제 이론)은 일탈을 규정하는 객관적 기준이 없다고 본다.

(2) (낙인 이론, 차별 교제 이론)은 일탈의 해결책으로 '일탈자와의 접촉 차단'을 제시한다.

(3) (머튼, 뒤르켐)의 아노미 이론은 지배적 규범의 부재로 인해 일탈이 발생한다고 본다.

(4) (머튼, 뒤르켐)의 아노미 이론은 일탈의 해결책으로 '문화적 목표에 도달할 적절한 수단의 제공'을 제시한다.

(5) (1차적 일탈, 2차적 일탈)은 낙인으로 인해 일탈자라는 정체성을 형성하여 반복적으로 저지르는 일탈 행동이다.

STEP 2 내신 만점 공략하기

01 ㉠에 대한 설명으로 옳지 **않은** 것은?

사회적 상호 작용 →(지속) 사회적 관계 →(정형화) (㉠)의 형성

① 사회 구성원들의 사고와 행동을 제약한다.

② 한번 형성되면 절대 바뀌지 않고 유지된다.

③ 사회 구성원들의 행동을 예측 가능하게 한다.

④ 사회적 관계를 안정적으로 유지할 수 있게 한다.

⑤ 사회적 관계가 정형화되어 안정된 틀을 이루고 있는 상태이다.

02 다음 글을 통해 알 수 있는 사회 구조의 특징으로 가장 적절한 것은?

> 몽골의 게르와 우리나라의 전통 가옥인 기와집은 그 구조가 다르다. 몽골의 게르에는 가족이 각자 사용하는 방이 따로 없고, 이러한 가옥 내에서 가족은 집단적인 생활을 한다. 반면 기와집은 안채와 사랑채 등이 구분되어 게르보다는 독립된 생활이 보장된다. 이처럼 주택의 구조가 달라지면 그 속에 사는 사람들의 행동 방식도 달라진다. 사회 구조도 마찬가지이다. 사회마다 사회 구조가 다르고 그 속에서 살아가는 사람들의 생활 모습도 사회 구조에 따라 다르게 나타난다.

① 오랜 세월에 거쳐 형성된다.

② 한번 형성되면 쉽게 변하지 않는다.

③ 사회 구성원들의 행동에 따라 변동한다.

④ 사회 구성원들의 원활한 사회생활을 가능하게 한다.

⑤ 사회 구성원들에게 특정한 행동을 하도록 구속한다.

03 (가)에 들어갈 내용으로 가장 적절한 것은?

> 만약 어떤 사람이 장례식장에 화려한 색의 옷을 입고 가서 큰 소리로 웃으면, 그 사람은 다른 사람들로부터 비난을 받을 것이다. 그 이유는 그 행동이 _____ (가)

① 구조화된 행동이 아니기 때문이다.
② 지속적으로 반복되는 행동이기 때문이다.
③ 개인의 의지와 상관없는 행동이기 때문이다.
④ 사회 구조의 영향을 받은 행동이기 때문이다.
⑤ 특정 집단의 이해관계가 반영된 행동이기 때문이다.

04 밑줄 친 부분에 해당하는 사회 구조의 특징으로 옳은 것은?

> 과거 미국 사회에서는 흑백 분리법으로 인해 버스 내 흑인과 백인 좌석이 분리되어 있었을 뿐만 아니라 흑인 좌석이라도 백인이 앉을 자리가 없으면 흑인이 좌석을 양보해야 했다. 그러나 흑인 민권 운동이 일어나면서 흑인을 차별하는 이러한 제도가 사라지게 되었다.

① 사회 구조는 일방적으로 개인에게 영향을 미친다.
② 사회 구조는 사회적 관계를 안정적으로 유지할 수 있게 한다.
③ 사회 구조는 사회 구성원들에게 특정한 행동을 하도록 강제한다.
④ 사회 구조는 사회 구성원들의 행동이나 가치 등의 변화에 의해 변동한다.
⑤ 사회 구조는 사회 구성원들이 바뀌어도 쉽게 변하지 않고 오랫동안 지속된다.

05 다음 사례에 나타난 사회 구조의 특징으로 가장 적절한 것은?

> 학교는 매년 입학생이 들어오고 졸업생이 나가면서 구성원에 변화가 생긴다. 하지만 선생님은 학생들을 가르치고, 학생들은 수업을 받고 학교의 규칙을 지키는 것처럼 변하지 않는 양상들이 있다.

① 강제성 ② 변동성 ③ 상대성
④ 역사성 ⑤ 지속성

06 다음 두 사례를 종합하여 내린 결론으로 가장 적절한 것은?

> • 1960년대부터 본격적으로 진행된 산업화는 우리 사회의 사회 구조를 크게 바꾸어 놓았다. 직장에서는 분업화된 체계에 따라 일하게 되었으며, 인간관계는 더욱 이해타산적이고 형식적인 모습으로 바뀌게 되었다.
> • 가족이 무엇보다 소중하다는 가치관이 확산함에 따라 우리 사회 곳곳에서 변화의 움직임이 나타나고 있다. 야근을 금지하고 모든 사원이 정시에 퇴근하는 회사가 생겨났고, 개인이 원할 때 자녀 양육을 위해 근무 시간을 탄력적으로 조정할 수 있는 제도를 도입한 직장도 늘어났다.

① 개인은 자유 의지에 따라 사고하고 행동한다.
② 개인과 사회 구조는 상호 영향을 주고받는다.
③ 개인은 일방적으로 사회 구조에 영향을 미친다.
④ 사회 구성원이 바뀌면 사회 구조는 지속성을 상실한다.
⑤ 사회 구조는 사회 구성원들에게 구조화된 행동을 요구한다.

07 ㉠에 대한 옳은 설명만을 〈보기〉에서 있는 대로 고른 것은?

모든 사회에서는 사회 구성원에게 사회가 기대하는 행동을 하도록 요구한다. 그러나 모든 사회 구성원이 사회에서 기대하는 행동 방식을 따르는 것은 아니다. 때로는 사회 규범에 어긋나는 행동을 하기도 하는데, 이를 (㉠)(이)라고 한다.

보기
ㄱ. 사회가 변화하는 계기가 되기도 한다.
ㄴ. 사회의 통합과 존속을 저해할 수 있다.
ㄷ. 비난이나 처벌 등 사회적 제재의 대상이 된다.
ㄹ. 친구와의 약속을 어기는 것은 이에 해당하지 않는다.

① ㄱ, ㄴ   ② ㄴ, ㄷ   ③ ㄷ, ㄹ
④ ㄱ, ㄴ, ㄷ   ⑤ ㄴ, ㄷ, ㄹ

08 다음 두 사례를 통해 알 수 있는 일탈 행동의 특징으로 적절한 것은?

• 머리카락을 짧게 자르는 행동이 조선 시대에는 효의 가치에 어긋나는 행동이었지만, 현대 사회에서는 개성의 표현이라고 본다.
• 우리나라에서는 껌을 쉽게 구입하여 씹을 수 있지만, 싱가포르에서는 껌을 수입하거나 판매하는 것을 법률로 금지하고 있으며 껌을 씹을 경우 처벌을 받는다.

① 일탈 행동은 법을 위반하는 행위이다.
② 일탈 행동은 무규범 상태에서 발생한다.
③ 일탈 행동은 사회 질서 유지에 기여한다.
④ 일탈 행동은 상반된 규범이 충돌하여 발생한다.
⑤ 일탈 행동을 판단하는 기준은 시대나 사회에 따라 다르다.

09 그림이 나타내는 일탈 이론에 대한 설명으로 옳은 것은?

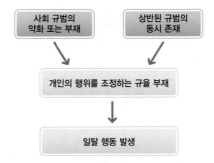

① 일탈 행동을 규정하는 객관적 기준이 없다고 본다.
② 부정적 자아 정체성 형성이 일탈 행동의 원인이라고 본다.
③ 일탈 행동이 타인과의 상호 작용에서 학습된다고 본다.
④ 일탈 행동에 대한 해결 방안으로 사회 통제 기능의 강화를 강조한다.
⑤ 문화적 목표와 제도적 수단 간의 괴리를 일탈 행동의 원인이라고 본다.

10 다음에서 설명하는 일탈 이론에 부합하는 진술을 〈보기〉에서 고른 것은?

사회 질서는 외적 규제인 사회 통제와 내적 규제인 사회화를 통해 유지되는데, 일탈은 이러한 규제력들이 약화되었을 때 발생한다. 그런데 외적 규제가 약화되더라도 도덕적 규범이 내면화되어 내적 규제력을 발휘한다면 일탈은 발생하지 않을 수도 있다.

보기
ㄱ. 아노미 상태에서 일탈 행동이 발생한다.
ㄴ. 일탈 행동 자체보다는 그에 대한 사회적 반응이 중요하다.
ㄷ. 사회가 급격하게 변동하면 범죄와 같은 일탈 행동이 증가한다.
ㄹ. 일탈 행동은 개인의 신체적 특징이나 심리적 특성의 영향을 받아 발생한다.

① ㄱ, ㄴ   ② ㄱ, ㄷ   ③ ㄴ, ㄷ
④ ㄴ, ㄹ   ⑤ ㄷ, ㄹ

11 스포츠 선수의 금지 약물 복용을 바라보는 갑, 을의 관점에 대한 옳은 설명만을 〈보기〉에서 있는 대로 고른 것은?

급격한 사회 변동으로 인해 가치관이 혼란에 빠지면서 금지 약물을 복용한 거야.

갑

실력이 늘지 않자 어떻게든 성적을 올리고자 금지 약물을 복용했을 거야.

을

〈보기〉

ㄱ. 갑의 관점은 지배적 규범을 정립함으로써 일탈 행동을 해결할 수 있다고 본다.
ㄴ. 을의 관점은 일탈 행동이 일탈자와의 상호 작용을 통해 학습된다고 본다.
ㄷ. 을의 관점은 문화적 목표와 제도적 수단의 괴리로 인해 일탈이 발생한다고 본다.
ㄹ. 갑과 을의 관점은 모두 아노미 상태를 일탈의 원인으로 본다.

① ㄱ, ㄴ ② ㄱ, ㄷ ③ ㄴ, ㄹ
④ ㄱ, ㄷ, ㄹ ⑤ ㄴ, ㄷ, ㄹ

13 표는 머튼의 아노미 이론과 관련한 것이다. (가)~(라)에 대한 옳은 설명을 〈보기〉에서 고른 것은?

구분		문화적 목표	
		수용	거부
제도적 수단	수용	(가)	(나)
	거부	(다)	(라)

〈보기〉

ㄱ. (가)는 일탈 행동에 해당하지 않는다.
ㄴ. 선거에 당선되기 위해 금품과 향응을 제공하는 행위는 (다)에 해당한다.
ㄷ. 경로 사상이 약화하면서 젊은이들이 노인들을 함부로 대하는 행위는 (라)에 해당한다.
ㄹ. (나)와 (다)에서는 문화적 목표와 제도적 수단의 괴리가 나타나지 않는다.

① ㄱ, ㄴ ② ㄱ, ㄷ ③ ㄴ, ㄷ
④ ㄴ, ㄹ ⑤ ㄷ, ㄹ

12 다음 글에 나타난 일탈 이론에 대한 설명으로 옳은 것은?

하층 노동 계급 청년들은 물질적 성공이라는 문화적 목표와 자신의 사회적 위치에서 제공되는 제도적 수단 사이에서 불일치를 경험하게 된다. 그 결과, 하층 노동 계급 청년들이 재산 범죄율에서 높은 비중을 차지하게 되는 것이다.

① 일탈자가 되어 가는 내면적 과정에 초점을 둔다.
② 무규범 상태를 일탈 행동의 발생 원인으로 본다.
③ 기회 구조가 차단된 집단의 범죄를 설명하는 데 유용하다.
④ 정상적인 집단과의 교류 촉진을 일탈 행동의 대책으로 본다.
⑤ 특정 행위가 본질적으로 일탈적 성격을 갖는 것이 아니라고 본다.

14 다음 고사성어와 관련 있는 일탈 이론으로 가장 적절한 것은?

맹모삼천지교(孟母三遷之敎)는 맹자의 어머니가 맹자가 어릴 적에 집 주변에서 보고 들은 것을 따라 하며 노는 것을 보고, 무덤 옆에서 살다가 시장 옆으로 이사하고, 시장 옆에서 다시 서당 옆으로 이사를 하였다는 것에서 유래된 말이다.

① 갈등 이론
② 낙인 이론
③ 차별 교제 이론
④ 머튼의 아노미 이론
⑤ 뒤르켐의 아노미 이론

15 다음 사례를 설명할 수 있는 일탈 이론에 대한 설명으로 옳은 것은?

> 사기죄로 수감된 갑은 교도소에서 마약사범과 어울리며 그들로부터 마약 거래 전반에 관한 기법과 법 집행 기관의 검거망을 빠져나가는 방법 등을 배웠다. 갑은 출소한 후 마약을 판매하다가 잡혀 결국 재수감되었다.

① 신중한 낙인을 일탈의 해결 방안으로 강조한다.
② 사회 규범의 부재를 일탈의 발생 원인으로 본다.
③ 부정적 자아가 형성되어 일탈 행동이 반복된다고 본다.
④ 사회 규범의 통제력 회복을 일탈의 해결 방안으로 제시한다.
⑤ 일탈 행동을 일탈자와의 상호 작용을 통한 학습의 결과라고 본다.

16 다음 글에 나타난 일탈 이론에 대한 옳은 설명을 〈보기〉에서 고른 것은?

> 우범 지역으로 이주해 온 사람들은 쉽게 일탈 행동을 배우게 된다. 그 이유는 불량한 친구를 쉽게 사귈 수 있고, 일탈 문화가 지배적인 우범 지역에서는 일탈 행동에 대한 저항감이 적어서 건전한 판단을 할 수 있는 능력과 그 기준이 흐려질 수 있기 때문이다.

〔보기〕
ㄱ. 2차적 일탈에 주목한다.
ㄴ. 우연적이고 충동적인 일탈 행동을 설명하지 못한다.
ㄷ. 일탈 행동이 발생하는 과정을 설명하는 데 유용하다.
ㄹ. 전과자가 출소 후에 사회적 편견 때문에 다시 일탈 행동을 저지르는 경우를 설명하는 데 유용하다.

① ㄱ, ㄴ   ② ㄱ, ㄷ   ③ ㄴ, ㄷ
④ ㄴ, ㄹ   ⑤ ㄷ, ㄹ

17 다음 글에 나타난 일탈 이론에 대한 설명으로 옳지 않은 것은?

> 누구나 때로는 일탈적 행동을 할 수 있지만, 대부분 가볍고 일시적이며 쉽게 감추어질 수 있다. 그러나 이러한 일탈 행동이 일단 발견되고 세상에 알려지면 그 개인은 일탈자로 낙인찍히고, 다른 사람들은 그를 일탈자로 대하기 시작한다. 결과적으로 일탈자로 낙인찍힌 사람들은 일탈자로서의 새로운 정체성을 형성하고 그에 따라 행동하기 시작한다.

① 일탈을 규정하는 객관적 기준이 없다고 본다.
② 1차적 일탈에 대한 낙인이 2차적 일탈을 유발한다고 본다.
③ 일탈 행동 자체보다 그에 대한 사회적 반응을 더 문제시한다.
④ 일탈 행동의 해결 방안으로 일탈 행위자와의 접촉 차단을 중시한다.
⑤ 특정 행위를 일탈 행동으로 규정할 때에는 신중해야 한다고 강조한다.

18 다음 사례를 설명할 수 있는 일탈 이론에 부합하는 진술로 적절한 것은?

> 명문대 재학생들이 술을 마시다가 자동차 유리를 깬 것과 막노동을 하는 같은 연령대의 젊은이들이 술을 마시다가 자동차 유리를 깬 것에 대한 사회적 반응은 다르게 나타날 수 있다. 명문대 재학생들에게는 흥을 이기지 못하고 실수하였다고 생각해 가볍게 넘어갈 수도 있지만, 똑같은 행동을 한 막노동을 하는 젊은이들에게는 범죄자라는 꼬리표가 붙을 수도 있다.

① 일탈 행동은 사회화의 산물이다.
② 계급 간 갈등이 일탈의 원인이다.
③ '까마귀 노는 곳에 백로야 가지 마라.'는 속담과 관련이 있다.
④ 특정 행동이 일탈 행동으로 규정되는 것은 그 행동에 대한 사람들의 반응에 달려 있다.
⑤ 일탈자가 되느냐 안 되느냐 여부는 일탈 행동을 하는 집단과 얼마나 긴밀한 접촉을 하느냐에 달려 있다.

19 (가), (나)에 들어갈 질문으로 옳은 것은?

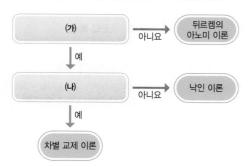

① (가): 차별적인 제재가 일탈 행동의 원인이라고 보는가?
② (가): 일탈 행동을 정의하는 객관적인 기준이 있다고 보는가?
③ (가): 일탈 행동이 타인과의 상호 작용 과정에서 비롯된다고 보는가?
④ (나): 일탈 행동에 대한 부정적 반응을 일탈의 원인으로 보는가?
⑤ (나): 문화적 목표에 도달할 기회의 제공을 일탈의 해결책으로 보는가?

20 ★중요 청소년의 일탈을 바라보는 갑~병의 이론적 관점에 대한 옳은 설명만을 〈보기〉에서 있는 대로 고른 것은?

• 갑: 비행 청소년들과의 접촉을 사전에 차단해야 합니다.
• 을: 비행 청소년이라는 낙인을 함부로 찍지 말아야 합니다.
• 병: 어려운 형편 때문에 일탈 행동을 하는 청소년들에게 경제적 지원을 해 주어야 합니다.

┌─ 보기 ─
ㄱ. 갑의 관점은 일탈 행위자와 접촉 없이 나타나는 일탈 행동을 설명하지 못한다.
ㄴ. 을의 관점은 타인의 부정적 낙인이 2차적 일탈을 초래한다고 본다.
ㄷ. 병의 관점은 중상류층의 범죄를 설명하는 데 유용하다.
ㄹ. 갑, 을, 병의 관점은 모두 일탈 집단과의 교류를 일탈 행동의 원인이라고 본다.

① ㄱ, ㄴ   ② ㄱ, ㄹ   ③ ㄷ, ㄹ
④ ㄱ, ㄴ, ㄷ   ⑤ ㄴ, ㄷ, ㄹ

서술형 문제

● 정답친해 25쪽

01 다음 사례를 통해 알 수 있는 일탈 행동의 사회적 기능을 서술하시오.

학교 폭력이 문제가 되자 사회 구성원은 학교 폭력의 문제점과 대책을 주제로 많은 논의를 거쳤고, 정부에서는 이를 해결하기 위한 대책을 발표하고 시행하였다. 이를 통해 학교 폭력 문제에 더욱 체계적으로 대응할 수 있도록 사회 제도가 정비되었다.

02 다음 글을 읽고 물음에 답하시오.

(가) 사회가 인정하는 수단을 통해서는 문화적인 목표를 달성할 수 없을 때 일탈 행동에 쉽게 젖어들 수 있다.
(나) 범죄 행위는 타인과의 상호 작용을 통해 학습된다. 즉, 일탈 집단과 접촉하면서 그들의 문화와 행동을 학습한 결과 일탈 행동이 나타난다.

(1) (가), (나)에 나타난 일탈 이론을 각각 쓰시오.

(2) (가), (나)에 나타난 일탈 이론이 지니는 한계를 각각 서술하시오.

03 밑줄 친 '경미 범죄 심사 제도'의 필요성을 낙인 이론의 관점에서 서술하시오.

최근 몇 년 새 생계형 절도와 같은 경미 형사 사건이 급증하자 경찰은 경미한 범죄로 입건된 피의자의 사정을 고려해 처벌을 감경하는 '경미 범죄 심사 제도'를 도입하여 현대판 장발장들을 구제하고 있다.

1 다음 글에 나타난 사회 구조의 특징만을 〈보기〉에서 있는 대로 고른 것은?

> 사회에는 개인에게 어떤 행위를 하게 하는 '보이지 않는 큰 프로그램'이 존재한다. 따라서 이러한 프로그램이 작동하는 원리를 파악하면 개인들이 왜 특정한 방식으로 행동하는지를 이해할 수 있다. 예를 들어, 가족 관계는 가족 구성원들 간의 규칙적인 상호 작용을 통해 지속된다. 이 경우 그들 간의 관계에 적용되는 사랑, 정서적 만족, 경제적 공동생활 등의 원리를 파악하면 왜 그들이 그러한 상호 작용을 지속하는지를 알 수 있다.

[보기]
ㄱ. 안정된 사회적 관계를 유지할 수 있게 한다.
ㄴ. 사회 구성원들의 행동을 예측 가능하게 한다.
ㄷ. 사회 구성원들의 의지에 따라 그 성격이 달라질 수 있다.
ㄹ. 사회 구성원들이 구조화된 행동을 하지 않아도 안정적으로 유지된다.

① ㄱ, ㄴ   ② ㄴ, ㄷ   ③ ㄴ, ㄹ
④ ㄱ, ㄴ, ㄷ   ⑤ ㄴ, ㄷ, ㄹ

▶ 사회 구조의 특징

완자쌤의 시험 꿀팁
구체적인 사례에 나타난 사회 구조의 특징을 찾는 문제가 자주 출제된다.

2 다음 글의 주장을 정당화하는 사례를 〈보기〉에서 고른 것은?

> 사회 구조는 객관적이며 외적인 사실로서 우리의 행동 양식을 결정하며, 심지어는 우리의 기대까지도 구체화한다. 그리고 우리가 부여된 범위 내에 머물러 있기만 하면, 사회 구조는 우리에게 상을 준다. 그러나 만일 우리가 우리에게 할당된 의무를 한 발자국이라도 벗어나면, 사회 구조는 여러 가지 장치를 동원하여 우리의 행동을 통제한다.

[보기]
ㄱ. 최근 성격 차이를 이유로 이혼하는 부부들이 많다.
ㄴ. 학생들은 교복을 입고 정해진 시간에 맞춰 학교에 등교한다.
ㄷ. 이슬람 사회의 여성들은 종교적 규범에 따라 히잡을 착용한다.
ㄹ. 전통적인 신분 사회는 시민 혁명을 계기로 근대 시민 사회로 변화하였다.

① ㄱ, ㄴ   ② ㄱ, ㄷ   ③ ㄴ, ㄷ
④ ㄴ, ㄹ   ⑤ ㄷ, ㄹ

▶ 사회 구조의 특징

3 다음 글을 통해 알 수 있는 일탈 행동의 특징으로 가장 적절한 것은?

> 네덜란드에서 커피를 마시기 위해 '커피숍'을 방문했다간 낭패를 당하기 십상이다. 네덜란드에서는 커피가 아닌 대마초를 합법적으로 판매하는 곳이 '커피숍'이기 때문이다. 커피를 판매하는 곳은 따로 '카페'라고 부른다. 현재 네덜란드에서는 허가 받은 커피숍에서 대마초를 판매하는 것이 합법이다. 하지만 우리나라의 경우 대마초를 피우거나 판매 또는 구매하는 행위를 엄격히 금지하고 있으며, 속인주의 원칙에 따라 대마 흡연이 합법인 외국에서 대마를 피우더라도 형사 처벌을 받는다.

① 일탈 행동은 사회 규범이 약화하여 발생한다.
② 일탈 행동은 불평등한 사회 구조 때문에 발생한다.
③ 일탈 행동을 판단하는 기준은 사회에 따라 다르다.
④ 일탈 행동은 사회 변화를 이끌어 내는 요인이 되기도 한다.
⑤ 일탈 행동이 사회에 반드시 부정적인 영향만을 미치는 것은 아니다.

> **일탈 행동의 특징**
>
> **┃완자 사전┃**
> • 속인주의
> 그 나라의 국적을 가진 사람이라면 자국에 있든지 타국에 있든지 그 소재 여하를 불문하고 자국의 법을 적용한다는 원칙

수능 응용

4 일탈 이론 (가), (나)에 대한 설명으로 옳은 것은?

> (가) 개인이 법 위반에 우호적인 태도를 가진 사람들과 밀접한 관계를 맺으면서 일탈을 저지를 수 있다. 일탈은 개인이나 사회의 특성에서 비롯되는 것이 아니라 개인이 경험한 학습 과정의 결과로 나타난다.
> (나) 산업화 단계로 접어들면서 대도시로의 인구 유입, 분업, 개인의 고립 등을 특징으로 하는 변화가 나타난다. 이 과정에서 사람들은 규범과 역할의 혼란을 겪게 되고 욕구를 통제하지 못하게 되면서 일탈을 저지른다.

① (가)는 낙인으로 인한 부정적 자아의 형성을 일탈의 원인으로 본다.
② (나)는 급격한 사회 변동으로 인해 일탈이 발생한다고 본다.
③ (가)는 (나)와 달리 일탈의 해결 방안으로 신중한 낙인을 강조한다.
④ (나)는 (가)와 달리 특정 개인이 일탈자로 규정되는 과정에 주목한다.
⑤ (가)와 (나)는 모두 무규범 상태를 일탈 행동의 원인이라고 본다.

> **일탈 행동을 설명하는 이론**
>
> **완자샘의 시험 꿀팁**
> 일탈 행동을 설명하는 이론을 제시하고, 각 이론에서 바라보는 일탈의 발생 원인과 해결책 등을 묻는 문제가 자주 출제된다.

5 그림은 어느 일탈 이론의 핵심 주장을 표현한 것이다. 이 이론에 대한 설명으로 옳은 것은?

> 일탈 행동을 설명하는 이론

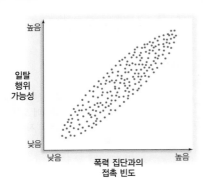

① 일탈 행동에 대한 판단 기준의 절대성을 강조한다.
② 일탈 행동 자체보다 그것에 대한 사회적 평가를 중시한다.
③ 지배적 규범의 확립을 일탈 행동에 대한 대책으로 강조한다.
④ 일탈 행동을 하는 사람이나 집단과의 접촉을 통해 일탈 행동을 학습한다고 본다.
⑤ 자신의 행위에 대한 타인의 부정적 시선을 내재한 결과 일탈 행동이 발생한다고 본다.

6 다음과 같은 주장에 동의하는 학자가 '전과자가 다시 범죄를 저지르는 원인'을 탐구하고자 할 때, 조사 내용으로 가장 적절한 것은?

> 일탈 행동을 설명하는 이론
>
> ┃한자 사전┃
>
> • 동일시
> 자신의 것으로 내면화해 가는 과정

> 한번 빗나간 자녀의 행위에 대해 부모가 '말썽꾸러기', '집안의 수치', '가문에 먹칠한 녀석' 등이라고 규정하면, 자녀는 자신의 이미지를 부모가 제시한 이미지와 동일시하면서 이전보다 더 심한 비행을 지속할 가능성이 커진다.

① 전과자들이 겪는 경제적 어려움을 조사한다.
② 전과자들의 아동 시절 가정환경을 조사한다.
③ 전과자들의 학창 시절 학업 성적을 조사한다.
④ 전과자에 대한 주변 사람들의 의식을 조사한다.
⑤ 전과자들이 어울리는 친구들의 성향을 조사한다.

7 (가), (나)는 일탈 행동이 발생하는 과정을 도식화한 것이다. 이에 대한 옳은 설명을 〈보기〉에서 고른 것은?

> 일탈 행동을 설명하는 이론

(가) 최초의 일탈 행동 발생 → 사법 기관에 의한 법 집행 → 새로운 정체성 형성과 수용 → 일탈 행동 증가

(나) 물질적 성공에 대한 욕구 증가 → 성공을 위한 합법적 수단 부족 → 문화적 목표와 수단 간 괴리 현상 발생 → 일탈 행동 증가

보기
ㄱ. (가)는 1차적 일탈보다 2차적 일탈을 설명하는 데 더 유용하다.
ㄴ. (나)는 어떤 사람들과 상호 작용을 하느냐에 따라 개인의 일탈 행동 발생 가능성이 달라진다고 본다.
ㄷ. (가)는 (나)와 달리 사회 구성원들을 재사회화함으로써 일탈 행동을 줄일 수 있다고 본다.
ㄹ. (나)는 (가)와 달리 사회 규범의 통제력 회복을 일탈의 해결 방안으로 제시한다.

① ㄱ, ㄴ   ② ㄱ, ㄷ   ③ ㄴ, ㄷ
④ ㄴ, ㄹ   ⑤ ㄷ, ㄹ

8 표는 일탈 이론 A∼C를 질문에 따라 구분한 것이다. 이에 대한 옳은 설명만을 〈보기〉에서 있는 대로 고른 것은? (단, A∼C는 각각 낙인 이론, 차별 교제 이론, 머튼의 아노미 이론 중 하나이다.)

> 일탈 행동을 설명하는 이론

질문 \ 이론	A	B	C
(가)	아니요	아니요	예
(나)	아니요	예	아니요
(다)	예	예	아니요

보기
ㄱ. (가)가 '문화적 목표와 제도적 수단 간의 괴리로 일탈 행동이 발생한다고 보는가?'라면 A는 낙인 이론이다.
ㄴ. (나)가 '일탈자와의 접촉 차단을 일탈에 대한 대책으로 보는가?'라면 B는 차별 교제 이론이다.
ㄷ. B가 낙인 이론이라면, '일탈을 규정하는 객관적 규범이 존재하지 않는가?'는 (나)에 적절하다.
ㄹ. A가 차별 교제 이론, B가 낙인 이론이라면 '타인과의 상호 작용이 일탈 발생 과정에 미치는 영향을 중시하는가?'는 (다)에 적절하다.

① ㄱ, ㄴ   ② ㄱ, ㄹ   ③ ㄷ, ㄹ
④ ㄱ, ㄴ, ㄷ   ⑤ ㄴ, ㄷ, ㄹ

01 사회적 존재로서의 인간

1. 개인과 사회의 관계를 바라보는 관점

(❶)	사회 명목론
• 사회는 개인의 합 이상임 → 사회는 실제로 존재함 • 사회는 개인의 사고와 행동을 구속함 • 사회 문제의 해결책으로 사회 구조나 사회 제도의 개선을 강조함 • 사회 유기체설	• 사회는 개인들의 집합체에 불과함 → 개인만이 실제로 존재함 • 개인은 자신의 의지에 따라 행동함 • 사회 문제의 해결책으로 개인의 의식 개혁을 강조함 • 사회 계약설

2. 사회화

(1) 사회화의 의미와 기능

의미	한 개인이 다른 사람과의 상호 작용을 통해 그가 속한 사회에서 요구하는 행동 양식과 지식, 기능, 가치, 규범 등을 습득하는 과정
기능	• 개인적 차원: 행동 양식 습득, 자아 정체성 및 인성 형성 등 • 사회적 차원: 문화 공유 및 전승, 사회의 유지와 존속 및 발전에 기여 등

(2) 사회화의 유형

(❷)	사회 변화나 새로운 환경에 적응하기 위해 이전과는 다른 규범이나 가치, 기능 등을 습득하는 과정 예 정보 사회에 적응하기 위한 노인들의 컴퓨터 교육 등
예기 사회화	미래에 속하게 될 집단에서 요구되는 행동 양식을 미리 습득하는 과정 예 신입생 예비 교육 등

3. 사회화 기관

(1) 사회화 기관의 유형

분류 기준	유형
사회화의 내용	• (❸): 기초적인 행동 양식을 습득하는 데 영향을 미치는 기관 예 가족, 또래 집단 등 • 2차적 사회화 기관: 전문적인 지식과 기능의 사회화를 담당하는 기관 예 학교, 직장, 대중 매체 등
형성 목적	• 공식적 사회화 기관: 사회화 자체를 목적으로 설립된 기관 예 학교, 직업 훈련소 등 • 비공식적 사회화 기관: 사회화 이외의 목적으로 형성되었으나, 부수적으로 사회화 기능을 수행하는 기관 예 가족, 직장, 대중 매체 등

(2) 사회화 기관의 기능

가족	인성의 기본 틀을 형성하는 데 큰 영향을 미침
또래 집단	집단생활에 필요한 규칙이나 질서 의식 등을 습득함
학교	전문화된 지식과 기술 등을 습득함
(❹)	업무에 필요한 지식과 기술, 조직 생활에 필요한 규범 등을 습득함
대중 매체	새로운 정보와 지식 등을 빠르게 습득함

4. 지위와 역할

(1) 지위

의미	한 개인이 집단이나 사회 속에서 차지하는 위치
유형	• 귀속 지위: 개인의 능력이나 노력과 관계없이 가지게 되는 지위 • (❺): 개인의 의지나 노력으로 얻게 되는 지위

(2) 역할과 역할 행동

역할	일정한 지위에 대해 사회적으로 기대되는 행동 양식
역할 행동	개인이 자신의 역할을 실제로 수행하는 구체적인 방식

(3) 역할 갈등

의미	둘 이상의 서로 다른 지위에 따른 역할을 동시에 수행해야 하는 상황에서 역할 간 충돌이 발생하여 나타나는 심리적 갈등
해결 방안	역할의 우선순위 결정, 갈등을 일으키는 지위와 역할 분석을 통한 타협점 모색 등

02 사회 집단과 사회 조직

1. 사회 집단의 의미와 유형

(1) **사회 집단**: 둘 이상의 사람들이 소속감이나 공동체 의식을 가지고 지속적인 상호 작용을 하는 모임

(2) **사회 집단의 유형**

분류 기준	유형
접촉 방식	• 1차 집단: 직접적인 대면 접촉을 바탕으로 전인격적인 인간관계가 나타나는 집단 • 2차 집단: 간접적 접촉과 수단적 만남이 이루어지는 집단
결합 의지	• 공동 사회: 본질적 의지에 의해 형성된 집단 • (❻): 선택적 의지에 의해 형성된 집단
소속감 유무	• 내집단: 소속해 있으면서 소속감을 느끼는 집단 • 외집단: 소속해 있지 않으면서 이질감을 느끼는 집단

(3) 준거 집단: 한 개인이 자신의 신념, 태도, 가치 등을 규정하고 행동의 지침으로 삼는 집단

2. 사회 조직

(1) (❼   ): 사회 집단 중에서 구체적인 목표를 지니고 있고, 그 목표를 달성하기 위한 구성원의 지위와 역할이 명확하며, 공식적인 규범과 절차가 체계적으로 규정되어 있는 사회 집단 → 일반적으로 공식 조직을 의미함

(2) 비공식 조직: 공식 조직 내에서 공통의 관심사나 취미를 가진 구성원들이 자발적으로 만든 사회 집단

(3) (❽   )

의미	공통의 관심사나 목표를 가진 사람들이 자발적으로 만든 집단
종류	시민 단체, 이익 집단, 친목 집단 등
특징	구성원의 자발적 참여, 가입과 탈퇴 용이, 민주적 조직 운영 등

3. 관료제와 탈관료제

(1) 관료제

특징	업무의 세분화·전문화, 서열화된 위계질서, 규칙과 절차에 따른 업무 수행, 연공서열에 따른 보상 등
문제점	목적 전치 현상, 인간 소외 현상, 무사안일주의, 조직의 경직성 등

(2) 탈관료제

등장 배경	관료제의 한계와 문제점을 극복하기 위한 새로운 조직의 필요성 증가
특징	유연한 조직 구조, 수평적 조직 체계, 능력과 성과에 따른 보상 등
문제점	권한과 책임의 불명확성에 따른 갈등 발생, 조직의 안정성 저하에 따른 조직원의 심리적 불안감 증가 등

03 사회 구조와 일탈 행동

1. 사회 구조

의미	사회 구성원 간의 사회적 관계를 맺는 방식이 정형화되어 안정된 틀을 이룬 상태
특징	지속성, 안정성, 강제성, 변동성 등
사회 구조와 개인의 행위의 관계	개인과 사회 구조는 서로 영향을 주고받음

2. 일탈 행동

의미	(❾)에 어긋나는 행위 → 비난이나 처벌 등 사회적 제재의 대상이 됨
특징	일탈 행동을 판단하는 기준은 시대나 상황, 사회에 따라 다를 수 있음 → 같은 행동이라도 판단 기준에 따라 일탈 행동이 될 수도 있고 안 될 수도 있음
영향	• 부정적 영향: 사회 부적응 유발, 사회의 통합과 존속 저해 등 • 긍정적 영향: 심리적 긴장 해소의 기회 제공, 사회 변화의 원동력으로 작용 등

3. 일탈 행동을 설명하는 다양한 이론

(1) 뒤르켐의 아노미 이론

일탈 원인	급격한 사회 변동으로 사회 규범이 약화되거나 부재할 때 또는 기존의 규범과 새로운 규범이 혼재하면서 나타나는 아노미 상태에서 일탈 행동이 발생함
해결 방안	사회적 합의에 바탕을 둔 지배적 규범 확립
한계	일탈 행동이 발생하게 된 구체적인 맥락이나 과정을 간과함

(2) 머튼의 아노미 이론

일탈 원인	제도적 수단을 갖지 못한 사람들이 비합법적인 수단을 활용하여 문화적 목표를 달성하려고 할 때 일탈 행동이 발생함
해결 방안	목표와 수단 간의 괴리를 줄이기 위한 적절한 기회 제공
한계	중상류층의 범죄를 설명하는 데 한계가 있음, 문화적 목표에 상관없이 발생하는 일시적 범죄를 설명하기 어려움

(3) 차별 교제 이론

일탈 원인	일탈 행동을 하는 사람들과의 상호 작용을 통해 일탈 행동을 학습하여 사회화한 결과 일탈 행동이 발생함
해결 방안	일탈 행위자와의 접촉 차단, 정상적인 집단과의 교류 촉진 등
한계	일탈 행위자와 장기간 접촉해도 일탈자가 되지 않은 경우나 우연적이고 충동적인 범죄를 설명하기 어려움

(4) (❿   )

일탈 원인	특정한 행동을 일탈 행동으로 규정하고, 그러한 행동을 한 사람들을 일탈자로 낙인찍었기 때문에 일탈 행동이 발생함
해결 방안	사회적 낙인에 대한 신중한 접근, 올바른 정체성 회복을 위한 지원 등
한계	1차적 일탈을 설명하기 어려움, 낙인이 있었음에도 일탈이 일어나지 않는 경우를 설명하기 어려움, 일탈 행동을 합리화할 수 있음

대단원
실력 굳히기

01 다음 글에 나타난 개인과 사회의 관계를 바라보는 관점에 부합하는 진술을 〈보기〉에서 고른 것은?

음식 맛에 대한 개인들의 선호에도 사회의 힘이 작용한다. 어느 나라에서 집단별로 음식 맛의 선호를 조사한 연구 결과에 따르면, 어떤 집단은 담백하고 싱거운 음식을 선호하는 반면, 어떤 집단은 기름지고 강한 양념의 음식을 좋아하는 것으로 나타났다. 이는 음식 맛에 대한 선호에 작용하는 어떤 외부적인 요인이 있음을 암시한다.

보기
ㄱ. 개인은 사회에 의해 구조화된 행동을 한다.
ㄴ. 개인은 사회 속에서만 존재 의미를 지닌다.
ㄷ. 사회 현상은 개인의 자율적 의지에 의해 만들어진다.
ㄹ. 사회 현상을 개인의 행위로 환원하여 설명할 수 있다.

① ㄱ, ㄴ   ② ㄱ, ㄷ   ③ ㄴ, ㄷ
④ ㄴ, ㄹ   ⑤ ㄷ, ㄹ

02 다음 글의 필자가 지닌 개인과 사회의 관계를 바라보는 관점에 부합하는 진술로 옳은 것은?

아르바이트 경험이 있는 청소년 4명 중 1명이 최저 임금보다 적은 급여를 받고 있는 것으로 나타났다. 이와 같이 업주들이 아르바이트 하는 청소년들을 부당하게 대우하는 문제는 업주들이 의식과 행동을 바꾸지 않는 한 사라지지 않을 것이다.

① 사회 전체를 위한 개인의 희생은 정당하다.
② 사회의 구속성이 개인의 자율성보다 우선한다.
③ 사회 문제의 발생 원인은 사회 구조나 제도에 있다.
④ 개인의 사고나 행위는 사회의 영향에서 벗어날 수 없다.
⑤ 사회는 이름만 존재할 뿐 실제로 존재하는 것은 개인뿐이다.

03 ㉠, ㉡에 대한 설명으로 옳지 <u>않은</u> 것은?

인간의 사회화 과정은 전 생애에 걸쳐 이루어진다. 사람들은 사회 변화나 새로운 환경에 적응하기 위해 이전과는 다른 행동 양식을 습득하기도 하는데, 이를 (㉠)(이)라고 한다. 또한 사람들은 미래에 속하게 될 집단에서 요구되는 행동 양식을 미리 습득하기도 하는데, 이를 (㉡)(이)라고 한다.

① ㉠이 이루어질 때 탈사회화가 동시에 나타나기도 한다.
② ㉠은 사회 변동 속도가 빨라질수록 그 필요성이 커진다.
③ 신입생 예비 교육은 ㉡의 사례에 해당한다.
④ ㉡은 태어나면서부터 겪는 기본적인 사회화이다.
⑤ ㉠은 재사회화, ㉡은 예기 사회화이다.

04 A~C에 해당하는 사회화 기관을 옳게 연결한 것은?

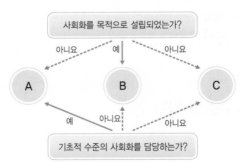

	A	B	C
①	가족	학교	대중 매체
②	가족	대중 매체	학교
③	직장	학교	가족
④	학교	또래 집단	대중 매체
⑤	또래 집단	직장	학교

05 다음은 갑이 속한 사회 집단을 분석한 것이다. 밑줄 친 ㉠~㉤ 중 옳지 **않은** 것은?

갑이 속한 사회 집단: 직장

1. 직장 내에서 갑의 ㉠ 지위: 영업부 부장
2. 지위에 따른 갑의 ㉡ 역할: 회사의 영업 이익을 늘려 회사 발전에 이바지해야 함
3. 갑의 ㉢ 역할 행동: 영업을 활성화하여 회사의 매출액을 증대하기 위해 노력함
4. 사회화 기관으로서 직장의 성격과 기능
   (1) ㉣ 비공식적 사회화 기관으로서, 사회생활을 하는 데 필요한 많은 것을 습득할 수 있음
   (2) 새로운 지식과 기술을 배우고 ㉤ 1차적 사회화가 이루어짐

---

① ㉠　　② ㉡　　③ ㉢　　④ ㉣　　⑤ ㉤

06 다음 사례에 대한 옳은 분석만을 〈보기〉에서 있는 대로 고른 것은?

종합 병원의 의사인 갑은 병원 입원 순서를 앞당겨 달라는 주변 사람들의 잦은 부탁 때문에 고민이다. 병원 내부 규정에 따르면 환자 입원 순서는 특별한 사정이 없으면 접수 순서대로 하도록 되어 있다. 최근에도 친구가 부탁을 해 왔다. 이럴 때마다 갑은 어떻게 해야 할지 고민이다.

보기

ㄱ. 갑의 역할 행동이 나타나 있다.
ㄴ. 갑의 역할 갈등이 나타나 있다.
ㄷ. 갑의 성취 지위가 나타나 있다.
ㄹ. 갑의 내집단과 준거 집단이 일치하고 있다.

---

① ㄱ, ㄴ　　② ㄱ, ㄷ　　③ ㄴ, ㄷ
④ ㄱ, ㄴ, ㄷ　　⑤ ㄴ, ㄷ, ㄹ

07 (가), (나)에 대한 옳은 설명만을 〈보기〉에서 있는 대로 고른 것은?

(가) 자전거 동호회
(나) 지하철을 탄 승객들

보기

ㄱ. (가)에서는 구성원들이 집단에 대한 소속감을 가진다.
ㄴ. (나)에서는 지속적인 상호 작용이 나타나지 않는다.
ㄷ. (나)와 달리 (가)는 사회 집단이다.
ㄹ. (가)는 공동 사회, (나)는 이익 사회에 해당한다.

---

① ㄱ, ㄴ　　② ㄱ, ㄷ　　③ ㄴ, ㄷ
④ ㄱ, ㄴ, ㄷ　　⑤ ㄴ, ㄷ, ㄹ

08 다음 내용에서 공통으로 설명하는 사회 집단의 사례를 〈보기〉에서 고른 것은?

• 주로 비공식적 제재를 통해 구성원을 통제한다.
• 개인의 인성 형성과 정서적 안정에 큰 영향을 미친다.
• 구성원 간의 직접적인 대면 접촉을 바탕으로 전인격적인 인간관계가 나타난다.

보기

ㄱ. 가족　　　　　　ㄴ. 학교
ㄷ. 회사　　　　　　ㄹ. 또래 집단

---

① ㄱ, ㄴ　　② ㄱ, ㄹ　　③ ㄴ, ㄷ
④ ㄴ, ㄹ　　⑤ ㄷ, ㄹ

09 밑줄 친 속담과 관련 있는 사회학적 개념을 〈보기〉에서 고른 것은?

> 한국 사람들은 '팔은 안으로 굽는다.'라는 속담처럼 같은 학교, 같은 지역 출신에게는 관대하다. 학연과 지연을 이유로 사회적 갈등이 많이 발생하는 것도 바로 이 때문이다. '어느 학교 나왔어?', '고향은 어디야?'와 같은 질문이 상대방을 객관적이 아닌, 주관적으로 평가하는 주요 잣대가 된다.

보기
ㄱ. 내집단   ㄴ. 외집단
ㄷ. 공식 조직   ㄹ. 자발적 결사체

① ㄱ, ㄴ   ② ㄱ, ㄷ   ③ ㄴ, ㄷ
④ ㄴ, ㄹ   ⑤ ㄷ, ㄹ

10 사회 집단 A, B에 대한 설명으로 옳지 않은 것은?

> • 사회 집단 중 목표와 경계가 뚜렷하고 규범과 절차가 체계화된 집단을 A라고 한다.
> • A에 속한 구성원들 중에 친밀한 인간관계를 바탕으로 자발적으로 형성한 집단을 B라고 한다.

① A는 이익 사회로 분류된다.
② B는 공동 사회로 분류된다.
③ B의 구성원은 모두 A의 구성원이다.
④ B는 A의 과업 수행의 효율성 향상에 기여하기도 한다.
⑤ A는 B와 달리 형식적이고 수단적인 인간관계가 일반적으로 나타난다.

11 다음은 회사원인 갑의 일주일간 일정 계획표이다. ㉠, ㉡의 공통점으로 옳은 것은?

월	화	수	목	금
가족 외식	고등학교 동문회	㉠ 노동조합 간담회	㉡ 동네 등산 모임	사내 봉사 모임

① 친밀한 인간관계를 바탕으로 형성된다.
② 공식 조직 내에 형성된 비공식 조직이다.
③ 구성원의 지위와 역할이 명시적으로 규정되어 있다.
④ 인간의 본질적 의지에 의해 자연 발생적으로 형성된 집단이다.
⑤ 공통의 관심사나 목표를 가진 사람들이 자발적으로 결성한 집단이다.

12 표는 사회 조직 유형을 비교한 것이다. 이에 대한 설명으로 옳지 않은 것은? (단, A, B는 각각 관료제와 탈관료제 중 하나이다.)

질문	A	B
능력과 성과에 따른 보상을 더 강조하는가?	아니요	예
(가)	㉠	㉡

① A는 관료제, B는 탈관료제이다.
② A는 B에 비해 책임 소재 파악이 용이하다.
③ B는 A에 비해 무사안일주의로 인한 비효율성이 나타날 가능성이 크다.
④ (가)가 '환경 변화에 유연하게 대처할 수 있는가?'라면 ㉠은 '아니요', ㉡은 '예'이다.
⑤ ㉠이 '예', ㉡이 '아니요'라면 (가)에는 '표준화된 업무 처리를 강조하는가?'가 들어갈 수 있다.

13 다음은 아노미 이론의 관점에서 일탈 행위를 분석한 것이다. 밑줄 친 ㉠~㉣에 대한 설명으로 옳지 <u>않은</u> 것은?

> ㉠ 경제적으로 윤택한 삶을 누리고자 하지만, ㉡ 정상적인 방법으로는 그 목표를 달성하기 어려운 사람들이 절도와 같은 ㉢ 범죄를 저지르는 것이다. 이를 해결하기 위해서는 다음과 같은 ㉣ 해결책이 필요하다.

① ㉠을 문화적 목표라고 한다.
② ㉡을 제도화된 수단이라고 한다.
③ ㉠과 ㉡ 간의 괴리에 따라 ㉢이 발생한다고 본다.
④ ㉢에 대한 타인의 부정적 시선으로 인해 일탈 행동을 반복하게 된다고 본다.
⑤ ㉣에는 목표를 달성할 수 있도록 적절한 기회를 제공하는 방안이 포함될 수 있다.

14 다음 내용에서 공통으로 설명하는 일탈 이론으로 옳은 것은?

> • 일탈 행동도 다른 행동과 마찬가지로 학습의 결과이다.
> • 개인의 일탈 행동 여부는 어떤 사람들과 주로 상호 작용하느냐에 달려 있다.

① 낙인 이론
② 갈등 이론
③ 차별 교제 이론
④ 머튼의 아노미 이론
⑤ 뒤르켐의 아노미 이론

15 다음 사례에 대한 분석으로 옳은 것은?

> 갑이 장난삼아 저지른 참외 서리에 대해 주위 사람들이 그를 '못된 놈'이라면서 멀리하였고, 이에 따라 갑도 자신을 '못된 놈'이라 생각하면서 계속하여 나쁜 짓을 하였다.

① 갑은 타인과의 상호 작용 과정에서 일탈 행동을 학습하였다.
② 갑의 일탈 행동은 문화적 목표와 제도적 수단 간의 괴리로 설명할 수 있다.
③ 갑의 일탈 행동은 급속한 사회 변동으로 인한 규범의 부재로 설명할 수 있다.
④ 갑의 일탈 행동을 설명하는 데 유용한 말로 '친구 따라 강남 간다.'를 들 수 있다.
⑤ 갑은 낙인으로 인해 부정적 자아가 형성됨으로써 2차적 일탈을 저지르게 되었다.

16 표는 일탈 이론 (가)~(다)를 비교한 것이다. 이에 대한 설명으로 옳지 <u>않은</u> 것은?

구분	(가)	(나)	(다)
일탈 원인	급격한 사회 변동에 따른 사회 규범의 약화	㉠	㉡
사례	㉢	우범자들과 지속해서 교류함으로써 일탈자가 되는 경우	전과자가 출소 후에 사회적 편견 때문에 다시 범죄를 저지르는 경우

① ㉠에는 '일탈자와의 교류'가 적절하다.
② ㉡에는 '사회적 낙인'이 적절하다.
③ ㉢에는 '시험 성적을 올리기 위해 부정행위를 하는 경우'가 적절하다.
④ (나), (다)는 타인과의 상호 작용 과정이 일탈 행동에 미치는 영향을 중시한다.
⑤ (다)는 (가), (나)와 달리 일탈을 규정하는 객관적 기준이 없다고 본다.

문화와 일상생활

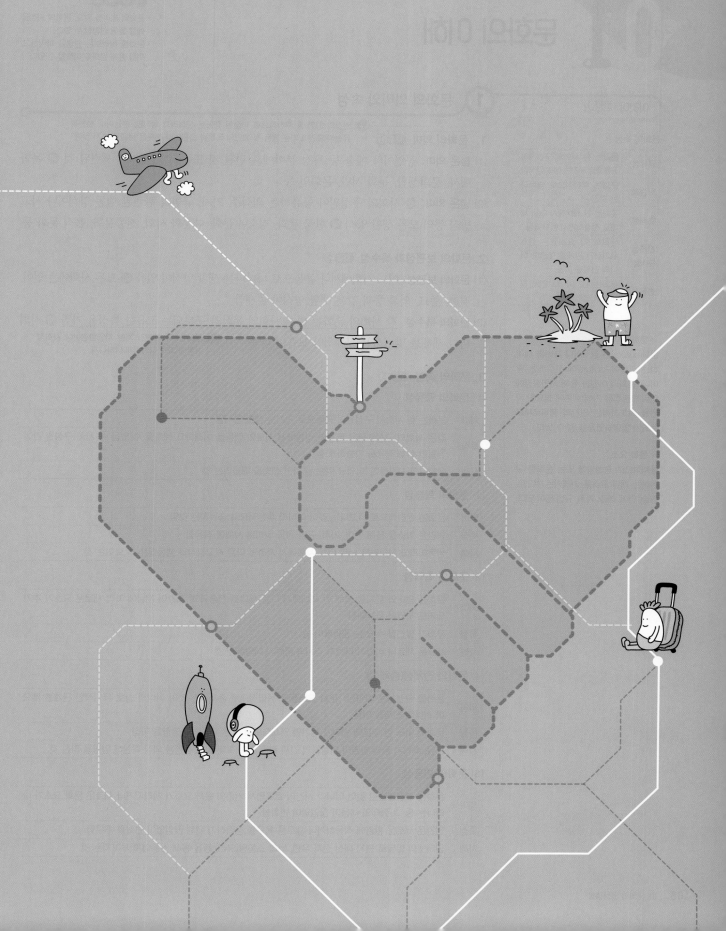

01 문화의 이해

학 습 목 표
• 문화의 의미를 알고, 문화의 속성을 예를 들어 설명할 수 있다.
• 문화를 바라보는 관점을 파악하고, 이를 통해 문화를 이해할 수 있다.

이것이 핵심!

문화의 속성

공유성	문화는 한 사회의 구성원이 공통으로 가지는 생활 양식임
학습성	문화는 후천적으로 습득하는 것임
축적성	문화는 한 세대에서 다음 세대로 전승되면서 풍부해짐
전체성 (총체성)	문화의 각 요소들은 상호 유기적인 관계를 맺으며 하나의 전체를 이룸
변동성	문화는 시간이 흐르면서 끊임없이 변화함

★ **문화의 어원**
문화(culture)는 경작이나 재배를 의미하는 라틴어 'cultura'에서 유래한 말이다. 문화의 어원을 통해 자연환경에 인위적인 힘을 가해 생존에 필요한 자원을 확보하려는 인간의 행위로부터 문화가 발달하였음을 알 수 있다.

★ **문화 요소**
총체적으로 형성되어 있는 문화를 구성하는 개별 요소를 가리키는 것으로, 기술, 언어, 예술, 가치, 규범 등이 있다.

① 문화의 의미와 속성

1. *문화의 의미 자료 ①

VS 인간의 행위 중 후천적으로 학습된 행동은 문화라고 하지만, 본능이나 선천적·유전적 요인에 따른 행동 및 개인의 독특한 습관이나 버릇은 문화로 보지 않아.

(1) **좁은 의미**: 공연이나 예술 등 특정 분야에 관련된 것 또는 교양 있거나 세련된 것 예 문화 행사, 문화생활, 문화 시민, 문화인 등

(2) **넓은 의미**: 한 사회의 구성원이 공유하는 의식주, 가치, 규범과 관련된 행동 양식이나 사고방식 등의 모든 생활 양식 예 한국 문화, 청소년 문화, 다문화 사회, 전통문화, 음식 문화 등

2. 문화의 보편성과 특수성 자료 ②

(1) **문화의 보편성**: 어느 사회에서나 공통으로 나타나는 생활 양식이 있음 예 모든 사회에는 언어, 결혼, 종교, 의복 등과 같은 생활 양식이 존재함

(2) **문화의 특수성**: 각 사회의 문화는 다른 사회의 문화와 구분되는 고유한 특징을 가짐 예 사회마다 새해를 맞이하는 구체적인 모습이 다름

꼭! 문화는 각 사회가 처한 자연환경이나 사회적 상황에 따라 다양하게 나타나지.

3. 문화의 속성 자료 ③

(1) **문화의 공유성**

의미	문화는 한 사회의 구성원이 공통으로 가지는 생활 양식임
특징	같은 사회의 구성원들은 특정한 상황에서 서로의 행동을 이해하고 예측할 수 있음 → 사회 구성원 간에 원활한 상호 작용을 가능하게 함
사례	우리나라 사람이 '미역국 먹는 날'하면 생일을 떠올리는 것

(2) **문화의 학습성**

의미	문화는 선천적으로 타고나는 것이 아니라 후천적으로 습득하는 것임
특징	인간은 학습을 통해 언어, 가치, 규범 등을 익히며 사회에 적응함
사례	쌍둥이라고 하더라도 서로 다른 사회에서 자라면 다른 사고방식과 행동 양식을 보이는 것

(3) **문화의 축적성**

의미	문화는 언어와 문자를 통해 한 세대에서 다음 세대로 전승되고, 시간이 지남에 따라 새로운 요소가 추가되기도 하면서 풍부해짐
특징	문화가 발전할 수 있는 원동력이 됨
사례	새로운 재료나 비법이 더해져 김치의 종류가 다양해진 것

(4) **문화의 전체성(총체성)**

의미	문화를 구성하는 다양한 *문화 요소들은 독립적으로 존재하는 것이 아니라 상호 유기적인 관계를 맺으며 하나의 전체를 이룸
특징	문화의 어느 한 부분에 변화가 생기면 연쇄적으로 다른 부분에도 영향을 미침
사례	분유, 세탁기 등의 발명이 여성들의 경제 활동 참여 확대 및 양성평등 의식 확산에 영향을 미친 것

(5) **문화의 변동성**

의미	문화는 고정불변한 것이 아니라 시간이 흐르면서 기존의 문화 요소가 사라지거나 새로운 문화 요소가 나타나는 등 그 형태와 내용이 끊임없이 변화함
특징	인간은 새로운 환경에 적응하거나 새로운 욕구를 충족하기 위해 끊임없이 변화를 추구함
사례	인터넷의 발달로 편지 대신 전자 우편, 누리 소통망(SNS) 등을 통해 소통이 이루어지는 것

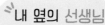

완자 자료 탐구

 자료 1 문화의 의미

이번 수요일은 '문화가 있는 날'이네. 오랜만에 친구들과 대학로에 연극을 보러 가야겠어.

나는 지난 토요일에 아프리카 문화에 관해 다룬 텔레비전 프로그램을 보았어. 아프리카의 다양한 문화를 보면서 척박한 자연환경을 극복하며 살아가는 아프리카 사람들의 삶의 지혜를 알 수 있었어.

'문화가 있는 날'에서의 문화는 공연이나 작품 등 예술적인 것을 가리키므로, 좁은 의미로 사용되었다. 한편 '아프리카 문화'에서의 문화는 한 사회의 구성원이 공유하는 모든 생활 양식을 의미하므로, 넓은 의미로 사용되었다. 이처럼 문화가 좁은 의미와 넓은 의미로 사용되는 것을 통해 문화가 일상생활에서 다양한 의미로 쓰이고 있음을 알 수 있다.

자료 2 새해맞이 문화를 통해 본 문화의 보편성과 특수성

> 세계 여러 나라에는 새해를 맞이하는 문화가 있다. 덴마크 사람들은 나쁜 기운을 물리치기 위해 친척 집이나 이웃집 문 앞에서 접시와 컵을 깨뜨리면서 새해를 맞이하고, 에스파냐와 멕시코에서는 새해를 알리는 종이 울릴 때 포도 12알을 먹으며 소원을 빈다. 그리고 중국에서는 불행을 쫓기 위해 집과 거리를 붉은색으로 꾸미고 폭죽을 터뜨리면서 새해를 맞이한다.

제시된 사례에서는 대부분의 사회에서 새해에 더 좋은 일이 생기기를 기원하며 새해를 맞이하는 문화가 있다는 점을 통해 문화의 보편성을 확인할 수 있다. 또한 각 사회마다 새해를 맞이하는 구체적인 모습이 다르다는 점을 통해 문화의 특수성을 확인할 수 있다.

자료 3 김치로 알아보는 문화의 속성

> (가) 우리나라에서 생활하는 외국인 중에는 처음에는 김치를 잘 먹지 못했지만, 자주 접하면서 김치를 잘 먹게 된 사람이 많다. 더 나아가 김치 담그는 법을 배워서 직접 담가 먹기도 한다.
> (나) 우리나라에서는 늦가을에서 초겨울 무렵을 김장철이라고 부른다. 우리나라 사람들은 이 시기에 이웃이 배추, 무, 고춧가루 등을 대량으로 구매하는 것을 보면 김치를 담그기 위해 재료를 준비하는 것이라고 생각한다.

(가)는 문화는 태어날 때부터 가지고 있는 것이 아니라 후천적으로 학습하는 것임을 보여 준다. 이를 통해 문화의 학습성을 알 수 있다. 인간은 학습을 통해 언어, 가치, 규범 등을 익히며 사회에 적응한다. (나)는 우리나라 사람들이 김장이라는 고유한 문화를 공유하고 있다는 것을 보여 준다. 이를 통해 문화의 공유성을 알 수 있다. 문화의 공유성으로 인해 같은 사회의 구성원들은 서로의 행동을 이해하고 예측할 수 있으며, 원만한 사회생활을 할 수 있게 된다.

내 옆의 선생님

문제로 확인할까?

좁은 의미의 문화에 해당하는 사례로 옳은 것은?
① 신문의 문화면
② 동아시아의 농경 문화
③ 아프리카의 음식 문화
④ 우리나라의 난방 문화
⑤ 유럽 각국의 주거 문화

① 目

정리 비법을 알려줄게!

문화의 보편성과 특수성

문화의 보편성	• 의미: 어느 사회에서나 공통으로 나타나는 생활 양식이 있음 • 사례: 모든 사회에는 언어, 결혼 등과 같은 생활 양식이 존재함
문화의 특수성	• 의미: 각 사회의 문화는 다른 사회의 문화와 구분되는 고유한 특징을 가짐 • 사례: 사회마다 결혼식을 진행하는 구체적인 모습이 다름

자료 하나 더 알고 가자!

윷놀이로 알아보는 문화의 속성

공유성	우리나라 사람들이 명절에 모이면 자연스레 윷놀이를 하는 것
학습성	윷놀이를 처음 하는 사람도 몇 번만 설명해 주면 쉽게 이해할 수 있는 것
축적성	윷놀이가 세대를 이어 전해지고 새로운 놀이법이 추가되어 풍부해지는 것
전체성 (총체성)	윷놀이 문화가 풍년을 기원하는 소망과 밀접한 관련이 있는 것
변동성	윷놀이에 사용하는 윷의 재료가 나무에서 플라스틱으로 변화한 것

문화를 이해하는 태도

자문화 중심주의	자기 문화만을 기준으로 다른 문화를 낮게 평가하는 태도
문화 사대주의	다른 문화를 우월한 것으로 여기고 추종하는 태도
문화 상대주의	모든 문화는 각자 나름의 고유한 가치가 있다고 보는 태도

★ **중화사상**
과거 중국에서 자기 민족을 세계의 중심이라고 믿고, 가장 발달한 문화를 누리고 있다고 여긴 사상을 말한다.

★ **국수주의**
자기 나라의 전통이 다른 나라보다 뛰어난 것으로 믿고, 그것을 유지하고 발전시켜 나가기 위해 다른 나라나 민족을 배척하는 태도

★ **문화 제국주의**
자기 문화의 우월성을 강조하면서 자신의 문화를 다른 문화에 강요하는 것

★ **극단적 문화 상대주의**
모든 문화가 그 나름대로 가치가 있다고 해서 자유와 평등, 생명 존중, 정의 등과 같이 인류 사회에서 바람직한 것으로 인정되는 보편적 가치를 부정하는 문화까지도 받아들이는 태도

2 문화를 바라보는 관점과 태도

1. 문화를 바라보는 관점 자료④

(1) 총체론적 관점

① 의미: 특정 문화 현상의 의미를 다른 문화 요소나 전체 문화와의 관련성 속에서 이해하려는 관점
> Q₩? 문화의 각 구성 요소는 상호 유기적인 관계를 맺고 있기 때문이야.

② 필요성: 개별 문화 요소만을 분리하여 바라볼 경우 해당 문화가 지닌 의미를 제대로 이해하기 어려울 수 있음

(2) 비교론적 관점

① 의미: 서로 다른 문화 간의 유사성과 차이점을 분석하여 문화의 보편성과 특수성을 이해하려는 관점

② 필요성: 자기 문화의 특징을 객관적으로 이해할 수 있으며, 다른 문화에 대한 이해의 폭을 넓힐 수 있음

(3) 상대론적 관점
> 오늘날과 같이 다른 문화를 접할 기회가 많은 세계화·개방화 시대에 더욱 요구되는 관점이야.

① 의미: 한 사회의 문화를 그 사회의 자연환경, 사회적 상황, 역사적 맥락 등을 고려하여 이해하려는 관점
> Q₩? 문화는 그 문화가 발생한 사회의 맥락 속에서 의미와 가치를 지니기 때문이야.

② 필요성: 특정 기준에 따라 문화를 평가하지 않으므로 다른 문화를 편견 없이 이해할 수 있음

2. 문화를 이해하는 태도
> VS 자문화 중심주의와 문화 사대주의는 문화의 우열을 평가하는 절대적 기준이 있다고 보는 태도이고, 문화 상대주의는 문화의 우열을 평가할 수 없다고 보는 태도야.

(1) 자문화 중심주의 교과서 자료

의미	자기 문화만을 우월한 것으로 여기고 그것을 기준으로 다른 문화를 낮게 평가하는 태도
사례	중국의 *중화사상, 서양의 오리엔탈리즘 등
장점	• 자기 문화에 대한 자부심을 높이고 집단 내 결속력을 강화할 수 있음 • 고유문화를 보존하고 독자적으로 계승하는 데 도움을 줌
문제점	• *국수주의로 연결되어 다른 문화와 갈등을 빚을 수 있음 • 다른 문화를 자기 문화에 종속하려는 *문화 제국주의로 변질될 수 있음 • 자기 문화만을 최고로 여겨 다른 사회와의 문화 교류를 거부하면 국제적 고립을 초래할 수 있음

(2) 문화 사대주의

의미	다른 문화를 우월한 것으로 여기고 추종하면서 자기 문화를 열등하게 평가하는 태도
사례	천하도, 영어 지상주의 등
장점	다른 문화의 좋은 점을 받아들여 자기 문화가 발전하는 계기가 될 수 있음
문제점	• 다른 문화를 무분별하게 수용할 경우 자기 문화의 주체성을 상실할 수 있음 • 고유문화의 유지 및 발전이 어려워질 수 있음

(3) 문화 상대주의 자료⑤

의미	모든 문화는 서로 다른 자연환경, 역사적 배경, 사회적 맥락에 따라 형성된 것이므로 각자 나름의 고유한 가치가 있다고 보는 태도
특징	문화 간에 우열이 존재하지 않는다고 보며, 문화를 평가의 대상이 아닌 이해의 대상으로 인식함
필요성	• 서로 다른 문화 사이에 나타날 수 있는 갈등과 분쟁을 예방할 수 있음 • 여러 문화가 공존할 수 있는 기초가 됨 → 문화 간 교류가 빈번한 현대 사회에서 문화의 다양성을 보존하는 데 이바지할 수 있음
유의점	*극단적 문화 상대주의로 치우치지 않도록 유의해야 함

> 꼭! 인류의 보편적 가치를 부정하는 문화를 그 나름의 가치가 있다고 보는 것은 적절하지 않아.

완자 자료 탐구

내 옆의 선생님

자료 ④ 문화를 바라보는 관점

중앙아시아 지역과 인도에는 모두 특정 음식을 금기시하는 문화가 있다. 중앙아시아 지역에서는 돼지고기를 먹지 않는데, 이는 중앙아시아 지역의 건조한 기후와 유목 생활에 돼지 사육이 적합하지 않기 때문이다. 한편 인도에는 소를 신성하게 여겨 쇠고기를 먹지 않는데, 이는 소규모 농경 체제를 유지하며 소를 이용해 농사를 짓는 인도의 농업 체제와 연관되어 있다.

제시된 글에서는 중앙아시아 지역과 인도의 음식 문화 간에 나타나는 유사성과 차이점을 살펴봄으로써 음식 문화의 특징을 파악하고 있으므로, 비교론적 관점에서 문화를 바라보고 있음을 알 수 있다. 또한 사회마다 음식 문화의 특징이 다른 것을 각 사회의 특수한 자연환경이나 농경 문화와 연관 지어 이해하고 있으므로, 총체론적 관점에서 문화를 바라보고 있음을 알 수 있다.

수능이 보이는 교과서 자료 **오리엔탈리즘에 나타난 문화 이해의 태도**

오리엔탈리즘이란 서양이 동양과 서양을 문맹과 문명, 야만과 지성으로 나누는 이분법적인 사고 틀을 말한다. 오리엔트라는 말이 들어가 있지만 동양은 오리엔탈리즘의 주체가 아니다. 오리엔탈리즘은 철저하게 서양의 관점에서 바라본 동양에 대한 이미지이고, 서양의 관점에서 동양은 문명화되지 않은 야만 사회이다.

오리엔탈리즘에는 서양인들이 자기 문화를 우월하다고 여기면서 이를 기준으로 동양인들의 문화를 수준이 낮거나 미개하다고 판단하는 자문화 중심주의적 태도가 반영되어 있다. 각 사회의 문화는 그 사회에서 고유한 의미와 가치를 지니므로 획일적 기준에 따라 판단할 수 없음에도 불구하고, 자문화 중심주의는 이러한 점을 간과한다.

자료 ⑤ 극단적 문화 상대주의

일부 국가에서는 부모의 허락 없이 남성을 사귀거나 다른 종교로 개종했다는 혐의를 받는 여성이 집안의 명예를 더럽혔다는 이유로 살해되는 명예 살인의 풍습이 존재한다. 살인한 자는 대부분 가벼운 처벌을 받고 심지어 살인한 자가 18세 이하인 경우에는 집안의 명예를 지킨 영웅 대우를 받기도 한다.

제시된 사례에 나타난 명예 살인은 인류의 보편적 가치를 훼손하는 문화이므로, 문화 상대주의를 적용하는 것은 바람직하지 않다. 문화 상대주의적 태도를 다른 문화에 대해 어떠한 판단도 해서는 안 된다는 식으로 이해해서는 안 되기 때문이다. 문화를 올바르게 이해하기 위해서는 인간의 존엄성이나 생명 존중 등과 같은 인류의 보편적 가치를 부정하는 문화까지도 무조건 받아들이는 극단적인 태도는 경계해야 한다.

문제로 확인할까?

총체론적 관점에 대한 설명으로 옳은 것은?
① 문화의 다양성을 인정하지 않는다.
② 특정 기준에 따라 문화를 평가한다.
③ 문화 간에 우열을 가릴 수 있다고 본다.
④ 서로 다른 문화 간의 차이점을 비교한다.
⑤ 한 사회의 문화를 전체적인 맥락에서 바라본다.

⑤ 답

완자쌤의 탐구 강의

• 제시된 사례에 나타난 문화 이해 태도의 문제점을 서술해 보자.

자문화 중심주의는 국수주의로 연결되어 다른 문화와 갈등을 빚을 수 있다. 또한 자신의 문화만을 최고로 여겨 다른 사회와 문화 교류를 거부하면 국제적 고립을 초래할 수 있다.

함께 보기 112쪽. 1등급 정복하기 6

자료 하나 더 알고 가자!

천하도

천하도는 조선 시대에 제작된 상상의 세계 지도로, 세계를 하나의 원으로 표현하고, 중국을 세계의 중심에 두고 있다.

└ 중국에 대한 조선의 문화 사대주의적 태도를 보여 주고 있어.

STEP 1 핵심 개념 확인하기

정답친해 29쪽

1 다음 괄호 안에 들어갈 알맞은 말에 ○표를 하시오.

(1) 신문의 '문화면', '문화 상품권'에서의 문화는 (좁은, 넓은) 의미로 사용되었다.

(2) 어느 사회에서나 언어, 종교 등과 같은 생활 양식이 공통으로 존재하는데, 이러한 특징을 문화의 (보편성, 특수성)이라고 한다.

2 다음 설명이 맞으면 ○표, 틀리면 ×표를 하시오.

(1) 문화의 공유성으로 인해 같은 사회 구성원들은 특정 상황에서 서로의 행동을 예측할 수 있다. ( )

(2) 시간이 지남에 따라 새로운 문화 요소가 추가되면서 풍부해지는 것을 문화의 학습성이라고 한다. ( )

(3) 문화는 언어와 문자를 통해 한 세대에서 다음 세대로 전승되는데, 이는 문화의 축적성으로 설명할 수 있다. ( )

3 다음 설명에 해당하는 문화를 바라보는 관점을 〈보기〉에서 골라 기호를 쓰시오.

보기
ㄱ. 비교론적 관점　　　　ㄴ. 상대론적 관점
ㄷ. 총체론적 관점

(1) 특정 문화 현상의 의미를 전체 문화와의 관련성 속에서 이해하려는 관점이다. ( )

(2) 한 사회의 문화를 그 사회의 자연환경, 사회적 상황 등을 고려하여 이해하려는 관점이다. ( )

(3) 문화의 보편성과 특수성에 주목하여 서로 다른 문화 간의 유사성과 차이점을 분석하는 관점이다. ( )

4 다음 빈칸에 들어갈 문화 이해의 태도를 쓰시오.

(1) ( )란 자기 문화만을 우월한 것으로 여기고, 다른 문화를 낮게 평가하는 태도이다.

(2) ( )란 다른 문화를 우월한 것으로 여기고, 자기 문화를 열등하게 평가하는 태도이다.

(3) ( )란 문화 간에 우열이 존재하지 않으며, 모든 문화가 나름의 고유한 가치가 있다고 보는 태도이다.

STEP 2 내신 만점 공략하기

01 ☆중요
밑줄 친 ㉠, ㉡에 대한 옳은 설명을 〈보기〉에서 고른 것은?

• 갑: 오늘은 우리 지역에서 주최하는 '청소년 고전 음악회'가 있는 날이야. ㉠ 문화 시민으로서 함께 보러 가지 않을래?

• 을: 나는 오늘 우리나라의 전통문화를 체험하기 위해 놀러 온 외국인 친구들을 데리고 민속촌에 가서 우리 선조들의 의식주 ㉡ 문화를 소개해 줘야 해.

보기
ㄱ. ㉠은 '청소년 문화'에서의 문화와 같은 의미이다.
ㄴ. ㉡은 한 사회의 구성원이 공유하는 모든 생활 양식을 의미한다.
ㄷ. ㉠, ㉡은 모두 문화를 좁은 의미로 이해하고 있다.
ㄹ. ㉡과 달리 ㉠은 문화를 교양 있고 세련된 것으로 본다.

① ㄱ, ㄴ　　② ㄱ, ㄷ　　③ ㄴ, ㄷ
④ ㄴ, ㄹ　　⑤ ㄷ, ㄹ

02 다음과 같은 의미로 정의된 문화의 사례로 옳지 <u>않은</u> 것은?

문화는 한 사회의 구성원이 공유하는 의식주, 가치, 규범과 관련된 행동 양식이나 사고방식 등의 모든 생활 양식을 의미한다.

① 한옥은 우리나라의 대표적인 전통<u>문화</u>이다.

② <u>문화</u>가 있는 날에는 미술관, 박물관 등을 이용할 때 할인받을 수 있다.

③ 다<u>문화</u> 사회에서는 구성원 간 가치관의 차이로 갈등이 나타나기도 한다.

④ 마오리족에는 코를 맞대고 비비며 반가움을 표현하는 인사 <u>문화</u>가 있다.

⑤ 알래스카에는 추위를 이기기 위해 눈과 얼음을 이용해 집을 짓는 주거 <u>문화</u>가 형성되어 있다.

03 (가)에 들어갈 사례로 적절하지 <u>않은</u> 것은?

> 문화는 경작이나 재배를 의미하는 라틴어에서 유래한 말이다. 문화의 어원을 통해 자연환경에 인위적인 힘을 가해 생존에 필요한 자원을 확보하려는 인간의 행위로부터 문화가 발달하였음을 알 수 있다. 이에 따라 유전적이고 본능에 따른 자연스러운 행동은 문화와 구별되므로, 인간의 행위 중 _____(가)_____과 같은 행동은 문화로 보지 않는다.

① 긴장하면 다리를 떠는 것
② 갈증이 나서 물을 찾는 것
③ 매운 것을 먹으면 재채기를 하는 것
④ 잠을 못 자면 졸리고 하품을 하는 것
⑤ 어른을 만나면 고개를 숙여 인사하는 것

04 다음 대화를 통해 추론할 수 있는 내용으로 가장 적절한 것은?

> 대부분의 사회에는 새해에 더 좋은 일이 생기기를 기원하며 새해를 맞이하는 문화가 있어요.

> 맞아요. 그러나 덴마크에서는 친척 집이나 이웃집 문 앞에서 접시와 컵을 깨뜨리고, 에스파냐와 멕시코에서는 새해를 알리는 종이 울릴 때 포도 12알을 먹으며 소원을 비는 등 새해를 맞이하는 구체적인 모습은 나라마다 다르게 나타나요.

① 문화는 특정 계층만을 대상으로 한다.
② 문화의 의미는 시간이 흐르면서 변동한다.
③ 문화는 보편성과 특수성을 모두 지니고 있다.
④ 문화는 일정한 기준에 의해 우열을 가릴 수 있다.
⑤ 문화는 공간을 초월하여 모든 사회에서 동일한 형태로 나타난다.

05 다음 글에서 설명하는 문화의 속성에 해당하는 사례로 적절한 것을 〈보기〉에서 고른 것은?

> 문화는 한 사회의 구성원이 공통으로 가지는 생활 양식이라는 속성이 있다. 한 사회 안에서 살아가는 사람들이 공유하는 공통의 행동과 사고방식은 사회 구성원들이 서로의 행동을 예측하고 이해할 수 있게 함으로써 안정적인 사회생활을 하는 데 바탕이 된다.

보기
ㄱ. 우리나라 사람들은 '미역국 먹는 날'하면 생일을 떠올린다.
ㄴ. 어린아이가 젓가락 사용법을 배워 젓가락을 이용해 식사를 한다.
ㄷ. 우리나라 사람들은 명절에 가족들이 모이면 자연스레 윷놀이를 한다.
ㄹ. 인터넷의 발달로 편지 대신 전자 우편, 누리 소통망(SNS) 등을 통해 소통이 이루어지고 있다.

① ㄱ, ㄴ　　　② ㄱ, ㄷ　　　③ ㄴ, ㄷ
④ ㄴ, ㄹ　　　⑤ ㄷ, ㄹ

06 다음 사례에서 강조하는 문화의 속성에 대한 진술로 옳은 것은?

> 우리나라에서 생활하는 외국인 중에는 처음에는 김치를 잘 먹지 못했지만, 자주 접하면서 김치를 잘 먹게 된 사람이 많다. 더 나아가 김치 담그는 법을 배워서 직접 담가 먹기도 한다.

① 문화는 선천적이기보다는 후천적으로 습득된다.
② 문화는 새로운 문화 요소가 추가되면서 점차 풍부해진다.
③ 문화는 한 사회의 구성원이 공통으로 지니는 생활 양식이다.
④ 문화는 고정된 것이 아니라 그 형태와 내용이 지속적으로 변화한다.
⑤ 문화의 어느 한 부분에 변화가 생기면 연쇄적으로 다른 부분에도 영향을 미친다.

07 다음 두 사례에 공통으로 나타난 문화의 속성에 대한 옳은 진술을 〈보기〉에서 고른 것은?

> • 현대의 수학적 지식은 피타고라스의 정리, 원주율 계산 등 고대부터 그 내용이 쌓여 형성된 것이다.
> • 절인 음식에서 시작된 김치는 구전 또는 음식과 관련한 문헌 등을 통해 지역별로 다양한 형태로 계승되었다.

> **보기**
> ㄱ. 문화는 사회화를 거치면서 후천적으로 습득된다.
> ㄴ. 문화는 언어와 문자를 통해 다음 세대로 전승된다.
> ㄷ. 문화는 사회 구성원 간 원활한 상호 작용의 토대가 된다.
> ㄹ. 문화는 새로운 문화 요소가 추가되어 점점 더 풍부해진다.

① ㄱ, ㄴ ② ㄱ, ㄹ ③ ㄴ, ㄷ
④ ㄴ, ㄹ ⑤ ㄷ, ㄹ

08 다음 글에서 설명하는 문화의 속성에 해당하는 사례로 가장 적절한 것은?

> 문화를 구성하는 다양한 문화 요소들은 독립적으로 존재하는 것이 아니라 상호 유기적인 관계를 맺으며, 하나의 전체를 이룬다. 이처럼 문화를 구성하는 각 요소는 상호 밀접한 관련을 맺고 있으므로 문화의 한 부분에 변화가 생기면 연쇄적으로 다른 부분에도 영향을 미친다.

① 인터넷의 발달이 전자 상거래, 전자 투표 등에 영향을 미쳤다.
② 온돌의 형태가 쪽구들에서 여러 줄의 고래가 있는 형태로 변화하였다.
③ 우리나라 사람들은 난방이라고 하면 온돌을 이용한 난방 방식을 떠올린다.
④ 기존 휴대 전화에 영상 통화, 인터넷 검색 등의 다양한 기능이 추가되고 있다.
⑤ 쌍둥이로 태어났더라도 서로 다른 사회에서 자라면 다른 행동 양식을 보인다.

09 표는 문화의 속성 A, B를 비교한 것이다. 이에 대한 옳은 설명을 〈보기〉에서 고른 것은?

구분	A	B
의미	(가)	문화는 시간이 지남에 따라 끊임없이 변화하는 것임
사례	2월에 꽃다발을 들고 다니는 사람들을 보면서 졸업식을 떠올리는 것	(나)

> **보기**
> ㄱ. (가)에는 '문화는 부분들이 모여 전체로서 하나의 체계를 이루는 것임'이 들어갈 수 있다.
> ㄴ. (나)에는 '윷놀이에 사용하는 윷의 재료가 나무에서 점차 플라스틱으로 변화한 것'이 들어갈 수 있다.
> ㄷ. A는 같은 사회 구성원들이 서로의 행동을 예측할 수 있게 한다.
> ㄹ. A는 문화의 변동성, B는 문화의 공유성이다.

① ㄱ, ㄴ ② ㄱ, ㄷ ③ ㄴ, ㄷ
④ ㄴ, ㄹ ⑤ ㄷ, ㄹ

10 (가)~(다)에 나타난 문화의 속성을 옳게 연결한 것은?

> (가) 과거에는 주거 양식이 한옥이었지만, 최근에는 아파트와 같은 서양식 건축 형태로 바뀌고 있다.
> (나) 윷놀이에는 원래 '도·개·걸·윷' 네 끗수밖에 없었는데 세대를 이어 전해지면서 '모'와 '백도'가 추가되어 끗수가 여섯 가지로 늘어났다.
> (다) 우리나라의 전통 가옥은 온돌 난방 방식의 효율성을 위해 집의 천장이 낮게 지어졌다. 이에 자연스럽게 앉아서 생활하는 방식이 정착되었다.

	(가)	(나)	(다)
①	변동성	전체성	축적성
②	변동성	축적성	전체성
③	전체성	변동성	축적성
④	전체성	축적성	변동성
⑤	축적성	변동성	전체성

11 다음 글에 나타난 문화를 바라보는 관점에 대한 옳은 설명을 〈보기〉에서 고른 것은?

세계 각국에서 금기시하는 음식 문화에 대해 연구하던 갑은 중앙아시아 사람들이 돼지고기를 먹지 않는 문화에 대해 조사했다. 조사 과정에서 중앙아시아의 일부 유목민들이 돼지고기를 먹지 않는 것이 중앙아시아 지역의 기후, 목축 형태 등과 어떻게 관련되어 있는지에 주목했다.

〈보기〉
ㄱ. 서로 다른 문화에 공통된 분모가 존재한다고 본다.
ㄴ. 문화가 지닌 의미를 구성 요소 간의 관계 속에서 파악한다.
ㄷ. 특정 문화 현상을 전체 문화와의 관련성 속에서 이해한다.
ㄹ. 서로 다른 문화 간의 유사성과 차이점을 분석하는 관점이다.

① ㄱ, ㄴ　　② ㄱ, ㄷ　　③ ㄴ, ㄷ
④ ㄴ, ㄹ　　⑤ ㄷ, ㄹ

12 밑줄 친 '이 관점'에 대한 설명으로 옳은 것은?

사회마다 문화의 모습은 다양하게 나타나지만, 어느 사회에서나 가족, 혼인, 정치, 법, 종교, 언어 등의 문화 요소가 공통으로 존재한다. 따라서 한 사회의 문화를 올바르게 이해하기 위해서는 이 관점에서 문화를 바라보아야 한다. 이 관점에서는 문화 간에 나타나는 유사성과 차이점을 살펴봄으로써 어떤 문화의 특징을 객관적으로 파악할 수 있다고 본다.

① 문화는 하나의 전체로서 의미를 지닌다고 보는 관점이다.
② 문화의 각 구성 요소가 밀접한 관련을 맺고 있다고 보는 관점이다.
③ 전체 문화와의 관련성 속에서 문화의 의미를 이해하려는 관점이다.
④ 문화 현상을 그 문화가 발생한 사회적 맥락 속에서 이해하려는 관점이다.
⑤ 다양한 문화를 비교하여 문화가 갖는 보편성과 특수성을 파악하려는 관점이다.

13 (가), (나)에 나타난 문화를 바라보는 관점에 대한 분석으로 옳은 것은?

(가) 세계 각지에 존재하는 매장, 화장, 조장 등 다양한 유형의 장례 문화를 조사하여 공통점과 차이점을 연구하였다.
(나) A 부족의 장례 문화가 그들의 종교, 경제, 가족 제도 등과 같은 다른 문화 요소들과 어떻게 연관되어 있는지 연구하였다.

① (가)의 관점은 문화 요소 간의 유기적 관계에 초점을 둔다.
② (가)의 관점은 자기 문화에 대한 객관적 이해를 가능하게 한다.
③ (가)의 관점은 문화를 그 사회의 역사적 배경 속에서 이해하고자 한다.
④ (나)의 관점은 서로 다른 문화 간의 보편성과 특수성을 찾는 것에 초점을 둔다.
⑤ (나)의 관점은 어느 한 측면의 문화 요소만을 부각하여 문화의 의미를 해석하고자 한다.

14 다음 자료에 나타난 문화 이해의 태도에 대한 옳은 설명을 〈보기〉에서 고른 것은?

미국의 한 언론 매체에서 운영하는 ○○ 사이트는 '세계 7대 혐오 음식'을 선정하여 사진과 함께 소개하였다. 그러나 일곱 가지 음식에 서양 음식은 하나도 포함되지 않았고 중국의 피단, 한국의 개고기 요리, 필리핀의 지렁이 수프 등 아시아 음식만 포함되었다.

〈보기〉
ㄱ. 다른 문화를 기준으로 자기 문화를 과소평가한다.
ㄴ. 자기 문화를 기준으로 다른 문화를 열등하게 평가한다.
ㄷ. 다른 문화의 좋은 점을 받아들여 자기 문화의 발전에 기여할 수 있다.
ㄹ. 자기 문화에 대한 자부심을 높이고 집단 내 결속력을 강화할 수 있다.

① ㄱ, ㄴ　　② ㄱ, ㄹ　　③ ㄴ, ㄷ
④ ㄴ, ㄹ　　⑤ ㄷ, ㄹ

15 다음 사례에서 '서양의 일부 국가'가 가진 문화 이해 태도의 문제점을 옳게 설명한 학생을 고른 것은?

> 서양의 일부 국가에서는 이슬람 사회의 여성들이 종교적 이유에서 착용하는 히잡과 부르카가 시대에 뒤떨어지는 미개한 문화라며 공공장소에서의 착용을 금지하고 있다.

갑: 국수주의로 변질될 가능성이 높아.
을: 자기 문화의 주체성을 상실할 수 있어.
갑: 다른 문화와 갈등을 일으킬 수 있어.
병:
정: 같은 문화를 공유하는 사람들의 소속감을 약화할 수 있어.

① 갑, 을   ② 갑, 병   ③ 을, 병
④ 을, 정   ⑤ 병, 정

16 다음은 사회 수업 시간에 학생이 작성한 형성 평가지이다. 이 학생이 받을 점수로 옳은 것은?

> **형성 평가**
>
> 다음 사례에 나타난 문화 이해의 태도에 대한 설명이 맞으면 ○표, 틀리면 ×표를 하시오.
>
> > 조선 시대 사람들은 세계를 하나의 원으로 표현하여 세계의 중심에 중국을 그리고, 조선을 그 주변에 배치한 세계 지도인 천하도를 제작하였다.
>
> | 문항 | 답안 |
> |---|---|
> | (1) 문화를 평가의 대상으로 본다. | ○ |
> | (2) 자기 문화의 주체성을 높이는 데 유리하다. | × |
> | (3) 다른 문화를 수용하는 데 어려움을 겪을 수 있다. | ○ |
> | (4) 각 사회의 문화는 그 사회의 맥락에서 이해해야 한다고 본다. | × |
> | (5) 다른 사회의 문화를 기준으로 자기 문화를 열등하게 평가한다. | ○ |
>
> (문항당 2점)

① 2점   ② 4점   ③ 6점   ④ 8점   ⑤ 10점

17 (가), (나) 사례에 나타난 문화 이해의 태도를 옳게 연결한 것은?

> (가) 옛날 연나라에 살던 한 젊은이는 작은 나라에 사는 자신의 처지를 한탄하며 큰 나라인 조나라를 동경하였고, 조나라 사람들과 다른 자신의 걸음걸이를 부끄러워했다.
>
> (나) 어른이 아이를 야단칠 때 꾸중 듣는 아이가 고개를 숙이는 것에 익숙한 우리나라 사람들은 서양에서 꾸중 듣는 아이가 고개를 뻣뻣이 들고 쳐다보는 것을 예의 없다고 비난한다.

	(가)	(나)
①	문화 사대주의	문화 상대주의
②	문화 사대주의	자문화 중심주의
③	문화 상대주의	문화 사대주의
④	문화 상대주의	자문화 중심주의
⑤	자문화 중심주의	문화 사대주의

18 ★중요 갑, 을이 지닌 문화 이해의 태도에 대한 옳은 설명을 〈보기〉에서 고른 것은?

> • 갑: 에스파냐에서는 한참 일할 시간에도 낮잠을 자는 문화가 있대. 역시 문화를 아는 사람들이라 그런지 낭만적이고 여유로워. 우리나라가 저렇게 되려면 한참 멀었지.
>
> • 을: 일부 더운 지역에서 낮에 무더위 때문에 일의 능률이 오르지 않자 원기를 회복할 목적으로 낮잠 자는 문화가 만들어진 거야. 즉, 그 지역의 자연환경을 고려하여 형성된 문화야.

> **보기**
>
> ㄱ. 갑의 태도는 문화 제국주의로 변질될 가능성이 있다.
> ㄴ. 갑의 태도는 고유문화의 유지 및 발전을 어렵게 할 수 있다.
> ㄷ. 을의 태도는 문화를 이해의 대상으로 인식한다.
> ㄹ. 을의 태도는 갑의 태도와 달리 문화의 다양성을 저해할 수 있다.

① ㄱ, ㄴ   ② ㄱ, ㄷ   ③ ㄴ, ㄷ
④ ㄴ, ㄹ   ⑤ ㄷ, ㄹ

19 그림은 문화 이해의 태도를 구분한 것이다. (가)~(다)에 대한 설명으로 옳지 <u>않은</u> 것은? (단, (가)~(다)는 각각 자문화 중심주의, 문화 사대주의, 문화 상대주의 중 하나이다.)

① (가)는 한 사회의 문화를 그것이 형성된 상황이나 맥락 속에서 이해하려는 태도이다.
② (나)의 사례로 '조선의 일부 집현전 학자들이 중국 문화를 섬기며 한글 창제를 반대한 것'을 들 수 있다.
③ (다)의 사례로 '고대 그리스 사람들이 북쪽의 유럽인을 야만인이라고 부르며 무시한 것'을 들 수 있다.
④ (다)는 (나)와 달리 타 문화의 우수한 점을 받아들여 자기 문화가 발전할 수 있는 계기가 된다.
⑤ (나), (다)는 (가)와 달리 문화를 평가의 대상으로 본다.

20 다음 글에 나타난 문화 이해의 태도를 경계해야 하는 이유로 적절한 것은?

일부 국가에서는 부모의 허락 없이 남성을 사귀거나 다른 종교로 개종했다는 혐의를 받는 여성이 집안의 명예를 더럽혔다는 이유로 살해되는 명예 살인의 풍습이 존재한다. 이러한 명예 살인은 그 사회의 독특한 환경과 역사적 배경에서 형성된 것이므로 그 가치를 인정하고 존중해야 한다.

① 문화가 형성된 상황을 고려해야 하기 때문이다.
② 다른 문화에 관해 편견을 가질 수 있기 때문이다.
③ 각 사회의 문화는 나름의 의미를 지니고 있기 때문이다.
④ 자기 문화의 관점에서 다른 문화를 평가하면 안되기 때문이다.
⑤ 생명 존중과 같은 인류의 보편적 가치는 존중받아야 하기 때문이다.

서술형 문제

● 정답친해 32쪽

01 다음 사례를 통해 알 수 있는 문화의 속성을 쓰고, 그 특징을 서술하시오.

분유, 세탁기 등의 발명으로 예전보다 가사 및 육아로부터 자유로워진 여성들의 경제 활동 참여가 활발해졌다. 이에 따라 여성들의 사회적·경제적 지위가 높아져 양성평등 의식이 확대되었고, 양성평등을 보장하는 제도적 장치도 마련되었다.

02 다음 글에서 강조하는 문화를 바라보는 관점을 쓰고, 그 의미를 서술하시오.

한 사회의 문화는 정치, 경제, 법률, 가족, 종교, 예술, 관습 등의 다양한 요소로 구성되어 있으며 서로 관련을 맺고 있다. 따라서 한 사회의 문화를 바라볼 때 특정한 문화 요소만을 부각하여 의미를 해석하기보다는 그 문화 요소와 관련한 다양한 측면을 서로 연관 지어 분석해야 한다.

03 다음 글을 읽고 물음에 답하시오.

(가) 같은 옷이라도 우리말인 '줄무늬 바지'보다는 영어인 '스트라이프 팬츠'로 표기하는 것이 더 세련되고 고급스럽다고 인식한다.
(나) 과거 중국 사람들은 자기 민족이 세계의 중심이라고 믿고, 주변의 민족을 자신들보다 못한 존재로 여겨 오랑캐라고 부르면서 무시하였다.

(1) (가), (나)에 나타난 문화 이해의 태도를 각각 쓰시오.

(2) (가), (나)와 같은 문화 이해 태도의 공통점과 차이점을 각각 서술하시오.

1 밑줄 친 ㉠, ㉡에 대한 설명으로 옳지 <u>않은</u> 것은?

> 우리는 일상생활에서 문화라는 말을 자주 사용하는데, 그 의미는 다양하다. 한국 문화, 전통문화 등에서 ㉠ 문화는 한 사회의 구성원이 공유하는 의식주, 가치 및 규범 등과 관련한 행동 양식이나 사고방식 등을 지칭한다. 이에 영국의 인류학자 타일러는 문화를 '지식, 신앙, 예술, 도덕, 법률, 관습, 기타 사회 구성원으로서 인간이 획득한 모든 능력이나 습성의 복합적 전체'라고 정의하였다. 한편 문화 행사, 문화생활 등 공연이나 예술 분야에 관련된 것을 지칭하는 의미에서 ㉡ 문화라는 말을 사용하기도 한다.

① ㉠은 한 사회의 생활 양식 그 자체를 의미한다.
② ㉡은 '문화인'에서 사용된 문화와 같은 의미이다.
③ 후천적으로 학습된 행동은 ㉠과 ㉡에 모두 포함된다.
④ ㉠은 넓은 의미의 문화, ㉡은 좁은 의미의 문화에 해당한다.
⑤ 배가 고프면 배에서 소리가 나는 것은 ㉠에 속하지만, ㉡에는 속하지 않는다.

문화의 의미

> **완자샘의 시험 꿀팁**
> 문화의 의미를 구분하고, 그 특징을 비교하는 문제가 자주 출제된다.

[평가원 응용]

2 다음 글에서 공통으로 부각되는 문화의 속성에 대한 옳은 진술을 〈보기〉에서 고른 것은?

> • A국에서는 식사할 때 남성은 도구를 사용하지 않고, 맨손으로 음식을 집어 먹는다. A국 사람들에게 이런 행위는 남성다움을 보여 주는 것으로 인식되어 있다.
> • B국에서는 전통적으로 결혼한 여성은 두건을 착용해야 한다. B국 사람들에게 두건은 기혼 여성으로서의 표식이자 가족의 생계를 책임지는 사람임을 나타내는 상징물이다.

보기

> ㄱ. 문화는 말과 글을 통해 다음 세대로 전승된다.
> ㄴ. 문화는 사회 구성원 간 원활한 상호 작용의 토대가 된다.
> ㄷ. 문화는 인간이 새로운 환경에 적응하면서 끊임없이 변화한다.
> ㄹ. 문화는 특정 상황에서 상대방이 어떻게 행동할지 예측하게 해 준다.

① ㄱ, ㄴ ② ㄱ, ㄹ ③ ㄴ, ㄷ
④ ㄴ, ㄹ ⑤ ㄷ, ㄹ

문화의 속성

완자 사전

• 전승
문화, 풍속, 제도 따위를 이어받아 계승하거나 그것을 물려주어 잇게 하는 것

3 다음은 어느 모둠이 제출한 과제의 일부이다. 밑줄 친 ㉠~㉤에 대한 설명으로 옳은 것은?

> **한국의 윷놀이 문화**
>
> 윷놀이는 명절에 가족들이 모이면 자연스럽게 즐기는 한국의 ㉠ 전통문화이다. 한국 사람들은 어른이나 아이 구분할 것 없이 윷놀이를 쉽게 즐길 수 있다. 이는 ㉡ 어릴 때부터 윷놀이의 놀이 규칙을 배우며 자랐기 때문이다. 그뿐만 아니라 윷놀이는 세대를 이어 전해지는데, 그 과정에서 ㉢ 새로운 놀이법이 추가되기도 하고, 윷놀이에 사용하는 ㉣ 윷의 재료가 나무에서 플라스틱으로 바뀌기도 한다. 또한 윷놀이는 원래 정월에 즐기는 마을 축제의 일부로, 윷판은 농토를 상징하고, 윷말이 윷판을 돌아 나오는 것은 계절의 변화를 상징한다. 이처럼 ㉤ 윷놀이 문화에는 한 해 농사의 풍년을 기원하는 소망이 담겨 있다.

① ㉠에서의 문화는 좁은 의미로 사용되었다.
② ㉡은 문화가 한 사회의 구성원 다수가 공통적으로 지니는 생활 양식임을 보여 준다.
③ ㉢은 새로운 문화 요소가 추가되어 점점 더 풍부해지는 문화의 속성을 보여 준다.
④ ㉣은 문화의 각 요소가 상호 연관되어 있음을 보여 준다.
⑤ ㉤은 문화가 고정되어 있지 않고 변화하는 것임을 보여 준다.

4 갑과 을이 가진 문화를 바라보는 관점에 대한 옳은 분석을 〈보기〉에서 고른 것은?

> • 갑은 우리나라, 중국, 일본의 젓가락 문화의 공통점과 차이점을 살펴봄으로써 각 나라의 젓가락 문화에 담긴 사회적 의미를 연구하였다.
> • 을은 우리나라, 중국, 일본의 젓가락 문화가 다른 것이 각 나라의 사람들이 음식을 먹는 방식이나 즐겨먹는 음식 등과 어떤 연관성을 가지는지 연구하였다.

| 보기 |

ㄱ. 갑의 관점은 문화를 그 사회의 역사적·문화적 배경 속에서 이해해야 한다고 본다.
ㄴ. 을의 관점은 문화가 하나의 전체로서 의미를 갖는다고 본다.
ㄷ. 갑의 관점은 을의 관점에 비해 자기 문화를 객관적으로 바라보는 데 유용하다.
ㄹ. 을의 관점은 갑의 관점과 달리 자기 문화의 특징을 다른 문화와 비교하여 파악하는 데 유용하다.

① ㄱ, ㄴ   ② ㄱ, ㄷ   ③ ㄴ, ㄷ
④ ㄴ, ㄹ   ⑤ ㄷ, ㄹ

▶ 문화의 의미와 속성

완자샘의 시험 꿀팁
구체적인 사례에서 강조하는 문화의 의미와 문화의 속성을 묻는 문제가 자주 출제된다.

▶ 문화를 바라보는 관점

완자샘의 시험 꿀팁
문화를 바라보는 여러 관점의 특징과 장점을 비교하는 문제가 자주 출제된다.

5 표는 문화를 바라보는 관점과 이를 적용한 연구 사례를 나타낸 것이다. 이에 대한 설명으로 옳은 것은? (단, (가)~(다)는 각각 총체론적 관점, 비교론적 관점, 상대론적 관점 중 하나이다.)

문화를 바라보는 관점	연구 사례
(가)	우리나라와 인도의 식사 문화 간에 나타나는 유사성과 차이점 연구
(나)	우리나라의 조혼인율이 낮아지는 이유와 우리나라의 취업난, 높은 결혼 비용, 자녀 양육 및 교육비 부담 등과의 연관성 연구
(다)	㉠

① (가)는 한 사회의 문화가 지닌 보편성과 특수성을 파악하고자 한다.
② (가)는 특정 문화 요소를 그 사회의 전체적인 맥락에서 이해하려는 관점이다.
③ (나)는 개별 문화 요소들을 분리하여 문화를 이해하려는 관점이다.
④ (다)는 특정 기준에 의해 문화의 우열을 평가할 수 있다고 보는 관점이다.
⑤ ㉠에는 '미국 청소년과 사모아 청소년의 사춘기 스트레스 비교 연구'가 들어갈 수 있다.

> 문화를 바라보는 관점
>
> | 완자 사전 |
> • 조혼인율
> 인구 천 명당 새로 혼인한 비율

6 밑줄 친 '오리엔탈리즘'에 나타난 문화 이해의 태도에 대한 옳은 설명을 〈보기〉에서 고른 것은?

> 오리엔탈리즘이란 서양이 동양과 서양을 문맹과 문명, 야만과 지성으로 나누는 이분법적인 사고 틀을 말한다. 오리엔트라는 말이 들어가 있지만 동양은 오리엔탈리즘의 주체가 아니다. 오리엔탈리즘은 철저하게 서양의 관점에서 바라본 동양에 대한 이미지이고, 서양의 관점에서 동양은 문명화되지 않은 야만 사회이다.

┌ 보기 ┐
ㄱ. 다른 문화와 갈등을 일으킬 수 있다.
ㄴ. 집단 내부의 결속력과 자부심을 약화한다.
ㄷ. 모든 문화는 나름의 고유한 가치가 있다고 보는 태도이다.
ㄹ. 자기 문화를 기준으로 다른 문화를 열등하게 평가하는 태도이다.

① ㄱ, ㄴ
② ㄱ, ㄹ
③ ㄴ, ㄷ
④ ㄴ, ㄹ
⑤ ㄷ, ㄹ

> 문화를 이해하는 태도

7 갑, 을의 문화 이해 태도에 대한 옳은 설명을 〈보기〉에서 고른 것은?

> • 교사: 남태평양 군도에 사는 A 부족은 마른 과일로 만든 팽이를 사용하여 코코넛 말뚝을 쓰러뜨리는 방식의 놀이를 즐겨요. 이 놀이는 볼링과 유사하지만 볼링과 달리 두 팀이 같은 수의 말뚝을 쓰러뜨릴 때까지 진행돼요. A 부족은 타인과 경쟁하는 행위가 나쁜 것이라고 믿고 있기 때문이에요. 이에 대해 자신의 의견을 이야기해 봅시다.
> • 갑: A 부족은 의미 없게 왜 이런 놀이를 하는지 모르겠어요. A 부족은 경쟁을 통해 사회를 발전시켜 온 우리나라를 본받아야 한다고 생각해요.
> • 을: A 부족이 경쟁을 나쁜 것이라고 믿는 것과 우리나라가 경쟁을 중시하는 것 모두 각 사회의 역사와 전통 속에서 선택된 삶의 방식인 것 같아요. 그렇기 때문에 두 문화 모두 그 나름의 의미를 가지고 있다고 생각해요.

보기

> ㄱ. 갑의 태도는 모든 문화가 동등한 가치를 지닌다고 본다.
> ㄴ. 을의 태도는 국수주의로 변질될 수 있다는 비판을 받는다.
> ㄷ. 갑의 태도는 을의 태도와 달리 특정 사회의 문화를 기준으로 다른 문화를 평가할 수 있다고 본다.
> ㄹ. 을의 태도는 갑의 태도와 달리 문화의 다양성 보존에 기여한다.

① ㄱ, ㄴ   ② ㄱ, ㄷ   ③ ㄴ, ㄷ
④ ㄴ, ㄹ   ⑤ ㄷ, ㄹ

문화를 이해하는 태도

완자샘의 시험 꿀팁
각 사례에 나타난 문화 이해의 태도를 파악하고, 그 특징을 묻는 문제가 자주 출제된다.

8 문화 이해의 태도 ㉠~㉢에 대한 설명으로 옳은 것은? (단, ㉠~㉢은 각각 문화 사대주의, 문화 상대주의, 자문화 중심주의 중 하나이다.)

> • 다른 사회의 문화를 받아들이는 데 있어 ㉠은 ㉡에 비해 수용적이다.
> • ㉡은 ㉠에 비해 자기 문화의 정체성을 보존하는 데 유리하다.
> • 문화의 다양성 신장을 위해서는 ㉠, ㉡보다 ㉢이 필요하다.

① ㉠의 사례로 외국 브랜드 제품을 맹목적으로 선호하는 것을 들 수 있다.
② ㉡은 극단적 문화 상대주의에 빠질 가능성이 높다는 비판을 받는다.
③ ㉢의 사례로 연장자에게 악수를 청하는 외국인을 보고 무례하다고 비난하는 것을 들 수 있다.
④ ㉠, ㉡은 문화를 평가가 아닌 이해의 대상으로 본다.
⑤ ㉢은 ㉠, ㉡와 달리 문화 간 우열 비교가 가능하다고 본다.

문화를 이해하는 태도

완자샘의 시험 꿀팁
문화 간 우열 비교가 가능하다고 보는 관점과 문화의 우열을 평가할 수 없다고 보는 관점을 비교하는 문제가 주로 출제된다.

02 현대 사회의 문화 양상

학습목표
• 다양한 하위문화의 특징을 이해할 수 있다.
• 대중문화의 특징을 대중 매체와의 관계 속에서 설명할 수 있다.

이것이 핵심!

다양한 하위문화

지역 문화	여러 지역 사회에서 나타나는 고유한 생활 양식
세대 문화	특정 세대 내에서 공유하는 문화
반문화	사회의 지배적인 문화에 저항하고 대립하는 문화

★ **세대**
같은 시대를 살면서 특정한 역사적 경험을 공유하며, 비슷한 사고방식과 생활 양식을 보이는 사람들을 말한다.

★ **주류 문화(전체 문화)**
한 사회의 구성원 대부분이 공유하는 문화로, 한 사회에서 지배적인 영향을 끼치는 문화라는 의미에서 지배 문화라고도 불린다.

1 다양한 하위문화

1. 하위문화

꼭! 하위문화는 주류 문화의 범주를 어떻게 규정하느냐에 따라 상대적으로 규정할 수 있어.

(1) **하위문화**: 한 사회 내의 일부 구성원만이 공유하는 문화 예 지역 문화, 세대 문화, 반문화 등
(2) **하위문화의 특징**: 사회가 다원화될수록 다양해짐, 시간과 공간에 따라 상대적인 성격을 띰
(3) **하위문화의 기능**: 다양한 문화적 욕구 충족, 같은 하위문화를 누리는 구성원의 문화 정체성과 소속감 형성, 서로 다른 하위문화 간의 차이를 인정하지 않을 경우 문화적 갈등 발생 등
└ 하위문화는 다양한 문화적 욕구를 충족하여 사회 전체의 문화를 풍부하고 다양하게 해.

2. 다양한 하위문화

(1) **지역 문화**

꼭! 각 지역 사람들이 서로 다른 자연환경이나 역사적 배경, 사회적 상황 등에 각기 다른 방식으로 적응하는 과정에서 지역 간에 문화적 차이가 나타나지.

의미	한 사회를 구성하는 여러 지역 사회에서 나타나는 고유한 생활 양식
기능	지역 주민의 정체성 및 유대감 형성, 지역의 고유성 보존, 전체 사회의 문화적 다양성 향상 등

(2) **세대 문화** 자료①

급격한 사회 변동이 이루어지는 현대 사회에서는 세대를 구분하는 연령의 범위가 좁아지면서 세대 문화가 다양해지고 있어.

의미	공통의 체험을 토대로 한 특정 범위의 연령층이 공유하는 문화 예 청소년 문화, 노인 문화 등
특징	같은 세대에 속하는 사람들의 일체감과 정체성 형성에 이바지할 수 있음, 세대 갈등을 유발할 수 있음

(3) **반문화** 교과서 자료

오늘날 고령화가 급속히 진행되고 노인의 정치적·사회적 영향력이 커지면서 노인 문화에 대한 관심이 높아지고 있어.

의미	사회의 지배적인 문화에 저항하고 대립하는 문화 예 히피 문화, 비행 청소년 집단 문화 등
특징	반문화에 대한 규정은 시대나 사회에 따라 달라질 수 있음
기능	사회적 혼란을 초래하기도 하지만, 주류 문화의 변동을 유도하여 새로운 문화 형성의 계기가 되기도 함

이것이 핵심!

대중문화의 의미와 특징

의미	한 사회 내의 불특정 다수가 공유하는 문화
특징	• 대중 매체를 통해 넓은 범위에 빠르게 확산됨 • 대중이 일상생활에서 쉽게 접하고 즐길 수 있음 • 대량으로 생산되고 다수에 의해 대량으로 소비됨

★ **대중 매체**
불특정 다수에게 같은 지식이나 정보를 대량으로 동시에 전달하는 수단

2 대중문화와 대중 매체

1. 대중문화

대중의 지위가 상승하여 대중의 문화적 역량이 높아지고, 대중 매체가 발달하면서 형성되었어.

(1) **대중문화**: 한 사회 내의 불특정 다수가 공유하는 문화 예 가요, 영화, 드라마 등
(2) **대중문화의 특징**: 대중 매체를 통해 넓은 범위에 빠르게 확산됨, 대중이 일상생활에서 쉽게 접하고 즐길 수 있음, 대량으로 생산되고 다수에 의해 대량으로 소비됨 등
(3) **대중문화의 기능** 자료②

└ 대중문화는 대중의 수준과 기호를 반영해.
┌ 대중문화는 소수의 특권층이 누리던 문화적 혜택을 다수가 누릴 수 있게 해.

순기능	대중에게 오락 및 휴식 제공, 문화의 민주화에 이바지, 사회 문제에 대한 대중의 관심 증대 등
역기능	사회 구성원의 생활 양식 및 가치관의 획일화, 지나치게 상업성을 추구할 경우 문화의 질 저하, 대중의 정치적 무관심 조장, 정보 왜곡 및 여론 조작의 수단으로 악용 가능 등

왜? 대중 매체를 통해 동일한 정보를 동시에 제공하기 때문이야.

2. 대중 매체의 종류

정보 전달의 속도는 느린 편이야.

인쇄 매체	문자와 사진을 이용하여 정보 전달, 깊이 있는 정보 전달 가능 예 신문, 잡지 등
음성 매체	소리를 이용하여 정보 전달, 적은 비용으로 넓은 범위에 정보 전달 가능 예 라디오
영상 매체	소리와 영상을 이용하여 정보 전달 예 텔레비전
뉴 미디어	문자, 사진, 소리, 영상 등을 이용하여 정보 전달, 정보 복제 및 전송에 용이 예 인터넷, 스마트폰 등

3. 대중문화를 수용하는 바람직한 자세: 대중문화의 비판적 수용, 대중문화의 지나친 상업성 경계, 대중문화의 주체적 생산자로서의 역할 수행 등

└ 대중 매체가 제공하는 지식이나 정보를 여러 매체를 통해 비교하여 수용해야 해.

└ 대중은 문화의 소비자이자 생산자로서 건전한 대중문화를 만들기 위해 노력해야 해.

완자 자료 탐구

 내 옆의 선생님

자료 ① 청소년 문화

오늘날 많은 청소년들은 '생일 선물'을 '생선'으로, '재미 없다'를 '노잼'으로 줄여 말하며 그들만의 유대감을 형성한다. 그러나 기성세대는 청소년들이 사용하는 신조어의 의미를 이해하는 데 어려움을 느낀다. 그뿐만 아니라 기성세대는 지나친 준말 사용이 청소년들의 어휘력과 사고력을 저하할 수 있다고 지적한다.

제시된 사례를 통해 청소년 문화는 기존의 틀에 얽매이지 않고 새로운 것을 추구한다는 점을 알 수 있다. 그러나 이러한 청소년 문화를 기성세대가 이해하지 못할 경우 세대 간 갈등이 발생할 수 있다.

└ 청소년 문화는 기성세대의 문화에 비판적이며, 새로운 것을 추구하는 변화 지향적인 성격이 강해. 또한 충동적·모방적인 성향을 보이기도 해.

수능이 보이는 교과서 자료 ┃ 주류 문화와 반문화의 관계

히피 집단은 1960년대에 미국에서 기존의 사회 통념, 제도, 가치관 등에 저항하면서 전쟁과 폭력 반대, 인간성의 회복, 자연으로의 복귀 등을 주장했던 사람들을 말한다. 이들은 기존의 주류 문화에 동조하기를 거부하며 자신들만의 공동체를 형성하였으며, 베트남 전쟁 참전을 위한 징집을 거부하는 등 정부 정책에 도전하며 전쟁과 폭력을 반대하였다. 그뿐만 아니라 물질적 풍요와 편의성보다는 자연과 공존하는 생활 태도를 지향하였으며 인권, 평화 등과 같은 새로운 가치 질서를 확산시켜 나갔다.

히피 문화는 대표적인 반문화 사례이다. 반문화는 독자성이 강하고, 주류 문화에 적대적인 경우가 많기 때문에 사회 갈등 및 사회적 혼란을 초래하기도 한다. 그러나 주류 문화에 대한 성찰의 계기를 마련하여 사회가 바람직한 방향으로 변화하는 데 도움을 주기도 한다.

자료 ② 대중문화의 순기능과 역기능

(가) 최근 요리에 관련된 방송 프로그램이 인기를 끌면서 프로그램에 소개된 조리법에 따라 요리를 직접 만들어 먹는 사람들이 늘고 있다. 간편한 방식으로 소개된 조리법을 활용하여 누구나 쉽게 음식을 만들 수 있다.

(나) 텔레비전에 나오는 유명 연기자의 옷차림과 스타일은 유행에 영향을 준다. 많은 사람들은 개인의 개성을 추구하기보다는 텔레비전이나 스마트폰을 통해 최신 유행을 접하며 유행에 동화되고 있다.

(가)는 대중문화가 대중 매체를 통해 대중에게 새로운 지식이나 정보를 전달하는 데 기여하고 있음을 보여 준다. 반면 (나)는 대중문화가 대중 매체에 의해 널리 퍼지고 공유되면서 개인의 독창성과 개성이 쇠퇴하고 생활 양식이 획일화되는 부정적인 측면도 나타날 수 있음을 보여 준다. 따라서 대중문화를 올바르게 수용하고 발전시키기 위해서는 대중 매체가 제공하는 지식이나 정보를 비판적으로 수용하는 자세를 길러야 한다.

정리 ┃ 비법을 알려줄게!

하위문화의 기능

순기능	• 다양한 문화적 욕구 충족 → 사회 전체의 문화를 풍부하고 다양하게 함 • 같은 하위문화를 누리는 구성원의 문화 정체성과 소속감 형성
역기능	서로 다른 하위문화 간의 차이를 인정하지 않을 경우 문화적 갈등 발생

완자샘의 ┃ 탐 구 강 의

• 히피 문화가 반문화인 이유를 써 보자.
기존의 지배적인 문화에 저항하기 때문이다.

• 주류 문화와 반문화의 관계를 서술해 보자.
반문화는 주류 문화에 적대적인 경우가 많아 사회 갈등을 초래하기도 하지만, 주류 문화의 변동을 유도하여 새로운 문화 형성의 계기가 되기도 한다.

함께 보기 117쪽, 내신 만점 공략하기 05

자료 ┃ 하나 더 알고 가자!

대중 매체의 발달

일방향 매체	신문, 라디오, 텔레비전 등 정보가 대중에게 일방적으로 전달되는 매체
쌍방향 매체	인터넷, 스마트폰 등 정보 전달이 쌍방향으로 이루어지는 매체

과거에는 일방향 매체를 통해 대중문화가 생산되었고, 대중은 문화를 소비하는 수준에 머물렀다. 그러나 뉴 미디어와 같은 쌍방향 매체의 비중이 커지면서 대중문화의 생산자와 소비자의 경계가 점차 모호해지고 있다.

STEP 1 핵심 개념 확인하기

1 다음 괄호 안의 내용 중 알맞은 말에 ○표를 하시오.

(1) 한 사회 내의 특정 범주에 속한 사람들만이 공유하는 문화를 (주류 문화, 하위문화)라고 한다.

(2) 하위문화는 같은 문화를 공유하는 구성원들의 문화 정체성 및 소속감을 (강화, 약화)할 수 있다.

2 다음 내용이 지역 문화에 해당하면 '지', 세대 문화에 해당하면 '세', 반문화에 해당하면 '반'이라고 쓰시오.

(1) 사회의 지배적인 문화에 저항하고 대립하는 문화이다.
( )

(2) 공통의 체험을 토대로 한 특정 범위의 연령층이 공유하는 문화이다.
( )

(3) 한 사회를 구성하는 여러 지역 사회에서 나타나는 고유한 생활 양식이다.
( )

3 ㉠, ㉡에 들어갈 내용을 각각 쓰시오.

(㉠   )는 가요, 영화, 드라마 등 한 사회 내의 불특정 다수가 공유하는 문화로, 신문, 라디오, 텔레비전 등과 같은 (㉡   )를 통해 형성되고 확산된다.

4 다음 빈칸에 들어갈 내용을 쓰시오.

(1) 대중문화는 동일한 정보를 동시에 전달함으로써 대중의 사고나 행동을 ( )할 우려가 있다.

(2) 뉴 미디어와 같은 쌍방향 매체의 비중이 커지면서 대중이 문화 ( )로서의 역할을 하게 되었다.

5 다음 설명이 맞으면 ○표, 틀리면 ×표를 하시오.

(1) 뉴 미디어의 등장으로 대중문화의 생산자와 소비자의 구분이 뚜렷해졌다.
( )

(2) 대중문화를 수용할 때는 비판적인 시각을 가지고 여러 매체를 비교해 보는 자세가 필요하다.
( )

(3) 대중문화가 지나치게 상업화될 경우 폭력적인 내용을 다루어 대중문화의 질이 낮아질 수 있다.
( )

STEP 2 내신 만점 공략하기

01 밑줄 친 ㉠, ㉡에 대한 옳은 설명을 〈보기〉에서 고른 것은?

한 사회의 구성원들은 오랫동안 함께 생활하면서 대체로 같은 문화를 공유하며, 한 사회 내에서도 부분적으로 서로 다른 문화를 누리며 살아가기도 한다. 이처럼 한 사회 내에는 ㉠ 사회 구성원 대부분이 공유하는 문화가 있는 반면, 그 안에서 ㉡ 일부 구성원만이 공유하는 문화도 존재한다.

보기

ㄱ. ㉠은 각 사회의 일반적인 생활 양식의 특징을 나타낸다.
ㄴ. 사회가 복잡해질수록 ㉡의 수는 줄어든다.
ㄷ. ㉠은 ㉡에서 얻을 수 없는 다양한 문화적 욕구를 충족시켜 준다.
ㄹ. ㉡은 ㉠의 범주 설정에 따라 상대적으로 정의할 수 있다.

① ㄱ, ㄴ   ② ㄱ, ㄹ   ③ ㄴ, ㄷ
④ ㄴ, ㄹ   ⑤ ㄷ, ㄹ

02 다음은 사회 수업 시간에 학생이 작성한 형성 평가지이다. 이 학생이 받을 점수로 옳은 것은?

형성 평가

하위문화에 대한 설명이 맞으면 ○표, 틀리면 ×표를 하시오.

문항	답안
(1) 사회 전체의 문화를 풍부하게 한다.	×
(2) 전체 사회 구성원의 문화 공유성을 높여 준다.	○
(3) 같은 하위문화를 공유하는 구성원의 소속감을 약화할 수 있다.	×
(4) 전체 사회에 문화 다양성을 제공하여 주류 문화의 획일성을 방지해 준다.	○
(5) 서로 다른 하위문화 간의 차이를 인정하지 않을 경우 문화적 갈등이 발생할 수 있다.	○

(문항당 2점)

① 2점   ② 4점   ③ 6점   ④ 8점   ⑤ 10점

03 ⊙의 기능으로 옳은 것을 〈보기〉에서 고른 것은?

> 한 사회 안에서도 지역에 따라 문화적 차이가 발생한다. 이는 지역마다 처한 자연환경이나 역사적 배경, 사회적 상황이 다르고 지역 구성원들은 이에 각기 다른 방식으로 적응해 왔기 때문이다. 이처럼 한 사회를 구성하는 여러 지역 사회에서 나타나는 고유한 생활 양식을 (⊙)(이)라고 한다.

〔보기〕
> ㄱ. 지역의 고유문화를 발전시킨다.
> ㄴ. 지역 주민 간 유대감을 약화한다.
> ㄷ. 국가 전체의 문화적 통일성을 높여 준다.
> ㄹ. 지역 주민의 문화적 정체성을 길러 준다.

① ㄱ, ㄴ   ② ㄱ, ㄹ   ③ ㄴ, ㄷ
④ ㄴ, ㄹ   ⑤ ㄷ, ㄹ

04 밑줄 친 ⊙, ⓒ에 대한 설명으로 옳지 <u>않은</u> 것은?

> 한 사회에는 어린이부터 노인까지 다양한 나이의 사람들이 함께 살아가고 있다. 세대란 같은 시대를 살면서 특정한 사회적·문화적 환경, 역사적 경험을 공유하며 비슷한 사고방식과 생활 양식을 지닌 사람들을 말하는데, 이들 세대가 공유하는 문화를 세대 문화라고 한다. 대표적인 세대 문화에는 ⊙ 청소년 문화, ⓒ 노인 문화가 있다.

① ⊙은 기존 문화에 비판적인 성격을 띠기도 한다.
② 고령화가 진행됨에 따라 ⓒ에 대한 관심이 높아지고 있다.
③ ⓒ은 대중문화의 영향을 상대적으로 많이 받아 즉흥성이나 모방성을 띠기도 한다.
④ ⊙은 ⓒ에 비해 새로운 문화 요소를 빠르게 수용한다.
⑤ ⊙과 ⓒ 간 문화의 차이로 인해 갈등이 발생하기도 한다.

05 다음 두 사례에 공통으로 나타난 하위문화의 유형에 대한 옳은 설명을 〈보기〉에서 고른 것은?

> • 조선은 엄격하게 신분을 구별하는 사회였다. 따라서 신분과 성별의 구별 없이 한 방에 모여 예배를 드리는 천주교도의 모습은 당시 조선의 사회 문화에 크게 반하는 것이었다.
> • 1960년대 미국에 나타난 히피 집단은 기존의 사회 통념이나 제도 등에 저항하면서 자신들만의 공동체를 형성하였다. 이들은 전쟁과 폭력을 반대하고, 인권, 평화 등과 같은 새로운 가치 질서를 확산시켜 나갔다.

〔보기〕
> ㄱ. 주류 문화에 저항하는 성격을 지닌다.
> ㄴ. 사회 변동을 촉진하는 요인이 되기도 한다.
> ㄷ. 집단 내 구성원 간의 연대 의식을 약화한다.
> ㄹ. 사회적 갈등 및 혼란을 예방하는 역할을 한다.

① ㄱ, ㄴ   ② ㄱ, ㄷ   ③ ㄴ, ㄷ
④ ㄴ, ㄹ   ⑤ ㄷ, ㄹ

06 (가)~(다)의 일반적인 특징에 대한 설명으로 옳은 것은? (단, (가)~(다)는 각각 주류 문화, 반문화, 반문화의 성격이 없는 하위문화 중 하나이다.)

구분	(가)	(나)	(다)
한 사회 내에서 일부 구성원들만 공유하는 문화인가?	예	예	아니요
한 사회의 지배적인 문화에 저항하는 문화인가?	예	아니요	아니요

① 지역별로 다르게 나타나는 사투리 문화는 (가)의 사례에 해당한다.
② (가)는 (나)와 달리 해당 문화를 공유하는 구성원의 문화 정체성 형성에 기여한다.
③ (나)는 (다)와 대립하여 사회 안정을 저해한다.
④ (다)는 사회가 변화함에 따라 (가)가 되기도 한다.
⑤ 한 사회 내에서 (다)는 (나)의 총합으로 설명할 수 있다.

07 다음은 학생이 수업 시간에 정리한 노트 필기이다. ⊙에 대한 옳은 설명을 〈보기〉에서 고른 것은?

> 학습 주제: (⊙)의 의미와 형성 배경
> • 의미: 한 사회 내의 불특정 다수가 공유하는 문화를 말한다.
> • 형성 배경: 대중의 지위가 상승하여 대중의 문화적 역량이 높아지고, 대중 매체가 발달하면서 형성되었다.

보기
ㄱ. 확산 속도가 느린 편이다.
ㄴ. 일부 상류층의 기호만을 반영한다.
ㄷ. 대량으로 생산되고 대량으로 소비된다.
ㄹ. 대중이 일상생활에서 쉽게 접할 수 있다.

① ㄱ, ㄴ ② ㄱ, ㄷ ③ ㄴ, ㄷ
④ ㄴ, ㄹ ⑤ ㄷ, ㄹ

08 다음 대화를 통해 알 수 있는 대중문화의 기능으로 가장 적절한 것은?

> • 갑: 최근 요리에 관련된 방송 프로그램이 인기를 끌면서 프로그램에 소개된 조리법에 따라 요리를 직접 만들어 먹는 사람들이 늘고 있어.
> • 을: 맞아. 간편하고 재미있는 방식으로 조리법을 알려줘서 누구나 쉽게 음식을 따라 만들 수 있어.

① 대중의 문화적 취향을 획일화한다.
② 사회 문제에 대한 대중의 관심을 유발한다.
③ 문화적 혜택을 소수의 특권층에 집중시킨다.
④ 대중에게 새로운 지식이나 다양한 정보를 전달한다.
⑤ 자극적인 내용을 다룸으로써 문화의 질이 낮아진다.

09 다음 글을 통해 알 수 있는 대중문화의 문제점으로 가장 적절한 것은?

> 욕설과 폭력, 개연성 없는 전개, 복수가 난무하는 자극적인 상황은 이른바 '막장 드라마'의 필수 요소이다. 이러한 막장 드라마는 왜 만들어지는 것일까? 바로 시청률 때문이다. 시청률이 곧 방송사의 광고 수입으로 이어지기 때문에 방송사들은 시청률을 높이기 위해 더 자극적이고 더 폭력적인 내용들로 텔레비전 화면을 가득 채우고 있다.

① 사회의 민주화에 기여한다.
② 문화의 질적 저하를 초래한다.
③ 대중이 이해하기 어려운 내용을 전달한다.
④ 문화 생산자에 의해 정보가 조작되기도 한다.
⑤ 대중의 취향을 고려하지 않은 문화가 생산된다.

10 다음 글을 통해 추론할 수 있는 대중문화의 특징으로 가장 적절한 것은?

> '스낵 컬처(snack culture)'란 등하교 시간이나 출퇴근 시간, 휴식 시간 등을 이용하여 드라마, 인터넷 만화, 스포츠 하이라이트 등을 즐기는 현상 또는 그 콘텐츠를 의미한다. 이는 인터넷의 발달 및 스마트폰, 태블릿 컴퓨터 등과 같은 이동 통신 기기의 사용 증가와 함께 간식처럼 가볍고 부담없이 즐길만한 콘텐츠를 찾는 사람들의 성향이 결합되어 퍼지고 있다.

① 대중의 문화적 취향을 획일화한다.
② 대중 조작의 수단으로 이용될 수 있다.
③ 대중이 문화의 소비자의 지위에 머물게 된다.
④ 특정 집단에 속한 사람에게만 정보를 전달할 수 있다.
⑤ 대중 매체의 발달로 인하여 활발하게 생산되고 보급된다.

11 대중 매체 A~C에 대한 옳은 설명을 〈보기〉에서 고른 것은? (단, A~C는 각각 인쇄 매체, 영상 매체, 뉴 미디어 중 하나이다.)

- 정보 전달의 양방향성은 A가 B, C보다 높은 편이다.
- 정보의 확산 속도는 B가 C보다 높은 편이다.

〈보기〉
ㄱ. A는 C에 비해 정보의 전송과 재가공이 용이하다.
ㄴ. B는 C에 비해 시각과 청각에 의존하는 정도가 높다.
ㄷ. C는 A에 비해 정보의 생산자와 소비자 간의 경계가 모호하다.
ㄹ. B, C는 A에 비해 정보 생산자와 소비자 간의 상호 작용이 활발하다.

① ㄱ, ㄴ　　② ㄱ, ㄷ　　③ ㄴ, ㄷ
④ ㄴ, ㄹ　　⑤ ㄷ, ㄹ

12 다음 질문에 대한 답변으로 적절하지 <u>않은</u> 것은?

대중은 대중 매체가 생산해 내는 대중문화를 무조건 받아들이기보다는 대중문화의 상업성과 획일성을 살피면서 선별적으로 수용해야 한다. 즉, 대중 매체가 전달하는 지식이나 정보의 출처를 살피고, 같은 사건을 다른 매체는 어떤 시각으로 다루는지 비교하는 자세를 가져야 한다. 이처럼 대중문화를 비판적으로 수용해야 하는 이유는 무엇일까?

① 대중문화가 상업성에 치우치기 쉽기 때문이다.
② 대중 매체는 객관적인 정보만을 제공하기 때문이다.
③ 대중문화가 대중 조작의 수단으로 이용될 수 있기 때문이다.
④ 대중 매체는 동일한 현상에 대해 서로 다르게 보도할 수 있기 때문이다.
⑤ 대중 매체의 정보 전달 방식에 따라 대중은 사실을 다르게 판단할 수 있기 때문이다.

서술형 문제

● 정답친해 36쪽

01 다음 글을 읽고 물음에 답하시오.

(㉠)은/는 한 사회의 구성원 전체가 따르고 누리는 지배적인 문화에 저항하고 대립하는 문화를 말한다. 비행 청소년 집단의 문화, 과거 여성 해방 운동 집단의 문화, 급진적인 종교 집단의 문화 등이 (㉠)의 사례에 해당한다.

(1) ㉠에 들어갈 내용을 쓰시오.

(2) (1)의 기능을 <u>두 가지</u> 이상 서술하시오.

02 표는 대중 매체의 종류를 구분한 것이다. 이를 보고 물음에 답하시오. (단, A, B는 인쇄 매체, 뉴 미디어 중 하나이다.)

구분	A	B
심층적인 정보 전달에 유리한가?	+	++
(가)	++	+

* +의 개수가 많을수록 강함 내지 높음을 나타냄

(1) A, B에 들어갈 대중 매체를 각각 쓰시오.

(2) (가)에 들어갈 수 있는 질문을 <u>두 가지</u> 이상 서술하시오.

1 다음 두 사례에 공통으로 나타난 하위문화의 유형에 대한 설명으로 옳은 것은?

> • 한국의 대표적인 음식 문화인 김치는 각 지역에 따라 독특한 특색이 있다. 전라도에서는 고춧가루와 젓갈 등의 양념을 많이 사용하는 반면, 강원도에서는 오징어, 명태 등의 해산물을 재료로 활용한다.
> • 최근 사투리를 보존하려는 지방 자치 단체의 움직임이 활발하게 전개되고 있다. 울산광역시에서는 울산 방언사전을 펴내 사투리 보존에 나서고 있으며, 강원도에서는 강릉 사투리 보존회가 다양한 문화 콘텐츠를 통해 사투리 알리기에 나서고 있다.

① 사회 구성원 간의 유대감을 약화한다.
② 국가 전체의 문화적 통일성을 높여 준다.
③ 나이와 시대적 경험이 결합하여 형성되는 문화이다.
④ 각 지역의 자연환경과 생활 방식의 특수성으로 인해 나타난다.
⑤ 사회의 지배적인 문화에 적대적인 경우가 많아 사회적 혼란을 초래할 수 있다.

> **하위문화의 유형**
>
> **완자샘의 시험 꿀팁**
> 다양한 하위문화의 형성 배경과 기능을 묻는 문제가 자주 출제된다.

평가원 응용

2 밑줄 친 A~C 문화의 일반적인 특징에 대한 옳은 설명을 〈보기〉에서 고른 것은? (단, A~C 문화는 각각 주류 문화, 하위문화, 반문화 중 하나이다.)

> 한 사회의 구성원 대부분이 공유하는 문화를 A 문화라고 한다. 반면 한 사회 내의 특정 집단 구성원들만이 공유하여 다른 구성원들과 구분되는 문화가 있는데, 이를 B 문화라고 한다. B 문화는 이를 공유하는 구성원들의 정체성을 알려 주는 문화로서 중요한 삶의 양식이 된다. B 문화 중에는 그 사회의 지배적인 문화에 저항하고 대립하는 문화가 있는데, 이를 C 문화라고 한다.

보기
ㄱ. 한 사회에서 A 문화는 C 문화와 공존이 불가능하다.
ㄴ. B 문화와 C 문화는 서로 다른 문화 간의 갈등을 초래하여 사회 통합을 저해할 수 있다.
ㄷ. C 문화는 A 문화의 문제를 인식하는 계기를 제공하기도 한다.
ㄹ. B 문화는 C 문화와 달리 사회가 변화함에 따라 A 문화가 되기도 한다.

① ㄱ, ㄴ   ② ㄱ, ㄷ   ③ ㄴ, ㄷ
④ ㄴ, ㄹ   ⑤ ㄷ, ㄹ

> **다양한 하위문화**
>
> **완자샘의 시험 꿀팁**
> 주류 문화, 하위문화, 반문화의 성격을 구분하는 문제가 자주 출제된다.

3 대중문화를 바라보는 (가), (나)의 입장에 대한 분석으로 적절한 것은?

대중문화의 기능

> (가) 오늘날 대중 매체를 보유한 기업이 대중문화를 생산하고, 대중은 그것을 소비하는 역할에 한정된다. 기업은 이윤 추구라는 목적에 따라 소비자인 대중의 주목을 받기 위해 저질 문화를 양산한다.
>
> (나) 텔레비전에 나오는 유명 연기자의 옷차림과 스타일은 유행에 영향을 준다. 많은 사람들은 개인의 개성을 추구하기보다는 텔레비전이나 스마트폰을 통해 최신 유행을 접하며 유행에 동화되고 있다.

① (가)는 대중문화가 대중의 비판 의식을 강화한다고 본다.
② (나)는 대중문화가 대중의 삶을 획일화한다고 본다.
③ (나)는 대중문화의 발달로 문화적 혜택이 특정 집단에 집중되었다고 본다.
④ (가)는 (나)와 달리 대중문화의 역기능을 우려한다.
⑤ (나)는 (가)와 달리 대중 매체가 대중문화의 형성 및 확산에 영향을 미친다고 본다.

평가원 응용

4 표는 대중 매체 A~C의 일반적인 특징을 구분한 것이다. 이에 대한 설명으로 옳은 것은? (단, A~C는 각각 음성 매체, 영상 매체, 뉴 미디어 중 하나이다.)

대중 매체의 종류

> 완자쌤의 시험 꿀팁
> 다양한 대중 매체의 특징을 구분하는 문제가 자주 출제된다.

구분	A	B	C
정보 생산자와 정보 소비자 간의 경계가 뚜렷한가?	아니요	예	예
시각 정보를 제공하는가?	예	예	아니요
(가)	예	아니요	아니요

① A는 C보다 정보 확산의 시·공간적 제약이 크다.
② B는 C보다 청각 정보에 대한 의존도가 높다.
③ C는 A와 달리 쌍방향 정보 전달이 가능하다.
④ A가 B, C 보다 이른 시기에 등장하였다.
⑤ (가)에는 '정보 수용자에 의한 정보 수정 및 재가공이 용이한가?'가 들어갈 수 있다.

03 문화 변동의 양상과 대응

이것이 핵심!

문화 변동의 요인과 양상

요인	• 내재적 요인: 발명, 발견 • 외재적 요인: 직접 전파, 간접 전파, 자극 전파
양상	내재적 변동, 문화 접변
결과	문화 공존(문화 병존), 문화 동화, 문화 융합

★ **문화 변동**
새로운 요소의 등장이나 다른 문화와의 접촉을 통해 문화가 끊임없이 변화하는 현상

★ **내재적 요인**
한 사회의 내부에서 등장하여 문화 변동을 초래하는 요인

★ **문화 접변의 성격**

구분	자기 문화의 정체성 상실	제3의 문화 형성
문화 공존 (문화 병존)	×	×
문화 동화	○	×
문화 융합	×	○

① 문화 변동의 요인과 양상

1. *문화 변동의 요인

(1) 내재적 요인 꼭! 물질적인 것뿐만 아니라 종교, 가치관, 제도 등 비물질적인 것도 발명의 대상이 될 수 있어.

발명	이전에는 없었던 새로운 문화 요소를 만들어 내는 것 예 전구, 전화, 자동차의 발명 등
발견	이미 존재하고 있었지만 알려지지 않았던 것을 찾아내는 것 예 불, 바이러스의 발견 등

(2) 외재적 요인(문화 전파)

① 문화 전파: 한 사회가 다른 문화와 교류하거나 접촉하는 과정에서 새로운 문화 요소가 전달되는 것

② 문화 전파의 유형

직접 전파	전쟁, 교역 등을 통해 사람이 다른 문화와 직접 접촉하여 문화 요소가 전해지는 것
간접 전파	문화 요소가 인쇄물, 텔레비전, 인터넷 등과 같은 매개체를 통해 간접적으로 전파되는 것
자극 전파	다른 사회의 문화 요소에서 아이디어를 얻어 새로운 문화 요소를 만들어 내는 것

2. 문화 변동의 양상

(1) 내재적 변동: 발명이나 발견으로 인해 한 사회의 문화 체계 내에서 일어나는 문화 변동 ┐ 발명이나 발견 등에 의해 등장한 새로운 문화 요소를 사회 구성원들이 받아들이면서 나타나는 문화 변동이야. ┘

(2) 접촉적 변동(문화 접변)

① 문화 접변: 두 사회가 장기간에 걸쳐 전면적인 접촉을 함으로써 일어나는 변동 자료①

강제적 문화 접변	정복이나 식민 지배와 같은 상황에서 지배 사회의 문화 요소를 피지배 사회의 문화 체계 속에 강제로 이식함으로써 나타나는 문화 변동
자발적 문화 접변	한 사회가 스스로의 필요에 의해 다른 사회의 문화 요소를 받아들임으로써 나타나는 문화 변동

② *문화 접변의 결과 교과서 자료

문화 공존(문화 병존)	서로 다른 사회의 문화 요소가 한 사회의 문화 체계 속에 나란히 존재하는 것
문화 동화	한 사회의 문화가 다른 사회의 문화 체계 속에 흡수되어 정체성을 상실하는 것
문화 융합	한 사회의 기존 문화가 외래문화와 결합하여 기존 문화 요소의 성격을 지니면서도 새로운 성격을 지닌 제3의 문화가 나타나는 것

이것이 핵심!

문화 변동의 문제점과 대응 방안

문제점	아노미 현상, 문화 지체, 집단 간 갈등, 문화 정체성 혼란 등
대응 방안	문화 변동에 능동적으로 대처, 새로운 문화 요소의 비판적 수용, 새로운 가치나 규범 확립 등

★ **비물질문화**
사회 유지를 위해 만든 규범, 사회 구성원들의 사고방식, 관념, 제도 등의 문화

② 문화 변동 과정의 문제점과 대응 방안

1. 문화 변동 과정에서 발생하는 문제점

아노미 현상	문화 변동 과정에서 기존의 전통적 규범과 가치관이 무너졌으나, 이를 대체할 새로운 규범이 아직 정립되지 못하여 혼란과 무규범 상태에 빠지는 현상
문화 지체	물질문화의 빠른 변동 속도를 *비물질문화의 변동 속도가 따라가지 못하여 나타나는 문화 요소 간의 부조화 현상 자료②
집단 간 갈등	새로운 문화를 수용하려는 집단과 기존 문화를 유지하려는 집단 간에 갈등이 발생할 수 있음
문화 정체성 혼란	외래문화가 문화 변동을 주도할 경우 고유문화의 정체성이 약화할 수 있음

2. 문화 변동의 문제점에 대한 대응 방안: 문화 변동에 능동적으로 대처하는 자세 확립, 새로운 문화 요소의 비판적 수용, 물질문화의 변동에 적응할 수 있는 새로운 가치나 규범 확립 등

꼭! 새로운 문화 요소 중 자기 문화에 필요하다고 판단되는 것은 적극적으로 수용하면서도 자문화의 정체성을 유지하기 위해 노력해야 해.

자료 1 문화 접변의 사례

(가) 아메리카의 나바호족은 멕시코인과 적극적으로 교류하면서 직조 기술, 금속 세공술 등을 배워 자신들의 고유문화와 결합한 공예 양식을 발전시켰다.

(나) 일제 강점기 때 일본은 우리 민족에게 신사 참배 및 일본식 성명 사용 등을 강요하였다. 그러나 우리 민족은 이를 강하게 거부하며 우리 문화를 지키고자 노력하였다.

(가)는 문화 수용자의 필요와 의지에 의해 문화 변동이 나타나는 자발적 문화 접변의 사례이고, (나)는 식민 지배와 같은 강제력에 의해 문화 변동이 나타나는 강제적 문화 접변의 사례이다. 강제적 문화 접변의 경우 문화 수용자의 의지와 상관없이 강제적으로 이루어지므로, 피지배 사회에서는 문화적 저항이 나타나기도 한다.

자료 하나 더 알고 가자!

문화 전파의 사례

직접 전파	중국과의 교류를 통해 우리나라에 한자가 전파된 것
간접 전파	우리나라 드라마나 노래가 인터넷을 통해 전 세계로 퍼지면서 한글에 대한 관심이 높아진 것
자극 전파	문자가 없었던 체로키족이 백인과 접촉하면서 영어의 영향을 받아 체로키 문자를 만들어 낸 것

꿀! 직접 전파와 간접 전파는 모두 자극 전파의 원인이 될 수 있어.

수능이 보이는 교과서 자료 문화 접변의 결과

(가) 미국의 식민 지배를 받은 필리핀에서는 필리핀 고유어인 타갈로그어와 영어를 공용어로 사용하고 있다.

(나) 인도의 간다라 지방에서는 인도의 불교문화와 서양의 문화가 만나 간다라 미술이라는 독특한 미술이 나타났다.

(다) 아프리카 대륙의 원주민들은 서양 문화와 접촉하면서 토속 신앙을 잃어버리고 서양 종교인 기독교를 믿게 되었다.

(가)에서는 한 사회 내에서 서로 다른 문화 요소가 공존하는 문화 공존(문화 병존) 현상을 확인할 수 있으며, (나)에서는 서로 다른 문화 요소가 결합하여 새로운 문화 요소가 등장한 문화 융합 현상을 확인할 수 있다. (다)에서는 기존 문화 요소가 새로운 문화에 흡수되어 정체성을 상실하는 문화 동화 현상을 확인할 수 있다. 문화 동화는 문화 공존이나 문화 융합과 달리 문화가 변동하는 과정에서 자문화의 정체성을 상실할 우려가 있다.

완자샘의 탐구 강의

• '자문화의 정체성 상실 여부' 측면에서 문화 공존과 문화 동화를 비교해 보자.

구분	자문화의 정체성 상실
문화 공존	×
문화 동화	○

• (나) 현상과 (다) 현상의 차이점을 서술해 보자.

문화 동화 현상이 한 사회의 문화가 다른 사회의 문화에 의해 흡수되는 것과 달리 문화 융합 현상은 서로 다른 사회의 문화 요소가 결합하여 새로운 문화가 나타난다.

함께 보기 129쪽. 1등급 도전하기 4

자료 2 문화 지체의 사례

최근 무인 항공기인 '드론'이 대중화되면서 드론을 취미나 여가 활동에 활용하는 사람들이 급격하게 늘어났다. 그러나 드론은 사람의 머리 위에서 아무런 제한 없이 촬영할 수 있기 때문에 초상권이나 사생활을 침해하는 등 심각한 사회 문제를 유발하고 있다.

제시된 사례에서는 드론과 같은 과학 기술은 빠르게 발달하였지만, 이를 사용하는 사람들의 예절 및 의식 수준이 그에 미치지 못하는 문화 지체 현상이 나타나 있다. 이러한 문화 지체 현상이 발생하면 빠른 물질문화의 변동을 뒷받침할 수 있는 새로운 제도나 관념 문화를 정립함으로써 대응해 나갈 수 있다.

└ 물질문화

└ 비물질문화

문제로 확인할까?

문화 지체 현상이 나타나는 원인으로 가장 적절한 것은?

① 외래문화 수용 여부의 차이
② 문화 요소 전파 방식의 차이
③ 문화 요소들 간 통합 정도의 차이
④ 문화 접변 과정에서의 강제성 유무
⑤ 물질문화와 비물질문화 간 변동 속도의 차이

⑤

STEP 1 핵심 개념 확인하기

1 다음 괄호 안의 내용 중 알맞은 말에 ○표를 하시오.

(1) 이전에는 없었던 새로운 문화 요소를 만들어 내는 것을 (발명, 발견)이라고 한다.

(2) 이미 존재하고 있었지만 알려지지 않은 것을 찾아내는 것을 (발명, 발견)이라고 한다.

2 ㉠, ㉡에 들어갈 내용을 각각 쓰시오.

(㉠   ) 문화 접변은 정복이나 식민 통치 등과 같이 강제적인 힘에 의해 나타나는 문화 변동이고, (㉡   ) 문화 접변은 한 사회가 스스로의 필요에 의해 다른 사회의 문화 요소를 받아들임으로써 나타나는 문화 변동이다.

3 다음에서 설명하는 문화 변동의 요인을 〈보기〉에서 골라 기호를 쓰시오.

보기
ㄱ. 직접 전파   ㄴ. 간접 전파   ㄷ. 자극 전파

(1) 사람이 다른 문화와 직접 접촉하여 문화 요소가 전해지는 것이다. (   )

(2) 다른 사회의 문화 요소에서 아이디어를 얻어 새로운 문화 요소를 만들어 내는 것이다. (   )

(3) 문화 요소가 텔레비전, 인터넷 등과 같은 매개체를 통해 간접적으로 전파되는 것이다. (   )

4 문화 접변의 결과와 그 사례를 옳게 연결하시오.

(1) 문화 공존 •   • ㉠ 우리 사회에서 한의원과 서양식 병원이 함께 존재하는 것

(2) 문화 동화 •   • ㉡ 인도의 불교문화와 서양의 문화가 만나 간다라 미술이 나타난 것

(3) 문화 융합 •   • ㉢ 아메리카 원주민이 백인 문화와 접촉하면서 고유문화를 상실한 것

5 다음 설명이 맞으면 ○표, 틀리면 ×표를 하시오.

(1) 문화 변동으로 새로 유입되는 문화 요소는 비판하지 않고 있는 그대로 받아들여야 한다. (   )

(2) 물질문화의 변동 속도를 비물질문화의 변동 속도가 따라가지 못하는 부조화 현상을 문화 지체라고 한다. (   )

STEP 2 내신 만점 공략하기

★중요

01 ㉠, ㉡에 들어갈 문화 변동의 요인에 대한 옳은 설명을 〈보기〉에서 고른 것은?

• 에디슨의 축음기 (㉠)(으)로 소리를 녹음하고 재생할 수 있게 되었고, 이후 레코드가 상업적으로 발달하여 많은 사람이 쉽게 음악을 접할 수 있게 되었다.

• 얼베르트 센트죄르지는 체내의 각 기관에서 출혈 장애가 나타나는 괴혈병에 비타민 C를 공급하면 효과가 있다는 의학적 지식을 (㉡)하였고, 이후 사람들은 식생활에서 비타민 C를 섭취하기 위해 노력하게 되었다.

보기
ㄱ. ㉠은 이전에는 없었던 새로운 문화 요소를 만들어 내는 것을 의미한다.
ㄴ. '불교 사상의 등장'은 ㉡에 해당하는 사례이다.
ㄷ. ㉠은 발견, ㉡은 발명이다.
ㄹ. ㉠, ㉡ 모두 문화 변동의 내재적 요인에 해당한다.

① ㄱ, ㄴ   ② ㄱ, ㄹ   ③ ㄴ, ㄷ
④ ㄴ, ㄹ   ⑤ ㄷ, ㄹ

02 다음 사례에 나타난 문화 변동에 대한 설명으로 옳은 것은?

텔레비전 방송 및 인터넷을 통해 우리나라의 드라마와 노래가 전 세계로 널리 퍼지면서 한글을 배우고자 하는 외국 학생들이 증가하고 있다. 그뿐만 아니라 한식, 한복 등과 같은 우리나라의 문화에 대한 외국인들의 관심이 높아지고 있다.

① 매체를 매개로 하여 문화 변동이 나타났다.
② 사회 내부의 요인에 의해 문화 변동이 일어났다.
③ 문화 간 직접적인 접촉에 의해 문화 요소가 전파되었다.
④ 문화 전파와 발명이 동시에 일어나 문화 변동이 나타났다.
⑤ 다른 사회의 문화 요소에서 아이디어를 얻어 새로운 문화 요소가 만들어졌다.

03 (가), (나)에 나타난 문화 변동에 대한 옳은 설명을 〈보기〉에서 고른 것은?

> (가) 고유의 문자가 없었던 북아메리카의 체로키족은 백인들과 접촉하면서 백인의 문자인 알파벳의 영향을 받아 체로키족의 고유 문자인 세쿼야를 만들었다.
> (나) 751년, 당나라군은 탈라스강 근처에서 이슬람군과 전투를 벌였고 크게 패하였다. 이때 이슬람군에 붙잡힌 당나라 병사 중 제지 기술자가 있었고, 이 전투를 계기로 중국의 제지술이 이슬람 세계에 퍼지게 되었다.

보기

> ㄱ. (가)에서는 자극 전파에 따른 문화 변동이 나타났다.
> ㄴ. (나)에서는 문화 요소가 인쇄물을 통해 간접적으로 전파되고 있다.
> ㄷ. (가)와 달리 (나)에서는 내재적 요인에 의한 문화 변동이 나타났다.
> ㄹ. (가), (나)에서는 모두 다른 문화와 교류하는 과정에서 문화 요소가 전달되고 있다.

① ㄱ, ㄴ ② ㄱ, ㄹ ③ ㄴ, ㄷ
④ ㄴ, ㄹ ⑤ ㄷ, ㄹ

04 표는 문화 변동의 요인을 구분한 것이다. 이에 대한 설명으로 옳은 것은? (단, (가)~(다)는 각각 발명, 직접 전파, 간접 전파 중 하나이다.)

구분	(가)	(나)	(다)
문화 변동의 내재적 요인인가?	예	아니요	아니요
문화 요소가 매개체에 의해 전달되었는가?	아니요	예	아니요

① 물질문화와 비물질문화 모두 (가)의 대상이 될 수 있다.
② '7세기 초 고구려의 담징이 일본에 종이와 먹의 제조 방법을 전한 것'은 (나)에 해당하는 사례이다.
③ (다)를 통한 문화 변동은 지배 사회의 강제력에 의해서만 나타난다.
④ '전통 한복을 입기 편한 한복으로 개량한 것'은 (다)에 해당하는 사례이다.
⑤ (다)는 (가), (나)와 달리 사회의 문화적 다양성에 기여한다.

05 다음 사례에 나타난 문화 변동의 양상에 대한 설명으로 옳은 것은?

> A국은 식민지 B국에 식민지 교육 정책을 강요하면서 B국 언어의 사용을 금지하고, A국 언어를 사용하도록 강요하는 등의 정책을 펼쳤다.

① 발명이나 발견에 의한 문화 변동이 나타났다.
② 구성원이 자발적으로 문화 요소를 수용하였다.
③ 외부의 강제적인 힘에 의해 일어난 문화 변동이다.
④ 문화 수용자의 필요와 의지에 의한 문화 변동이 나타났다.
⑤ 문화 접변의 결과 서로 다른 문화 요소가 결합하여 제3의 문화가 형성되었다.

06 다음 두 사례에 공통으로 나타난 문화 접변의 결과에 대한 설명으로 옳은 것은?

> • 미국의 식민 지배를 받은 필리핀에서는 필리핀 고유어인 타갈로그어와 영어를 공용어로 사용하고 있다.
> • 우리나라의 차이나타운에 거주하는 중국인들은 우리나라의 생활 양식을 받아들이면서도 중국의 고유문화를 유지하면서 살아가고 있다.

① 주로 자문화의 정체성이 약한 사회에서 나타난다.
② 이전에 존재하지 않았던 새로운 문화 요소를 만들어 냈다.
③ 한 사회의 문화가 다른 사회의 문화로 흡수되어 소멸되었다.
④ 기존 문화와 외래문화가 결합하여 새로운 문화가 만들어졌다.
⑤ 서로 다른 사회의 문화가 한 사회의 문화 체계 속에 함께 존재하고 있다.

07 (가), (나)에서 설명하는 문화 접변의 결과에 해당하는 사례를 <보기>에서 골라 옳게 연결한 것은?

> (가) 한 사회의 문화가 다른 사회의 문화 체계 속에 흡수되어 정체성을 상실하는 현상이다.
> (나) 한 사회의 기존 문화가 외래문화와 결합하여 새로운 성격을 지닌 제3의 문화가 등장하는 현상이다.

보기
ㄱ. 우리나라에는 여러 토착 종교와 외래 종교가 함께 존재하고 있다.
ㄴ. 우리의 소금 양치 문화에 외국의 치약이 들어와 죽염 치약이 만들어졌다.
ㄷ. 세네갈 사람들이 그들을 식민 지배한 프랑스의 언어를 공용어로 사용하게 되었다.
ㄹ. 재미 교포 사회에서 미국의 추수 감사절과 우리나라의 명절을 함께 챙기고 있다.

	(가)	(나)		(가)	(나)
①	ㄱ	ㄴ	②	ㄱ	ㄷ
③	ㄷ	ㄴ	④	ㄷ	ㄹ
⑤	ㄹ	ㄴ			

08 표는 문화 접변의 결과 A, B를 비교한 것이다. 이에 대한 설명으로 옳지 <u>않은</u> 것은?

구분	A	B
의미	(가)	서로 다른 문화 요소가 결합하여 새로운 문화 요소가 만들어지는 것
사례	스위스에서 독일어, 프랑스어 등을 공용어로 사용하는 것	(나)
공통점	(다)	

① (가)에는 '서로 다른 사회의 문화가 한 사회의 문화 체계 속에 나란히 존재하는 것'이 들어갈 수 있다.
② (나)에는 '우리의 온돌 문화에 외국의 침대 문화가 들어와 돌침대가 만들어진 것'이 들어갈 수 있다.
③ (다)에는 '문화적 정체성이 보존됨'이 들어갈 수 있다.
④ A는 B와 달리 직접적인 접촉에 의해 나타난다.
⑤ A와 B의 구분 기준은 '제3의 문화 형성 여부'이다.

09 (가)~(다)에 나타난 문화 접변의 결과를 옳게 연결한 것은?

> (가) 중국 옌볜 지역의 조선족들은 집 밖에서는 중국어를 구사하지만 가족들끼리 있을 때는 한국어도 같이 사용한다.
> (나) 성공회 강화 성당은 외부는 불교 사찰의 모습을 하고 있지만, 내부는 성당 건축에 사용되는 바실리카 양식으로 지어졌다.
> (다) 아메리카 대륙의 원주민들은 서구 열강의 식민 지배 과정에서 토속 신앙을 잃어버리고, 서양의 종교인 기독교를 믿게 되었다.

	(가)	(나)	(다)
①	문화 공존	문화 동화	문화 융합
②	문화 공존	문화 융합	문화 동화
③	문화 동화	문화 공존	문화 융합
④	문화 융합	문화 공존	문화 동화
⑤	문화 융합	문화 동화	문화 공존

10 그림은 문화 접변의 결과를 (가)~(다)로 구분한 것이다. 이에 대한 옳은 설명을 <보기>에서 고른 것은?

(가) Ⓐ + B ➡ Ⓐ

(나) Ⓐ + B ➡ Ⓐ B

(다) Ⓐ + B ➡ C

* Ⓐ, B, C는 문화 요소, +는 접촉, ➡는 결과를 의미함

보기
ㄱ. (가)로 인해 문화의 다양성이 확대될 수 있다.
ㄴ. (나)의 사례로 '캐나다 퀘백에서 영어와 프랑스어를 공용어로 사용하는 것'을 들 수 있다.
ㄷ. (다)가 활발해질수록 문화의 획일화가 심화될 수 있다.
ㄹ. (가)~(다)는 모두 외재적 요인에 의한 문화 변동이다.

① ㄱ, ㄴ   ② ㄱ, ㄹ   ③ ㄴ, ㄷ
④ ㄴ, ㄹ   ⑤ ㄷ, ㄹ

11 다음 사례에 나타난 문화 현상에 대해 옳게 설명한 학생을 고른 것은?

> 휴대 전화가 보급되면서 사람들은 때와 장소를 가리지 않고 연락을 주고받을 수 있다. 그러나 휴대 전화를 보느라 길을 걸을 때 앞을 보지 않는 사람들이 많아져 교통사고가 증가하는 등 사회 문제가 발생하고 있다.

갑: 기존 문화를 유지하려는 집단과 새로운 문화를 받아들이려는 집단 간에 갈등이 발생해요.

을: 고유문화의 정체성 혼란이 발생할 수 있어요.

병: 문화 요소 간 부조화 현상이 나타나고 있어요.

정: 물질문화와 비물질문화 간 변동 속도의 차이로 인해 발생하는 현상이에요.

① 갑, 을   ② 갑, 병   ③ 을, 병
④ 을, 정   ⑤ 병, 정

12 다음은 서술형 평가에 대한 학생의 답안이다. 밑줄 친 ㉠~㉤ 중 옳지 않은 것은?

> **서술형 평가**
> • 문제: 문화 변동 과정에서 발생할 수 있는 문제점과 이에 대응하기 위한 방안을 서술하시오.
> • 답안: 문화가 변동할 때 ㉠ <u>물질문화의 빠른 변동 속도를 비물질문화의 변동 속도가 따라가지 못해 나타나는 문화 요소 간의 부조화 문제,</u> ㉡ <u>기존의 가치 규범이 무너졌으나 새로운 가치 규범이 아직 형성되지 않아 혼란이 초래되는 아노미 현상</u> 등이 발생할 수 있다. 이와 같이 문화가 변동하는 과정에서 나타나는 문제점에 대응하기 위해서는 ㉢ <u>외래문화를 변형하지 않고 있는 그대로 수용</u>하고, ㉣ <u>문화 변동에 능동적인 자세로 대처</u>해야 한다. 또한 ㉤ <u>물질문화의 변동을 뒷받침할 수 있는 제도 및 규범을 정립</u>해야 한다.

① ㉠   ② ㉡   ③ ㉢   ④ ㉣   ⑤ ㉤

서술형 문제

● 정답친해 39쪽

01 다음 글을 읽고 물음에 답하시오.

> (가) 청나라를 세운 만주족은 한족의 문화를 접하면서 그것에 매료되어 한족 문화에 완전히 흡수되었다.
> (나) 우리나라에서는 중국에서 전래된 불교문화와 산신을 숭배하는 우리나라의 토속 신앙이 결합하여 산신을 모시는 산신각을 절에 세우는 독특한 불교 문화가 형성되었다.

(1) (가), (나)에 나타난 문화 접변의 결과를 각각 쓰시오.

(2) (가), (나)에 나타난 문화 접변의 결과의 차이점을 서술하시오.

02 다음 글을 읽고 물음에 답하시오.

> 최근 무인 항공기인 '드론'이 대중화되면서 드론을 취미나 여가 활동에 활용하는 사람들이 급격하게 늘어났다. 그러나 드론은 사람의 머리 위에서 아무런 제한 없이 촬영할 수 있기 때문에 초상권이나 사생활을 침해하는 등 심각한 사회 문제를 유발하고 있다.

(1) 윗글에 나타난 문화 변동에 따른 문제점을 쓰시오.

(2) (1)이 발생하는 이유와 그 해결 방안을 서술하시오.

평가원 응용

1 그림은 문화 변동 요인을 구분한 것이다. ㉠~㉤에 대한 설명으로 옳은 것은? (단, ㉠~㉤은 각각 발견, 발명, 직접 전파, 간접 전파, 자극 전파 중 하나이다.)

> 문화 변동의 요인

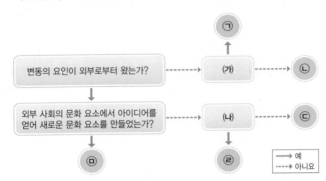

① (가)가 '존재하지 않던 문화 요소를 새롭게 만들어냈는가?'라면, 전구의 개발은 ㉡의 사례에 해당한다.

② (나)가 '문화 요소가 매체에 의해 전달되었는가?'라면, 통신 기술이 발달할수록 ㉣을 통한 문화 변동이 더욱 용이해진다.

③ ㉠의 사례로 '활의 원리를 이용하여 현악기를 만든 것'을 들 수 있다면, (가)는 '존재하고 있었으나 알려지지 않았던 문화 요소를 찾아냈는가?'가 적절하다.

④ ㉢의 사례로 '전쟁을 통해 유럽에 설탕이 전파된 것'을 들 수 있다면, (나)는 '문화 요소의 전달이 직접 이루어졌는가?'가 적절하다.

⑤ ㉤의 사례로 '외국인 선교사에 의해 외래 종교가 전래된 것'을 들 수 있다.

> 완자샘의 시험 꿀팁
>
> 주어진 질문을 통해 단계적으로 경우의 수를 파악하여 문화 변동 요인을 구분하는 문제가 자주 출제된다.

2 (가), (나)에 나타난 문화 변동에 대한 옳은 설명을 〈보기〉에서 고른 것은?

> (가) 아메리카의 나바호족은 멕시코인과 적극적으로 교류하면서 직조 기술, 금속 세공술 등을 배워 자신들의 고유문화와 결합한 공예 양식을 발전시켰다.
>
> (나) 일제 강점기 때 일본은 우리 민족에게 신사 참배 및 일본식 성명 사용 등을 강요하였다. 그러나 우리 민족은 이를 강하게 거부하며 우리 문화를 지키고자 노력하였다.

보기

ㄱ. (가)는 외부의 강제적인 힘에 의해 일어난 문화 변동이다.

ㄴ. (나)에서는 문화 접변에 대항하는 문화적 저항이 나타났다.

ㄷ. (가)에서는 (나)와 달리 구성원의 주체적인 의지에 따른 문화 변동이 나타났다.

ㄹ. (나)에서는 (가)와 달리 발명이나 발견에 의한 문화 변동이 나타났다.

① ㄱ, ㄴ   ② ㄱ, ㄷ   ③ ㄴ, ㄷ
④ ㄴ, ㄹ   ⑤ ㄷ, ㄹ

> 문화 변동의 양상
>
> **완자 사전**
>
> • 신사 참배
> 일제 강점기에 일제가 우리의 종교와 사상의 자유를 억압하기 위하여 신사에 배례하도록 강요한 것
>
> • 일본식 성명 사용
> 일제 강점기에 일제가 강제로 우리나라 사람의 성과 이름을 일본식으로 고치게 한 것

3 다음은 어느 모둠이 제출한 과제의 일부이다. 밑줄 친 ⊙~②에 대한 옳은 설명을 〈보기〉에서 고른 것은?

> **라면의 역사**
>
> 일본의 ⊙ 라면은 19세기 후반 중국인들이 일본에 건너와 팔던 국수의 일종이었다. 이후 1950년대, 어묵을 기름에 튀기는 것을 본 일본인이 라면을 기름에 튀기기 시작하면서 ⓒ 인스턴트 라면이 등장하였다. 우리나라에서는 1960년대 식량 부족 문제를 해결하기 위해 ⓒ 일본의 라면 생산 기술을 도입하여 인스턴트 라면을 생산하기 시작하였다. 이후 라면은 우리나라의 대중적인 음식이 되었고, 기존 라면에 우리나라 사람들의 입맛이 더해진 ② 김치 라면, 사골 라면 등이 생산되기 시작하였다.

┌─ **보기** ─────────────────────────────
ㄱ. ⊙은 간접 전파로 인해 등장한 문화 요소이다.
ㄴ. ⓒ은 전통문화가 외래문화에 흡수되는 문화 동화의 사례이다.
ㄷ. ⓒ에서는 문화 수용자의 자발적인 의지가 작용하였다.
ㄹ. '멕시코 토착 인디언의 전통과 에스파냐의 정복 문화가 만나 메스티소 문화가 형성된 것'은 ②과 동일한 문화 변동 요인의 사례이다.
└─────────────────────────────────────

① ㄱ, ㄴ　　　　　　② ㄱ, ㄹ　　　　　　③ ㄴ, ㄷ
④ ㄴ, ㄹ　　　　　　⑤ ㄷ, ㄹ

▶ 문화 접변의 결과

4 다음 자료에 나타난 문화 변동에 대한 설명으로 옳은 것은?

> 갑국과 을국은 장기간에 걸쳐 전면적인 문화 교류를 하였고, 그 결과 아래와 같은 변동이 일어났다.
>
> | 구분 | 갑국 | 을국 |
> |------|------|------|
> | 변동 전 | ○, □, △ | ●, ■, ▲ |
> | 변동 후 | ○, □, ◨, △ | ○, ◨, ▲ |
>
> * ○, ●은 의복 문화, □, ■는 음식 문화, △, ▲는 주거 문화임
> * ◨는 □와 ■가 혼합되어 나타난 새로운 음식 문화임

① 갑국의 의복 문화에서 문화 융합이 나타났다.
② 을국의 주거 문화에서 문화 공존이 나타났다.
③ 갑국에서는 을국과 달리 의복 문화에서 문화 동화가 나타났다.
④ 을국에서는 갑국과 달리 음식 문화에서 문화 융합이 나타났다.
⑤ 갑국과 을국에서는 모두 주거 문화가 변동하였다.

▶ 문화 접변의 결과

완자쌤의 시험 꿀팁

정형화된 사례를 통해 문화 접변의 유형을 구분하는 문제가 자주 출제된다. 자문화의 정체성 유지, 제3의 문화 형성 등을 통해 문화 접변의 결과를 구분할 수 있어야 한다.

01 문화의 이해

1. 문화의 의미

(1) 문화

좁은 의미의 문화	공연이나 예술 등 특정 분야에 관련된 것 또는 교양 있거나 세련된 것 예 문화 행사, 문화생활, 문화 시민, 문화인 등
넓은 의미의 문화	한 사회의 구성원이 공유하는 의식주, 가치, 규범과 관련된 행동 양식이나 사고방식 등의 모든 생활 양식 예 한국 문화, 청소년 문화, 다문화 사회, 전통문화 등

(2) 문화의 보편성과 특수성

문화의 (❶)	어느 사회에서나 공통으로 나타나는 생활 양식이 있음 예 모든 사회에는 언어, 결혼, 종교, 의복 등과 같은 생활 양식이 존재함
문화의 특수성	각 사회의 문화는 다른 사회의 문화와 구분되는 고유한 특징을 가짐 예 사회마다 새해를 맞이하는 구체적인 모습이 다름

2. 문화의 속성

(❷)	• 의미: 문화는 한 사회의 구성원이 공통으로 가지는 생활 양식임 • 특징: 같은 사회의 구성원들은 특정 상황에서 서로의 행동을 이해하고 예측할 수 있음
학습성	• 의미: 문화는 선천적으로 타고나는 것이 아니라 후천적으로 습득하는 것임 • 특징: 인간은 학습을 통해 언어, 가치, 규범 등을 익히며 사회에 적응함
(❸)	• 의미: 문화는 언어와 문자를 통해 한 세대에서 다음 세대로 전승되고, 시간이 지남에 따라 새로운 요소가 추가되기도 하면서 풍부해짐 • 특징: 문화가 발전할 수 있는 원동력이 됨
전체성(총체성)	• 의미: 문화를 구성하는 다양한 문화 요소들은 상호 유기적인 관계를 맺으며 하나의 전체를 이룸 • 특징: 문화의 어느 한 부분에 변화가 생기면 연쇄적으로 다른 부분에도 영향을 미침
변동성	• 의미: 문화는 고정불변한 것이 아니라 시간이 흐르면서 그 형태와 내용이 끊임없이 변화함 • 특징: 인간은 새로운 환경에 적응하거나 새로운 욕구를 충족하기 위해 끊임없이 변화를 추구함

3. 문화를 바라보는 관점

총체론적 관점	특정 문화 현상의 의미를 다른 문화 요소나 전체 문화와의 관련성 속에서 이해하려는 관점
비교론적 관점	서로 다른 문화 간의 유사성과 차이점을 분석하여 문화의 보편성과 특수성을 이해하려는 관점
상대론적 관점	한 사회의 문화를 그 사회의 자연환경, 사회적 상황, 역사적 맥락 등을 고려하여 이해하려는 관점

4. 문화를 이해하는 태도

(1) 자문화 중심주의

의미	자기 문화만을 우월한 것으로 여기고 그것을 기준으로 다른 문화를 낮게 평가하는 태도 예 서양의 오리엔탈리즘 등
장점	• 자기 문화에 대한 자부심과 집단 내 결속력을 높일 수 있음 • 고유문화를 보존하고 독자적으로 계승하는 데 도움을 줌
문제점	• 국수주의로 연결되어 다른 문화와 갈등을 빚을 수 있음 • 다른 문화를 자기 문화에 종속하려는 (❹)로 변질될 수 있음 • 자기 문화만을 최고로 여겨 다른 사회와의 문화 교류를 거부하면 국제적 고립을 초래할 수 있음

(2) 문화 사대주의

의미	다른 문화를 우월한 것으로 여기고 추종하면서 자기 문화를 열등하게 평가하는 태도 예 천하도, 영어 지상주의 등
장점	다른 문화의 좋은 점을 받아들여 자기 문화가 발전하는 계기가 될 수 있음
문제점	• 다른 문화를 무분별하게 수용할 경우 자기 문화의 주체성을 상실할 수 있음 • 고유문화의 유지 및 발전이 어려워질 수 있음

(3) 문화 상대주의

의미	모든 문화는 서로 다른 자연환경, 역사적 배경, 사회적 맥락에 따라 형성된 것이므로 각자 나름의 고유한 가치가 있다고 보는 태도
특징	문화 간에 우열이 존재하지 않는다고 보며, 문화를 평가의 대상이 아닌 이해의 대상으로 인식함
필요성	• 서로 다른 문화 사이에 나타날 수 있는 갈등과 분쟁을 예방할 수 있음 • 여러 문화가 공존할 수 있는 기초가 됨 → 문화의 다양성을 보존하는 데 이바지할 수 있음
유의점	인간의 존엄성, 생명 존중과 같은 보편적 가치를 부정하는 문화까지도 받아들이는 (❺)로 치우치지 않도록 유의해야 함

02 현대 사회의 문화 양상

1. 다양한 하위문화

(1) 하위문화의 의미와 특징

의미	한 사회 내의 일부 구성원만이 공유하는 문화
특징	사회가 다원화되고 복잡해질수록 다양해짐, 시간과 공간에 따라 상대적인 성격을 띰

(2) 하위문화의 기능: 다양한 문화적 욕구 충족, 같은 하위문화를 누리는 구성원의 문화 정체성 형성, 서로 다른 하위문화 간의 차이를 인정하지 않을 경우 문화적 갈등 발생 등

(3) 다양한 하위문화

지역 문화	한 사회를 구성하는 여러 지역 사회에서 나타나는 고유한 생활 양식
(❻)	공통의 체험을 토대로 한 특정 범위의 연령층이 공유하는 문화
반문화	사회의 지배적인 문화에 저항하고 대립하는 문화

2. 대중문화와 대중 매체

(1) 대중문화의 의미와 특징

의미	한 사회 내의 불특정 다수가 공유하는 문화
특징	• 대중 매체를 통해 넓은 범위에 빠르게 확산됨 • 대중이 일상생활에서 쉽게 접하고 즐길 수 있음 • 대량으로 생산되고 다수에 의해 대량으로 소비됨

(2) 대중문화의 기능

순기능	대중에게 오락 및 휴식 제공, 문화의 민주화에 이바지, 사회 문제에 대한 대중의 관심 증대 등
역기능	사회 구성원의 생활 양식 및 가치관의 획일화, 지나치게 상업성을 추구할 경우 문화의 질 저하, 대중의 정치적 무관심 조장, 정보 왜곡 및 여론 조작의 수단으로 악용 가능 등

(3) 대중 매체의 종류

(❼)	문자와 사진을 이용하여 정보 전달
음성 매체	소리를 이용하여 정보 전달
영상 매체	소리와 영상을 이용하여 정보 전달
뉴 미디어	문자, 사진, 소리, 영상 등을 이용하여 정보 전달

(4) 대중문화를 수용하는 바람직한 자세: 대중문화의 비판적 수용 및 지나친 상업성 경계, 대중문화의 주체적 생산자로서의 역할 수행 등

03 문화 변동의 양상과 대응

1. 문화 변동의 요인과 양상

(1) 문화 변동의 요인

내재적 요인	• 발명: 이전에는 없었던 새로운 문화 요소를 만들어 내는 것 • 발견: 이미 존재하고 있었지만 알려지지 않았던 것을 찾아내는 것
외재적 요인	• (❽): 전쟁, 교역 등을 통해 사람이 다른 문화와 직접 접촉하여 문화 요소가 전해지는 것 • 간접 전파: 문화 요소가 인쇄물, 텔레비전, 인터넷 등과 같은 매개체를 통해 간접적으로 전파되는 것 • 자극 전파: 다른 사회의 문화 요소에서 아이디어를 얻어 새로운 문화 요소를 만들어 내는 것

(2) 문화 접변의 의미와 유형

의미	두 사회가 장기간에 걸쳐 전면적인 접촉을 함으로써 일어나는 변동
유형	• (❾) 문화 접변: 정복이나 식민 지배와 같은 강제적인 힘에 의해 나타나는 문화 변동 • 자발적 문화 접변: 한 사회가 스스로의 필요에 의해 다른 사회의 문화 요소를 받아들임으로써 나타나는 문화 변동

(3) 문화 접변의 결과

문화 공존 (문화 병존)	서로 다른 사회의 문화 요소가 한 사회의 문화 체계 속에 나란히 존재하는 것
(❿)	한 사회의 문화가 다른 사회의 문화 체계 속에 흡수되어 정체성을 상실하는 것
문화 융합	한 사회의 기존 문화가 외래문화와 결합하여 새로운 성격을 지닌 제3의 문화가 나타나는 것

2. 문화 변동 과정의 문제점과 대응 방안

(1) 문화 변동 과정에서 발생하는 문제점

아노미 현상	문화 변동으로 기존의 가치 규범이 무너졌지만, 새로운 가치 규범이 형성되지 않아 혼란이 초래되는 현상
문화 지체	물질문화의 빠른 변동 속도를 비물질문화의 변동 속도가 따라가지 못하여 나타나는 문화 요소 간의 부조화 현상
집단 간 갈등	새로운 문화를 수용하려는 집단과 기존 문화를 유지하려는 집단 간에 갈등이 발생할 수 있음
문화 정체성 혼란	외래문화가 문화 변동을 주도할 경우 고유문화의 정체성이 약화할 수 있음

(2) 문화 변동의 문제점에 대한 대응 방안: 문화 변동에 능동적으로 대처, 새로운 문화 요소의 비판적 수용, 물질문화의 변동에 적응할 수 있는 새로운 가치나 규범 확립 등

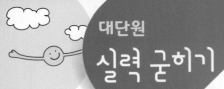
01 다음은 학생이 수업 시간에 정리한 노트의 일부이다. (가), (나)에 대한 설명으로 옳지 <u>않은</u> 것은?

문화의 의미와 속성	
1. 문화의 의미	
구분	사례
(가)	문화인, 문화 시민, 문화생활, 문화가 있는 날 등
(나)	한국 문화, 청소년 문화, 다문화 사회, 전통문화, 주거 문화 등

① '문화 상품권'은 (가)의 사례에 해당한다.

② (가)는 공연이나 예술 등 특정 분야에 관련된 것을 지칭한다.

③ (나)는 한 사회의 구성원이 주어진 환경에 적응하면서 만들어 온 생활 양식을 말한다.

④ '아프리카의 다양한 음식 문화'는 (나)보다 (가)의 사례로 분류하는 것이 적절하다.

⑤ (가)는 좁은 의미의 문화, (나)는 넓은 의미의 문화이다.

02 밑줄 친 ㉠, ㉡에 해당하는 문화의 특징을 옳게 연결한 것은?

> ㉠ 대부분의 사회에는 사람을 만났을 때 반가움의 표시로 인사를 하는 문화가 있다. 우리나라 사람은 손을 흔들거나 고개를 숙이고, 인도 사람은 손을 모아 인사를 한다. 또한 마오리족 사람은 코를 맞대고 비비면서 인사를 한다. 이처럼 ㉡ 구체적으로 인사를 하는 모습은 사회마다 다르게 나타난다.

	㉠	㉡
①	문화의 보편성	문화의 특수성
②	문화의 보편성	문화의 학습성
③	문화의 축적성	문화의 특수성
④	문화의 특수성	문화의 보편성
⑤	문화의 특수성	문화의 학습성

03 (가), (나)를 통해 알 수 있는 문화의 속성에 대한 설명으로 옳은 것은?

> (가) 우리나라 최초의 온돌은 방 일부에만 구들을 놓는 쪽 구들 형태였지만, 고려 시대 이후 여러 줄의 고래가 있는 형태가 등장하였다.
>
> (나) 우리나라에서는 어린 아이에게 젓가락질을 하는 방법을 연습시켜 아이들이 밥을 먹을 때 젓가락을 사용하는 것에 익숙해지도록 가르친다.

① (가)는 문화를 구성하는 요소들이 상호 연관되어 있음을 보여 준다.

② (가)는 문화가 고정되어 있지 않고 그 형태와 내용이 변화하는 것임을 보여 준다.

③ (나)는 문화가 선천적으로 타고나는 것임을 보여 준다.

④ (나)는 전승된 문화를 바탕으로 새로운 문화가 창출된다는 것을 보여 준다.

⑤ (가)는 문화의 학습성, (나)는 문화의 변동성과 관련 있다.

04 밑줄 친 ㉠, ㉡을 통해 알 수 있는 문화의 속성에 대한 옳은 설명을 〈보기〉에서 고른 것은?

> 김치는 조상의 지혜와 경험이 쌓인 우리나라의 전통 음식으로, ㉠ 시간이 지남에 따라 구전 또는 문헌 등을 통해 지역별로 다양하게 계승되었다. 또한 우리나라의 김장 문화는 ㉡ 겨울에 채소를 구하기 어려운 우리나라의 자연환경, 김치를 담글 때 이웃과 일을 나누어 하는 품앗이 전통 등과 밀접하게 연관되어 있다.

보기

ㄱ. ㉠은 문화가 구성원의 사고와 행동을 구속한다는 것을 보여 준다.

ㄴ. ㉠은 세대 간 전승을 통해 복잡하고 다양해지는 문화의 속성을 보여 준다.

ㄷ. ㉡은 시간이 흐르면서 문화의 내용이 지속적으로 변화한다는 것을 보여 준다.

ㄹ. ㉡은 문화를 구성하는 각 요소가 상호 밀접한 관련을 맺고 있음을 보여 준다.

① ㄱ, ㄴ   ② ㄱ, ㄹ   ③ ㄴ, ㄷ

④ ㄴ, ㄹ   ⑤ ㄷ, ㄹ

05 다음 글에 나타난 문화를 바라보는 관점에 대한 설명으로 가장 적절한 것은?

> 일본과 우리나라의 장례는 모두 삼일장을 기본으로 한다는 공통점이 있다. 그러나 슬픔을 표현하는 방식에는 차이가 있다. 일본에서는 아무리 슬퍼도 울음을 속으로 삼키며 대부분 조용하게 장례를 지낸다. 반면 우리나라에서는 곡소리의 크기로 슬픔을 표현한다. 특히 부모의 죽음에 곡소리가 작으면 불효라고 생각하여 돈을 받고 대신 울어 주는 대곡제가 있을 정도였다.

① 서로 다른 문화 간의 차이점만을 분석하는 관점이다.
② 자기 문화를 보다 객관적으로 바라보는 데 유용하다.
③ 문화를 그 사회의 역사적·문화적 배경 속에서 이해한다.
④ 특정 문화 현상을 구성 요소 간의 관계 속에서 파악한다.
⑤ 서로 다른 문화 요소가 상호 유기적인 관계를 맺고 있다고 본다.

06 밑줄 친 '일부 우리나라 사람들'이 가진 문화 이해의 태도에 대한 옳은 설명을 〈보기〉에서 고른 것은?

> '브런치(brunch)'는 아침 겸 점심으로 먹는 오전 식사를 가리키는 말이다. 일부 우리나라 사람들은 우리말은 촌스럽다고 여기고, 영어로 표현하는 것이 더 세련되고 고급스러운 느낌을 준다고 생각해 '오전 식사' 대신 '브런치'를 사용해야 한다고 주장한다.

보기
ㄱ. 다른 문화의 장점을 받아들이지 못한다.
ㄴ. 문화를 우열의 평가 대상으로 인식한다.
ㄷ. 자기 문화에 대한 정체성을 상실할 우려가 있다.
ㄹ. 자기 문화를 기준으로 다른 사회의 문화를 과소평가한다.

① ㄱ, ㄴ　　② ㄱ, ㄷ　　③ ㄴ, ㄷ
④ ㄴ, ㄹ　　⑤ ㄷ, ㄹ

07 표는 문화 이해의 태도 A, B를 구분한 것이다. (가)에 들어갈 질문으로 가장 적절한 것은?

질문 \ 문화 이해의 태도	A	B
자기 문화만을 우월하다고 여기는가?	예	아니요
자기 문화의 주체성을 상실할 수 있는가?	아니요	예
(가)	예	예

① 인류의 보편적 가치를 추구하는가?
② 문화 제국주의로 변질될 수 있는가?
③ 문화의 다양성을 보존하는 데 기여하는가?
④ 각 사회의 문화가 고유성을 지닌다고 보는가?
⑤ 문화의 우열을 평가하는 기준이 있다고 보는가?

08 다음 글에 나타난 문화 이해의 태도에 대한 옳은 설명을 〈보기〉에서 고른 것은?

> 티베트에는 사람이 죽으면 시신을 독수리가 먹도록 하는 '조장'이라는 장례 풍습이 있다. 이는 기온이 낮고 건조해서 시체가 잘 썩지 않는 티베트의 자연환경의 영향을 받아 형성된 풍습이므로, 우리의 시각에서 이를 미개하고 야만적이라고 간주하는 것은 바람직하지 못하다.

보기
ㄱ. 문화의 다양성을 보존하는 데 도움을 준다.
ㄴ. 다른 사회의 문화를 있는 그대로 존중하는 태도이다.
ㄷ. 문화 간 접촉이 많은 오늘날에 피해야 하는 태도이다.
ㄹ. 자기 문화의 입장에서 다른 사회의 문화를 이해하는 태도이다.

① ㄱ, ㄴ　　② ㄱ, ㄷ　　③ ㄴ, ㄷ
④ ㄴ, ㄹ　　⑤ ㄷ, ㄹ

09 ㉠에 들어갈 문화의 일반적인 특징으로 옳지 <u>않은</u> 것은?

> 한 사회의 구성원들은 오랫동안 함께 생활하면서 같은 문화를 공유한다. 그러나 한 사회 내에서도 지역, 집단, 연령 등에 따라 다른 행동 양식이 나타나기도 한다. 이처럼 한 사회 내의 일부 구성원들이 공유하는 문화를 (㉠)(이)라고 하며, 대표적으로 지역 문화, 세대 문화, 반문화 등이 있다.

① 집단 내 구성원들에게 소속감을 부여한다.
② 다양한 문화적 욕구를 충족하는 기능을 한다.
③ 전체 사회의 문화적 다양성을 높이는 데 기여한다.
④ 주류 문화의 범주 설정과 관계없이 일정한 성격을 띤다.
⑤ 사회의 지배적인 문화에 지나치게 적대적일 경우 사회적 혼란을 초래할 수 있다.

10 밑줄 친 ㉠, ㉡에 대한 옳은 분석을 〈보기〉에서 고른 것은?

> 오늘날 많은 ㉠ <u>청소년</u>들은 '생일 선물'을 '생선'으로, '재미없다'를 '노잼'으로 줄여 말하며 그들만의 유대감을 형성한다. 인터넷과 스마트폰의 발달로 간결하면서도 의미가 함축된 신조어를 많이 사용하는 것이다. 그러나 신조어를 지나치게 사용하는 청소년 문화는 ㉡ <u>기성세대</u>가 청소년들이 사용하는 신조어의 의미를 이해하기 어렵게 하여 사회 구성원 간의 의사소통을 어렵게 한다는 문제점이 있다.

> **보기**
> ㄱ. ㉠에서 공유하는 문화는 ㉡에서 공유하는 문화에 대해 비판적인 편이다.
> ㄴ. ㉡에서 공유하는 문화는 ㉠에서 공유하는 문화에 비해 변화 지향적인 성격이 강하다.
> ㄷ. ㉡에서 공유하는 문화는 ㉠에서 공유하는 문화와 달리 반문화적 성격을 띤다.
> ㄹ. ㉠과 ㉡ 간 문화의 차이로 갈등이 발생하기도 한다.

① ㄱ, ㄴ   ② ㄱ, ㄹ   ③ ㄴ, ㄷ
④ ㄴ, ㄹ   ⑤ ㄷ, ㄹ

11 다음 두 사례를 통해 공통으로 알 수 있는 대중문화의 기능으로 적절한 것은?

> • 최근 ○○ 고등학교 축제의 장기 자랑 대회에 참가한 4개의 팀이 모두 요즘 유행하는 A 가수의 노래를 부르며 춤을 추고, 의상도 똑같이 준비하였다.
> • 최근 한 드라마에서 B 연예인이 입고 나온 청바지가 유행하였다. 이에 많은 사람들이 유행을 좇아 청바지를 구입하였고, 얼마 후 거리에는 그 청바지를 입고 다니는 사람들이 많아졌다.

① 문화적 혜택이 특정 집단에만 주어질 수 있다.
② 대중의 사회 참여를 막는 수단으로 악용될 수 있다.
③ 사람들의 취향이 획일화되어 개성이 상실될 수 있다.
④ 대중의 취향을 고려하지 않은 문화가 생산될 수 있다.
⑤ 지나치게 이윤을 추구하여 문화의 질을 떨어뜨릴 수 있다.

12 밑줄 친 ㉠, ㉡에 해당하는 대중 매체의 종류에 대한 설명으로 옳은 것은?

> 영화보는 것을 좋아하는 갑은 고등학생이 되면서 우편으로 배달되는 영화와 관련한 ㉠ <u>잡지</u>를 정기적으로 구독하였고, 친구들과 만나서 영화에 대해 토론하곤 했다. 그러나 오늘날 정보 통신 기술의 발달로 ㉡ <u>스마트폰</u>을 통해 하루에도 여러 편의 영화를 볼 수 있고, 누리 소통망(SNS)에 실시간으로 후기를 남길 수 있다.

① ㉠은 복잡하고 심층적인 정보 전달이 가능하다.
② ㉡은 문자와 사진만을 이용하여 정보를 전달한다.
③ ㉡은 정보 생산 과정에서 대중의 의사를 반영하기 어렵다.
④ ㉠은 ㉡에 비해 정보를 복제하고 전송하기 쉽다.
⑤ ㉡은 ㉠에 비해 정보 전달 범위의 제약이 크다.

13 그림은 문화 변동의 요인을 구분한 것이다. (가)~(다)에 대한 설명으로 옳지 <u>않은</u> 것은? (단, (가)~(다)는 각각 발명, 직접 전파, 자극 전파 중 하나이다.)

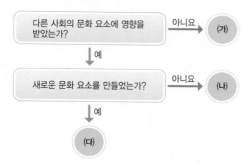

① '계몽사상의 등장'은 (가)의 사례에 해당한다.
② '문익점이 중국에서 목화씨를 가져와 우리나라에서 목화를 재배한 것'은 (나)의 사례에 해당한다.
③ '우리나라에서 중국의 한자의 음과 뜻을 빌려 이두를 만든 것'은 (다)의 사례에 해당한다.
④ (나)는 (다)의 원인이 될 수 있다.
⑤ (다)는 (가), (나)와 달리 문화 지체 현상을 초래할 수 있다.

14 다음 사례에 나타난 문화 변동을 설명하는 데 필요한 개념으로 옳은 것을 〈보기〉에서 고른 것은?

1500년대 초반, 에스파냐 군대가 멕시코를 정복하면서 전통적으로 태양신을 숭배하던 멕시코 사람들에게 가톨릭교를 믿도록 강요하였다. 이 과정에서 멕시코에서만 볼 수 있는 과달루페 성모상이라는 독특한 성모상이 형성되었다. 멕시코의 과달루페 성모상은 검은 머리에 갈색 피부를 갖고 있으며, 중남미의 전통 의상을 입은 원주민의 모습을 보인다.

보기
ㄱ. 간접 전파   ㄴ. 문화 동화
ㄷ. 문화 융합   ㄹ. 강제적 문화 접변

① ㄱ, ㄴ   ② ㄱ, ㄷ   ③ ㄴ, ㄷ
④ ㄴ, ㄹ   ⑤ ㄷ, ㄹ

15 표는 문화 접변의 결과를 구분한 것이다. (가)~(다)에 대한 옳은 설명을 〈보기〉에서 고른 것은? (단, (가)~(다)는 각각 문화 공존, 문화 동화, 문화 융합 중 하나이다.)

구분	(가)	(나)	(다)
제3의 문화 요소가 새롭게 형성되는가?	예	아니요	아니요
서로 다른 문화 요소가 한 사회 안에서 공존하는가?	아니요	아니요	예

보기
ㄱ. (가)로 인해 전체 사회의 문화적 다양성이 확대될 수 있다.
ㄴ. 일반적으로 강제적 문화 접변은 (나)를 목적으로 한다.
ㄷ. (다)의 사례로 '미국에서 아프리카 흑인 음악과 백인 음악이 만나 재즈가 등장한 것'을 들 수 있다.
ㄹ. (가)와 (다)의 구분 기준은 '자문화의 정체성 보존 여부'이다.

① ㄱ, ㄴ   ② ㄱ, ㄷ   ③ ㄴ, ㄷ
④ ㄴ, ㄹ   ⑤ ㄷ, ㄹ

16 다음 글에 나타난 문화 현상에 대한 설명으로 옳은 것은?

가상 화폐는 지폐, 동전 등의 실물 없이 전자상 정보만으로 거래되는 전자 화폐를 가리킨다. 이는 컴퓨터 하드디스크에만 저장되기 때문에 거래 비용이 발생하지 않고, 손쉽게 계정을 만들 수 있다. 그러나 가상 화폐를 거래하는 과정에서 해킹, 불법 거래 등의 문제점이 발생하는 반면, 이에 대한 규제는 제대로 이루어지지 않고 있다. 가상 화폐에 대한 투자 증가 속도에 비해 새로운 금융 시스템의 특성을 반영하지 못하는 현행 제도로 인해 혼란이 가중되고 있는 것이다.

① 자문화의 정체성 약화를 초래할 수 있다.
② 물질문화의 변동 속도를 높임으로써 문제를 해결할 수 있다.
③ 물질문화와 비물질문화 간 변동 속도의 차이로 인해 발생한다.
④ 급속한 문화 변동으로 인해 전통적 가치관이 붕괴되어 발생한다.
⑤ 기존 문화를 유지하려는 집단과 새로운 문화를 받아들이려는 집단 간에 나타나는 갈등 상황이다.

사회 계층과 불평등

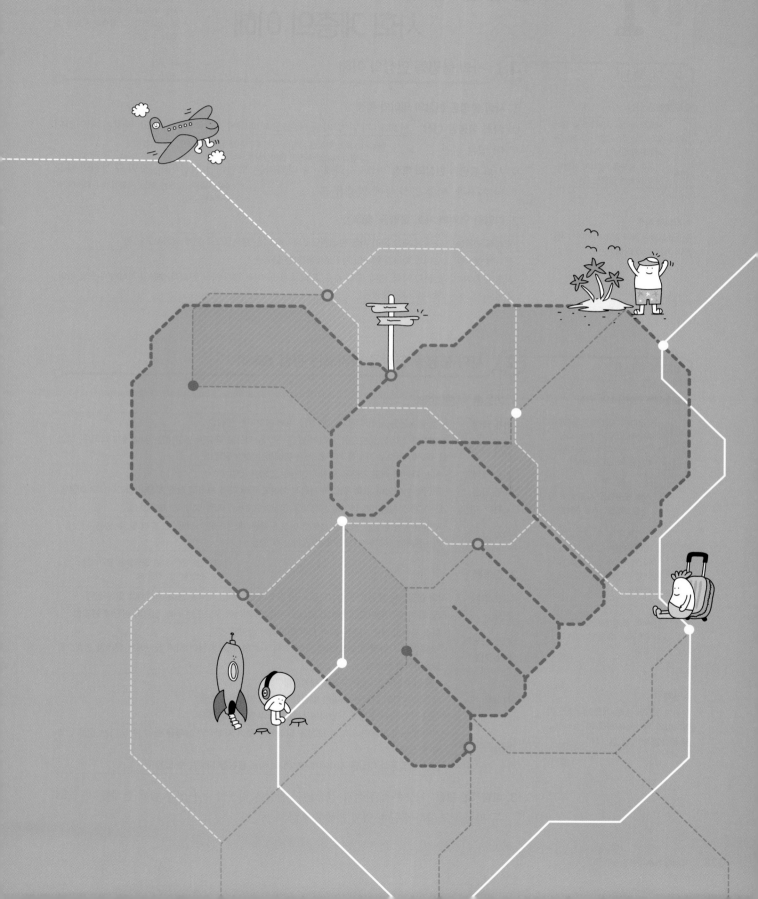

01 사회 불평등 현상과 사회 계층의 이해

이것이 핵심!

사회 불평등 현상

의미	사회적 자원이 차등적으로 분배되어 개인이나 집단의 위치가 서열화되어 있는 현상
종류	경제적 불평등, 정치적 불평등, 사회·문화적 불평등 등

★ **사회적 자원**
부, 권력, 명예 등과 같이 사회에서 사람들이 가치 있다고 여기는 것

① 사회 불평등 현상의 이해

1. 사회 불평등 현상의 의미와 특징

(1) **사회 불평등 현상**: *사회적 자원이 차등적으로 분배되어 개인이나 집단의 위치가 서열화되어 있는 현상

> **왜?** 사람들은 한정된 사회적 자원을 가지기 위해 경쟁하거나 대립하는데, 그 결과 사회적 자원이 불평등하게 분배돼.

(2) **사회 불평등 현상의 특징**: 어느 사회에서나 나타나는 보편적인 현상이며, 사회 구성원의 태도나 가치관, 생활 양식 등에 영향을 줌

> **왜?** 사회적 자원은 어느 사회에서나 희소하기 때문이야.

2. 다양한 영역의 사회 불평등 자료①

경제적 불평등	소득과 재산 등이 차등 분배됨으로써 나타나는 불평등으로 빈부 격차라고도 함
정치적 불평등	권력의 획득과 행사의 차이로 나타나는 불평등
사회·문화적 불평등	신분과 자격, 명예, 교육 수준, 지식 소유 등 여러 가지 사회·문화적 생활의 기회와 수준의 차이로 나타나는 불평등

이것이 핵심!

사회 불평등 현상을 보는 관점

기능론	직업마다 기능적 중요도에 차이가 있음 → 차등 보상 필요 → 사회적 희소 자원이 합리적으로 분배됨 ↓ 사회 불평등은 사회의 유지·발전에 불가피한 현상임
갈등론	직업의 기능적 중요도에 차이가 없음 → 사회적 희소 자원이 지배 집단에게 유리한 방향으로 불공정하게 분배됨 ↓ 사회 불평등은 불공정한 것이므로 해결해야 할 현상임

★ **권력**
사회적 관계에서 한 개인이나 집단이 상대방의 의사에 반하여 자신의 의사를 관철할 수 있는 힘

② 사회 불평등 현상을 바라보는 관점 자료②

1. 기능론 교과서 자료

기본 입장	사회 불평등은 사회의 유지와 발전을 위해 불가피한 현상임
전제	직업마다 기능적 중요도에 차이가 있음 → 기능적으로 중요한 일을 하는 사람에게 더 많은 보상을 주어야 하므로 사회적 자원을 차등 분배하는 것이 당연함
희소 자원의 배분 기준	• 희소 자원의 배분 기준은 사회 구성원이 합의한 것임 • 개인의 능력이나 노력, 직업의 사회적 기여도 등에 따라 사회적 희소 자원이 합리적으로 배분됨
사회적 기능	개인에게 성취동기를 부여하고 경쟁을 유발함으로써 인재를 적재적소에 배치함
한계	• 사회 불평등 현상을 정당한 것으로 여겨 문제를 개선하려는 노력을 소홀히 할 수 있음 • 기득권층에 유리한 사회 구조를 간과할 수 있음

2. 갈등론

> **꼭!** 갈등론은 사회 불평등을 불가피한 현상이 아니라고 봐.

기본 입장	사회 불평등은 불공정한 것이므로 사회 구조의 근본적인 개혁을 통해 해결해야 할 현상임
전제	직업의 기능적 중요도에 차이가 없음 → 직업의 기능적 중요도는 지배 집단의 판단에 불과함
희소 자원의 배분 기준	• 희소 자원의 배분 기준은 지배 집단의 가치가 반영된 것임 • *권력이나 사회적·경제적 배경 등에 의해 사회적 희소 자원이 지배 집단에게 유리한 방향으로 불공정하게 배분됨
사회적 기능	• 기존의 불평등한 계층 구조를 재생산함 • 개인이 각자의 능력을 최대한 발휘할 수 있는 기회를 제한함 • 집단 간 대립과 갈등을 유발하여 사회 전체의 발전을 저해함
한계	• 개인의 노력과 능력에 따라 보상을 달리하는 것이 사회적인 능률을 높일 수 있다는 점을 간과할 수 있음 • 집단 간 갈등과 대립을 지나치게 부각하여 사회 통합을 저해할 수 있음

3. 바람직한 관점
기능론적 관점과 갈등론적 관점은 일정한 유용성과 함께 한계를 지니므로 두 관점을 조화하여 균형 있게 이해해야 함

자료 ① 고용 형태에 따른 경제적 불평등

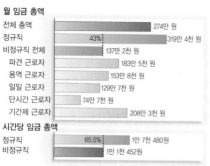

월 임금 총액

전체 총액	274만 원
정규직	319만 4천 원 (43%)
비정규직 전체	137만 2천 원
파견 근로자	183만 5천 원
용역 근로자	153만 8천 원
일일 근로자	129만 7천 원
단시간 근로자	74만 7천 원
기간제 근로자	208만 3천 원

시간당 임금 총액

정규직	1만 7천 480원 (65.5%)
비정규직	1만 1천 452원

(고용 노동부, 2015)

↑ 고용 형태별 임금 현황

어느 한 영역의 불평등은 그것으로 그치는 것이 아니라 다른 영역의 불평등에 영향을 끼치기도 해. 그래프는 정규직과 비정규직의 임금 격차를 나타낸 것이다. 비정규직의 월 임금 총액과 시간당 임금 총액은 각각 정규직의 43%와 65.5%로 나타났다. 이와 같은 임금 격차에 따른 경제적 불평등은 생존과 직결된 중대한 문제이며, 주거 환경, 교육 기회 등과 같은 또 다른 불평등으로 이어질 우려가 있기 때문에 경제적 불평등이 심화하면 사회적 문제가 될 수 있다.

정리 | 비법을 알려줄게!

사회 불평등 현상의 종류

경제적 불평등	소득이나 재산 분배의 차이로 나타나는 불평등
정치적 불평등	권력의 획득과 행사의 차이로 나타나는 불평등
사회·문화적 불평등	사회·문화적 생활의 기회와 수준의 차이로 나타나는 불평등

자료 ② 사회 불평등 현상을 설명하는 이론

vs 계급론은 경제적인 측면이 사회적·정치적 측면의 불평등을 가져오는 결정적인 요인이라고 보는 반면 계층론은 경제적·사회적·정치적 측면이 서로 영향을 주고받지만, 기본적으로 각 측면의 기원을 독립적이라고 봐.

구분	계급론(일원론적 관점)	계층론(다원론적 관점)
의미	계급은 경제적 요인인 생산 수단의 소유 여부에 따라 구분된 위치 혹은 집단임	계층은 경제적 계급, 사회적 지위, 정치적 권력 등 다양한 요인에 따라 서열화된 위치 혹은 집단임
층위	자본가 계급 – 노동자 계급	상류층 – 중류층 – 하류층
특징	• 이분법적·불연속적으로 계급을 구분함 • 두 계급은 지배와 피지배 관계에 있음 → 갈등과 대립이 불가피함 • 같은 계급에 속한 사람들 간 계급 의식이 강하게 나타나고, 다른 계급에 대해서는 적대감을 보임	• 복합적·연속적으로 계층을 구분함 • 계층 간 경계가 명확하지 않음 → 같은 계층에 속한 사람들 간 계층 의식이 미약하고, 다른 계층에 대해 적대감이 약함 • 현대 사회의 지위 불일치 현상을 설명하기에 적합함
학자	마르크스(Marx, K.)	베버(Weber, M.)

Why? 계층론은 다차원적 측면에서 사회 불평등 현상을 파악하므로, 한 개인이 가진 여러 지위 중 하나 이상이 동일한 수준에 있지 않은 지위 불일치 현상을 설명하기에 적합해.

자료 하나 더 알고 가자!

그림으로 보는 계급과 계층

↑ 계급   ↑ 계층

계급론은 사회 계층 구조를 불연속적으로 구분된 상태로 보고, 계층론은 연속선상에 서열화된 상태로 본다.

수능이 보이는 교과서 자료 **성과급 제도를 바라보는 기능론적 관점과 갈등론적 관점**

(가) 성과급 제도는 자신의 능력을 잘 발휘하여 많은 보수를 받음으로써 그 능력을 인정받는 제도이므로 바람직하다. 만약 회사에서 모든 직원이 지위, 나이, 경력, 교육 수준, 업적, 성과 등과 관계없이 같은 임금을 받는다면 직원들은 열심히 일하려고 하지 않을 것이다.

(나) 성과급 제도가 시행되면 개인의 노력과 능력에 상관없이 자본가의 의도에 따라 어떤 사람은 성과가 좋은 부서에 발령을 받아 별다른 노력을 하지 않아도 일정한 성과를 낼 수 있지만, 어떤 사람은 아무리 노력해도 성과를 낼 수 없는 부서에 발령을 받을 수도 있다. 결국 자본가의 의도대로 성과를 내지 못한 노동자는 회사를 그만두게 될 것이다.

(가)는 개인의 능력이나 노력에 따라 사회적 희소 자원을 차등 분배하는 성과급 제도가 성취동기를 유발한다고 보고 있으므로, 기능론적 관점에 해당한다. 반면 (나)는 개인의 노력이나 능력에 상관없이 자본가의 의도에 따라 성과급이 차등 분배되게 된다고 보고 있으므로, 갈등론적 관점에 해당한다.

완자샘의 탐구 강의

• (가), (나)에 나타난 사회 불평등 현상을 바라보는 관점의 한계를 각각 서술해 보자.
(가)는 사회 불평등 문제를 개선하려는 노력을 소홀히 할 수 있으며, 기득권층에 유리한 사회 구조를 간과할 수 있다. (나)는 차등 보상이 사회적인 능률을 높일 수 있다는 점을 간과할 수 있으며, 집단 간 갈등과 대립을 지나치게 부각하여 사회 통합을 저해할 수 있다.

함께 보기 148쪽. 1등급 정복하기 1

01 사회 불평등 현상과 사회 계층의 이해

사회 이동의 유형

이동 방향	• 수평 이동 • 수직 이동
세대 범위	• 세대 내 이동 • 세대 간 이동
이동 원인	• 개인적 이동 • 구조적 이동

✷ 계층

사회적 위치가 부, 권력, 명예 등에 따라 층화된 것으로, 일반적으로 상층, 중층, 하층으로 구분한다.

❸ 사회 이동

1. 사회 이동: 개인이나 집단의 ✷계층적 위치가 변화하는 현상

2. 사회 이동의 유형 (자료 ❸)

구분 기준	유형	내용
이동 방향	수평 이동	동일한 계층 내에서의 위치 변화 ⓔ 중학교 교사가 고등학교로 발령이 난 경우
	수직 이동	계층적 위치가 높아지거나 낮아지는 변화 ⓔ 평사원이 임원으로 승진한 경우(상승 이동), 사장이 실업자로 전락한 경우(하강 이동)
세대 범위	세대 내 이동	한 개인의 생애 동안에 나타나는 계층적 위치의 변화 ⓔ 하위직 공무원이 열심히 노력하여 고위직 공무원이 된 경우
	세대 간 이동	두 세대 이상에 걸쳐서 이루어지는 계층적 위치의 변화 ⓔ 가난한 농부의 아들이 대기업의 회장이 된 경우 꿀! 세대 간에 수직 이동이 나타난 경우만을 의미해.
이동 원인	개인적 이동	한 개인의 능력이나 노력에 따른 계층적 위치의 변화
	구조적 이동	사회 변동으로 인해 사회 구조가 바뀌면서 발생하는 계층적 위치의 변화 ⓔ 미국에서 노예 제도가 철폐되어 흑인이 노예의 신분에서 벗어난 경우

사회 계층 구조의 유형

계층 구성원 비율	• 수직형 계층 구조 • 수평형 계층 구조 • 피라미드형 계층 구조 • 다이아몬드형 계층 구조
계층 간 이동 가능성	• 폐쇄적 계층 구조 • 개방적 계층 구조

✷ 계층 구성원의 비율에 따른 계층 구조

⬆ 피라미드형   ⬆ 다이아몬드형
계층 구조   계층 구조

✷ 계층 간 이동 가능성에 따른 계층 구조

⬆ 폐쇄적 계층   ⬆ 개방적 계층
구조   구조

❹ 사회 계층 구조 (자료 ❹)

1. 사회 계층 구조: 사회의 희소한 자원이 차등적으로 분배되고, 그러한 불평등이 지속되면서 일정한 형태로 고정된 구조 —— 사회 계층 구조는 사회 구성원의 행동 양식과 사고방식 등에 커다란 영향을 미치고, 한번 형성되면 오랜 기간 유지돼.

2. 사회 계층 구조의 유형

(1) ✷계층 구성원의 비율에 따른 계층 구조 (자료 ❺)

현실적으로 존재하기 어려우며, 이론상으로만 존재하는 극단적 형태의 계층 구조라고 할 수 있어.

수직형 계층 구조	모든 사회 구성원이 서로 다른 계층에 속해 수직선상에 배열된 형태의 계층 구조
수평형 계층 구조	모든 사회 구성원이 같은 계층을 이루고 있어 수평선상에 배열된 형태의 계층 구조

피라미드형 계층 구조	의미	계층 구성원의 비율이 하층이 가장 높고, 상층으로 갈수록 낮아지는 계층 구조
	특징	• 신분제에 기초한 전통 사회나 초기 산업 사회에서 주로 나타남 • 소수의 상층이 사회적 희소 자원을 독점함 → 불평등이 심하게 나타나 사회가 불안정할 수 있음
다이아몬드형 계층 구조	의미	계층 구성원의 비율이 상층이나 하층보다 중층이 높은 형태의 계층 구조
	특징	• 전문직, 사무직 등과 같은 중간 계층에 속하는 구성원의 비율이 높아진 산업 사회에서 주로 나타남 • 중층이 상층과 하층 사이에서 완충 역할을 함 → 중층의 비율이 높기 때문에 사회가 비교적 안정적임

(2) ✷계층 간 이동 가능성에 따른 계층 구조

개방적 계층 구조를 지닌 사회라고 해서 실질적인 상승 이동이 항상 활발하게 일어나는 것은 아니야.

구분	폐쇄적 계층 구조	개방적 계층 구조
의미	계층 간 상승이나 하강 이동이 엄격하게 제한된 계층 구조	다른 계층으로 상승하거나 하강할 수 있는 가능성이 열려 있는 계층 구조
특징	• 타고난 신분이 개인의 계층적 위치를 결정함 → 귀속 지위 중시 • 사회의 역동성이 낮게 나타남	• 개인의 노력이나 능력이 사회 이동의 중요한 요인으로 작용함 → 성취 지위 중시 • 사회의 역동성이 높게 나타남
사례	고대 노예제, 인도의 카스트 제도 등	신분제가 폐지된 근대 이후 대부분의 사회

완자 자료 탐구

내 옆의 선생님

자료 3 사회 이동

박서양은 백정이었던 아버지의 신분을 물려받아 백정으로 살다가 갑오개혁으로 신분제가 폐지되면서 천민의 신분에서 벗어났다. 제중원 의학교에 입학할 수 있게 된 박서양은 끈기 있게 노력하였고, 졸업 시험에 통과하여 한국인 최초의 양의사가 되었다.

박서양이 신분제의 폐지로 천민의 신분에서 벗어난 것은 구조적 이동에 해당한다. 그리고 백정에서 양의사가 된 것은 자신의 노력으로 계층 이동을 한 것이므로 개인적 이동이고, 계층적 위치가 올라갔으므로 수직 이동(상승 이동)이며, 아버지 세대와 비교하여 계층이 달라졌으므로 세대 간 이동에 해당한다.

자료 4 사회 계층 구조와 계층 이동

표는 갑국의 세대 간 이동에 따른 계층 구성 비율을 나타낸 것이다.

(단위: %)

구분		부모의 계층			계
		상층	중층	하층	
자녀의 계층	상층	8	4	5	17
	중층	5	18	27	50
	하층	2	3	28	33
계		15	25	60	100

* 부모와 자녀의 비율은 1 : 1임

제시된 표를 사회 계층 구조 측면에서 보면 부모 세대는 하층의 비율이 가장 높고 상층의 비율이 가장 낮으므로 피라미드형 계층 구조이고, 자녀 세대는 중층의 비율이 가장 높으므로 다이아몬드형 계층 구조이다. 그리고 부모와 자녀 세대의 구체적인 대물림 비율을 살펴보면 자녀 세대를 기준으로 상층의 대물림 비율은 8/17(약 47%)이고, 중층의 대물림 비율은 18/50(36%)이며, 하층의 대물림 비율은 28/33(약 84%)이다.

자료 5 정보화와 계층 구조의 변화

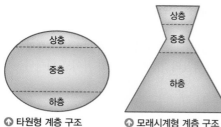

↑ 타원형 계층 구조   ↑ 모래시계형 계층 구조

정보화 낙관론자들은 정보화로 인해 부가 가치의 원천이 되는 지식과 정보에 접근할 수 있는 기회가 모든 계층에게 확대되어 계층 간 격차가 줄어들 것이라고 본다. 이에 따라 다이아몬드형 계층 구조에서 중상층과 중하층 비율이 더 늘어나 타원형 계층 구조가 형성될 것이라고

사회 안정을 실현하는 데 유리한 계층 구조야.

전망한다. 반면, 정보화 비관론자들은 정보화가 진전됨에 따라 오히려 계층 간 지식과 정보의 획득 및 접근에 격차가 발생하여 기존의 불평등이 더욱 심화할 것이라고 주장한다. 이에 따라 중층의 비율이 현저히 낮고 압도적 다수가 하층을 차지하는 모래시계형 계층 구조가 형성될 것이라고 전망한다.

계층 간 갈등이나 대립이 극심하게 나타날 수 있는 계층 구조야.

자료 하나 더 알고 가자!

세대 내 이동과 세대 간 이동의 측정

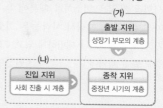

(가)는 이전 세대와 비교하여 파악되는 계층 변화인 세대 간 이동의 측정을 나타낸 것이고, (나)는 개인의 생애 동안에 나타나는 계층 변화인 세대 내 이동의 측정을 나타낸 것이다.

문제 로 확인할까?

계층 구조에 대한 설명으로 옳지 않은 것은?
① 폐쇄적 계층 구조는 수평 이동이 제한된다.
② 피라미드형 계층 구조는 신분 사회에서 주로 나타난다.
③ 개방적 계층 구조는 수직 이동과 수평 이동이 모두 가능하다.
④ 수평형 계층 구조는 이론적으로만 존재할 뿐 현실에서 나타나기 어렵다.
⑤ 다이아몬드형 계층 구조는 중층의 비율이 상층과 하층의 비율보다 높다.

① 🔒

정리 비법을 알려줄게!

계층 구성원의 비율에 따른 계층 구조

피라미드형 계층 구조	• 하층 > 중층 > 상층 • 사회가 불안정할 수 있음
다이아몬드형 계층 구조	• 중층 > 상층, 하층 • 사회의 안정성이 높음
타원형 계층 구조	• 다이아몬드형 계층 구조에 비해 중상층과 중하층의 비율이 더욱 증가한 형태의 계층 구조 • 사회의 안정성이 높음
모래시계형 계층 구조	• 중층의 비율이 현저히 낮고 소수의 상층과 다수의 하층이 존재하는 계층 구조 • 사회가 불안정할 수 있음

01. 사회 불평등 현상과 사회 계층의 이해 **141**

1 빈칸에 들어갈 내용을 쓰시오.

> 사회적 자원은 희소하기 때문에 누구나 원하는 만큼 그것을 가질 수 없다. 따라서 사람들은 희소한 자원을 더 많이 가지기 위해 경쟁하거나 대립하게 되고, 그 결과 사회적 자원이 차등적으로 분배되어 (   ) 현상이 발생하게 된다.

2 사회 불평등 현상을 바라보는 각 관점에 부합하는 진술을 옳게 연결하시오.

(1) 기능론 •
          • ㉠ 사회 불평등은 불가피한 현상이다.
          • ㉡ 사회적 자원은 불공정하게 배분된다.

(2) 갈등론 •
          • ㉢ 사회 불평등은 해결해야 할 현상이다.
          • ㉣ 직업마다 기능적 중요도에 차이가 있다.

3 다음 괄호 안의 내용 중 알맞은 말에 ○표를 하시오.

(1) (계급론, 계층론)은 집단 간의 위계가 불연속적이라고 본다.

(2) (계급론, 계층론)은 지위 불일치 현상을 설명하기에 용이하다.

(3) (계급론, 계층론)은 이분화된 불평등 구조를 설명하기에 용이하다.

4 표는 사회 이동의 유형을 구분한 것이다. ㉠, ㉡에 들어갈 내용을 쓰시오.

구분 기준	유형
(㉠)	수평 이동
	수직 이동
세대 범위	세대 내 이동
	세대 간 이동
(㉡)	개인적 이동
	구조적 이동

5 다음 설명이 맞으면 ○표, 틀리면 ×표를 하시오.

(1) 피라미드형 계층 구조는 상층의 비율이 가장 낮다.(   )

(2) 폐쇄적 계층 구조는 수평 이동과 수직 이동이 모두 엄격히 제한된다. (   )

(3) 개방적 계층 구조가 나타나는 사회에서는 귀속 지위가 중시된다. (   )

01 ㉠에 대한 옳은 설명만을 〈보기〉에서 있는 대로 고른 것은?

> 사회적 자원이 차등 분배되어 개인이나 집단이 서열화되어 있는 현상을 (㉠   )(이)라고 한다.

보기
ㄱ. 사회적 자원이 희소하기 때문에 나타난다.
ㄴ. 권력의 획득과 행사의 차이로 나타날 수도 있다.
ㄷ. 시간과 공간을 초월하여 동일한 양상으로 나타난다.
ㄹ. 사회적 효율성을 높이기도 하지만 사회 통합을 저해하기도 한다.

① ㄱ, ㄴ   ② ㄱ, ㄷ   ③ ㄴ, ㄷ
④ ㄱ, ㄴ, ㄹ   ⑤ ㄴ, ㄷ, ㄹ

02 (가), (나)에 대한 설명으로 옳지 않은 것은?

> (가) 소득과 재산 등이 차등 분배됨으로써 나타나는 불평등
> (나) 사회·문화적 생활의 기회와 수준의 차이로 나타나는 불평등

① (가)는 빈부 격차라고도 한다.
② (나)는 교육 수준의 차이로 나타나기도 한다.
③ (가)는 (나)의 격차로 이어지기도 한다.
④ (나)는 (가)에 영향을 주지 않는다.
⑤ (가)는 경제적 불평등, (나)는 사회·문화적 불평등이다.

03 다음 글의 필자가 사회 불평등 현상을 바라보는 관점에 부합하는 진술을 〈보기〉에서 고른 것은?

> 최고 경영자가 높은 연봉을 받는 이유는 급변하는 시장 상황에서 최고 경영자의 역량이 기업의 운명을 좌우할 만큼 중요해졌고, 근로자의 능력으로는 대체할 수 없는 희소성이 있기 때문이다.

보기
ㄱ. 사회 불평등은 불가피한 현상이다.
ㄴ. 직업의 기능적 중요도에는 차이가 없다.
ㄷ. 사회적 희소 자원은 합리적으로 배분된다.
ㄹ. 사회 불평등 현상은 집단 간 갈등과 대립을 유발한다.

① ㄱ, ㄴ　　　② ㄱ, ㄷ　　　③ ㄴ, ㄷ
④ ㄴ, ㄹ　　　⑤ ㄷ, ㄹ

05 다음 글에 나타난 사회 불평등 현상을 바라보는 관점에 대한 설명으로 옳은 것은?

> 업종에 따라 임금에 차이가 나는 것은 기득권층이 자신의 지배적 위치를 유지하기 위해 업종에 따라 가치를 달리 부여했기 때문이다.

① 사회에는 기능적으로 중요한 일과 덜 중요한 일이 있다고 본다.
② 직업의 사회적 기여도에 따라 보상의 차이가 발생한다고 본다.
③ 차등 보상이 개인에게 성취동기를 부여하고 경쟁을 유발한다고 본다.
④ 사회적 희소 자원의 분배 기준은 대부분 사회 구성원들이 합의한 것이라고 본다.
⑤ 사회 불평등이 보편적인 현상일지는 몰라도 사회의 존속을 위해 반드시 필요한 것은 아니라고 본다.

04 ★중요 그림이 나타내는 사회 불평등 현상을 바라보는 관점에 부합하는 진술로 옳은 것은?

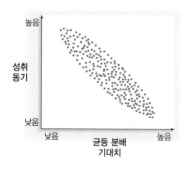

① 사회 불평등은 극복해야 하는 현상이다.
② 사회 불평등 현상은 성취동기를 자극한다.
③ 사회 불평등 현상은 사회의 발전을 저해한다.
④ 직업의 기능적 중요도는 지배 집단의 판단에 불과하다.
⑤ 사회적 희소가치의 배분 기준은 특정 집단의 합의에 의해 결정된다.

06 사회 불평등 현상을 바라보는 을의 관점에 대한 옳은 설명만을 〈보기〉에서 있는 대로 고른 것은?

> • 갑: 사회 불평등 현상은 왜 발생할까?
> • 을: 불공정한 분배 구조에 따른 결과라고 생각해.

보기
ㄱ. 직업마다 중요도에 차이가 있다고 본다.
ㄴ. 개인의 능력이나 노력 등에 따라 사회적 자원이 차등 분배된다고 본다.
ㄷ. 권력이나 가정의 사회·경제적 배경과 같은 요인에 의해 사회적 자원이 분배된다고 본다.
ㄹ. 지배 집단이 그들의 이익에 부합하는 분배 기준에 따라 사회적 자원을 분배한다고 본다.

① ㄱ, ㄴ　　　② ㄴ, ㄷ　　　③ ㄷ, ㄹ
④ ㄱ, ㄷ, ㄹ　　　⑤ ㄴ, ㄷ, ㄹ

07 A, B는 사회 불평등 현상을 바라보는 두 관점이다. 이에 대한 옳은 설명을 〈보기〉에서 고른 것은?

구분	A	B
사회 불평등은 불가피한 현상인가?	㉠	㉡
차등 분배는 개인의 성취동기를 자극하는가?	예	아니요
(가)	아니요	예

보기
ㄱ. ㉠은 '아니요', ㉡은 '예'이다.
ㄴ. (가)에는 '직업에는 귀천이 없다는 속담과 관련이 있는가?'가 들어갈 수 있다.
ㄷ. A는 기득권층에 유리한 사회 구조를 간과할 수 있다는 한계가 있다.
ㄹ. A는 갈등론적 관점, B는 기능론적 관점이다.

① ㄱ, ㄴ ② ㄱ, ㄷ ③ ㄴ, ㄷ
④ ㄴ, ㄹ ⑤ ㄷ, ㄹ

08 다음은 사회 불평등 현상을 설명하는 이론의 내용이다. 이에 부합하는 진술로 옳지 <u>않은</u> 것은?

마르크스는 사회 불평등을 설명하기 위해 계급이라는 개념을 사용하였는데, 공장·기계 등과 같은 생산 수단의 소유 여부가 계급을 구분하는 가장 중요한 기준이라고 보았다.

① 계급 간의 위계가 연속적이다.
② 경제적 요인에 다른 요인들이 종속된다.
③ 계급 간에 필연적으로 갈등이 발생한다.
④ 자본가 계급은 노동자 계급을 착취하고 지배한다.
⑤ 계급은 생산 수단에 대해 공통의 관계를 맺는 집단이다.

09 다음과 같은 사회 불평등 현상을 설명하기에 적합한 이론에 대한 옳은 설명을 〈보기〉에서 고른 것은?

현대 사회에는 많은 부를 축적하고 있지만 사회적 명망이 낮은 사람이 있는데, 이때 그 사람은 경제적 측면에서는 상층이지만 사회적 측면에서는 하층에 속한다고 볼 수 있다.

보기
ㄱ. 계층을 불연속적으로 구분한다.
ㄴ. 내부 구성원 간의 귀속 의식이 강하다고 본다.
ㄷ. 다차원적 측면에서 사회 불평등 현상을 파악한다.
ㄹ. 불평등의 각 측면은 그 기원이 독립적이라고 본다.

① ㄱ, ㄴ ② ㄱ, ㄹ ③ ㄴ, ㄷ
④ ㄴ, ㄹ ⑤ ㄷ, ㄹ

10 표는 질문 (가)~(다)를 통해 사회 불평등 현상을 설명하는 이론 A, B를 비교한 것이다. 이에 대한 설명으로 옳지 <u>않은</u> 것은? (단, A와 B는 각각 계급론과 계층론 중 하나이다.)

구분	A	B
(가)	예	예
(나)	아니요	예
(다)	예	아니요

① (가)에 '사회 불평등 현상에 경제적 요인이 작용한다고 보는가?'가 들어갈 수 있다.
② A가 계급론이라면, (나)에 '지위 불일치 현상을 설명하는 데 적합한가?'는 적절하다.
③ A가 계층론이라면, (나)에 '다차원적 측면에서 사회 불평등 현상을 파악하는가?'가 들어갈 수 있다.
④ B가 계층론이라면, (다)에 '동일 계층에 속한 사람들 간 계층 의식이 미약하다고 보는가?'는 적절하지 않다.
⑤ (다)가 '사회 계층 구조를 연속선상에 서열화된 상태로 보는가?'라면 A는 계층론, B는 계급론이다.

11 다음 두 사례에 나타나 있는 사회 이동 유형에 대한 설명으로 옳지 <u>않은</u> 것은?

> • 정보 혁명에 따라 사무 자동화가 추진되면서 회사에서 정리 해고 당한 갑은 현재 노숙자 생활을 하고 있다.
> • 아버지의 갑작스러운 사망으로 대학 졸업과 동시에 중견 기업을 물려받은 을은 경험의 미숙과 방탕한 생활 끝에 가산을 모두 탕진하고 현재 일용직 노동자로 생활하고 있다.

① 을은 세대 간 이동을 경험하였다.
② 을은 갑과 달리 개인적 이동을 경험하였다.
③ 갑과 을 중 구조적 이동을 경험한 사람은 없다.
④ 갑과 을은 모두 세대 내 하강 이동을 경험하였다.
⑤ 갑과 을 중 세대 내 수평 이동을 경험한 사람은 없다.

12 그림은 사회 이동 유형의 측정 방식을 나타낸 것이다. (가), (나)에 해당하는 사회 이동 유형을 옳게 연결한 것은?

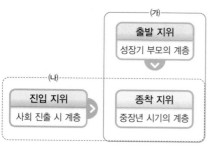

	(가)	(나)
①	수평 이동	수직 이동
②	구조적 이동	개인적 이동
③	개인적 이동	구조적 이동
④	세대 간 이동	세대 내 이동
⑤	세대 내 이동	세대 간 이동

13 (가)~(다)에 해당하는 사회 이동 유형에 대한 옳은 설명만을 〈보기〉에서 있는 대로 고른 것은?

> **보기**
>
> ㄱ. 회사 내에서 총무부 사원이 영업부 사원으로 이동한 것은 (가)의 사례이다.
> ㄴ. 기업의 사장이었던 사람이 잘못된 투자로 사업에 실패하여 실업자로 전락한 것은 (나)의 사례이다.
> ㄷ. 회사에서 평사원이었던 사람이 열심히 일해서 임원으로 승진한 것은 (다)의 사례이다.
> ㄹ. (가)는 계층적 위치에 변화가 없으나, (나)와 (다)는 계층적 위치에 변화가 있다.

① ㄱ, ㄴ   ② ㄱ, ㄷ   ③ ㄴ, ㄹ
④ ㄱ, ㄴ, ㄹ   ⑤ ㄱ, ㄷ, ㄹ

14 표는 ○○ 지역의 부모 계층별 자녀 계층 구성비를 나타낸 것이다. 이에 대한 분석으로 옳지 <u>않은</u> 것은? (단, 모든 부모의 자녀는 1명이다.)

(단위: %)

구분		부모 계층		
		상층(100명)	중층(200명)	하층(300명)
자녀 계층	상층	50	10	10
	중층	30	70	30
	하층	20	20	60

① 부모 계층 대비 계층 대물림 비율은 하층에서 가장 높다.
② 부모의 계층을 세습한 자녀가 그렇지 않은 자녀보다 많다.
③ 세대 간 상승 이동한 자녀의 수는 중층과 하층이 같지 않다.
④ 세대 간 상승 이동한 자녀가 세대 간 하강 이동한 자녀보다 많다.
⑤ 부모 계층이 중층일 때, 세대 간 상승 이동한 자녀보다 세대 간 하강 이동한 자녀가 많다.

15 사회 계층 구조 (가), (나)에 대한 설명으로 옳지 <u>않은</u> 것은?

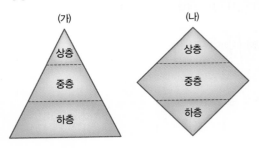

① (가)는 신분제 사회에서 주로 나타난다.
② (나)는 근대 이후 산업 사회에서 주로 나타난다.
③ (가)는 (나)와 달리 세대 간 이동이 불가능하다.
④ (나)는 (가)보다 사회 안정을 실현하는 데 유리하다.
⑤ (가)와 (나)는 계층 구성원의 비율에 따라 구분된다.

16 사회 계층 구조 (가), (나)에 대한 옳은 설명을 〈보기〉에서 고른 것은?

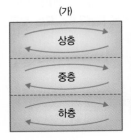 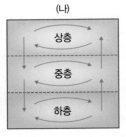

보기
ㄱ. (가)와 (나)는 계층 간 이동 가능성에 따라 구분된다.
ㄴ. (가)는 신분 제도가 폐지된 근대 이후의 사회에서 주로 나타난다.
ㄷ. (가)에서는 귀속 지위가, (나)에서는 성취 지위가 중시 된다.
ㄹ. (가)에서는 수직 이동이, (나)에서는 수평 이동이 제한 된다.

① ㄱ, ㄴ   ② ㄱ, ㄷ   ③ ㄴ, ㄷ
④ ㄴ, ㄹ   ⑤ ㄷ, ㄹ

17 다음과 같이 주장하는 사람들이 예측하는 정보 사회의 계층 구조에 대한 설명으로 옳은 것은?

정보화가 진전됨에 따라 계층 간 지식과 정보의 획득 및 접근에 격차가 발생하고 기존의 불평등이 더욱 심화하여 사회 양극화 현상이 나타날 것이다.

① 중층이 대다수를 차지한다.
② 사회 안정을 실현하는 데 매우 유리하다.
③ 사회 구성원의 계층적 지위가 모두 다르다.
④ 하층의 비율이 가장 높고 상층의 비율이 가장 낮다.
⑤ 중층의 비율이 현저히 낮고 압도적 다수가 하층을 차지 한다.

18 표는 갑국의 계층별 구성원의 비율 변화를 나타낸 것이다. 이에 대한 분석으로 옳지 <u>않은</u> 것은?

(단위: %)

구분	상층	중층	하층
T년	10	60	30
T+10년	20	10	70

① 하층의 비율은 T년보다 T+10년이 높다.
② 사회 계층 구조의 양극화 현상이 심화되었다.
③ T년의 상층 인구수와 T+10년의 중층 인구수는 같다.
④ 계층 구조가 다이아몬드형에서 모래시계형으로 변화하 였다.
⑤ T년의 계층 구조가 T+10년의 계층 구조보다 사회 안정 실현에 유리하다.

19 그림은 갑국~병국의 계층 간 상대적 비율을 나타낸 것이다. 이에 대한 옳은 분석을 〈보기〉에서 고른 것은? (단, 갑국~병국의 인구수는 모두 같다.)

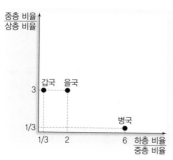

보기

ㄱ. 갑국과 을국의 중층 인구수는 같다.
ㄴ. 을국과 병국의 하층 인구수는 같다.
ㄷ. 상층의 구성 비율은 갑국과 병국이 같다.
ㄹ. 사회 통합의 필요성은 병국이 갑국보다 크다.

① ㄱ, ㄴ　　② ㄱ, ㄷ　　③ ㄴ, ㄷ
④ ㄴ, ㄹ　　⑤ ㄷ, ㄹ

20 표는 갑국의 세대 간 계층 이동 현황을 나타낸 것이다. 이에 대한 분석으로 옳은 것은? (단, 모든 부모의 자녀는 1명이다.)

(단위: %)

자녀 세대의 계층	자녀 세대의 계층 비율	부모 세대와의 계층 비교		
		높음	일치	낮음
상층	20	50	50	0
중층	50	30	50	20
하층	30	0	50	50

① 부모의 계층을 세습한 자녀의 수는 상층이 하층보다 많다.
② 상층으로 세대 간 상승 이동한 자녀는 중층이 하층보다 많다.
③ 부모의 계층을 세습한 자녀보다 세대 간 이동을 한 자녀가 많다.
④ 세대 간 하강 이동한 자녀와 세대 간 상승 이동한 자녀의 수는 같다.
⑤ 부모 세대에서는 피라미드형, 자녀 세대에서는 다이아몬드형 계층 구조가 나타난다.

서술형 문제

● 정답친해 46쪽

01 다음은 갑이 사회 불평등 현상과 관련한 설문에 응답한 내용이다. 이를 보고 물음에 답하시오.

설문 내용	응답	
	예	아니요
직업에 중요도가 있다고 생각하십니까?	○	
사회 불평등은 불가피한 현상이라고 생각하십니까?	○	
지배 집단에 유리한 기준에 의해 사회적 희소 자원이 분배된다고 생각하십니까?		○

(1) 갑이 사회 불평등 현상을 바라보는 관점을 쓰시오.

(2) (1)의 관점에서 사회 불평등의 기능을 두 가지 서술하시오.

02 그림은 A 사회와 B 사회의 계층별 구성원의 비율을 나타낸 것이다. 이를 보고 물음에 답하시오.

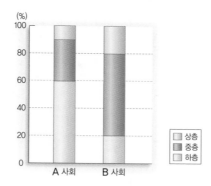

(1) A 사회와 B 사회 중 사회 안정 실현에 더 유리한 계층 구조를 지닌 사회를 쓰시오.

(2) (1)의 이유를 서술하시오.

STEP 3 1등급 정복하기

1 사회 불평등 현상을 바라보는 갑, 을의 관점에 대한 옳은 설명만을 〈보기〉에서 있는 대로 고른 것은?

> • 갑: 명문 대학에 입학하는 데 있어 부모님의 경제력이 결정적으로 작용해. 학생이 아무리 노력해도 부모님이 도와주지 못하면 명문 대학 입학은 힘든 것이 현실이야.
> • 을: 아니야. 부모님의 경제적 도움이 있더라도 학생 본인이 노력하지 않으면 명문 대학은 들어갈 수 없어. 명문 대학 입학은 학생의 노력에 대한 정당한 보상이야.

보기
ㄱ. 갑의 관점은 사회 계층화 현상을 불가피한 것으로 보지 않는다.
ㄴ. 을의 관점은 차등 보상 체계가 사회를 발전시킨다고 본다.
ㄷ. 갑의 관점은 을의 관점에 비해 개인의 귀속적 요인이 사회 불평등에 미치는 영향이 크다고 본다.
ㄹ. 을의 관점은 갑의 관점과 달리 부의 분배 구조가 공정하지 않다고 본다.

① ㄱ, ㄴ
② ㄴ, ㄷ
③ ㄷ, ㄹ
④ ㄱ, ㄴ, ㄷ
⑤ ㄴ, ㄷ, ㄹ

> **사회 불평등 현상을 바라보는 관점**
>
> **완자샘의 시험 꿀팁**
> 사회 불평등 현상을 바라보는 기능론의 입장과 갈등론의 입장을 비교하는 문제가 자주 출제된다.

2 (가), (나)는 사회 불평등 현상을 설명하는 이론의 주장을 나타낸 것이다. 이에 대한 설명으로 옳은 것은? (단, (가), (나)는 각각 계급론과 계층론 중 하나이다.)

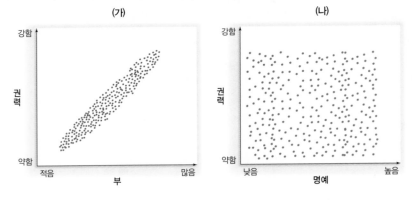

① (가)는 계층 의식이 미약하다고 본다.
② (나)는 계층을 불연속적인 두 계급으로 구분한다.
③ (가)는 (나)보다 현대 사회의 지위 불일치 현상을 설명하기 용이하다.
④ (나)는 (가)와 달리 일원론적 관점에서 사회 불평등 현상을 바라본다.
⑤ (가), (나)는 모두 불평등의 원인을 사회적 희소 자원의 차등 분배에서 찾는다.

> **사회 불평등 현상을 설명하는 이론**
>
> **완자샘의 시험 꿀팁**
> 그래프가 나타내는 사회 불평등 현상을 설명하는 이론을 파악한 뒤, 이들 이론을 비교하는 문제가 자주 출제된다.

3 표는 갑~병의 주관적 계층 의식과 실제 계층을 조사한 것이다. 이에 대한 옳은 분석을 〈보기〉에서 고른 것은?

사회 불평등 현상을 설명하는 이론

| 한자 사전 |
• 주관적 계층 의식
자신의 지위에 대한 주관적 인식

〈주관적 계층 의식〉

구분	재산	권력	위신
상층	을	갑, 병	갑
중층	갑, 병	–	을, 병
하층	–	을	–

〈실제 계층〉

구분	재산	권력	위신
상층	을	병	갑
중층	병	을	병
하층	갑	갑	을

보기

ㄱ. 갑은 경제적 측면에서 자신의 계층적 위치를 실제보다 낮게 평가한다.
ㄴ. 병은 주관적 계층 의식과 실제 계층이 모두 일치한다.
ㄷ. 실제 계층에서 갑~병 모두 지위 불일치 상태에 있다.
ㄹ. 계급론을 근거로 갑~병의 계층을 파악하고자 하였다.

① ㄱ, ㄴ ② ㄱ, ㄷ ③ ㄴ, ㄷ
④ ㄴ, ㄹ ⑤ ㄷ, ㄹ

4 자료는 갑국의 세대 간 계층 이동 현황을 나타낸 것이다. 이에 대한 옳은 분석을 〈보기〉에서 고른 것은?

사회 이동

〈세대별 계층의 상대적 비율〉

구분	부모 세대	자녀 세대
하층/상층+중층	1/4	7/13
상층/중층+하층	1/3	3/17

〈자녀 계층 대비 부모와 자녀의 계층 일치 비율〉

자녀 계층	비율(%)
상층	60
중층	66
하층	20

* 부모 세대 상층에서 자녀 세대 중층으로 이동한 인구와 부모 세대 상층에서 자녀 세대 하층으로 이동한 인구는 같음

보기

ㄱ. 세대 간 계층 이동 비율은 51%이다.
ㄴ. 자녀 세대 계층 대비 부모와 자녀의 계층 불일치 비율은 하층에서 가장 낮다.
ㄷ. 세대 간 상승 이동한 자녀의 비율이 세대 간 하강 이동한 자녀의 비율보다 크다.
ㄹ. 부모 세대 상층에서 자녀 세대 하층으로 이동한 비율은 부모 세대 하층에서 자녀 세대 상층으로 이동한 비율의 2배이다.

① ㄱ, ㄴ ② ㄱ, ㄹ ③ ㄴ, ㄷ
④ ㄴ, ㄹ ⑤ ㄷ, ㄹ

5 그림의 A~C는 사회 계층 구조의 유형이다. 이에 대한 설명으로 옳지 <u>않은</u> 것은? (단, (가)~(다)는 각각 상층, 중층, 하층 중 하나이며, C는 피라미드형 계층 구조이다.)

> 사회 계층 구조

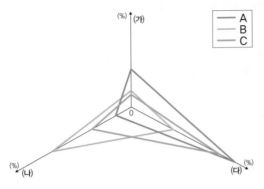

① A는 모래시계형 계층 구조이다.
② B는 다이아몬드형 계층 구조이다.
③ C는 불평등이 심하게 나타나 사회의 안정성이 떨어질 가능성이 크다.
④ A, B, C는 계층 구성원의 비율에 따라 구분된다.
⑤ (가)는 중층, (나)는 상층, (다)는 하층이다.

6 A 사회와 B 사회에 대한 설명으로 옳지 <u>않은</u> 것은?

> 사회 이동과 사회 계층 구조

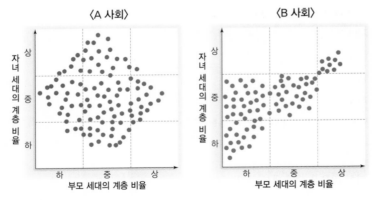

① A 사회는 계층 간 이동이 활발하다.
② A 사회는 부모와 자녀의 계층 구조가 서로 같다.
③ B 사회는 폐쇄적 계층 구조이다.
④ B 사회는 부모와 자녀의 계층 구조가 서로 같지 않다.
⑤ A 사회와 B 사회에서는 모두 세대 간 상승 이동이 나타났다.

7 자녀 세대의 계층 A~C에 대한 옳은 설명을 〈보기〉에서 고른 것은? (단, A~C는 각각 상층, 중층, 하층 중 하나이다.)

사회 이동과 사회 계층 구조

> A에는 세대 간 하강 이동한 사람은 없고, 세대 간 상승 이동한 사람의 비율이 70%이다.
> B에는 세대 간 상승 이동한 사람은 없고, 세대 간 하강 이동한 사람의 비율이 40%이다.
> C에는 세대 간 상승 이동한 사람의 비율이 50%이고, 세대 간 하강 이동한 사람의 비율이 20%이다. 단, 자녀 세대의 계층 구조는 피라미드형이다.

보기

ㄱ. C의 비율이 줄고 B의 비율이 늘면 사회 통합에 유리하다.
ㄴ. 자녀 세대에서 계층을 세습한 사람의 비율은 A와 C가 같다.
ㄷ. 신분제 사회의 계층 구조에서는 일반적으로 B의 비율이 가장 높다.
ㄹ. 세대 간 하강 이동을 한 사람이 세대 간 상승 이동을 한 사람보다 많다.

① ㄱ, ㄴ ② ㄱ, ㄷ ③ ㄴ, ㄷ
④ ㄴ, ㄹ ⑤ ㄷ, ㄹ

교육청 응용

8 그림은 갑국의 자녀 세대의 계층 구성 비율과 자녀 세대 계층 대비 계층 대물림 비율을 나타낸 것이다. 이에 대한 옳은 분석을 〈보기〉에서 고른 것은?

사회 이동과 사회 계층 구조

완자샘의 시험 꿀팁

계층 구조를 파악하고, 세대 간 계층 일치 및 불일치 비율을 계산하는 문제가 자주 출제된다.

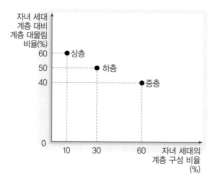

보기

ㄱ. 부모와 계층이 일치하는 자녀는 45%이다.
ㄴ. 하층 자녀 2명 중 1명은 세대 간 하강 이동을 하였다.
ㄷ. 부모와 계층이 일치하지 않는 자녀는 상층이 가장 많다.
ㄹ. 부모 세대의 계층 구조는 피라미드형이고, 자녀 세대의 계층 구조는 다이아몬드형이다.

① ㄱ, ㄴ ② ㄱ, ㄹ ③ ㄴ, ㄷ
④ ㄴ, ㄹ ⑤ ㄷ, ㄹ

02 다양한 사회 불평등 현상

학습목표
• 사회적 소수자 차별 문제와 성 불평등 문제를 이해하고, 해결 방안을 모색할 수 있다.
• 빈곤 문제를 이해하고, 해결 방안을 모색할 수 있다.

1 사회적 소수자 차별 문제

1. 사회적 소수자의 의미와 특징

(1) **사회적 소수자**: 신체적 또는 문화적 특성 때문에 사회의 다른 구성원으로부터 차별을 받으며, 자신이 차별받는 집단에 속해 있다는 의식을 지닌 사람들

(2) **사회적 소수자의 특징** ─ 꼭! 단순히 수가 적다고 해서 사회적 소수자로 규정되는 것은 아니야.

① 규정 기준의 다양성: 성, 연령, 장애, 인종, 민족, 국적, 문화 등 다양한 요인에 의해 규정됨

② 시·공간적 상대성: 시대, 장소, 소속 집단의 범주 등에 따라서 사회적으로 만들어지는 상대적인 개념임 ─ 특정 시대나 사회에서 사회적 소수자로 규정된 사람들이 다른 시대나 사회에서는 사회적 소수자로 규정되지 않을 수도 있어.

2. 사회적 소수자 문제의 해결 방안 [자료 ①]

개인적 측면	• 사회적 소수자에 대한 편견과 고정 관념을 버려야 함 • 사회적 소수자를 동등한 사회 구성원으로 인정하고 존중하며 더불어 살아가려는 공존의 자세를 지녀야 함
사회적 측면	• 사회적 소수자를 차별하는 법과 제도를 개선해야 함 • 적극적 차별 시정 조치와 같은 실질적인 지원책을 마련해야 함 예 장애인 의무 고용제

이것이 핵심!

사회적 소수자

의미	신체적 또는 문화적 특성 때문에 차별을 받으며, 자신이 차별받는 집단에 속해 있다는 의식을 지닌 사람들
특징	• 규정 기준의 다양성 • 시·공간적 상대성

★ **적극적 차별 시정 조치**
사회적 소수자에 대한 차별을 시정하기 위해 소수자 집단에게 특혜를 부여하는 정책

2 성 불평등 문제

1. 성 불평등의 의미와 양상

(1) **성 불평등**: *생물학적 성과 *사회적 성에 근거하여 사회적 지위, 권력, 위신 등에서 특정 성이 차별받는 현상 ─ 꼭! 남녀 모두에게 해당하는 문제야.

(2) **성 불평등 문제의 양상** [자료 ②]

① 정치적 측면: 고위 공직자나 국회 의원의 성비 불균형 등

② 경제적 측면: 성별에 따른 취업 및 승진 기회 제한, 성별 임금 격차 등 [교과서 자료]

③ 사회·문화적 측면: 성차별적인 관념과 언행, 대중 매체에 의해 왜곡된 여성상과 남성상 등

2. 성 불평등의 원인

가부장제적 사회 구조	남성 중심의 지배 구조가 사회 전반으로 확산 → 직업 구조 안에서 남성은 지배적·주도적인 일을 주로 하고, 여성은 보조 업무나 지원 업무를 담당하는 성별 분업이 이루어짐
*차별적 사회화	성별에 따라 서로 다른 기준을 적용받고, 그 사회가 용인하는 여성다움 혹은 남성다움을 학습하면서 성장함

3. 성 불평등 문제의 해결 방안 ─ 개인의 인식 전환과 함께 제도적 개선이 이루어질 때 성 불평등 문제를 해소하고 사회 발전을 도모할 수 있어.

개인적 측면	• 성에 대한 편견 및 고정 관념을 버리고 양성평등 의식을 함양해야 함 • 성별의 차이를 인정하되 차별로 이어지지 않도록 상호 존중하는 자세를 지녀야 함
사회적 측면	• 양성평등 원칙에 어긋나는 법과 제도를 개선해야 함 • 학교 교육과 대중 매체 등을 통해 양성평등 의식을 함양할 수 있도록 제도적으로 지원해야 함

이것이 핵심!

성 불평등

의미	생물학적 성과 사회적 성에 근거하여 사회적 지위, 권력, 위신 등에서 특정 성이 차별받는 현상
원인	가부장제적 사회 구조, 차별적 사회화 등

★ **생물학적 성**
태어날 때 결정되는 유전적·신체적 특징에 근거한 성

★ **사회적 성**
사회·문화적인 환경 속에서 획득·형성되는 성

★ **차별적 사회화**
사회 전반에 자리 잡은 성별에 대한 선입견과 편견을 토대로 남성과 여성이 서로 다른 성 정체성과 성 역할을 습득하는 사회화 과정

자료 ① 장애인 의무 고용제

「장애인 고용 촉진 및 직업 재활법」은 장애인이 그 능력에 맞는 직업 생활을 통하여 인간다운 생활을 할 수 있도록 장애인의 고용 촉진 및 직업 재활을 꾀하는 것을 목적으로 만들어졌다. 이 법률에 따르면 국가 및 지방 자치 단체, 50인 이상의 근로자를 고용하는 사업주는 장애인을 일정 비율 이상 의무적으로 고용해야 한다.

장애인 의무 고용제는 취업이 힘든 장애인의 고용을 촉진하기 위한 적극적 차별 시정 조치에 해당한다. 적극적 차별 시정 조치는 오랫동안 차별받아 온 특정 집단에 특혜를 부여하여 실질적인 기회의 평등을 구현한다는 점에서 의의가 있다.

꼭! 적극적 차별 시정 조치로 인해 소수자가 아닌 집단이 도리어 차별을 받게 되는 역차별 문제가 발생할 수 있으므로, 소수자를 우대하는 정책을 수립할 때에는 사회적 합의를 구해야 해.

자료 ② 유리 천장

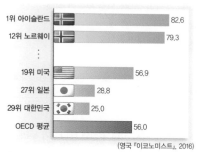

1위 아이슬란드 82.6
12위 노르웨이 79.3
⋮
19위 미국 56.9
27위 일본 28.8
29위 대한민국 25.0
OECD 평균 56.0

(영국 「이코노미스트」, 2016)

⬆ 유리 천장 지수

유리 천장이란 여성의 사회 참여나 직장 내 승진을 가로막는 보이지 않는 장벽을 뜻한다. 유리 천장 지수는 여성의 고등 교육 이수율, 여성의 경제 활동 참가율, 남녀 임금 격차, 관리자 중 여성 비율 등의 항목을 종합하여 수치화한 것으로, 지수가 낮을수록 여성에 대한 장벽이 높다는 것을 의미한다. 2016년 우리나라는 조사 대상인 경제 협력 개발 기구(OECD) 회원국 가운데 최하위인 29위를 기록하였다.

수능이 보이는 교과서 자료 | 우리나라 남녀의 연령별 경제 활동 참가율

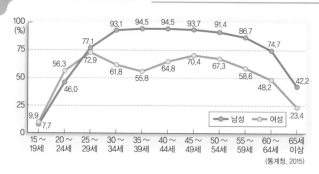

(통계청, 2015)

남성의 경제 활동 참가율은 30세 이후 크게 증가하여 계속 비슷한 수준을 유지한다. 반면, 여성의 경제 활동 참가율은 출산과 육아가 이루어지는 30세 이후 급격히 낮아지며, 40대가 되면 다시 높아지는 M자형 구조를 보인다. 이와 같은 현상은 우리 사회에서 출산과 육아의 책임이 여전히 여성에게 있음을 보여 준다.

자료 하나 더 알고 가자!

사회적 소수자의 성립 요건

- **식별 가능성**: 신체적 또는 문화적으로 다른 집단과 구별됨
- **권력의 열세**: 사회적 권한의 행사에서 주류 집단보다 열세에 있음
- **사회적 차별**: 소수자 집단이라는 이유만으로 차별을 받음
- **집합적 정체성**: 스스로 차별받는 집단의 일원이라는 인식을 가짐

문제 로 확인할까?

성 불평등 문제에 대한 설명으로 옳지 않은 것은?
① 사회적으로 만들어지는 문제이다.
② 남녀 모두에게 해당하는 문제이다.
③ 경제적 영역에서만 나타나는 문제이다.
④ 가부장제적 사회 구조는 성 불평등 문제를 발생시키는 요인 중 하나이다.
⑤ 성 불평등 문제를 해결하기 위해서는 성별의 차이를 인정하고 존중해야 한다.

ⓒ 📖

완자쌤의 탐구 강의

- 제시된 자료에 나타난 사회 불평등 현상의 발생 원인을 써 보자.
가부장제적 사회 구조, 차별적 사회화 등

- 제시된 자료에 나타난 사회 불평등 현상의 해결 방안을 제도적 측면에서 서술해 보자.
양성평등 원칙에 어긋나는 법과 제도를 개선하고, 학교 교육과 대중 매체 등을 통해 양성평등 의식을 함양할 수 있도록 제도적으로 지원한다.

함께 보기 158쪽, 내신 만점 공략하기 08

02 다양한 사회 불평등 현상

③ 빈곤 문제

이것이 핵심!

빈곤의 유형

절대적 빈곤	• 의미: 최소한의 생활을 유지하는 데 필요한 자원이나 소득이 절대적으로 부족한 상태 • 우리나라의 절대적 빈곤 기준: 최저 생계비
상대적 빈곤	• 의미: 사회 구성원 대다수가 누리는 생활 수준을 영위하지 못하는 상태 • 우리나라의 상대적 빈곤 기준: 중위 소득의 50%

★ **최저 생계비**
국민이 건강하고 문화적인 생활을 유지하는 데 필요한 최소한의 비용으로서 국가에 따라 다양하게 나타날 수 있다.

★ **중위 소득**
전체 가구를 소득 순으로 일렬로 나열했을 때 한가운데 위치한 가구의 소득

★ **상대적 박탈감**
비교가 되는 다른 집단의 상황과 자기 자신의 조건을 비교하여 자신이 부족한 상태에 있다고 느끼는 감정

★ **최저 임금제**
근로자들의 생활 안정을 위해 국가가 임금의 최저 수준을 정하고, 사용자에게 그 이상의 임금을 지급하도록 하는 제도

★ **누진세**
과세 대상 금액의 크기가 커질수록 높은 세율을 적용하는 것

1. 빈곤의 의미: 인간의 기본적인 욕구를 충족하는 데 필요한 자원이나 소득의 결핍이 지속되는 상태 ┌ 빈곤의 구체적인 내용은 고정된 것이 아니라 시대와 사회에 따라 변화해.

2. 빈곤의 원인과 영향

(1) 빈곤의 원인
① 개인적 측면: 근로 능력의 상실, 성취동기의 부족 등
② 사회적 측면: 사회 보장 제도의 미비, 교육 불평등 등

(2) 빈곤의 영향 [자료③]
① 개인적 측면: 건강 악화, 상대적 박탈감 유발, 심리적 위축, 사회적 관계 축소 및 단절 등
② 사회적 측면: 범죄 증가, 사회 불안 및 구성원 간 갈등 유발 등

3. 빈곤의 유형 [자료④]

(1) 절대적 빈곤

의미	인간으로서 최소한의 생활을 유지하는 데 필요한 자원이나 소득이 절대적으로 부족한 상태
판단 기준	• 일반적으로 최저 생활에 드는 금액을 기준으로 측정함 • 우리나라에서는 *최저 생계비를 기준으로 이에 미달할 경우 절대적 빈곤으로 봄
특징	• 생존에 필요한 자원의 결핍과 관련이 있음 • 사회 발전이 더딘 저개발국에서 주로 나타남 • 경제가 성장하면 절대적 빈곤이 감소하는 경향이 있음

꼭! 경제 성장은 절대적 빈곤의 해소에 기여할 수 있지만, 성장의 혜택이 고루 분배되지 않을 경우 상대적 빈곤이 심화할 수 있어.

(2) 상대적 빈곤

의미	한 사회에서 다른 사람들보다 자원이나 소득을 상대적으로 적게 가져 사회 구성원 대다수가 누리는 생활 수준을 영위하지 못하는 상태
판단 기준	• 대부분의 국가에서 *중위 소득의 일정 비율을 기준으로 측정함 • 우리나라에서는 중위 소득의 50%를 기준으로 그에 미달할 경우 상대적 빈곤으로 봄
특징	• 부의 불평등과 관련이 있음 • 사회가 발전하면서 빈부 격차가 커진 국가에서 두드러지게 나타남 • 사회의 생활 수준이 전반적으로 높아질수록 상대적 빈곤선도 상향 조정됨 • 상대적 빈곤이 심화할 경우 사회 구성원의 *상대적 박탈감을 유발할 수 있음 – 사회 통합을 저해해.

4. 빈곤 문제의 해결 방안

(1) 개인적 측면

㉠ 직업 훈련이나 교육 등의 참여를 통한 직업 능력 향상

① 빈곤에 처한 개인이 빈곤에서 벗어나려는 자활 의지를 갖추어야 함
② 소득이 있을 때 미리 저축함으로써 경제적 어려움에 대비해야 함
③ 공존의 가치관과 공동체 의식을 바탕으로 나눔과 기부를 실천해야 함

(2) 사회적 측면 [자료⑤]
① 빈곤층이 최소한의 기본적인 생활을 유지할 수 있도록 경제적으로 지원해야 함 → 기초 생활비, 의료비, 교육비 등의 지급
② 빈부 격차를 완화하고 소득 분배의 형평성을 높여야 함 → *최저 임금제, *누진세 제도, 사회 보장 제도 등의 마련
③ 일자리를 창출하고 직업 훈련의 기회를 제공해야 함

자료 ③ 빈곤의 영향

- 쪽방 거주자들에게 여름의 불볕더위는 그 자체로 위협적이다. 1~2평의 좁은 공간에 들어온 여름 한낮의 열기는 밤이 되어도 빠져나가지 못한다. 낮에 모인 열을 밤까지 담고 있는 쪽방이란 공간은 흉기가 된다.
- 미국 부자들의 평균 수명이 저소득 계층보다 최대 15년 더 길다는 연구 결과가 나왔다. 연구진은 저소득층의 기대 수명이 짧은 원인으로 흡연이나 비만 때문에 야기되는 각종 질병의 발병과 고소득층에 비해 예방 의료에 비용을 지불하기 어려운 점 등을 꼽았다.

빈곤은 주거와 의료 등의 결핍을 가져와 건강이나 생명을 위협하는 요인으로 작용한다. 이는 사회 전체적으로 보면 건강한 인력의 확보를 어렵게 하고, 사회 불안을 유발하는 요인이 된다. 따라서 빈곤의 원인을 이해하고, 이를 해결하기 위한 개인적 노력과 사회적 지원이 필요하다.

자료 ④ 우리나라의 절대적 빈곤율과 상대적 빈곤율

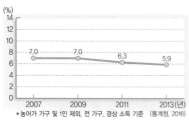

↑ 우리나라의 절대적 빈곤율 추이

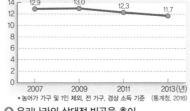

↑ 우리나라의 상대적 빈곤율 추이

우리나라는 현재 절대적 빈곤선으로 최저 생계비, 상대적 빈곤선으로 중위 소득의 50%를 활용하고 있다. 제시된 자료에 따르면 우리나라의 절대적 빈곤율과 상대적 빈곤율은 대체로 감소하고 있으며, 절대적 빈곤율보다 상대적 빈곤율이 더 높게 나타나고 있다.

└ 절대적 빈곤 상태에 있는 가구를 파악하기 위해 활용되는 기준을 절대적 빈곤선이라고 해.

자료 ⑤ 빈곤 문제 해결을 위한 노력

희망 키움 통장은 본인이 매월 일정하게 저축한 금액에 정부와 지방 자치 단체가 지원금을 추가로 지원하여 자립을 위한 목돈을 마련할 수 있도록 지원해 주는 제도이다. 희망 키움 통장 I은 일하는 생계·의료 급여 수급 가구가 대상이다. 본인이 매달 10만 원을 저축하면 소득에 비례하여 근로 소득 장려금을 지원하며, 3년 이내 수급자에서 벗어나면 적립된 근로 소득 장려금 수령이 가능하다. 희망 키움 통장 II는 주거·교육 수급 가구 및 차상위 계층이 대상이다. 본인이 월 10만 원을 저축하면 근로 소득 장려금 월 10만 원이 추가 적립되어 3년 만기 후 수령이 가능하다.

개인의 노력만으로는 빈곤 문제를 해결하는 데 한계가 있으므로 다양한 제도적 지원이 필요하다. 희망 키움 통장 사업은 근로 활동을 하고 있음에도 빈곤 상태에서 벗어나기 어려운 수급권자 및 차상위 계층의 근로 의욕을 북돋우며, 목돈을 마련하여 경제적으로 자립할 수 있도록 기틀을 마련하는 것을 목표로 한다.

자료 하나 더 알고 가자!

빈곤의 원인에 관한 상반된 시각

개인적 차원에서 원인을 찾는 시각
빈곤이 게으름, 무절제, 성취동기 부족 등 개인적 노력이나 능력 등의 부족에 기인한 것으로 봄

⇕

사회 구조적 차원에서 원인을 찾는 시각
계급, 성, 인종 등에 의한 불평등한 사회 구조가 특정 집단의 빈곤 탈출에 불리하게 작용한 결과로 봄

문제 로 확인할까?

상대적 빈곤에 대한 설명으로 옳은 것은?
① 부의 불평등과 관련이 있다.
② 선진국에서는 나타나지 않는다.
③ 경제가 성장하면 감소하는 경향이 있다.
④ 주로 저개발국에서 두드러지게 나타난다.
⑤ 일반적으로 최저 생활에 드는 금액을 기준으로 측정한다.

① 🔖

정리 비법을 알려줄게!

빈곤 문제의 해결 방안

개인적 측면	• 빈곤에서 벗어나려는 자활 의지 고취 • 경제적 어려움에 대비한 저축 • 공존의 가치관과 공동체 의식 함양 • 나눔 및 기부 실천
제도적 측면	• 빈곤층에 대한 경제적 지원 • 소득 분배의 형평성 강화 • 일자리 창출 및 직업 훈련 지원

STEP 1 핵심 개념 확인하기

1 사회적 소수자에 대한 설명이 맞으면 ○표, 틀리면 ×표를 하시오.

(1) 수적으로 반드시 소수이다.   (   )

(2) 소수자 집단이라는 이유만으로 차별을 받는다. (   )

(3) 스스로 차별받는 집단의 일원이라는 인식을 가진다.
                                              (   )

(4) 사회적 권한의 행사에서 주류 집단보다 열세에 있다.
                                              (   )

(5) 신체적 또는 문화적 특성 때문에 다른 집단과 구별된다.
                                              (   )

2 빈칸에 들어갈 내용을 쓰시오.

(   )은 생물학적 성과 사회적 성에 근거하여 사회적 지위, 권력, 위신 등에서 특정 성이 차별받는 현상이다.

3 다음 괄호 안의 내용 중 알맞은 말에 ○표를 하시오.

(1) (생물학적 성, 사회적 성)은 유전적·신체적 특징에 근거한 성이다.

(2) 양성평등 의식의 함양은 성 불평등 문제를 해결하기 위한 (개인적, 사회적) 측면의 노력에 해당한다.

(3) 사회 전반에 자리 잡은 성별에 대한 선입견과 편견을 토대로 남성과 여성이 서로 다른 성 정체성과 성 역할을 습득하는 것을 (가부장제, 차별적 사회화)라고 한다.

4 다음 빈칸에 들어갈 내용을 쓰시오.

(1) 우리나라에서는 (   )를 기준으로 이에 미달할 경우 절대적 빈곤으로 본다.

(2) 우리나라에서는 (   )를 기준으로 그에 미달할 경우 상대적 빈곤으로 본다.

(3) 인간으로서 최소한의 생활을 유지하는 데 필요한 자원이나 소득이 절대적으로 부족한 상태를 (   )이라 한다.

(4) 한 사회에서 다른 사람들보다 자원이나 소득을 상대적으로 적게 가져 사회 구성원 대다수가 누리는 생활 수준을 영위하지 못하는 상태를 (   )이라 한다.

STEP 2 내신 만점 공략하기

01 밑줄 친 두 집단의 공통적인 특징으로 적절한 것만을 〈보기〉에서 있는 대로 고른 것은?

- 시각 장애인인 갑이 안내견과 함께 식당에 들어가려고 하자 식당 주인이 안내견의 출입을 막았다. 갑이 안내견은 길 안내만 하는 것이 아니라 위험을 미리 알려 준다고 설명해 보았지만, 식당 주인은 출입을 거부하였다.
- 외국인 노동자인 을은 지난해 한 공장에서 일을 하다가 기계에 손을 다쳐 다섯 차례나 수술을 받았지만, 보상금을 한 푼도 받지 못하였다. 을이 한국 말에 서투른 점을 악용해 회사 대표가 돈을 줄 수 없다고 잡아뗐기 때문이다.

〈보기〉
ㄱ. 주류 집단에 비해 권력의 열세에 놓여 있다.
ㄴ. 자신들이 차별받는 집단에 속해 있다고 인식하지 못한다.
ㄷ. 신체적으로나 문화적으로 주류 집단과 구별되는 차이가 있다.
ㄹ. 해당 집단에 속해 있다는 이유만으로 사회적 차별이나 불이익을 받지는 않는다.

① ㄱ, ㄴ   ② ㄱ, ㄷ   ③ ㄴ, ㄹ
④ ㄱ, ㄴ, ㄹ   ⑤ ㄴ, ㄷ, ㄹ

02 다음은 사회적 소수자에 대한 차별이 발생하는 과정을 나타낸 것이다. 밑줄 친 ㉠~㉤에 대한 설명으로 옳지 않은 것은?

1단계	우리와 그들은 ㉠ 다르다고 인식함

↓

2단계	㉡ 우리는 정상이고, ㉢ 그들은 비정상이라고 ㉣ 판단함

↓

3단계	㉤ 우리는 그들보다 더 많은 사회적 가치를 차지할 권리가 있다고 주장함

① ㉠은 선천적 요소와 후천적 요소 모두에 근거한다.
② ㉡은 주류 집단이다.
③ ㉢은 사회적 소수자이다.
④ ㉣의 핵심 기준은 집단 구성원의 수이다.
⑤ ㉤에 따라 사회 통합이 저해될 수 있다.

03 다음 사례를 통해 내린 결론으로 가장 적절한 것은?

> 우리나라에서 사회적 소수자인 외국인 노동자가 본국에서는 사회적 소수자가 아닐 수 있으며, 반대로 우리나라 사람이 외국으로 이민을 가면 그 나라에서 사회적 소수자가 될 수도 있다.

① 사회적 소수자는 상대적인 개념이다.
② 사회적 소수자는 역차별의 결과로 나타난다.
③ 사회적 소수자는 집단의 크기에 의해 결정된다.
④ 사회적 소수자에 대한 차별은 그들의 집합적 정체성을 강화한다.
⑤ 사회적 소수자 차별 문제를 해결하기 위해서는 개인의 의식을 개선해야 한다.

05 다음과 같은 정책의 시행 취지로 가장 적절한 것은?

> 「장애인 고용 촉진 및 직업 재활법」에 따라 국가 및 지방 자치 단체, 50인 이상의 근로자를 고용하는 사업주는 장애인을 일정 비율 이상 의무적으로 고용해야 한다. 이를 이행하지 않으면 고용 의무 미준수 부담금을 내야 한다.

① 사회적 소수자에 대한 편견과 고정 관념을 없애고자 한다.
② 사회적 소수자를 보호하기 위해 주류 집단을 차별하고자 한다.
③ 사회적 소수자가 경제적으로 강자의 위치에 설 수 있게 하고자 한다.
④ 사회적 소수자를 우대하여 나타날 수 있는 역차별 문제를 해소하고자 한다.
⑤ 사회적 소수자를 적극적으로 우대하여 실질적으로 기회의 평등을 보장하고자 한다.

04 다음 글을 통해 알 수 있는 사회적 소수자의 특징으로 가장 적절한 것은?

> 과거 남아프리카 공화국의 흑인 및 유색 인종은 백인에 비해 인구가 더 많았음에도 불구하고 백인에 의해 지배당하며 각종 차별을 받았다.

① 사회적 소수자는 태어나면서부터 결정된다.
② 사회적 소수자는 다양한 기준에 의해 규정된다.
③ 사회적 소수자는 사회적 맥락 속에서 결정된다.
④ 사회적 소수자는 수적으로 반드시 소수를 의미하는 것은 아니다.
⑤ 특정 사회의 사회적 소수자가 다른 사회에서는 사회적 소수자가 아닐 수 있다.

06 다음 글의 필자가 주장하는 사회적 소수자 문제의 해결 방안으로 가장 적절한 것은?

> 우리 사회에서는 장애인, 북한 이탈 주민, 외국인 노동자, 결혼 이민자, 여성 등이 사회로부터 소외되고 차별받고 있다. 이러한 사회적 소수자 차별 문제를 해결하기 위해서는 사회적 차원의 방안이 마련되어야 한다.

① 사회적 소수자를 주류 사회에 동화시켜야 한다.
② 사회적 소수자에 대한 배타적 태도를 버려야 한다.
③ 사회적 소수자에 대한 차별을 금지하는 법을 만들어야 한다.
④ 사회적 소수자에 대한 편견을 버리고 공존의 자세를 가져야 한다.
⑤ 사회적 소수자 집단 스스로 차별 개선을 적극적으로 요구해야 한다.

07 밑줄 친 ⑦~ⓒ에 대한 옳은 설명만을 〈보기〉에서 있는 대로 고른 것은?

> 성은 ⑦ 생물학적 성에 따라 남성과 여성으로, ⓒ 사회적 성에 따라 남성성과 여성성으로 구분되는데, 이러한 생물학적 성과 사회적성에 근거하여 특정한 성에 대한 편견과 차별이 존재하는 상태를 ⓒ 성 불평등이라고 한다.

> **보기**
> ㄱ. ⑦은 선천적으로 타고난다.
> ㄴ. ⓒ은 사회화를 통해 개인에게 내면화된다.
> ㄷ. ⓒ은 여성에게만 나타나는 현상이다.
> ㄹ. ⓒ은 정치, 경제, 사회 등 여러 분야에 걸쳐 광범위하게 나타난다.

① ㄱ, ㄴ   ② ㄱ, ㄷ   ③ ㄴ, ㄷ
④ ㄱ, ㄴ, ㄹ   ⑤ ㄴ, ㄷ, ㄹ

08 자료는 우리나라 남녀의 연령별 경제 활동 참가율 추이를 나타낸 것이다. 이 자료를 옳게 분석하지 **못한** 사람은?

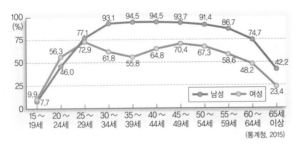

① 갑: 가부장제적 사회 구조와는 관련이 없어.
② 을: 양성평등 의식을 함양하기 위한 노력이 필요해.
③ 병: 육아가 주로 여성의 책임하에 있음을 알 수 있어.
④ 정: 전반적으로 여성보다 남성의 경제 활동 참가율이 높아.
⑤ 무: 이와 같은 현상을 해결하기 위해 육아 휴직, 육아기 근로 시간 단축제 등의 제도가 도입되었어.

09 자료는 우리나라의 남성 근로자 대비 여성 근로자의 임금 변화를 나타낸 것이다. 이에 대한 옳은 분석만을 〈보기〉에서 있는 대로 고른 것은?

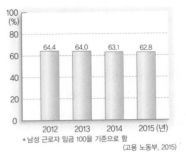

* 남성 근로자 임금 100을 기준으로 함
(고용 노동부, 2015)

> **보기**
> ㄱ. 성별 임금 격차가 발생하고 있다.
> ㄴ. 2014년에 비해 2015년 여성 근로자의 임금은 0.3% 감소하였다.
> ㄷ. 2012년~2015년 사이에 여성 근로자의 임금은 지속적으로 하락하였다.
> ㄹ. 2012년~2015년 사이에 남성 근로자는 여성 근로자보다 더 많은 임금을 받고 있다.

① ㄱ, ㄴ   ② ㄱ, ㄹ   ③ ㄴ, ㄷ
④ ㄱ, ㄷ, ㄹ   ⑤ ㄴ, ㄷ, ㄹ

10 다음 글을 통해 내린 결론으로 가장 적절한 것은?

> 우리나라에서 방영되는 드라마를 살펴보면 '갈등 유발자'로는 여성이, '갈등 해결자'로는 남성이 더 많이 등장한다. 또 드라마 속 주연 및 조연의 직업군으로 남성은 자영업자, 의사, 검사, 장관, 국회 의원 등 사회적 지위가 높은 전문직이, 여성은 판매 사원, 아르바이트, 주부, 공장 노동자 등 비전문직이 많다.

① 사회 진출 기회가 남성에게 집중되어 있다.
② 여성은 남성에게 의존하는 수동적인 존재이다.
③ 남성이 맡은 일은 여성이 맡은 일보다 중요하다.
④ 대중 매체를 통해 차별적 사회화를 강화해야 한다.
⑤ 대중 매체는 성 역할에 대한 고정 관념을 강화한다.

11 다음 글의 필자가 주장하는 성 불평등 문제의 해결 방안으로 적절한 것을 〈보기〉에서 고른 것은?

> 우리 사회는 성 불평등 문제를 개선하기 위해 사회 제도적으로 다양한 노력을 하고 있다. 하지만 성 불평등 문제의 근본적인 해결을 위해서는 남성 중심적인 사고방식에서 탈피하는 것이 무엇보다 중요하다.

보기
ㄱ. 양성평등 원칙에 어긋나는 법과 제도를 개선한다.
ㄴ. 성에 대한 고정 관념을 버리고 양성평등 의식을 함양한다.
ㄷ. 남성과 여성이 성별의 차이를 인정하고 공존의 자세를 갖춘다.
ㄹ. 「남녀 고용 평등과 일·가정 양립 지원에 관한 법률」을 위반한 사업주에게 과태료를 부과한다.

① ㄱ, ㄴ ② ㄱ, ㄷ ③ ㄴ, ㄷ
④ ㄴ, ㄹ ⑤ ㄷ, ㄹ

12 ㉠에 들어갈 사회 불평등 현상에 대한 설명으로 옳지 않은 것은?

> 인간의 기본적 욕구와 관련된 물질적 결핍이 만성적으로 지속되는 상태를 (㉠)(이)라고 한다.

① 현대 사회에서도 나타나는 현상이다.
② 사회 불안 및 갈등을 유발할 수 있다.
③ 구체적인 내용은 모든 사회에서 동일하다.
④ 당사자는 상대적 박탈감 등으로 인해 심리적으로 위축될 수 있다.
⑤ 부모 세대에서 자녀 세대로 대물림이 나타나면 분배 구조를 둘러싼 사회적 갈등이 심화할 수 있다.

13 ㉠, ㉡에 대한 설명으로 옳은 것은?

> 빈곤은 크게 두 가지 유형으로 구분할 수 있다. (㉠)은/는 인간으로서 최소한의 생활을 유지하는 데 필요한 자원이나 소득이 절대적으로 부족한 상태를 말한다. 반면, (㉡)은/는 한 사회에서 다른 사람들보다 자원이나 소득을 상대적으로 적게 가져 사회 구성원 대부분이 누리는 생활 수준을 영위하지 못하는 상태를 말한다.

① 우리나라에서는 ㉠을 파악하기 위해 중위 소득의 50%를 기준선으로 활용한다.
② 사회의 전반적이 생활 수준이 향상될수록 ㉡보다는 ㉠의 문제가 더 커진다.
③ ㉠은 상대적 빈곤, ㉡은 절대적 빈곤이다.
④ ㉠은 선진국에서, ㉡은 저개발국에서 두드러지게 나타난다.
⑤ ㉠과 ㉡은 모두 객관적으로 파악되는 빈곤이다.

14 그래프는 갑국의 빈곤율 변화를 나타낸 것이다. 이에 대한 분석으로 옳은 것은? (단, 갑국 모든 가구의 구성원 수는 동일하다.)

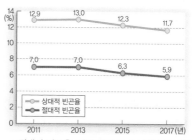

* 절대적 빈곤율: 전체 가구 중 소득이 최저 생계비에 미달하는 가구의 비율

** 상대적 빈곤율: 전체 가구 중 소득이 중위 소득의 50%에 미치지 못하는 가구의 비율

*** 중위 소득: 전체 가구를 소득 순으로 나열했을 때 한가운데 위치한 가구의 소득

① 2011년에 상대적 빈곤 가구는 모두 절대적 빈곤 가구에 속한다.
② 2011년과 2013년에 최저 생계비에 미달하는 빈곤층 가구의 수는 같다.
③ 2015년에 상대적 빈곤 가구의 인구는 절대적 빈곤 가구의 인구보다 2배 많다.
④ 2017년에 중위 소득은 최저 생계비의 2배이다.
⑤ 제시된 모든 연도에서 중위 소득의 50%가 최저 생계비보다 크다.

15 표는 갑국과 을국의 빈곤율 변화를 나타낸 것이다. 이에 대한 옳은 분석을 〈보기〉에서 고른 것은?

(단위: %)

구분	갑국		을국	
	2010년	2015년	2010년	2015년
절대적 빈곤율	15	14	21	21
상대적 빈곤율	5	7	21	17

* 절대적 빈곤율: 전체 가구 중 소득이 최저 생계비에 미달하는 가구의 비율
** 상대적 빈곤율: 전체 가구 중 소득이 중위 소득의 50%에 미치지 못하는 가구의 비율
*** 중위 소득: 전체 가구를 소득 순으로 나열했을 때 한가운데 위치한 가구의 소득

┌ 보기 ┐
ㄱ. 2015년 갑국의 중위 소득은 2010년에 비해 높아졌다.
ㄴ. 2010년 대비 2015년 갑국에서는 소득 불평등이 심화되었다.
ㄷ. 을국의 절대적 빈곤 가구의 수는 2010년과 2015년이 동일하다.
ㄹ. 2010년 을국에서는 절대적 빈곤선과 상대적 빈곤선이 일치한다.

① ㄱ, ㄴ   ② ㄱ, ㄷ   ③ ㄴ, ㄷ
④ ㄴ, ㄹ   ⑤ ㄷ, ㄹ

16 밑줄 친 부분에 해당하는 내용으로 적절한 것만을 〈보기〉에서 있는 대로 고른 것은?

빈곤 문제를 해결하기 위해서는 빈곤에 처한 개인이 스스로 빈곤에서 벗어나려는 자활 의지를 갖추어야 한다. 하지만 개인의 노력만으로는 빈곤 문제를 해결하는 데 한계가 있으므로, 다양한 <u>사회적·제도적 측면의 지원</u>도 필요하다.

┌ 보기 ┐
ㄱ. 공존의 가치관과 공동체 의식을 함양한다.
ㄴ. 일자리를 창출하고 직업 훈련의 기회를 제공한다.
ㄷ. 소득이 있을 때 저축하여 경제적 어려움에 대비한다.
ㄹ. 누진세나 최저 임금제 등을 시행하여 소득 분배의 형평성을 강화한다.

① ㄱ, ㄷ   ② ㄴ, ㄹ   ③ ㄷ, ㄹ
④ ㄱ, ㄴ, ㄷ   ⑤ ㄴ, ㄷ, ㄹ

서술형 문제

● 정답친해 50쪽

01 다음 글을 읽고 물음에 답하시오.

(㉠)은/는 오랫동안 차별받아 온 특정 집단에 대한 차별을 개선하여 실질적인 기회의 평등을 제고하기 위해 차별받는 집단에 특혜를 부여하는 정책이다. 현재 우리나라에서는 장애인 의무 고용제, 양성평등 채용 목표제 등이 시행되고 있다.

(1) ㉠에 들어갈 용어를 쓰시오.

(2) (1)의 시행이 초래할 수 있는 부작용에 대해 서술하시오.

02 다음 글을 읽고 물음에 답하시오.

(가) 저는 하루 벌어 하루 먹고사는 데다가 살 집도 없는 가난한 사람이에요.
(나) 저는 하루 세끼 먹고사는 데 지장은 없지만, 우리 사회에서는 가난한 사람이에요.

(1) (가), (나)와 관련 있는 빈곤의 유형을 각각 쓰시오.

(2) (나)가 심화할 경우 초래될 수 있는 사회 문제에 대해 서술하시오.

STEP 3 1등급 정복하기

평가원 응용

1 다음 두 사례를 종합하여 내린 결론으로 가장 적절한 것은?

> 사회적 소수자의 특징

- 남성 우위 문화가 지배적인 A 국에서 살던 갑은 여성 우위 문화가 지배적인 B 국으로 이주하였다. 그 결과 갑은 남성으로서 누리던 우월한 지위를 상실하고 사회적 불이익을 받게 되었다.
- C 지역의 다수 민족 출신인 을은 D 지역으로 이주하면서 소수 민족에 속하게 되었다. D 지역에 널리 퍼져 있는 소수 민족 차별의 사회적 관행으로 인해 을은 자신의 민족 언어와 문화를 포기해야 할 지경에 이르렀다.

① 인간은 누구나 사회적 소수자가 될 수 있다.
② 사회적 소수자는 선천적 요인에 의해 결정된다.
③ 수적으로 소수라고 해서 반드시 사회적 소수자는 아니다.
④ 사회적 소수자는 자신이 차별받는 집단에 속해 있다는 사실을 인식하지 못한다.
⑤ 한 사회에서 사회적 소수자로 규정된 사람은 다른 사회에서도 반드시 사회적 소수자로 규정된다.

2 표는 여성 취업의 장애 요인에 대한 설문 조사 결과를 나타낸 것이다. 이에 대한 옳은 분석을 〈보기〉에서 고른 것은?

> 사회 불평등 현상

> **완자샘의 시험 꿀팁**
>
> 취업 등 경제 활동 분야와 관련된 통계 자료를 제시하고 성 불평등 양상을 묻는 문제가 자주 출제된다.

(단위: %)

구분		사회적 편견	책임감 부족	불평등한 근로 여건	여성의 능력 부족	구인 정보 부족	육아 부담	가족 돌봄	가사 부담	기타	계
여성	2011년	20.2	2.9	11.6	1.7	2.3	48.8	–	6.9	5.6	100
	2017년	22.9	2.5	11.3	1.3	1.5	47.9	2.4	5.3	4.9	100
남성	2011년	22.6	5.7	10.2	2.1	1.8	43.9	–	5.5	8.2	100
	2017년	23.9	5.6	9.2	2.3	1.2	43.9	2.0	4.6	7.3	100

(통계청, 2018)

보기

ㄱ. 2011년의 경우 '여성의 능력 부족'보다는 '구인 정보 부족'을 여성 취업의 장애 요인이라고 생각하는 여성들이 더 많다.
ㄴ. 2017년의 경우 '사회적 편견'을 여성 취업의 장애 요인이라고 생각하는 사람은 여성보다 남성이 많다.
ㄷ. 2011년과 2017년에 '육아 부담'을 여성 취업의 장애 요인으로 생각하는 남성의 수는 같다.
ㄹ. 2011년과 2017년에 여성과 남성은 모두 '육아 부담'을 여성 취업의 가장 큰 장애 요인으로 생각한다.

① ㄱ, ㄴ
② ㄱ, ㄹ
③ ㄴ, ㄷ
④ ㄴ, ㄹ
⑤ ㄷ, ㄹ

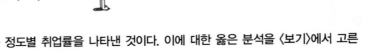

3 그래프는 성별·교육 정도별 취업률을 나타낸 것이다. 이에 대한 옳은 분석을 〈보기〉에서 고른 것은?

> 사회 불평등 현상

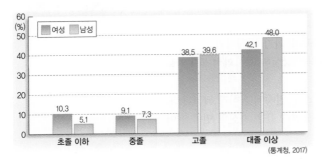

(통계청, 2017)

보기

ㄱ. 고졸 이상인 여성 중 80.6%가 취업을 하였다.
ㄴ. 대졸 이상인 경우 여성에 비해 남성의 취업률이 더 높다.
ㄷ. 초졸 이하인 남성 중 과반수 이상이 취업을 하지 못하였다.
ㄹ. 여성과 남성은 모두 교육 수준이 높을수록 취업률이 높아진다.

① ㄱ, ㄴ ② ㄱ, ㄹ ③ ㄴ, ㄷ
④ ㄴ, ㄹ ⑤ ㄷ, ㄹ

4 다음과 같은 제도의 공통적인 취지로 적절한 것은?

> 성 불평등 문제의 해결 방안

- 성 인지 예산 제도: 정부 예산이 여성과 남성에게 미치는 영향을 분석하여 예산을 편성·집행하는 제도
- 성별 영향 분석 평가 제도: 정부 주요 정책을 수립하고 시행하는 과정에서 성차별적 요인을 분석하고 평가하여 결과를 정책 개선에 반영하는 제도
- 양성평등 채용 목표제: 공무원을 채용할 때 어느 한쪽 성의 합격자 비율이 30% 미만이면 하한 성적 범위 내에서 해당 성의 응시자를 목표 비율만큼 추가 합격시키는 제도

① 역차별을 해소하기 위한 제도이다.
② 차별적 사회화를 강화하는 제도이다.
③ 양성평등을 실현하기 위한 제도이다.
④ 특정 성을 적극적으로 우대할 목적으로 만들어진 제도이다.
⑤ 성에 대한 고정 관념과 편견을 없애려는 의식적 차원의 노력이다.

┃완자 사전┃

• 역차별
사회적 소수자를 보호하기 위하여 마련한 제도나 장치로 인해 오히려 소수자가 아닌 집단이 차별을 받게 되는 것

5 그래프는 갑국의 절대적 빈곤율과 상대적 빈곤율의 변화를 나타낸 것이다. 이에 대한 분석으로 옳은 것은? (단, 갑국 모든 가구의 구성원 수는 동일하며, 2010년 최저 생계비는 중위 소득의 50%보다 작다.)

> 절대적 빈곤율과 상대적 빈곤율
>
> **완자샘의 시험 꿀팁**
>
> 그래프나 표를 통해 절대적 빈곤 가구와 상대적 빈곤 가구의 변화 양상을 분석하는 문제가 자주 출제된다.

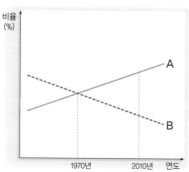

* 절대적 빈곤율: 전체 가구 중 소득이 최저 생계비에 미달하는 가구의 비율

** 상대적 빈곤율: 전체 가구 중 소득이 중위 소득의 50%에 미치지 못하는 가구의 비율

*** 중위 소득: 전체 가구를 소득 순으로 나열했을 때 한가운데 위치한 가구의 소득

① 1970년에는 중위 소득이 최저 생계비보다 작다.

② 절대적 빈곤 가구의 수는 지속적으로 감소하였다.

③ 상대적 빈곤 가구의 수는 1960년보다 2010년이 더 많다.

④ 절대적 빈곤과 상대적 빈곤에 모두 해당하는 가구의 비율은 1970년이 가장 높다.

⑤ A는 절대적 빈곤율, B는 상대적 빈곤율이다.

---

6 표는 갑국의 '중위 소득 대비 최저 생계비'의 변화를 나타낸 것이다. 이에 대한 분석으로 옳은 것은?

> 빈곤선의 변화
>
> **완자샘의 시험 꿀팁**
>
> 중위 소득 대비 최저 생계비를 보고 상대적 빈곤율과 절대적 빈곤율의 크기를 비교하는 문제가 자주 출제된다.

구분	2000년	2005년	2010년	2015년
최저 생계비/중위 소득	1	1/2	2/5	4/5

* 절대적 빈곤율: 전체 가구 중 소득이 최저 생계비에 미달하는 가구의 비율

** 상대적 빈곤율: 전체 가구 중 소득이 중위 소득의 50%에 미치지 못하는 가구의 비율

*** 중위 소득: 전체 가구를 소득 순으로 나열했을 때 한가운데 위치한 가구의 소득

① 2000년의 최저 생계비가 가장 크다.

② 2000년에 절대적 빈곤 가구는 모두 상대적 빈곤 가구이다.

③ 2005년에 절대적 빈곤 가구 수와 상대적 빈곤 가구 수는 같지 않다.

④ 2010년에는 2005년에 비해 상대적 빈곤율이 감소하였다.

⑤ 2015년에 최저 생계비는 상대적 빈곤선보다 크다.

03 사회 복지와 복지 제도

학습목표
• 사회 복지의 의미를 이해하고, 복지 제도의 유형별 특징을 비교할 수 있다.
• 복지 제도의 역할과 한계를 분석할 수 있다.

이것이 핵심!

사회 복지에 대한 인식 변화

초기 자본주의 사회	• 빈곤은 개인의 책임임 • 빈곤층 대상 • 사후 처방적인 복지
현대 사회	• 빈곤에 대한 사회적 책임 강조 • 모든 국민 대상 • 사후 처방적인 복지+사전 예방적인 복지

★ **시혜적 복지**
은혜를 베푸는 차원에서 나타나는 복지로서, 초기 자본주의 사회에서는 복지를 국민의 권리로 인식하지 못하였다.

★ **사후 처방적인 복지와 사전 예방적인 복지**
사후 처방적인 복지는 이미 발생한 사회적 위험으로부터의 구제를 목적으로 하고, 사전 예방적인 복지는 사회적 위험의 발생을 미리 방지하는 것을 목적으로 한다.

① 사회 복지

1. 사회 복지

(1) **사회 복지**: 사회 구성원의 기본적인 삶의 요건을 충족하며 안전하고 행복한 삶을 보장하기 위한 제도나 정책 등의 사회적 노력
└─ 예) 빈곤, 질병, 재해, 실업 등

(2) **사회 복지의 필요성**: 사람은 누구나 사회적 위험에 직면할 수 있으며, 이러한 위험은 개인의 안정적인 삶을 위협할 뿐만 아니라 사회 문제를 일으키기도 함 → 사회 복지 이념 등장

2. 사회 복지에 대한 인식 변화

초기 자본주의 사회	• 빈곤의 책임이 개인에게 있다고 봄 • 종교 단체 등 민간단체의 자선 활동에 의한*시혜적 복지가 중심이 됨 • 빈곤층의 빈곤 해결이 복지의 목적이었음 • 사후 처방적 성격이 강함
현대 사회	• 빈부 격차의 확대, 대량 실업의 발생 등이 심각한 사회 문제로 대두되면서 빈곤에 대한 사회적 책임이 강조됨 → 복지 국가 이념이 전 세계로 확산 자료① • 빈곤 구제뿐만 아니라 모든 국민의 인간다운 생활과 삶의 질 보장이 복지의 목적이 되고 있음 • 복지의 대상이 모든 국민으로 확대됨 •*사후 처방적인 복지뿐만 아니라*사전 예방적인 복지도 강조되고 있음

이것이 핵심!

우리나라 사회 보장 제도의 특징

구분	대상	지원 방식
사회 보험	모든 국민	금전적 지원
공공 부조	생활 유지 능력이 없거나 생활이 어려운 국민	
사회 서비스	도움이 필요한 모든 국민	비금전적 지원

★ **노인 장기 요양 보험**
고령이나 노인성 질병 등으로 일상생활을 혼자서 수행하기 어려운 노인 등에게 신체 활동 지원 또는 가사 활동 지원 등의 장기 요양 급여를 제공하여 노후의 건강 증진 및 생활 안정을 도모하기 위한 제도

② 복지 제도

1. 복지 제도

(1) **복지 제도**: 사회 복지의 이념을 구체적으로 실현하기 위해 마련한 제도

(2) **우리나라의 복지 제도**: 우리나라는 사회 보험, 공공 부조, 사회 서비스 등의 사회 보장 제도를 통해 사회 복지 이념을 구체적으로 실현하고 있음

2. 우리나라 복지 제도의 유형

(1) **사회 보험**

의미	국민에게 발생하는 사회적 위험을 보험 방식으로 대비함으로써 국민의 건강과 소득을 보장하는 제도
대상자	모든 국민
비용 부담	가입자와 사용자 또는 국가가 공동 부담 자료②
특징	• 대상자의 강제 가입을 원칙으로 함 ─VS 민간 보험은 개인적 필요에 따라 임의로 가입해. • 금전적 지원을 원칙으로 함 • 상호 부조의 원리를 기반으로 함 ─┐ 꼭! 사회 보험은 공공 부조, 사회 서비스와 달리 가입자 • 수혜 정도와 무관하게 부담 능력에 따라 보험료를 차등 징수함 → 소득 재분배 효과가 있음 • 미래의 위험에 대비하는 사전 예방적 성격을 지님 ─ 재산, 소득 수준 등
한계	보험료를 납부하지 못하는 경우 혜택을 받지 못함
종류	국민연금, 국민 건강 보험, 고용 보험, 산업 재해 보상 보험,*노인 장기 요양 보험 등 자료③

완자 자료 탐구

내 옆의 선생님

자료 ① 베버리지 보고서를 통해 본 사회 복지

제2차 세계 대전 이후 영국 정부는 빈곤의 원인을 개인이 아닌 사회적 책임으로 인식하고 사회 복지에 관한 다양한 정책을 내놓기 시작하였는데, 베버리지 보고서는 이 중 하나이다. 베버리지는 이 보고서에서 삶의 질 향상을 가로막는 5대 악으로 궁핍, 질병, 무지, 불결, 나태를 들고, 궁핍은 소득 보장으로, 질병은 의료 보장으로, 무지는 의무 교육으로, 불결은 주택 정책으로, 나태는 노동 정책으로 대처해야 함을 주장하였다. 이 보고서의 내용이 상당 부분 실현되면서 영국에서는 전 생애를 대상으로 하는 복지 제도가 만들어졌다.

베버리지 보고서는 빈곤은 물론 질병, 무지, 불결, 나태 등까지 사회 보장의 영역을 확대해야 함을 주장하였으며, 이에 대한 국가의 책임을 강조하였다. 베버리지 보고서는 영국에서 '요람에서 무덤까지'로 표현되는 복지 제도가 발달하는 데 이바지하였고, 이후 다른 많은 국가에서 복지 국가가 형성되는 데 큰 영향을 미쳤다.

자료 ② 우리나라 주요 사회 보험 기금 전망

사회 보험	적자 전환	고갈
국민연금	2044년	2060년
건강 보험	2022년	2025년
산업 재해 보상 보험	2019년	2030년

(기획 재정부, 2015)

최근 우리나라에서는 저출산·고령화 현상의 심화에 따라 보험료를 내는 인구는 계속 줄고, 연금 수령자는 갈수록 늘어 사회 보험의 재정 상황이 빠르게 나빠질 것이라는 우려가 제기되고 있다. 국민연금은 2044년, 건강 보험과 산업 재해 보상 보험은 각각 2022년과 2019년에 적자 전환할 것이라 전망된다. 이와 같은 사회 보험의 재정 고갈 문제를 해결하기 위해 정부는 보험료 부담과 급여 체계를 개편하고 지출을 효율화하는 등의 노력을 하고 있다.

자료 ③ 우리나라의 사회 보험 제도

국민연금

노령, 사망, 장애 등으로 인해 소득이 없어졌을 때 연금 등을 지급함으로써 국민의 생활 안정과 복지 증진을 목적으로 하는 제도

국민 건강 보험

국민의 질병 및 부상에 대한 예방, 진단, 치료, 재활 및 건강 증진에 대한 보험 급여를 통해 국민의 건강을 향상하기 위한 제도

산업 재해 보상 보험

업무와 관련하여 질병, 장애, 사망 등의 재해가 발생할 경우 치료비와 생계비를 보장하여 재활 및 사회 복귀를 촉진하는 제도

고용 보험

실업 보험 사업과 고용 안정 및 직업 능력 개발 사업 등을 통해 근로자의 생활 안정과 구직 활동을 촉진하는 제도

사람은 누구나 미래에 고령, 질병, 실직 등으로 인해 위험에 처할 가능성이 있다. 사회 보험은 국가가 보험 방식을 통해 미래에 직면할 사회적 위험에 대처하는 제도로서, 우리나라에서는 국민연금, 국민 건강 보험, 산업 재해 보상 보험, 고용 보험 등이 시행되고 있다.

자료 하나 더 알고 가자!

사회 복지 이념을 실현하기 위한 노력

바이마르 헌법 (독일, 1919)	국민이 국가로부터 인간다운 생활을 보장받을 권리를 최초로 규정함
사회 보장법 (미국, 1935)	뉴딜 정책의 일환으로 본격적인 복지 국가를 지향함
베버리지 보고서 (영국, 1942)	현대적 의미의 사회 보장 제도를 확립함

자료 하나 더 알고 가자!

우리나라 헌법에 나타난 사회 복지

- 제34조 ① 모든 국민은 인간다운 생활을 할 권리를 가진다.
- 제34조 ② 국가는 사회 보장·사회 복지의 증진에 노력할 의무를 진다.

우리나라 헌법은 모든 국민의 인간다운 생활을 보장하는 것을 국가의 의무로 규정함으로써 복지 국가를 지향하고 있다.

문제 로 확인할까?

사회 보험에 대한 설명으로 옳은 것은?
① 소득 재분배 효과가 없다.
② 사후 처방적 성격이 강하다.
③ 의무 가입을 원칙으로 한다.
④ 비금전적 지원을 원칙으로 한다.
⑤ 보험료를 국가가 전액 부담한다.

ⓔ 🈴

03 사회 복지와 복지 제도

★ **수혜자**
혜택을 받는 사람

★ **국민 기초 생활 보장 제도**
생활이 어려운 저소득 가구에 필요한 급여를 제공하여 최저 생활을 보장하고 자활을 조성하는 제도

★ **기초 연금 제도**
노인 세대의 안정된 노후 생활을 지원하기 위한 제도로, 65세 이상인 노인 중 가구의 소득 인정액이 선정 기준 이하인 노인에게 매월 연금을 지급하는 제도

★ **의료 급여 제도**
생활을 유지할 능력이 없거나 생활이 어려운 저소득층에게 국가가 의료 서비스를 제공하는 제도

(2) 공공 부조 ─ 특정 기준에 부합하는 국민을 선정하여 지원하기 때문에 선별적 복지의 성격을 지녀.

의미	생활이 어려운 국민의 최저 생활을 보장하고 자립을 지원하기 위해 금전적·물질적 급여를 제공하는 제도
대상자	생활 유지 능력이 없거나 생활이 어려운 국민
비용 부담	국가 및 지방 자치 단체가 전액 부담 ─ **꼭!** 조세 부담 능력이 있는 국민이 낸 세금을 재원으로 해.
특징	• 금전적 지원을 원칙으로 함 • 이미 발생한 사회적 위험에 대한 사후 처방적 성격을 지님 • 사회 보험보다 소득 재분배 효과가 큼
한계	• 대상자 선정 과정에서 부정적인 낙인이 발생할 수 있음 • 국가의 재정 부담이 크고, ★수혜자의 근로 의욕이 저하될 우려가 있음
종류	★국민 기초 생활 보장 제도, ★기초 연금 제도, ★의료 급여 제도 등 `교과서 자료`

Qn? 공공 부조는 세금을 재원으로 생활이 어려운 계층을 지원하므로 사회 보험에 비해 소득 재분배 효과가 커.

(3) 사회 서비스

의미	도움이 필요한 모든 국민에게 상담, 재활, 돌봄, 정보 제공, 관련 시설의 이용 등을 통하여 삶의 질이 향상되도록 지원하는 제도
대상자	국가, 지방 자치 단체, 민간 부문의 도움이 필요한 모든 국민
비용 부담	수혜자 부담을 원칙으로 하나 일정 소득 수준 이하의 국민은 비용의 전부 또는 일부를 국가나 지방 자치 단체가 부담함
특징	• 비금전적 형태의 서비스 제공을 원칙으로 함 • 수혜자의 자활 능력을 길러 주고 생활의 어려움을 실질적으로 해결하는 데 도움을 줌
한계	사회 보험이나 공공 부조에 비해 보조적 사회 보장에 그침
종류	노인 돌봄, 산모·신생아 건강 관리 지원, 가사·간병 방문 지원 등

이것이 핵심!

생산적 복지

의미	노동을 전제로 복지를 지원하는 새로운 형태의 복지 제도
목적	경제적 효율성과 복지의 형평성을 동시에 추구함
사례	근로 장려 세제

★ **도덕적 해이**
법과 제도에 허점이 있을 경우 이 허점을 이용해 자기 책임을 소홀히 하는 행동

③ 복지 제도의 역할과 한계

1. 복지 제도의 역할

개인적 측면	• 질병, 실업, 빈곤 등의 사회적 위험으로부터 최소한의 인간다운 생활을 보장함 • 경제적·사회적으로 자립할 수 있는 기회를 제공함
사회적 측면	• 사회적 위험에 공동으로 대비함으로써 사회 구성원 간 연대 의식을 높임 • 사회 구성원의 기본적인 생활을 보장함으로써 사회 안정과 통합을 달성하는 데 기여함

2. 복지 제도의 한계

국가의 재정 악화	복지 제도의 확대는 국민의 조세 부담을 높이고, 국가 재정을 악화시키는 요인으로 작용함
복지병의 발생	과도한 복지가 근로 의욕을 저하시켜 사회 전체의 생산성과 효율성을 떨어뜨림
제도 운용상의 미비점 존재	• 도움이 필요한 사람이 실질적인 혜택을 받지 못하는 경우가 발생함 • 복지 제도를 악용하여 급여를 부정 수급하는 등의 ★도덕적 해이가 발생함

3. 복지 제도의 한계를 극복하기 위한 노력 – 생산적 복지

(1) **생산적 복지**: 소외 계층이 자활 사업에 참여하거나 노동하는 것을 조건으로 복지를 지원하는 새로운 형태의 복지 제도 **예** 근로 장려 세제 `자료④`

(2) **생산적 복지의 목적**: 일할 능력이 있는 사람의 근로 의욕을 높여 경제 활동 참여를 장려함으로써 경제적 효율성을 달성하고 사회적 약자도 보호함 → 경제적 효율성과 복지의 형평성을 동시에 추구함 `자료⑤`

꼭! 복지 수혜자의 자립을 지원하면서 국가의 재정 부담도 완화할 수 있어.

(3) **생산적 복지의 한계**: 일할 능력이 없는 사람의 경우 복지 혜택에서 소외될 수 있음

수능이 보이는 교과서 자료 | **국민 기초 생활 보장 제도의 개편**

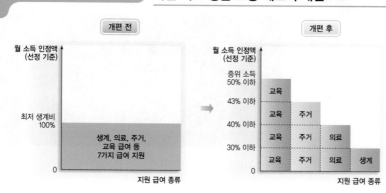

개편 전

개편 후

우리나라는 국민 기초 생활 보장 제도의 기존 급여 체계를 보완하여 맞춤형 급여로 개편하였다. 개편 전에는 최저 생계비 단일 기준에 의한 포괄 지원이었으나, 개편 후에는 기초 생활 수급자의 가구 여건에 맞는 지원을 하기 위하여 급여별로 선정 기준을 다층화하였다. 또한 대상자 선정에서도 개편 전에는 절대적 빈곤층을 대상으로 하였으나, 개편 후에는 상대적 빈곤층을 대상으로 하고 있다.

완자쌤의 탐구 강의

• 국민 기초 생활 보장 제도의 기존 급여 체계가 지니는 한계를 써 보자.
소득 인정액이 최저 생계비를 넘게 되면 기초 생활 보장 제도의 모든 지원이 중단된다는 한계가 있다.

• 맞춤형 급여 체계에 따라 중위 소득 30% 초과 40% 이하에 해당하는 가구가 받을 수 있는 급여를 써 보자.
교육 급여, 주거 급여, 의료 급여

함께 보기 172쪽, 1등급 정복하기 2

자료 **4** 근로 장려 세제

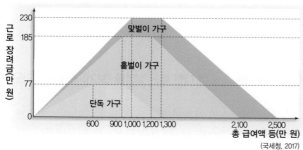

(국세청, 2017)

근로 능력이 있는 사람의 근로 의욕을 장려하여 경제적 효율성을 달성하고 사회적 약자를 보호한다는 점에서 생산적 복지의 이념에 부합해.
➊ 근로 장려 세제

근로 장려 세제는 일정 요건을 충족하는 저소득 근로자 가구에 가구원 구성과 총급여액 등에 따라 산정된 근로 장려금을 지급하여 근로를 장려하고 실질 소득을 지원하는 근로 연계형 소득 지원 제도이다.

자료 **5** 생산적 복지의 등장

모든 사람을 대상으로 하는 보편적 복지는 형평성은 높지만 비용이 많이 들고, 복지병을 유발한다는 문제가 있다. 이와 달리 사회적 지원이 꼭 필요한 대상만을 선정하여 지원하는 선별적 복지는 효율성이 높고 비용 절감의 효과가 있지만, 형평성이 떨어져 계층 간 차별 의식을 심화한다는 문제가 있다. 이에 새로운 대안으로 등장한 것이 생산적 복지이다.

생산적 복지는 보편적 복지와 선별적 복지의 한계를 극복하기 위한 대안으로 등장한 새로운 형태의 복지 제도로서, 경제적 효율성 달성과 사회적 약자 보호를 동시에 지향한다.

정리 비법을 알려줄게!

복지 제도의 한계와 생산적 복지

복지 제도의 한계
• 국가 재정 악화
• 복지병 발생
• 제도 운용상의 미비점 존재

↓

생산적 복지
• 노동과 복지 연계
• 경제적 효율성과 복지의 형평성 동시 추구

문제 로 확인할까?

생산적 복지에 대한 설명으로 옳지 않은 것은?
① 근로 연계 복지라고도 한다.
② 복지 수혜자의 자립을 지원한다.
③ 비금전적 지원을 원칙으로 한다.
④ 정부의 재정 부담을 완화할 수 있다.
⑤ 경제적 효율성 달성과 사회적 약자 보호를 동시에 추구한다.

STEP 1 핵심 개념 확인하기

1 사회 구성원의 기본적인 삶의 요건을 충족하며 안전하고 행복한 삶을 보장하기 위한 제도나 정책 등의 사회적 노력을 (   )라고 한다.

2 다음 설명이 맞으면 ○표, 틀리면 ×표를 하시오.

(1) 현대 사회에서는 빈곤에 대한 사회적 책임이 강조되고 있다.
(   )

(2) 초기 자본주의 사회에서의 복지는 사전 예방적인 성격이 강하였다. (   )

(3) 초기 자본주의 사회에서는 복지의 대상이 빈곤층에 한정되었으나, 현대 사회에서는 모든 국민으로 확대되었다.
(   )

3 다음 괄호 안의 내용 중 알맞은 말에 ○표를 하시오.

(1) (공공 부조, 사회 서비스)는 사회 보험보다 소득 재분배 효과가 더 크다.

(2) 노인 돌봄, 산모·신생아 건강 관리 지원, 가사·간병 방문 지원 등은 (사회 보험, 사회 서비스)에 해당한다.

(3) 국민에게 발생하는 사회적 위험을 보험 방식으로 대처함으로써 국민의 건강과 소득을 보장하는 제도는 (사회 보험, 공공 부조)이다.

4 사회 보장 제도의 유형과 그 특징을 옳게 연결하시오.

(1) 사회 보험   •   • ㉠ 강제 가입

(2) 공공 부조   •   • ㉡ 비금전적 지원

(3) 사회 서비스   •   • ㉢ 납부자 ≠ 수혜자

5 다음 빈칸에 들어갈 내용을 쓰시오.

(1) (   )는 소외 계층이 노동하는 것을 조건으로 복지를 지원하는 제도이다.

(2) 복지 제도의 확대는 국민의 (   ) 부담을 높이고, 국가 재정을 악화시키는 요인으로 작용한다.

(3) 과도한 복지가 근로 의욕을 저하시켜 사회 전체의 생산성과 효율성이 떨어지는 부작용을 (   )이라고 한다.

STEP 2 내신 만점 공략하기

01 ㉠에 들어갈 학습 주제로 가장 적절한 것은?

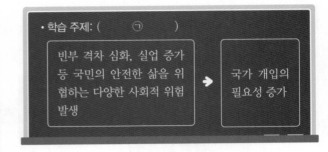

• 학습 주제: (㉠   )

빈부 격차 심화, 실업 증가 등 국민의 안전한 삶을 위협하는 다양한 사회적 위험 발생 → 국가 개입의 필요성 증가

① 복지병의 발생
② 복지 제도의 유형
③ 복지 제도의 한계
④ 생산적 복지의 등장 배경
⑤ 사회 복지 이념의 등장 배경

02 밑줄 친 ㉠, ㉡에 대한 옳은 설명을 〈보기〉에서 고른 것은?

㉠ 초기 자본주의 사회의 복지는 빈곤의 책임이 개인에게 있다고 보고 국가보다는 민간을 중심으로 이루어졌다. 그러나 ㉡ 현대 사회의 복지는 사회나 국가에도 빈곤의 책임이 있다는 인식을 바탕으로 복지에 대한 국가의 의무를 강조하고 있다.

보기

ㄱ. ㉠은 자선 차원에서 이루어졌다.
ㄴ. ㉠은 빈곤층의 빈곤 해결을 주된 목적으로 하였다.
ㄷ. ㉡은 생활 능력을 갖추지 못한 사람만을 수혜 대상으로 한다.
ㄹ. ㉠은 사전 예방적 성격이, ㉡은 사후 처방적 성격이 강하다.

① ㄱ, ㄴ   ② ㄱ, ㄷ   ③ ㄴ, ㄷ
④ ㄴ, ㄹ   ⑤ ㄷ, ㄹ

03 밑줄 친 '이 보고서'에 대한 옳은 설명만을 〈보기〉에서 있는 대로 고른 것은?

> 이 보고서는 국민의 삶의 질 향상을 가로막는 5대 악으로 궁핍, 질병, 무지, 불결, 나태를 들고, 궁핍은 소득 보장으로, 질병은 의료 보장으로, 무지는 의무 교육으로, 불결은 주택 정책으로, 나태는 노동 정책으로 대처해야 함을 주장하였다. 이 보고서는 영국의 사회 보장 제도 확립의 근간이 되었다.

보기
ㄱ. 국민의 삶의 질 향상을 목적으로 하였다.
ㄴ. 사회 보장의 영역을 빈곤 구제에 한정하였다.
ㄷ. 복지 국가 이념이 전 세계로 확산되는 데 기여하였다.
ㄹ. 국가가 사회 복지 제도를 마련해야 한다고 주장하였다.

① ㄱ, ㄴ ② ㄱ, ㄷ ③ ㄴ, ㄷ
④ ㄱ, ㄷ, ㄹ ⑤ ㄴ, ㄷ, ㄹ

04 ⭐중요 (가)~(다)에서 설명하는 사회 보험의 유형을 옳게 연결한 것은?

> (가) 실업 보험 사업과 고용 안정 및 직업 능력 개발 사업 등을 통해 근로자의 생활 안정과 구직 활동을 촉진하는 제도이다.
> (나) 업무와 관련하여 질병, 장애, 사망 등의 재해가 발생할 경우 치료비와 생계비를 보장하여 재활 및 사회 복귀를 촉진하는 제도이다.
> (다) 노령, 사망, 장애 등으로 인해 소득이 없어졌을 때 연금 등을 지급함으로써 국민의 생활 안정과 복지 증진을 목적으로 하는 제도이다.

	(가)	(나)	(다)
①	국민연금	고용 보험	국민 건강 보험
②	고용 보험	국민 건강 보험	국민연금
③	고용 보험	산업 재해 보상 보험	국민연금
④	국민 건강 보험	국민연금	고용 보험
⑤	국민 건강 보험	노인 장기 요양 보험	고용 보험

05 다음은 우리나라에서 시행되고 있는 사회 보장 제도의 내용이다. 이 제도에 대한 설명으로 옳지 않은 것은?

> 고령이나 노인성 질병 등의 사유로 일상생활을 혼자서 수행하기 어려운 노인 등에게 신체 활동 또는 가사 활동 지원 등의 장기 요양 급여를 제공하는 제도로, 국민 건강 보험 가입자는 자동 가입자가 된다.

① 소득 재분배 효과가 있다.
② 사전 예방적 성격을 지닌다.
③ 성격상 공공 부조에 가깝다.
④ 상호 부조의 원리에 따라 운영된다.
⑤ 가입자의 부담 능력에 따라 비용을 부담한다.

06 다음은 우리나라에서 시행되고 있는 사회 보장 제도와 관련한 법률이다. 이 제도에 대한 설명으로 옳은 것은?

> • **제1조(목적)** 이 법은 노인에게 기초 연금을 지급하여 안정적인 소득 기반을 제공함으로써 노인의 생활 안정을 지원하고 복지를 증진함을 목적으로 한다.
> • **제3조(기초 연금 수급권자의 범위 등)** ① 기초 연금은 65세 이상인 사람으로서 소득 인정액이 보건 복지부 장관이 정하여 고시하는 금액 이하인 사람에게 지급한다.

① 소득 재분배 기능이 약하다.
② 선별적 복지의 성격이 강하다.
③ 사전 예방적 기능을 중시한다.
④ 비금전적 지원을 원칙으로 한다.
⑤ 능력별 비용 부담의 원칙이 적용된다.

07 표는 우리나라 사회 보장 제도의 유형인 (가), (나)의 대표적인 사례를 나타낸 것이다. 이에 대한 설명으로 옳은 것은?

유형	대표적 사례
(가)	생활이 어려운 저소득 가구에게 필요한 급여를 제공하여 최저 생활을 보장하고 자활을 조성하는 제도
(나)	국민의 질병 및 부상에 대한 예방, 진단, 치료, 재활 및 건강 증진에 대한 보험 급여를 통해 국민의 건강을 향상하기 위한 제도

① (가)는 의무 가입을 원칙으로 한다.
② (가)는 납부자와 수혜자가 일치한다.
③ (나)는 국가가 비용을 전액 부담한다.
④ (가)는 (나)보다 소득 재분배 효과가 크다.
⑤ (가)는 사전 예방적, (나)는 사후 처방적 성격을 갖는다.

08 다음 자료는 우리나라에서 시행되고 있는 사회 보장 제도와 관련한 안내문이다. 이 제도의 일반적인 특징을 〈보기〉에서 고른 것은?

아이 돌봄 사업

• 사업 목적: 만 12세 이하 아동을 둔 맞벌이 가정 등에 아이 돌보미가 직접 방문하여 아동을 안전하게 돌봐 주는 제도로, 아이의 복지 증진과 보호자의 일·가정 양립을 통한 가족 구성원의 삶의 질 향상을 목적으로 함

• 서비스 이용 요금
 - 정부 지원 가정: 소득 수준에 따라 이용 요금의 일부를 정부에서 지원
 - 정부 미지원 가정: 이용 요금 전액을 본인 부담으로하여 서비스 이용 가능

┌─ 보기 ─
ㄱ. 비금전적 지원을 원칙으로 한다.
ㄴ. 수혜자 부담의 원칙이 적용되지 않는다.
ㄷ. 수혜자의 필요에 부합하는 차별화된 지원을 중시한다.
ㄹ. 다른 사회 보장 제도에 비해 소득 재분배 효과가 크다.
└─

① ㄱ, ㄴ   ② ㄱ, ㄷ   ③ ㄴ, ㄷ
④ ㄴ, ㄹ   ⑤ ㄷ, ㄹ

09 우리나라 사회 보장 제도의 유형 (가)~(다)에 대한 옳은 설명을 〈보기〉에서 고른 것은? (단, (가)~(다)는 각각 사회 보험, 공공 부조, 사회 서비스 중 하나이다.)

• (가)는 (나)보다 복지 수혜 대상의 범위가 좁다.
• (가)와 (나)는 금전적 지원을 원칙으로 하고, (다)는 비금전적 지원을 원칙으로 한다.

┌─ 보기 ─
ㄱ. (가)는 국가와 수혜자가 비용을 공동으로 분담한다.
ㄴ. (나)는 임의 가입이 원칙이다.
ㄷ. (다)는 국민의 삶의 질 향상을 강조한다.
ㄹ. 의료 급여 제도는 (가), 국민연금 제도는 (나), 산모·신생아 건강 관리 지원은 (다)에 해당한다.
└─

① ㄱ, ㄴ   ② ㄱ, ㄷ   ③ ㄴ, ㄷ
④ ㄴ, ㄹ   ⑤ ㄷ, ㄹ

10 다음 사례에 나타난 복지 제도의 문제를 해결하기 위한 방안으로 가장 적절한 것은?

편의점에서 아르바이트 중인 갑의 수입은 지난해 회사에 다닐 때보다 훨씬 많다. 편의점 아르바이트 월급에 실업 급여까지 들어오기 때문이다. 실업 급여는 4대 보험 자격을 상실한 실업자에게 지급되는 돈이지만, 갑은 실업 급여를 받기 위해 편의점 사장에게 4대 보험에 가입하지 않겠다고 하였다. 편의점 사장은 세금을 아낄 수 있다며 갑의 말을 반겼다.
---

① 복지 예산을 줄여야 한다.
② 복지 대상자의 범위를 축소해야 한다.
③ 복지 제도 운용상의 미비점을 보완해야 한다.
④ 복지 대상자에 대한 부정적 낙인을 주의해야 한다.
⑤ 모든 국민을 대상으로 하는 복지 정책을 실시해야 한다.

11 밑줄 친 '기본 소득제'에 대한 옳은 설명을 〈보기〉에서 고른 것은?

기본 소득제는 재산이나 소득의 유무, 노동 여부나 노동 의사와 관계없이 사회 구성원 모두에게 최소 생활비를 지급하는 제도이다. 스위스는 2016년 성인 1인당 매달 2,500 스위스 프랑(약 295만 원)을 기본 소득으로 지급하는 것을 두고 국민 투표를 시행하였으나 부결되었다.

┌ 보기 ┐
ㄱ. 보편적 복지 정책으로 분류된다.
ㄴ. 정부의 재정이 악화할 우려가 있다.
ㄷ. 대상자 선정 과정에서 부정적 낙인이 발생할 우려가 있다.
ㄹ. 제도의 혜택이 미치지 못하는 복지 사각지대가 존재할 수 있다.

① ㄱ, ㄴ   ② ㄱ, ㄹ   ③ ㄴ, ㄷ
④ ㄴ, ㄹ   ⑤ ㄷ, ㄹ

12 밑줄 친 '새로운 형태의 복지 제도'에 대한 설명으로 옳지 않은 것은?

보편적 복지는 형평성은 높지만 비용이 많이 들고, 복지병을 유발한다는 문제가 있다. 이와 달리 선별적 복지는 효율성이 높고 비용 절감의 효과가 있지만, 형평성이 떨어져 빈익빈 부익부 현상을 심화한다는 문제가 있다. 이에 따라 새로운 형태의 복지 제도가 등장하였다.

① 근로와 복지의 연계성을 강조한다.
② 일할 능력이 있는 사람의 근로 의욕을 높인다.
③ 장기적으로 정부의 재정 부담을 완화할 수 있다.
④ 일할 능력이 없는 사람을 복지 혜택에서 소외시킬 우려가 있다.
⑤ 사회적 약자 보호보다는 경제적 효율성 달성을 우선하고자 한다.

 서술형 문제

● 정답친해 53쪽

01 다음 글을 읽고 물음에 답하시오.

• (가)는 저소득층 초중고생에게 적정한 교육 기회를 제공하여 자립할 수 있는 능력을 배양하고, 가난의 대물림을 차단하고자 학용품비·부교재비 등을 지원하는 제도이다.
• (나)는 질병이나 부상으로 인해 발생한 고액의 진료비로 가계에 과도한 부담이 되는 것을 방지하기 위하여, 국민들이 평소에 보험료를 내고 필요시에 보험 급여를 지급하는 제도이다.

(1) (가), (나)가 각각 어떤 유형의 사회 보장 제도에 해당하는지 쓰시오.

(2) (가), (나)의 차이점을 '복지 수혜 대상'과 '비용 부담 주체'를 중심으로 서술하시오.

02 다음 글을 읽고 물음에 답하시오.

근로 장려 세제는 일정 요건을 충족하는 저소득 근로자 가구에 가구원 구성과 총급여액 등에 따라 산정된 근로 장려금을 지급하여 근로를 장려하고 실질 소득을 지원하는 근로 연계형 소득 지원 제도로서, (㉠) 이념에 부합한다.

(1) ㉠에 들어갈 용어를 쓰시오.

(2) (1)이 추구하는 목적 두 가지를 서술하시오.

1 표는 갑국의 국민연금 수급자 현황을 나타낸 것이다. 이에 대한 분석으로 옳은 것은?

(단위: 천 명)

구분	2013년	2015년	2017년
노령 연금	3,000	3,300	3,400
장애 연금	70	80	70
유족 연금	500	600	700
계	3,570	3,980	4,170

① 국민연금 수급액은 2017년이 가장 많다.

② 유족 연금 수급자 수는 2013년 이후 감소하였다.

③ 2013년도의 노령 연금 수급자는 모두 2015년도에도 노령 연금 수급자이다.

④ 2015년 대비 2017년 국민연금 수급자 중 장애 연금 수급자의 비중은 감소하였다.

⑤ 2015년 대비 2017년 노령 연금 수급자 증가율과 유족 연금 수급자 증가율은 같다.

> 사회 보장 제도
>
> **완자 사전**
> • 수급자
> 급여, 연금, 배급 등을 받는 사람

평가원 응용

2 그림은 갑국의 사회 보장 제도의 급여 체계가 (가)에서 (나)로 바뀌었음을 보여 준다. 이에 대한 옳은 분석을 〈보기〉에서 고른 것은?

> 사회 보장 제도의 급여 체계

(가)

월 소득 인정액
(선정 기준)

최저 생계비
100%

생계, 의료, 주거,
교육 급여 등
7가지 급여 지원

0   지원 급여 종류

→

(나)

월 소득 인정액
(선정 기준)

중위 소득
50% 이하   교육

43% 이하   교육   주거

40% 이하   교육   주거   의료

30% 이하   교육   주거   의료   생계

0   지원 급여 종류

* 최저 생계비는 1,200달러이며, 중위 소득의 40%와 동일함

** 개별 가구의 월 소득 인정액 이외의 다른 조건은 모두 동일함

*** 중위 소득: 전체 가구를 소득 순으로 나열했을 때 한가운데 위치한 가구의 소득

보기

ㄱ. 월 소득 인정액이 1,000달러인 가구는 (가)에서 모든 급여를 지원받았다.

ㄴ. 월 소득 인정액이 900달러인 가구는 (나)에서 생계 급여를 받을 수 있다.

ㄷ. (나)에서 모든 급여를 받을 수 있는 기준은 월 소득 인정액 1,500달러 이하이다.

ㄹ. (가)에서 급여를 받던 가구가 (나)에서 어떠한 급여도 받지 못하는 경우가 발생한다.

① ㄱ, ㄴ   ② ㄱ, ㄷ   ③ ㄴ, ㄷ

④ ㄴ, ㄹ   ⑤ ㄷ, ㄹ

3 표는 우리나라 사회 보장 제도의 유형을 비교한 것이다. 이에 대한 옳은 설명을 〈보기〉에서 고른 것은? (단, A~C는 각각 사회 보험, 공공 부조, 사회 서비스 중 하나이다.)

유형 질문	A	B	C
(가)	예	아니요	아니요
(나)	아니요	예	아니요

┌ 보기 ┐
ㄱ. (가)에 '사회 구성원의 삶의 질 향상을 목적으로 합니까?'가 들어갈 수 있다.
ㄴ. A가 사회 보험이라면, (가)에 '상호 부조의 원리를 기반으로 합니까?'가 들어갈 수 있다.
ㄷ. B가 공공 부조라면, (나)에 '국가가 비용을 전액 부담합니까?'는 들어갈 수 있다.
ㄹ. C가 사회 서비스라면, (나)에 '비금전적 지원을 원칙으로 합니까?'가 들어갈 수 있다.

① ㄱ, ㄴ   ② ㄱ, ㄷ   ③ ㄴ, ㄷ
④ ㄴ, ㄹ   ⑤ ㄷ, ㄹ

> **사회 보장 제도의 유형**
>
> **완자샘의 시험 꿀팁**
> 질문을 기준으로 우리나라 사회 보장 제도의 유형을 구분하고, 그 특징을 비교하는 문제가 자주 출제된다.

평가원 응용

4 다음 자료에 대한 분석으로 옳지 <u>않은</u> 것은?

그림은 갑국과 을국의 저소득층 단독 가구가 근로 소득에 따라 받을 수 있는 근로 장려금 지급 체계를 보여 준다. 단, 근로 소득과 근로 장려금 이외에 다른 소득이나 조건은 고려하지 않는다.

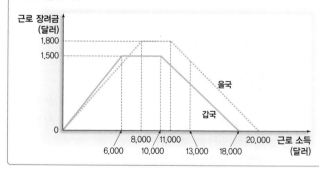

> **복지 제도의 한계를 극복하기 위한 노력**
>
> **완자샘의 시험 꿀팁**
> 근로 장려 세제처럼 우리나라에서 실제 시행되고 있는 사회 보장 제도 관련 자료를 조건에 따라 분석하는 문제가 자주 출제된다.

① 갑국의 경우 근로 소득 5,000달러인 가구의 근로 장려 지급액은 1,300달러를 넘는다.
② 을국의 경우 근로 소득 9,000달러인 가구와 10,000달러인 가구의 근로 장려 지급액이 같다.
③ 근로 소득이 8,000달러인 경우, 근로 장려 지급액은 을국이 갑국보다 많다.
④ 갑국과 을국은 모두 소득이 없는 가구에는 근로 장려금을 지급하지 않는다.
⑤ 갑국과 을국은 모두 근로 의욕을 높이려는 생산적 복지 이념을 반영하고 있다.

01 사회 불평등 현상과 사회 계층의 이해

1. 사회 불평등 현상

(1) **사회 불평등**: (❶   )이 차등적으로 분배되어 개인이나 집단의 위치가 서열화되어 있는 현상

(2) **사회 불평등 현상을 바라보는 관점**

(❷)	갈등론
• 사회 불평등은 사회의 유지와 발전을 위해 불가피한 현상임 • 직업마다 기능적 중요도에 차이가 있음 → 사회적 자원을 차등 분배하는 것이 당연함 • 희소 자원의 배분 기준은 사회 구성원이 합의한 것임	• 사회 불평등은 사회 구조의 개혁을 통해 해결해야 할 현상임 • 직업의 기능적 중요도에 차이가 없음 → 직업의 기능적 중요도는 지배 집단의 판단에 불과함 • 희소 자원의 배분 기준은 지배 집단의 가치가 반영된 것임

(3) **사회 불평등 현상을 설명하는 이론**

구분	계급론	(❸)
의미	계급은 생산 수단의 소유 여부에 따라 구분된 위치 혹은 집단임	계층은 계급, 지위, 권력 등 다양한 요인에 따라 서열화된 위치 혹은 집단임
층위	자본가 계급 – 노동자 계급	상류층 – 중류층 – 하류층
특징	• 계급 간 갈등과 대립이 불가피함 • 강한 계급 의식이 나타남	• 계층 의식이 미약함 • 현대 사회의 지위 불일치 현상을 설명하기에 적합함

2. 사회 이동

(1) **사회 이동**: 개인이나 집단의 계층적 위치가 변화하는 현상

(2) **사회 이동의 유형**

이동 방향	• 수평 이동: 동일한 계층 내에서의 위치 변화 • 수직 이동: 계층적 위치가 높아지거나 낮아지는 변화
세대 범위	• 세대 내 이동: 한 개인의 생애 동안에 나타나는 계층적 위치의 변화 • 세대 간 이동: 두 세대 이상에 걸쳐서 이루어지는 계층적 위치의 변화
이동 원인	• 개인적 이동: 한 개인의 능력이나 노력에 따른 계층적 위치의 변화 • (❹): 사회 변동으로 인해 사회 구조가 바뀌면서 발생하는 계층적 위치의 변화

3. 사회 계층 구조

(1) **사회 계층 구조**: 사회의 희소한 자원이 차등적으로 분배되고, 그러한 불평등이 지속되면서 일정한 형태로 고정된 구조

(2) **사회 계층 구조의 유형**

계층 구성원 비율	수직형 계층 구조	완전 불평등형 계층 구조
	수평형 계층 구조	완전 평등형 계층 구조
	피라미드형 계층 구조	• 하층 > 중층 > 상층 • 불평등이 심하여 사회가 불안정할 수 있음
	다이아몬드형 계층 구조	• 중층 > 상층, 하층 • 중층의 비율이 높기 때문에 사회가 비교적 안정적임
계층 이동 가능성	폐쇄적 계층 구조	• 계층 간 상승이나 하강 이동이 엄격하게 제한된 계층 구조 • 타고난 신분이 개인의 계층적 위치를 결정 → 귀속 지위 중시
	개방적 계층 구조	• 다른 계층으로 상승하거나 하강할 수 있는 가능성이 열려 있는 계층 구조 • 개인의 노력이나 능력이 사회 이동의 중요한 요인으로 작용 → 성취 지위 중시

(3) **정보화에 따른 계층 구조의 변화**

(❺) 계층 구조	다이아몬드형 계층 구조에 비해 중상층과 중하층의 비율이 더욱 증가한 형태의 계층 구조 → 정보화 낙관론
모래시계형 계층 구조	중층의 비율이 현저히 낮고 소수의 상층과 다수의 하층이 존재하는 계층 구조 → 정보화 비관론

02 다양한 사회 불평등 현상

1. 사회적 소수자 차별 문제

(1) (❻   ): 신체적 또는 문화적 특성 때문에 사회의 다른 구성원으로부터 차별을 받으며, 자신이 차별받는 집단에 속해 있다는 의식을 지닌 사람들

(2) **사회적 소수자 문제의 해결 방안**

개인적 측면	• 사회적 소수자에 대한 편견 및 고정 관념 타파 • 사회적 소수자를 동등한 사회 구성원으로 인정 • 공존의 자세 함양
사회적 측면	• 사회적 소수자를 차별하는 법과 제도 개선 • 적극적 차별 시정 조치와 같은 실질적인 지원책 마련

2. 성 불평등 문제

(1) **성 불평등**: 생물학적 성과 사회적 성에 근거하여 사회적 지위, 권력, 위신 등에서 특정 성이 차별받는 현상

(2) **성 불평등의 원인**: 가부장제적 사회 구조, 차별적 사회화 등

(3) **성 불평등의 문제의 해결 방안**

개인적 측면	성에 대한 편견 및 고정 관념 타파, 양성평등 의식 및 상호 존중하는 자세 함양
사회적 측면	양성평등 원칙에 어긋나는 법과 제도 개선, 양성평등 의식 함양을 위한 제도적 지원

3. 빈곤 문제

(1) **빈곤**: 인간의 기본적인 욕구를 충족하는 데 필요한 자원이나 소득의 결핍이 지속되는 상태

(2) **빈곤의 유형**

절대적 빈곤	인간으로서 최소한의 생활을 유지하는 데 필요한 자원이나 소득이 절대적으로 부족한 상태 • 우리나라의 절대적 빈곤선: 최저 생계비
(❼　　　　) 빈곤	한 사회에서 다른 사람들보다 자원이나 소득을 상대적으로 적게 가져 사회 구성원 대다수가 누리는 생활 수준을 영위하지 못하는 상태 • 우리나라의 상대적 빈곤선: 중위 소득의 50%

(3) **빈곤 문제의 해결 방안**

개인적 측면	자활 의지 고취, 저축, 나눔과 기부 실천
사회적 측면	빈곤층에 대한 경제적 지원, 소득 분배의 형평성 강화, 일자리 창출 및 직업 훈련의 기회 제공

03 사회 복지와 복지 제도

1. 사회 복지

(1) (❽　　　　): 사회 구성원의 기본적인 삶의 요건을 충족하며 안전하고 행복한 삶을 보장하기 위한 제도나 정책 등의 사회적 노력

(2) **사회 복지에 대한 인식 변화**

초기 자본주의 사회	현대 사회
• 빈곤의 책임이 개인에게 있다고 봄 • 빈곤층 같은 특정 집단 대상 • 빈곤 해결	• 빈곤에 대한 사회적 책임 강조 • 모든 국민 대상 • 인간다운 생활과 삶의 질 보장

2. 복지 제도

(1) **복지 제도**: 사회 복지의 이념을 구체적으로 실현하기 위해 마련한 제도

(2) **우리나라 복지 제도의 유형**

① (❾　　　　)

의미	사회적 위험을 보험 방식으로 대비함으로써 국민의 건강과 소득을 보장하는 제도
대상	모든 국민
비용	가입자와 사용자 또는 국가가 공동 부담
특징	강제 가입, 상호 부조의 원리, 부담 능력에 따른 비용 부담
종류	국민연금, 국민 건강 보험, 고용 보험, 산업 재해 보상 보험 등

② 공공 부조

의미	국민의 최저 생활을 보장하고 자립을 지원하기 위해 금전적·물질적 급여를 제공하는 제도
대상	생활 유지 능력이 없거나 생활이 어려운 국민
비용	국가 및 지방 자치 단체가 전액 부담
특징	금전적 지원, 사후 처방적 성격, 소득 재분배 효과가 큼
종류	국민 기초 생활 보장 제도, 기초 연금 제도, 의료 급여 제도 등

③ 사회 서비스

의미	도움이 필요한 모든 국민에게 상담, 재활, 돌봄, 정보 제공, 관련 시설의 이용 등을 통하여 삶의 질이 향상되도록 지원하는 제도
대상	국가, 지방 자치 단체, 민간 부문의 도움이 필요한 모든 국민
비용	수익자 부담을 원칙으로 하나 일정 소득 수준 이하의 국민은 비용의 전부 또는 일부를 국가나 지방 자치 단체가 부담
특징	비금전적 형태의 서비스 제공
종류	노인 돌봄, 산모·신생아 건강 관리 지원, 가사·간병 방문 지원 등

3. 복지 제도의 역할과 한계

(1) **복지 제도의 역할**: 최소한의 인간다운 생활 보장, 사회 안정과 통합에 기여 등

(2) **복지 제도의 한계**: 국가 재정 악화, 복지병 발생, 제도 운용상의 미비점 존재 등

(3) (❿　　　　)

의미	소외 계층이 노동하는 것을 조건으로 복지를 지원하는 새로운 형태의 복지 제도 ⓐ 근로 장려 세제
목적	경제적 효율성과 복지의 형평성을 동시에 추구
한계	일할 능력이 없는 사람의 경우 복지 혜택에서 소외될 수 있음

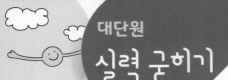

대단원

실력 굳히기

01 다음 글에 나타난 사회 불평등 현상을 바라보는 관점에 부합하는 진술을 〈보기〉에서 고른 것은?

> 지금도 가구 소득 하위 20% 가구와 상위 20% 가구의 연간 교육비가 약 20배 이상 차이가 나는 것이 현실이다. 즉, 집안 형편과 지역 배경 등 자신이 처한 환경에 따라 교육의 양과 질이 달라지는 것이다. 비록 교육의 기회가 보장되지 않는 것은 아니지만, 의지와 능력이 있다고 해서 더 좋은 직업과 더 높은 지위를 가질 수 있는 것은 아니다.

〈보기〉
ㄱ. 균등 분배는 성취동기를 저해한다.
ㄴ. 차등 분배는 사회 갈등을 유발한다.
ㄷ. 중요한 업무를 하는 사람에게 더 많은 보상이 주어져야 한다.
ㄹ. 사회 불평등 현상은 지배 집단의 강제와 통제에 따른 결과이다.

① ㄱ, ㄴ ② ㄱ, ㄷ ③ ㄴ, ㄷ
④ ㄴ, ㄹ ⑤ ㄷ, ㄹ

02 사회 불평등 현상을 바라보는 (가), (나) 관점에 대한 설명으로 옳지 <u>않은</u> 것은?

> (가) 사회 불평등은 사회의 유지와 발전을 위해 불가피한 현상이다.
> (나) 사회 불평등은 불공정한 것이므로, 사회 구조의 근본적인 개혁을 통해 해소해야 할 현상이다.

① (가)는 사회적으로 필요한 인재가 희소하다고 본다.
② (가)는 차등 보상이 사회적인 능률을 높일 수 있다는 점을 간과한다.
③ (나)는 사회적 희소 자원의 분배 기준에 특정 계층의 이해관계가 반영된다고 본다.
④ (가)는 (나)와 달리 직업의 기능적 중요도에 차이가 있다고 본다.
⑤ (나)는 (가)와 달리 사회 불평등 현상이 사회 발전을 저해한다고 본다.

03 (가), (나)는 사회 불평등 현상을 설명하는 이론을 나타낸 것이다. 이에 대한 옳은 설명을 〈보기〉에서 고른 것은?

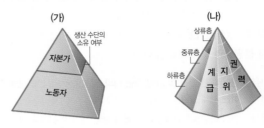

〈보기〉
ㄱ. (가)는 집단 간에 지배와 피지배 관계가 형성된다고 본다.
ㄴ. (나)는 경제적 요인도 계층화 현상의 원인으로 본다.
ㄷ. (가)는 (나)와 달리 지위 불일치 현상을 설명하는 데 유용하다.
ㄹ. (나)는 (가)와 달리 사회적 자원이 희소하다고 본다.

① ㄱ, ㄴ ② ㄱ, ㄷ ③ ㄴ, ㄷ
④ ㄴ, ㄹ ⑤ ㄷ, ㄹ

04 다음 글에 나타난 사회 이동의 유형만을 〈보기〉에서 있는 대로 고른 것은?

> 갑은 가난한 농부의 자녀로 태어났다. 어려운 가정 형편으로 인해 대학 진학을 포기할 수 밖에 없었던 갑은 고등학교 졸업 후 바로 ○○ 회사에 생산직 사원으로 입사하였다. 성실하고 변화를 파악하는 능력이 뛰어났던 갑은 다양한 신제품을 개발하였고, 그것이 시장에서 좋은 평가를 받으며 회사의 성장에 크게 이바지하였다. 이러한 공을 인정받아 갑은 ○○ 회사의 신임 회장이 되었다.

〈보기〉
ㄱ. 수직 이동 ㄴ. 수평 이동
ㄷ. 개인적 이동 ㄹ. 세대 간 이동

① ㄱ, ㄴ ② ㄱ, ㄹ ③ ㄴ, ㄷ
④ ㄱ, ㄷ, ㄹ ⑤ ㄴ, ㄷ, ㄹ

05 표는 사회 계층 구조 A~C의 계층 간 상대적 비율을 나타낸 것이다. 이에 대한 설명으로 옳은 것은?

사회 계층 구조 계층 간 상대적 비율	A	B	C
상층/중층	3	1/4	2/5
하층/중층	6	1/4	2

① A는 모든 사회 구성원이 같은 계층을 이루고 있다.
② B는 계층 구조의 안정성이 낮다.
③ C는 계층 구성원의 비율이 '하층 < 중층 < 상층'이다.
④ B에서는 A와 C에 비해 세대 간 이동 가능성이 크다.
⑤ A는 모래시계형 계층 구조, B는 다이아몬드형 계층 구조, C는 피라미드형 계층 구조이다.

06 표는 갑국의 세대 간 계층 이동 현황을 나타낸 것이다. 이에 대한 분석으로 옳지 <u>않은</u> 것은? (단, 모든 부모의 자녀는 1명이다.)

(단위: %)

구분		부모 세대의 계층			계
		상층	중층	하층	
자녀 세대의 계층	상층	5	3	17	
	중층	4	14	32	100
	하층	1	13	11	
계		100			100

① 세대 간 상승 이동이 세대 간 하강 이동보다 더 많다.
② 자녀 세대 중 부모가 하층이고 자녀가 중층인 자녀는 32%이다.
③ 세대 간 이동으로 다른 계층에서 유입된 사람이 가장 많은 계층은 하층이다.
④ 부모 세대와 자녀 세대 간 계층 이동을 한 사람은 계층을 대물림한 사람보다 많다.
⑤ 부모 세대는 피라미드형 계층 구조이고, 자녀 세대는 다이아몬드형 계층 구조이다.

07 ㉠에 대한 옳은 설명만을 〈보기〉에서 있는 대로 고른 것은?

(㉠)은/는 신체적·문화적 특성 때문에 사회의 주류 집단 구성원으로부터 구분되어 차별받으며, 자신들이 차별의 대상임을 인식하는 사람들의 집단을 의미한다.

보기
ㄱ. 다양한 기준에 의해 규정된다.
ㄴ. 주류 집단에 비해 구성원의 수가 적다.
ㄷ. 사회적으로 만들어지는 상대적인 개념이다.
ㄹ. 정치, 경제, 사회적으로 약자의 위치에 있다.

① ㄱ, ㄴ ② ㄴ, ㄷ ③ ㄴ, ㄹ
④ ㄱ, ㄷ, ㄹ ⑤ ㄴ, ㄷ, ㄹ

08 다음 신문 기사에 나타난 문제를 해결하기 위한 방안으로 가장 적절한 것은?

여성 가족부가 발표한 「2015년 국민 다문화 수용성 조사」에서 '외국인 노동자와 이민자를 이웃으로 삼고 싶지 않다.'라고 답한 국민은 31.8%로 조사되었다. 이는 독일(21.5%), 미국(13.7%), 호주(10.6%) 등 주요 선진국에 비해 높은 수준이다.

① 사회적 소수자에게 불리한 제도를 개선한다.
② 사회적 소수자에 대한 차별 금지법을 제정한다.
③ 적극적 차별 시정 조치를 통해 실질적인 평등을 구현한다.
④ 사회적 소수자들이 경제적으로 자립할 수 있도록 지원한다.
⑤ 사회적 소수자를 동등한 사회 구성원으로 인정하고 존중하는 태도를 함양한다.

09 다음과 같은 현상의 문제점으로 가장 적절한 것은?

> 내부에 장난감이 들어 있어 아이들에게 인기가 좋은 한 초콜릿은 포장에 '남아용'과 '여아용'을 구분하고 있다. 파란색 껍질에 싸인 남아용 안에는 검을 들고 있는 영화 속 영웅들이, 분홍색 껍질에 싸인 여아용 안에는 왕자님과 춤을 추고 있는 공주 캐릭터 인형이 들어 있다.

① 역차별을 유발한다.
② 특정 성이 피해를 보게 된다.
③ 가부장제적 사회 구조를 깨트린다.
④ 남녀의 생물학적 차이를 부정한다.
⑤ 차별적 사회화를 통해 성 역할에 관한 고정 관념을 형성한다.

10 ㉠에 대한 설명으로 옳지 않은 것은?

> 사회의 전반적인 소득 수준과 대비하여 소득 수준이 낮은 상태를 (㉠)(이)라고 한다. 우리나라는 인구를 소득 순서에 따라 나열했을 때 한가운데 위치한 사람의 소득인 중위 소득의 50%를 기준으로, 그에 미달하는 경우 (㉠)(으)로 본다.

① 최소한의 생활과 관련한 개념이다.
② 부의 불평등한 분배와 관련이 있다.
③ 선진국과 같이 경제 성장을 이룬 국가에서도 나타난다.
④ 경제 성장의 혜택이 고루 분배되지 않을 경우 심화할 수 있다.
⑤ 사회 구성원 대다수가 누리는 생활 수준을 영위하지 못하는 상태를 말한다.

11 표는 갑국의 시기별 절대적 빈곤율과 상대적 빈곤율의 크기를 비교한 것이다. 이에 대한 옳은 분석을 〈보기〉에서 고른 것은? (단, 갑국의 가구별 구성원 수는 동일하다.)

A 시기	B 시기	C 시기
절대적 빈곤율 > 상대적 빈곤율	절대적 빈곤율 = 상대적 빈곤율	절대적 빈곤율 < 상대적 빈곤율

* 절대적 빈곤율: 전체 가구 중 소득이 최저 생계비에 미달하는 가구의 비율
** 상대적 빈곤율: 전체 가구 중 소득이 중위 소득의 50%에 미치지 못하는 가구의 비율
*** 중위 소득: 전체 가구를 소득 순으로 나열했을 때 한가운데 위치한 가구의 소득

> **보기**
> ㄱ. A 시기에 최저 생계비는 중위 소득의 50%보다 크다.
> ㄴ. B 시기에 최저 생계비와 중위 소득은 일치한다.
> ㄷ. C 시기에 중위 소득은 최저 생계비의 2배보다 크다.
> ㄹ. C 시기에 상대적 빈곤 가구는 모두 절대적 빈곤 가구에 속한다.

① ㄱ, ㄴ   ② ㄱ, ㄷ   ③ ㄴ, ㄷ
④ ㄴ, ㄹ   ⑤ ㄷ, ㄹ

12 ㉠에 대한 설명으로 옳지 않은 것은?

> 인간은 누구나 행복한 삶을 추구하지만 살아가다가 질병, 장애, 실직, 빈곤, 재해 등과 같은 위험에 직면할 수 있다. 이러한 위험은 개인의 안정적인 생활을 위협할 뿐만 아니라 사회 문제로도 이어질 수 있다. 따라서 한 사회의 모든 구성원이 평생 행복하고 안정된 삶을 누리도록 하는 사회적 노력과 지원이 필요한데, 이를 (㉠)(이)라고 한다.

① 과거에는 국민의 권리로 인식하지 못하였다.
② 오늘날에는 빈곤층과 같은 특정 집단만을 대상으로 한다.
③ 사후 처방적 역할뿐 아니라 사전 예방적 역할도 강조되고 있다.
④ 빈곤 구제뿐만 아니라 모든 국민의 인간다운 생활과 삶의 질 향상을 목적으로 한다.
⑤ 자본주의 발전 과정에서 나타난 사회 구조적 모순을 해결하기 위해 등장한 이념이다.

13 다음에서 설명하고 있는 사회 보장 제도의 일반적인 특징으로 옳지 <u>않은</u> 것은?

> 장애 연금은 국민연금 보험 가입 중에 발생한 질병 또는 재해로 인한 부상이 완치되었으나 신체적 또는 정신적 장애가 남았을 때, 이에 따른 소득 감소 부분을 보전함으로써 자신과 가족의 안정된 생활을 보장하기 위한 급여로 장애 정도에 따라 일정한 급여를 지급한다.

① 강제 가입을 원칙으로 한다.
② 금전적 지원을 원칙으로 한다.
③ 수혜자 간 상호 부조의 원리가 적용된다.
④ 대상자가 수혜 정도에 따라 비용을 부담한다.
⑤ 사전 예방적 성격이 강한 사회 보장 제도이다.

14 밑줄 친 제도에 대한 옳은 설명만을 〈보기〉에서 있는 대로 고른 것은?

> <u>국민 기초 생활 보장 제도</u>는 소득이 중위 소득의 50% 이하에 해당하는 가구를 소득 수준에 따라 4단계로 구분하고, 소득 수준이 한 단계씩 낮아질 때마다 교육 급여에 주거 급여, 의료 급여, 생계 급여를 순서대로 하나씩 추가 지급한다.
> * 중위 소득: 전체 가구를 소득 순으로 나열했을 때 한가운데 위치한 가구의 소득

┌─ 보기 ─
│ ㄱ. 급여별로 선정 기준이 다르다.
│ ㄴ. 절대적 빈곤층을 대상으로 한다.
│ ㄷ. 선별적 복지 이념을 바탕으로 한다.
│ ㄹ. 생계 급여 수급자는 교육 급여도 받을 수 있다.

① ㄱ, ㄴ   ② ㄱ, ㄷ   ③ ㄴ, ㄹ
④ ㄱ, ㄷ, ㄹ   ⑤ ㄴ, ㄷ, ㄹ

15 그림은 사회 보장 제도가 갖는 특징의 공통점과 차이점을 도식화한 것이다. (가)~(마)에 들어갈 내용으로 옳지 <u>않은</u> 것은?

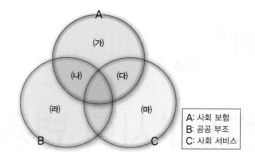

A: 사회 보험
B: 공공 부조
C: 사회 서비스

① (가) - 상호 부조의 성격을 띤다.
② (나) - 금전적 지원을 원칙으로 한다.
③ (다) - 대상자를 선별하여 시행한다.
④ (라) - 수혜자의 근로 의욕이 저하될 우려가 있다.
⑤ (마) - 복지 제공에 있어서 민간 부문의 참여가 나타나기도 한다.

16 ㉠에 대한 옳은 설명을 〈보기〉에서 고른 것은?

> 복지 제도에 대한 국민의 의존도가 높아지면서 사회 전체적으로 근로 의욕이 저하하여 생산성과 효율성이 떨어지는 복지병이 나타났다. 이에 최근에는 복지 정책의 방향이 개인의 자활 노력과 국가의 복지를 연계하는 (㉠)(으)로 바뀌고 있다.

┌─ 보기 ─
│ ㄱ. 국가의 재정 부담을 가중한다.
│ ㄴ. 모든 국민에게 복지 혜택을 제공하고자 한다.
│ ㄷ. 자활 사업에의 참여와 같은 수급 조건을 제시한다.
│ ㄹ. 경제적 효율성 달성과 사회적 약자 보호를 동시에 지향한다.

① ㄱ, ㄴ   ② ㄱ, ㄷ   ③ ㄴ, ㄷ
④ ㄴ, ㄹ   ⑤ ㄷ, ㄹ

현대의 사회 변동

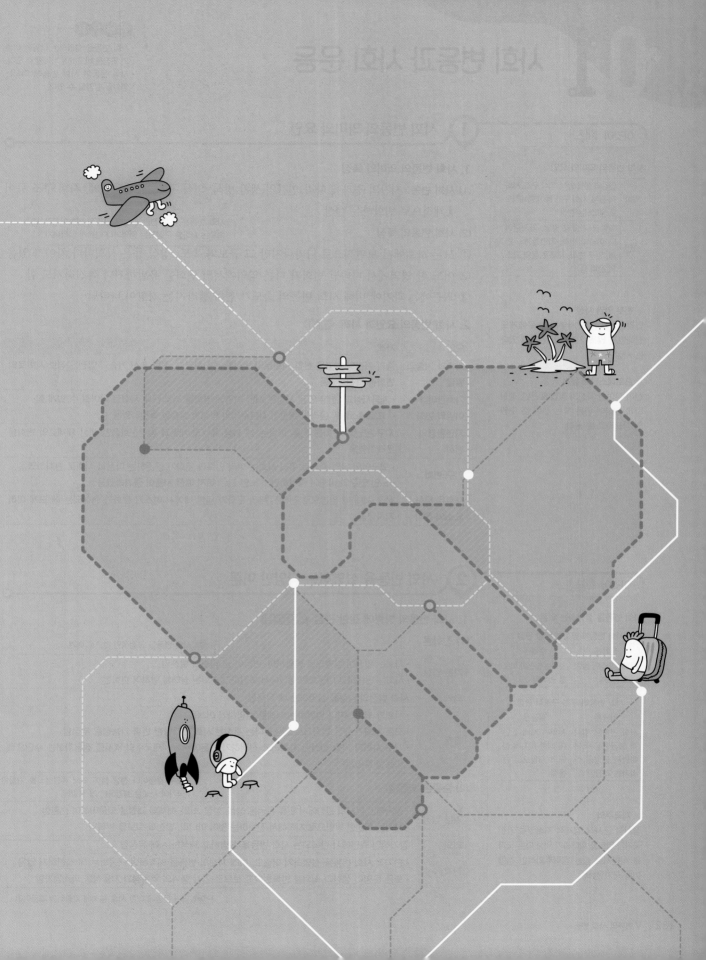

01 사회 변동과 사회 운동

이것이 핵심!

사회 변동의 의미와 요인

의미	인간의 생활 방식, 의식 구조, 사회적 관계, 사회 구조 등이 총체적으로 변화하는 현상
요인	과학과 기술의 발달, 가치관이나 이념의 변화, 자연환경의 변화, 인구 변화, 새로운 문화 요소의 전파 등

★ **천부 인권 사상**
인간은 태어나면서부터 누구에게도 침해받지 않을 기본적인 권리가 있다는 사상

★ **프로테스탄트 윤리**
신이 부여한 자신의 직업에 근면, 성실하게 임하여 얻은 부는 신이 준 구원의 징표라고 본 윤리

1 사회 변동의 의미와 요인

1. 사회 변동의 의미와 특징

(1) **사회 변동**: 시간의 경과에 따라 인간의 생활 방식, 의식 구조, 사회적 관계, 사회 구조 등이 총체적으로 변화하는 현상

(2) **사회 변동의 특징**

┌─ 사회 변동은 사회 전반에 걸친 구조적 변화이지만, 변동 속도는 사회를 구성하는 영역마다 다르게 나타나지.

① 모든 사회에서 보편적으로 나타나지만 그 규모와 속도, 양상 등은 사회마다 차이가 있음

② 어느 한 영역에서 나타난 변화가 다른 영역에서의 변화를 유발하거나 촉진하기도 함

③ 최근에는 과거에 비해 사회 변동의 속도가 점차 빨라지는 경향이 나타남

2. 사회 변동의 요인과 사례 [자료 ①]

요인	사례
과학과 기술의 발달	증기 기관의 발명은 산업 사회로의 변화를 촉진하였고, 정보 통신 기술의 발전은 정보 사회로의 변화를 촉진하였음
가치관이나 이념의 변화	• 계몽사상과 ★천부 인권 사상은 시민 혁명에 영향을 끼쳐 근대 사회로 나아갈 수 있게 함 • ★프로테스탄트 윤리의 확산이 자본주의의 형성과 발전을 촉진하였음
자연환경의 변화	지구 온난화에 따른 기후 변화는 신·재생 에너지 개발과 환경친화적인 생산 체제로의 변화를 초래하였음
인구 변화	• 외국인의 유입 증가로 우리 사회는 여러 민족과 문화가 공존하는 다문화 사회로 변화하였음 • 노인 인구의 비중이 증가하면서 노인 관련 복지 예산 지출이 증가하였음
새로운 문화 요소의 전파	삼국 시대 때 일본으로 전해진 우리 문화가 일본 내에서 아스카 문화가 형성되는 데 크게 이바지하였음

이것이 핵심!

사회 변동을 설명하는 이론

사회 변동의 방향에 관한 관점	
진화론	순환론
사회는 일정한 방향으로 진보함	사회는 발전과 퇴보를 반복함

사회 변동에 관한 구조적 관점	
기능론	갈등론
사회 변동은 일시적 불균형을 극복하면서 균형을 찾아가는 과정임	사회는 지배 집단에 대한 피지배 집단의 저항으로 변동함

★ **제국주의**
정치적·군사적·경제적 지배권을 가진 국가가 영토를 확대하기 위해 다른 국가를 식민지로 삼는 침략주의적인 경향이나 국가 정책

2 사회 변동을 설명하는 다양한 이론

1. 사회 변동의 방향에 관한 관점 [교과서 자료]

(1) **진화론**

┌─ 꼭! 사회 변동을 긍정적인 것으로 여겨.

기본 입장	• 사회는 일정한 방향으로 변동하며, 변동이 곧 진보와 발전임 • 사회는 단순하고 미분화된 상태에서 복잡하고 분화된 상태를 향하여 변화함
의의	사회 발전의 양상을 설명하는 데 유용함
한계	• 사회가 퇴보하거나 멸망하는 사례를 설명하기 어려움 • 모든 사회가 같은 방향으로 변동한다는 주장은 사회의 다양한 변화 가능성을 부정함 • 서구 사회가 가장 진화한 사회라고 전제하기 때문에 서구 ★제국주의 역사를 정당화하는 수단으로 악용할 수 있음

(2) **순환론** [자료 ②]

┌─ 내부 갈등이나 전쟁 등에 의해 흥망성쇠를 거듭한 국가의 사례를 설명하는 데 적합해.

기본 입장	• 장기적인 역사의 관점에서 인류 문명은 생성, 성장, 쇠퇴, 해체의 과정을 되풀이하며 순환함 • 사회는 특정한 방향으로 지속해서 진보하는 것이 아니라, 발전과 퇴보를 반복함
의의	장기적인 측면에서 반복되는 사회 변동을 설명하고 해석하는 데 유용함
한계	• 단기적 사회 변동을 설명하기 어렵고, 미래 사회의 변동을 예측하여 대응하는 데 적합하지 않음 • 모든 문명이 생성과 쇠퇴를 반복한다고 보므로 인간 행위의 역동성과 자율성을 과소평가함

└─ Q#? 과거 문명에 대한 사후 분석에 치중하기 때문이야.

완자 자료 탐구

내 옆의 선생님

자료 1 인류의 역사에서 찾아볼 수 있는 사회 변동

(가) 17~18세기의 서구 계몽사상은 인간의 이성에 대한 신뢰를 바탕으로 정치, 경제, 철학 등 사회 각 영역의 변화에 광범위한 영향을 미쳤으며, 이후 시민 혁명의 이론적 토대가 되었다.

(나) 1946년 미국에서 만들어진 세계 최초의 컴퓨터로 알려진 에니악은 거대한 전자식 계산기에 불과하였으나, 오늘날 컴퓨터의 원형으로서 디지털 시대의 등장을 앞당겼다는 평가를 받는다.

(가)는 가치관이나 이념의 변화, (나)는 과학과 기술의 발달이 사회 변동에 영향을 미치고 있음을 보여 준다. 즉 기술과 같은 물질적 요인뿐만 아니라 가치관이나 이념과 같은 정신적 요인도 사회 변동을 일으키는 주요 요인이라는 점을 알 수 있다. 이처럼 사회 변동을 일으키는 요인은 매우 다양하며, 사회는 어느 한 요인에 의해서 변동하는 것이 아니라 다양한 요인이 복합적으로 영향을 미쳐 변동한다.

자료 하나 더 알고 가자!

그림으로 표현한 진화론과 순환론

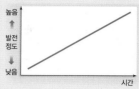

● 진화론

● 순환론

수능이 보이는 교과서 자료 진화론과 순환론에서 보는 사회 변동

(가) 프랑스의 사회학자 콩트는 인간 정신과 사회가 세 가지 단계를 밟아 발전한다고 보았다. 즉 인간 정신은 신학적 단계로부터 형이상학적 단계를 거쳐 결국 실증적 단계에 도달하며, 이러한 인간 정신의 진보가 사회 진보의 원동력이 된다고 보았다.

(나) 아랍의 역사학자 이븐 할둔은 120년을 주기로 나타나는 유목민과 정착민 간의 갈등을 통해 이슬람 문명의 흥망성쇠를 설명하였다. 유목민은 도시의 화려한 삶을 그리며 정착민을 공격하고 정복하지만, 정복에 성공한 이후 정착 생활에 안주하면서 부패와 안일한 삶이 만연하여 다시 강력한 다른 유목민에게 정복된다는 것이다.

(가)는 진화론적 관점, (나)는 순환론적 관점에서 사회 변동을 바라보고 있다. 진화론에서는 사회 변동을 곧 진보라고 여기며, 모든 사회가 같은 방향으로 진화한다고 본다. 반면 순환론에서는 사회가 발전과 퇴보를 반복하므로, 현대 사회가 과거 사회보다 반드시 우월하다고 보지는 않는다.
└ 예 농업 사회가 산업 사회를 거쳐 정보 사회로 변동한 것

완자샘의 탐구 강의

• (가), (나)에 나타난 이론적 관점을 구분하는 기준을 써 보자.
사회 변동의 방향

• (나)의 관점에서 (가)의 관점을 비판해 보자.
사회가 퇴보하거나 멸망하는 사례를 설명하기 어려우며, 모든 사회가 같은 방향으로 변동한다는 주장은 사회의 다양한 변화 가능성을 부정하는 것이다.

함께 보기 187쪽, 내신 만점 공략하기 06

자료 2 순환론적 관점

쉬운 조건이 아니라 인간이 살기에 어려운 조건이 문명을 발생시킨다. 열악한 자연환경이나 외부의 침략과 같은 도전에 성공적으로 대응하면 사회의 존속과 발전을 이룰 수 있지만, 그렇지 못하면 그 사회는 쇠퇴하거나 멸망한다. 또한 문명은 생명체와 같이 주기(cycle)를 가지고 있지만 모두 똑같은 과정을 밟는 것은 아니다.

– 토인비(Toynbee, A. J.), 『역사의 연구』

토인비는 어떤 문명도 무한히 성장하지 않으며, 도전에 적절히 대응하지 못하면 문명이 붕괴될 수 있다고 보았다. 즉 사회의 발전과 더불어 쇠퇴의 가능성도 설명하고자 하므로, 순환론적 관점을 가진 학자임을 알 수 있다. 순환론은 인류 문명이 융성하는 최고의 시기로 치달았다가 점차 쇠퇴의 방향으로 나아간다는 점에 주목하여, 역사에서 교훈을 얻는다.

문제 로 확인할까?

사회 변동을 바라보는 진화론적 관점에 부합하는 진술로 옳은 것은?
① 사회는 발전과 퇴보를 반복한다.
② 사회는 결국 소멸할 운명을 지닌다.
③ 사회 변동의 유형은 사회마다 다르다.
④ 모든 사회는 같은 방향으로 변동한다.
⑤ 사회는 일정한 양상을 반복하며 변동한다.

㉮

01 사회 변동과 사회 운동

★ 보수
새로운 것이나 변화를 반대하고 전통적인 것을 옹호하며 유지하려는 성향

2. 사회 변동에 관한 구조적 관점 자료 ③

(1) 기능론

기본 입장	• 사회를 이루는 각 부분이 기능적으로 통합되면서 사회 전체의 질서와 안정을 유지함 • 사회 변동은 사회의 한 부분이나 전체가 일시적 불균형을 극복하면서 새로운 균형의 상태를 찾아가는 과정임
의의	사회의 질서와 안정을 바탕으로 한 점진적인 사회 변동 과정을 설명하는 데 유용함
한계	• 사회 변화보다 사회 질서와 안정을 중시하는★보수적 관점임 • 혁명과 같은 급격한 사회 변동을 설명하기 어려움

(2) 갈등론

꿀! 사회 변동을 불평등한 사회 구조를 개선하고 더 나은 사회로 발전해 나가는 과정이라고 봐.

기본 입장	• 사회는 지배 집단의 강제와 억압 때문에 유지되며, 지배 집단에 대한 피지배 집단의 불만과 갈등이 구조적으로 내재해 있음 • 사회 변동은 사회적 희소가치를 둘러싼 집단 간의 갈등 속에서 나타나는 자연스러운 현상임
의의	혁명과 같은 급격한 사회 변동을 설명하는 데 유용함
한계	사회 변동을 갈등과 대립의 산물로만 이해하여 사회의 안정과 질서, 사회 구성 요소 간의 상호 의존성을 간과함

이것이 핵심!

사회 운동의 의미와 역할

의미	사회 문제를 해결하거나 사회 체제를 바꾸기 위해 대중이 벌이는 조직적·집단적 행위
역할	사회 구조적 모순과 갈등을 드러내고 그에 대한 해결책을 제시함으로써 사회 변동을 유발함

★ 절대 왕정
왕이 국가의 모든 권력을 장악한 형태의 강력한 중앙 집권 체제

★ 위정척사 운동
성리학적 질서를 수호하고, 성리학 이외의 모든 종교와 사상을 배격하는 운동

③ 사회 운동과 사회 변동

1. 사회 운동의 의미와 특징

(1) **사회 운동**: 사회 문제를 해결하거나 사회 체제를 바꾸기 위하여 대중이 자발적으로 하는 조직적·집단적 행위 예 노동 운동, 환경 운동, 소비자 운동, 인권 운동, 민주화 운동 등

(2) **사회 운동의 특징**: 뚜렷한 목표와 이념이 있으며, 목표 달성을 위한 구체적인 활동 방법과 조직을 가짐

2. 사회 운동의 변화와 역할

(1) **사회 운동의 변화** 자료 ④

① 과거: 주로 경제적 불평등이나 노동 문제의 해결을 목적으로 함

② 최근: 시민의 다양한 요구를 충족하고 대안적인 가치를 제시하는 새로운 형태의 사회 운동이 등장함 예 환경 운동, 여성 운동, 반전 평화 운동, 소비자 운동 등

(2) **사회 운동의 역할**: 사회 운동은 사회 구조적 모순과 갈등을 드러내고 그에 대한 해결책을 제시함으로써 사회 변동을 유발하는 동력이 됨

3. 사회 운동의 유형 자료 ⑤

꿀! 새로운 사회 질서를 실현하기 위한 사회 운동에 해당해.

개혁적 사회 운동	• 기본적으로 기존 사회 질서에 만족하지만 어떤 개혁이 필요할 때 발생함 • 사회 체계의 일부분을 바꾸려는 제한적인 목표를 가짐 • 사형제 폐지, 소비자 주권 향상 등과 같은 각종 시민 단체의 운동이 해당함
혁명적 사회 운동	• 기존 사회 질서에 불만을 가지고 급진적인 변동을 추구할 때 발생함 • 현재의 사회 문제를 기존의 권력관계를 유지한 현 체제 내에서 해결할 수 없다고 인식하여 체제 자체를 변화시키려 함 • ★절대 왕정이라는 구제도를 타파한 프랑스 혁명이 해당함
복고적(반동적) 사회 운동	• 급격한 사회 변동에 대항하여 기존의 질서를 고수하고자 할 때 발생함 • 조선 후기에 일어난★위정척사 운동이 해당함

꿀! 기존 사회에 새로운 이질적인 요소가 개입하여 기존의 구성원이 위협을 느낄 때 나타나기 쉬워.

완자 자료 탐구

내 옆의 선생님

자료 ③ 기능론과 갈등론에서 보는 산업화 이후 부부의 역할 변화

(가) 산업화 과정에서 핵가족이 확산하면서 부부의 역할이 재정립되었다. 남편은 주로 가족의 생계를 담당하고, 아내는 주로 자녀의 양육 및 정서적 충족을 담당하는 방식으로 역할 분화가 이루어진 것이다. 부부간의 상호 의존 및 역할 분화는 굳건한 가족 통합의 토대가 되었다.

(나) 산업화 과정에서 핵가족 내 부부의 성 역할 분담이 나타난 것은 기존의 남성 지배적인 가족관계를 고착화한 것이다. 즉 남성 중심의 가부장적인 가치에 기초하여 남성은 사회에, 여성은 가정에 귀속된 것이다. 하지만 여성이 부부간의 수직적인 권력관계에 기초한 역할 규정에 대한 문제 제기와 변화를 지속적으로 요구하면서 가족 내 양성평등이 가능해졌다.

(가)는 부부의 역할 변화가 사회적으로 합의된 것으로 보고 있으므로 기능론적 관점에 해당하며, (나)는 남성 중심적인 가족관계에 여성이 문제를 제기하면서 부부의 역할 변화가 나타났다고 보고 있으므로 갈등론적 관점에 해당한다. 기능론은 사회 구조가 갖는 항상성에 주목하고, 사회 변동이 일시적이며 병리적인 현상임을 강조하는 반면 갈등론은 사회 구조가 갖는 내재적인 갈등에 주목하고, 사회 변동이 자연스러운 현상임을 강조한다.

> 생명체가 최적화된 일정한 상태를 유지하려는 성질을 말해.

자료 ④ 한국 현대사 속의 사회 운동

현대 한국의 사회 운동의 기원은 4·19 혁명(1960)에서 찾는 것이 일반적인 견해이다. 4·19 혁명 이후 한국의 사회 운동은 노동자 권리 확보 또는 민주주의를 추구하며 국가 권력에 저항하는 모습으로 나타났는데, 각종 노동 운동이나 5·18 민주화 운동(1980) 그리고 6월 민주 항쟁(1987) 등의 사례로 확인할 수 있다. 1980년대 말에는 기존 운동과는 다른 목표와 방법을 가진 '시민운동'이 등장하였는데, 경제 정의 · 환경 · 남녀평등 · 부정부패 추방 · 바른 언론 등 다양한 영역에서 문제를 제기하고 대안을 모색하는 운동을 벌였다.

— 권태환 외, 「사회학의 이해」

사회 운동은 각 사회가 처한 특수한 상황에 따라 다양한 모습으로 나타난다. 과거 우리나라에서는 군부 정권의 권위주의적 통치에 저항한 민주화 운동으로 민주주의적 정치 질서가 자리 잡을 수 있게 되었다. 한편 과거에 비해 다원화되고 복잡해진 오늘날에는 새로운 쟁점을 제기하는 사회 운동이 다양하게 전개되고 있다.

자료 ⑤ 사회 운동과 사회 변동의 관계

(가) 19세기 후반부터 시작된 여성들의 참정권 운동이 영국, 미국 등 여러 국가에서 활발하게 전개된 결과, 여성도 남성과 동등하게 선거에 참여할 수 있게 되었다.

(나) 1811년 말경 영국에서 시작된 기계 파괴 운동은 저임금에 시달리던 영국의 직물 노동자들이 공장에 불을 지르고 기계를 파괴한 사건이다. 이 운동은 방적 작업의 기계화로 대량 생산이 가능해지면서 많은 노동자가 일자리를 잃고 실업자가 되었기 때문에 발생하였다.

(가)는 기존 질서의 변화를 지향하는 사회 운동이며, (나)는 급격한 사회 변화에 대항하는 사회 운동이다. 사회 운동은 일반적으로 새로운 질서를 바라는 사회 변동을 유발하지만, 급격한 사회 변화에 대항하여 기존의 질서를 지키려는 사회 운동은 사회 변동의 속도를 늦추기도 한다.

문제로 확인할까?

사회 변동을 바라보는 갈등론적 관점에 대한 설명으로 옳은 것은?
① 사회 질서와 안정을 중시한다.
② 사회 변동을 일시적인 현상으로 본다.
③ 급격한 사회 변동을 설명하기 어렵다.
④ 사회 변동을 자연스러운 현상으로 본다.
⑤ 점진적인 사회 변동을 설명하기 용이하다.

④ 圖

정리 비법을 알려줄게!

기능론과 갈등론에서 보는 사회 변동

| 기능론 | 사회가 일시적 불균형을 극복하고 전체적인 균형과 안정을 되찾는 과정임 |
| 갈등론 | 사회적 희소가치를 둘러싼 집단 간의 갈등 속에서 나타나는 자연스러운 현상임 |

자료 하나 더 알고 가자!

다양한 사회 운동의 목적

노동 운동	노동자의 사회적·경제적 권익 실현
환경 운동	인간과 자연이 공존하는 사회 추구
소비자 운동	소비자의 권익 보호를 통한 소비자 주권 실현
인권 운동	모든 인간이 기본적인 자유와 권리를 누리는 사회 추구
민주화 운동	국민의 자유와 권리가 보장되는 민주주의 사회 건설

1 인간의 생활 방식, 의식 구조, 사회적 관계, 사회 구조 등이 총체적으로 변화하는 현상을 (   )이라고 한다.

2 사회 변동의 요인과 그에 따른 사회 변동 양상을 옳게 연결하시오.

(1) 인구 변화   •   • ㉠ 민주주의의 확산

(2) 자연환경의 변화   •   • ㉡ 정보 사회로의 변화

(3) 과학과 기술의 발달 •   • ㉢ 다문화 사회로의 변화

(4) 가치관이나 이념의 •   • ㉣ 친환경적 생활 양식의
      변화   확산

3 다음 내용이 진화론에 해당하면 '진', 순환론에 해당하면 '순' 이라고 쓰시오.

(1) 사회가 발전과 퇴보를 반복한다고 본다.   (   )

(2) 사회가 일정한 방향으로 변동한다고 본다.   (   )

(3) 미래 사회의 변동을 예측하여 대응하기 어렵다. (   )

(4) 모든 사회가 과거에 비해 발전된 상태라고 본다. (   )

4 다음 설명이 맞으면 ○표, 틀리면 ✕표를 하시오.

(1) 기능론은 사회 변동을 자연스러운 현상으로 본다. (   )

(2) 기능론은 사회 질서와 안정을 중시하는 보수적 관점이다.
                                                    (   )

(3) 갈등론은 혁명과 같은 급격한 사회 변동을 설명하기 유용
     하다.   (   )

(4) 갈등론은 사회 변동을 일시적인 불균형으로부터의 회복
     과정으로 이해한다.   (   )

5 다음 빈칸에 들어갈 내용을 쓰시오.

(1) 사회 문제의 해결 및 사회 체제의 변혁을 위해 대중이 조
     직적·집단적으로 벌이는 행동을 (   )이라고 한다.

(2) 사회 운동은 사회의 구조적 모순을 드러내고 그에 대한 해
     결책을 제시하여 (   )을 유발하는 동력이 되기도
     한다.

STEP 2 내신 만점 공략하기

01 ㉠에 대한 설명으로 옳지 <u>않은</u> 것은?

> 대다수 사람이 농업에 종사하던 때가 불과 수십 년 전인
> 데, 지금은 대다수 사람이 도시에 모여 살고 직업도 다양
> 해졌다. 이처럼 시간의 경과에 따라 나타나는 인간의 생활
> 방식, 의식 구조, 사회적 관계, 제도 등을 포함하는 사회
> 구조의 전반적인 변화를 (㉠   )(이)라고 한다.

① 규모와 형태는 사회마다 다르게 나타난다.

② 다양한 요인이 복합적으로 작용하여 발생한다.

③ 어느 사회에서나 나타나는 보편적인 현상이다.

④ 최근 변화의 속도가 과거에 비해 완만해지고 있다.

⑤ 어느 한 영역의 변화가 다른 영역의 변화를 유발하거나
   촉진하기도 한다.

02 ☆중요 (가), (나)에 나타난 사회 변동의 요인을 옳게 연결한 것은?

> (가) 부(富)의 축적에 대한 과거의 부정적 관점에서 탈피하
>   여 부를 적극적으로 추구할 수 있는 합리적인 근거를
>   마련해 준 칼뱅의 직업 소명설은 근대 자본주의의 형
>   성과 발전에 이바지하였다.
> (나) 가전제품의 인공 지능화는 우리의 일상생활을 크게
>   바꿔놓고 있다. 스마트폰만 있으면 집에 도착하기 전
>   에 에어컨을 틀어서 실내 온도를 맞춰 놓을 수 있고,
>   냉장고를 열지 않고도 냉장고 안을 들여다 볼 수 있게
>   되었다.

	(가)	(나)
①	인구 변화	자연환경의 변화
②	자연환경의 변화	과학과 기술의 발달
③	과학과 기술의 발달	가치관이나 이념의 변화
④	가치관이나 이념의 변화	인구 변화
⑤	가치관이나 이념의 변화	과학과 기술의 발달

03 밑줄 친 ㉠~㉤과 관련 있는 사회 변동의 사례를 옳게 연결한 것은?

> "세상에 변하지 않는 것은 없다."라는 말만이 유일하게 변하지 않는 진리라는 말이 있을 정도로 사회는 계속 변동해 왔다. 이러한 사회 변동은 ㉠ 가치관이나 이념의 변화, ㉡ 과학과 기술의 발달, ㉢ 인구의 변화, ㉣ 자연환경의 변화, ㉤ 문화적 측면의 변화 등 다양한 요인이 작용하여 나타난다.

① ㉠ – 천부 인권 사상과 자유주의 이념이 확산하면서 민주주의가 발달하였다.
② ㉡ – 양성평등 의식이 확산하면서 여성의 사회적 지위가 향상되었다.
③ ㉢ – 삼국 시대 때 일본으로 전해진 우리 문화가 일본 아스카 문화의 형성에 기여하였다.
④ ㉣ – 외국인의 유입이 증가하면서 다문화 사회로 변화하였다.
⑤ ㉤ – 기후 변화에 대응하기 위해 친환경적 생활 양식이 확산하고 있다.

04 다음 글에 나타난 사회 변동을 바라보는 관점에 대한 옳은 설명을 〈보기〉에서 고른 것은?

> 생물이 단순한 형태에서 복잡한 형태로 진화하는 것처럼 사회도 단순하고 미분화된 상태에서 복잡하고 분화된 상태를 향하여 변화한다. 이처럼 문명화되지 못한 사회도 언젠가는 문명사회로 이행하는 사회 변동을 겪게 된다.

보기
ㄱ. 사회 변동을 긍정적인 것으로 여긴다.
ㄴ. 사회가 주기적으로 동일한 과정을 통해 변동한다고 본다.
ㄷ. 서구 제국주의 역사를 정당화하는 수단으로 악용될 수 있다.
ㄹ. 미래 사회의 변동 방향을 예측하여 대응하기에 적합하지 않다.

① ㄱ, ㄴ   ② ㄱ, ㄷ   ③ ㄴ, ㄷ
④ ㄴ, ㄹ   ⑤ ㄷ, ㄹ

05 다음 글에 나타난 사회 변동을 바라보는 관점에 부합하는 진술로 옳은 것은?

> 유목민과 정착민 간의 갈등을 통해 120년 주기로 나타나는 문화의 변동 과정을 설명할 수 있다. 유목민은 기회가 오면 도시의 정착민을 공격하고 정복한다. 이렇게 정복에 성공한 유목민은 차츰 도시 생활에 안주하면서 정착민으로 변모한다. 하지만 이들 역시 안일한 삶과 부패가 만연해지면서 또 다른 강력한 유목민에게 정복당한다.

① 현대 사회가 전통 사회보다 우수하다.
② 모든 사회는 같은 경로를 거쳐 발전한다.
③ 사회 변동은 집단 간 갈등의 결과물이다.
④ 사회는 생성, 성장, 쇠퇴, 해체의 과정을 반복한다.
⑤ 사회는 이전보다 복잡하고 분화된 모습으로 변화한다.

06 사회 변동을 바라보는 (가)의 관점에서 (나)의 관점을 비판한 것으로 옳은 것은?

> (가) 사회는 강력한 힘으로 통치하는 엘리트 집단과 영리한 꾀로 통치하는 엘리트 집단이 번갈아 가면서 집권과 몰락을 반복하며 변화한다.
> (나) 모든 사회는 수렵·채집 사회에서 농경 사회, 산업 사회를 거쳐 정보 사회로 변동해 가고 있다. 사회는 이러한 변동을 통해 보다 나은 사회로 변화한다.

① 인간 행위의 역동성과 자율성을 과소평가한다.
② 사회 변동을 대립과 갈등의 속성으로만 이해한다.
③ 사회가 퇴보하거나 멸망하는 사례를 설명하기 어렵다.
④ 특정 사회의 중·단기적인 사회 변동을 설명하기 어렵다.
⑤ 사회 변동의 방향을 예측하기 어려워 역동적 대응이 곤란하다.

07 그림은 사회 변동을 바라보는 관점 A, B를 구분한 것이다. 이에 대한 옳은 설명을 〈보기〉에서 고른 것은? (단, A, B는 각각 진화론과 순환론 중 하나이다.)

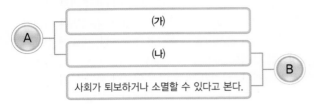

> **보기**
> ㄱ. (가)에는 '사회는 일정한 양상을 반복하며 변동한다.'가 적절하다.
> ㄴ. (나)에는 '사회 변동의 방향에 관해 설명한다.'가 적절하다.
> ㄷ. A는 B와 달리 서구 사회가 진보한 사회임을 전제한다.
> ㄹ. B는 A와 달리 사회 변동을 사회 발전으로 인식한다.

① ㄱ, ㄴ   ② ㄱ, ㄷ   ③ ㄴ, ㄷ
④ ㄴ, ㄹ   ⑤ ㄷ, ㄹ

08 ⭐중요 다음 글에 나타난 사회 변동을 바라보는 관점에 부합하는 진술을 〈보기〉에서 고른 것은?

> 대규모 아파트 단지 건설로 차량 통행이 늘면서 극심한 체증을 빚는 도로가 발생하였다고 가정하자. 이 경우에 시민, 대중 매체, 정부 등과 같은 사회 요소들은 유기적으로 이 상황에 대처한다. 시민들은 교통 체증에 대한 민원을 제기하고, 대중 매체는 교통 체증으로 발생하는 문제점과 개선 방안을 보도하며, 정부는 대중교통 수단을 확대하고 새 도로를 만든다. 그 결과 도로의 교통 체증은 완화되고 다시금 정상적인 교통 상황이 전개된다. 사회 변동 또한 위에서 언급한 내용과 별로 다를 게 없다.

> **보기**
> ㄱ. 사회에는 항상 갈등 요소가 내재해 있다.
> ㄴ. 사회 변동은 보편적이며 필연적인 현상이다.
> ㄷ. 사회는 상호 의존적인 부분들로 구성되어 있다.
> ㄹ. 사회 변동은 사회가 균형과 안정을 되찾는 과정이다.

① ㄱ, ㄴ   ② ㄱ, ㄷ   ③ ㄴ, ㄷ
④ ㄴ, ㄹ   ⑤ ㄷ, ㄹ

09 다음 글에 나타난 사회 변동을 바라보는 관점에 대한 설명으로 옳은 것은?

> 사회는 불평등한 구조로 이루어져 있다. 부와 권력, 사회적 명예 등과 같은 희소가치를 소유한 지배 집단은 이를 유지하고자 하지만, 그렇지 못한 집단은 도전을 통해 이러한 불평등한 구조를 변화시키고자 한다. 이 때문에 사회에는 늘 갈등이 발생하며, 이러한 과정에서 사회는 변동한다.

① 사회 변동보다 사회 유지를 중시한다.
② 사회 변동을 자연스러운 현상으로 본다.
③ 점진적인 사회 변동을 설명하기 유용하다.
④ 사회 질서와 안정을 중시하는 보수적 관점이다.
⑤ 사회 변동을 일시적이고 병리적인 현상으로 본다.

10 사회 변동을 바라보는 갑, 을의 관점에 대한 설명으로 옳은 것은?

> • 사회자: 얼마 전 호주제 폐지의 내용을 담은 민법 개정안이 통과되었습니다. 이에 대한 의견을 말씀해 주십시오.
> • 갑: 호주제 폐지는 사회 구성원이 양성평등이라는 가치에 합의하여 사회가 새로운 균형을 찾은 결과에 해당합니다.
> • 을: 제 생각은 다릅니다. 호주제 폐지는 남성이 지배하던 사회 구조 속에서 여성이 투쟁을 통해 얻어낸 결과라고 생각합니다.

① 갑의 관점은 사회 안정과 유지를 위해 사회 각 부분이 조정되는 과정을 사회 변동으로 본다.
② 을의 관점은 사회 변동을 비정상적인 현상으로 간주한다.
③ 갑의 관점은 을의 관점과 달리 사회 속에 존재하는 협동과 조화를 경시하는 경향이 있다.
④ 을의 관점은 갑의 관점과 달리 사회 변동을 구조적 측면에서 바라본다.
⑤ 갑의 관점은 급격한 사회 변동을, 을의 관점은 점진적 사회 변동을 설명하기 용이하다.

11 밑줄 친 '이것'에 대한 설명으로 옳지 <u>않은</u> 것은?

> 이것은 사회 변동을 끌어내기 위한 지속적이고 집합적인 노력을 의미한다. 즉 사회 문제를 해결하거나 사회 구조를 바꾸기 위해 대중이 자발적으로 벌이는 조직적·집단적 운동이다.

① 뚜렷한 목표와 이념이 있다.
② 대중적 운동이므로 체계적인 조직은 없다.
③ 목표 달성을 위한 구체적인 활동 방법이 있다.
④ 기존의 사회 질서를 유지하기 위해 이루어지기도 한다.
⑤ 대표적 사례로 '흑인 인권 신장을 위한 흑인들의 투쟁'을 들 수 있다.

12 (가)~(다)에 나타난 사회 운동의 유형에 대한 옳은 설명을 〈보기〉에서 고른 것은?

> (가) 환경 보호를 위한 시민 단체의 운동
> (나) 절대 왕정이라는 구제도에 저항한 프랑스 혁명
> (다) 산업 혁명에 저항한 노동자들의 기계 파괴 운동

┌─ 보기 ────────────────────────────┐
ㄱ. 현대 민주주의 사회에서는 (가)가 (나)보다 더 많이 나타난다.
ㄴ. (나)는 (가)와 달리 사회의 구조적 모순에 대한 해결책을 제시하지 못한다.
ㄷ. (나)는 (다)와 달리 기존 질서의 유지를 지향한다.
ㄹ. (다)는 (가), (나)와 달리 사회 변동의 속도를 늦추기도 한다.
└──────────────────────────────────┘

① ㄱ, ㄴ   ② ㄱ, ㄹ   ③ ㄴ, ㄷ
④ ㄴ, ㄹ   ⑤ ㄷ, ㄹ

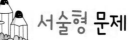

서술형 문제

● 정답친해 59쪽

01 다음 글을 읽고 물음에 답하시오.

> • A와 B는 사회 변동을 바라보는 방향에 대한 서로 다른 관점이다.
> • A는 B와 달리 흥망성쇠를 반복한 국가의 사회 변동을 설명하는 데 유용하다.
> • B는 A와 달리 _____(가)_____

(1) A와 B에 해당하는 관점이 무엇인지 각각 쓰시오.

(2) (가)에 들어갈 내용을 <u>두 가지</u> 이상 서술하시오.

02 다음 글을 읽고 물음에 답하시오.

> 우리 몸의 체온이 상승하면 땀이 배출되어 체온이 정상적으로 돌아오듯이 생명 유기체는 환경 변화에 대응하여 일정한 상태를 유지하려고 하는 '항상성'을 가지고 있다. 이러한 특성은 사회 구조에서도 나타난다. 만약 사회에 불균형이 발생하면 사회의 각 부분들이 이를 해결하는 방향으로 작동하여 사회는 결국 균형과 안정을 회복한다.

(1) 윗글에 나타난 사회 변동을 바라보는 관점을 쓰시오.

(2) (1)의 장점과 단점을 각각 <u>한 가지</u>씩 서술하시오.

1 사회 변동의 요인을 보는 갑, 을의 입장에 대한 옳은 분석만을 〈보기〉에서 있는 대로 고른 것은?

사회 변동의 요인

> • 갑: 농업 사회는 특별한 변동 없이 오랫동안 거의 정체 수준에 머물렀어. 하지만 18세기에 발명된 증기 기관이 산업 생산에 사용되면서 산업 사회로 변화하였어.
> • 을: 현세에서 자신의 직업적 역할에 충실하고 근면, 성실한 삶을 살면 구원받을 수 있다는 프로테스탄트 윤리가 자본주의 정신을 형성했지. 그 결과 산업 사회로 변화할 수 있었던 거야.

보기

ㄱ. 갑은 기술의 발달이 사회의 총체적 변화를 가져왔다고 본다.
ㄴ. 을은 비물질문화가 사회 변동에 미치는 영향력을 과소평가한다.
ㄷ. 을은 인간의 정신적 영역이 사회 변동의 요인으로 작용한다고 본다.
ㄹ. 을은 갑과 달리 물질문화의 변화가 다른 영역의 변화에 영향을 미친다고 본다.

① ㄱ, ㄷ   ② ㄷ, ㄹ   ③ ㄱ, ㄴ, ㄷ
④ ㄱ, ㄴ, ㄹ   ⑤ ㄴ, ㄷ, ㄹ

완자 사전

• **물질문화**
인간이 삶을 영위하기 위해 만들고 사용하는 각종 재화 및 그것을 제작·사용하는 기술

• **비물질문화**
사회를 유지하기 위해 만든 규범 및 제도와 사회 구성원들의 사고방식이나 가치 체계

2 다음 글에 나타난 사회 변동을 바라보는 관점에 대한 옳은 설명을 〈보기〉에서 고른 것은?

사회 변동을 바라보는 관점

> 인류 문명은 신학적, 형이상학적, 실증적 단계를 거쳐 발전하며 각 단계마다 상이한 시대 정신을 갖는다. 신학적 단계에서는 초자연적 힘이나 초월적 존재에 의존하여 지적 기준과 사회 구조가 형성된다. 형이상학적 단계에서는 이성에 기초한 추상적이고 논리적인 사고가 지배한다. 실증적 단계에서는 경험적 관찰과 합리성을 토대로 과학이 발전하고 산업화가 진행된다. 모든 문명은 완전성을 지향하는 시대정신을 향해 동일한 변동 과정을 밟는다.

보기

ㄱ. 사회 변동을 비관적으로 바라본다.
ㄴ. 사회 변동을 단선적인 진보의 과정으로 본다.
ㄷ. 과거의 사회 변동만을 설명한다는 비판을 받는다.
ㄹ. 사회 변동에 의해 사회가 더 복잡하게 분화한다고 본다.

① ㄱ, ㄴ   ② ㄱ, ㄷ   ③ ㄴ, ㄷ
④ ㄴ, ㄹ   ⑤ ㄷ, ㄹ

3 그림은 사회 변동에 관한 관점 A, B와 그에 대한 특징 (가)~(다)를 연결한 것이다. 이에 대한 진술로 옳은 것은? (단, A, B는 각각 진화론과 순환론 중 하나이다.)

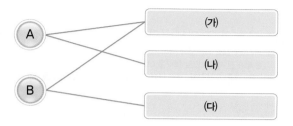

① (가)에는 '사회 변동은 동일한 과정의 주기적 반복이다.'가 적절하다.

② (나)가 '사회 변동을 발전적인 것으로 본다.'라면, (다)에는 '서구 사회가 밟아왔던 변동의 과정이 최선의 것은 아니다.'가 적절하다.

③ (다)가 '모든 사회가 일정한 방향으로 발전한다.'라면, (나)에는 '제국주의를 정당화하는 근거로 사용되었다.'가 적절하다.

④ A가 진화론이라면, (다)에는 '사회 변동이 항상 발전을 의미하지는 않는다는 점을 간과한다.'가 적절하다.

⑤ B가 순환론이라면, (나)에는 '미래의 사회 변동에 대한 역동적 대응이 곤란하다.'가 적절하다.

> 사회 변동을 바라보는 관점

완자쌤의 시험 꿀팁

사회 변동을 바라보는 진화론과 순환론의 특징을 비교하는 문제가 자주 출제된다.

4 표는 사회 변동을 바라보는 관점 A, B를 구분한 것이다. 이에 대한 설명으로 옳은 것은? (단, A, B는 각각 기능론과 갈등론 중 하나이다.)

구분	A	B
사회가 본질적으로 변동을 지향하는가?	예	아니요
사회의 구성 요소들은 균형을 회복하려는 성향을 갖는가?	㉠	㉡
(가)	예	예
(나)	아니요	예

① (가)에는 '사회 변동을 일시적이고 병리적인 현상으로 보는가?'가 적절하다.

② (나)에는 '사회 변동을 사회 구조적 측면에서 바라보는가?'가 적절하다.

③ ㉠은 '예', ㉡은 '아니요'이다.

④ A는 사회를 구성하는 다양한 요소의 상호 의존성을 간과한다는 비판을 받는다.

⑤ B는 전쟁이나 혁명과 같은 급격한 사회 변동을 설명하기 유용하다.

> 사회 변동을 바라보는 관점

완자쌤의 시험 꿀팁

사회 변동을 바라보는 기능론과 갈등론의 기본적인 입장을 질문을 통해 구분하는 문제가 자주 출제된다.

02 현대 사회의 변화와 대응 방안

학 습 목 표
· 세계화·정보화의 영향을 파악하고, 그 대응 방안을 제시할 수 있다.
· 저출산·고령화와 다문화적 변화를 이해하고, 그 대응 방안을 제시할 수 있다.

이것이 핵심!

세계화와 정보화

세계화	전 세계가 상호 의존하면서 삶의 공간이 전 지구로 확대되는 현상
정보화	지식과 정보의 생산, 유통, 소비가 생활의 중심이 되는 현상

★ 다국적 기업
세계적 범위와 규모로 활동하는 기업을 말한다. 기업의 활동 범위가 여러 나라에 걸쳐 있으며 국경에 구애되지 않고 영업점 또는 생산 거점을 두어 초국적 기업이라고도 한다.

★ 부가 가치
생산 과정을 통해 새롭게 창출된 경제적 가치

★ 정보 격차
새로운 정보 기술에 접근할 수 있는 능력의 정도에 따라 경제적·사회적 격차가 나타나는 현상

① 세계화와 정보화

1. 세계화에 따른 변화와 대응 방안

(1) **세계화**: 다양한 측면에서 전 세계가 상호 의존하면서 삶의 공간이 국경을 넘어 전 지구로 확대되는 현상 〔자료①〕
> 꼭! 국가 간 상호 의존성이 증대하면서 어느 한 지역의 문제가 전 세계적으로 영향을 미치게 되었어.

(2) **세계화의 요인**: 교통·통신 기술의 발달, 세계 무역 기구(WTO)의 출범 및 ★다국적 기업의 활동 등

(3) **세계화에 따른 변화** 〔교과서 자료〕

구분	긍정적 영향	부정적 영향
경제적 측면	전 세계의 단일 시장화, 생산자의 넓은 시장 확보, 소비자의 상품 선택의 폭 확대 등	국가 간 빈부 격차 심화, 경쟁력 없는 기업 및 산업 도태 등
정치적 측면	지구촌 문제 해결을 위한 국제 협력 증진, 민주주의나 인권 등의 가치 확산 등	국제기구, 강대국, 다국적 기업의 영향력 확대로 개별 국가의 자율성과 독립성 침해 우려 등
사회·문화적 측면	다양한 문화의 체험 및 향유 기회 확대, 새로운 문화 창출의 기회 확대 등	지역의 고유문화 훼손 우려, 문화의 획일화 초래 등

> 강대국 중심의 문화가 일방적으로 전파되는 과정에서 나타나지.

(4) **세계화의 대응 방안**

경제적 측면	개인과 기업 및 국가의 경쟁력 강화 노력, 개발 도상국의 생산자를 보호하기 위한 활동 확대, 세계화의 부작용으로 나타날 수 있는 양극화에 대비 등
문화적 측면	다른 문화를 존중하는 관용의 자세와 문화 상대주의적 태도 함양, 외래문화의 비판적 수용 및 우리 문화의 창조적 계승 노력 등
개인적 측면	인류 전체의 보편적 가치 추구, 지구촌 문제 해결을 위한 세계 공동체 의식 함양 등

> 예 공정 무역

2. 정보화에 따른 변화와 대응 방안

> VS 노동과 자본이 가장 중요한 자원이었던 산업 사회와 달리 정보 사회에서는 지식과 정보가 가장 중요한 자원이 돼.

(1) **정보화**: 지식과 정보의 생산, 유통, 소비가 생활의 중심이 되는 현상 → 지식과 정보가 ★부가 가치를 창출하는 중요한 원천으로 자리 잡음

(2) **정보화에 따른 변화**

> 기업의 생산성이나 노동자의 노동 환경을 개선할 수 있어.

경제적 측면	지식과 정보 관련 산업 발달, 다품종 소량 생산 방식의 확산, 재택근무 실현, 전자 상거래 및 전자 화폐 사용 증가 등
정치적 측면	정보에 대한 접근성과 정치적 자유 증진 → 시민의 정치 참여 증가, 직접 민주 정치의 실현 가능성 증대
사회·문화적 측면	탈관료제와 같은 수평적 사회 조직 증가, 정보의 생산자와 소비자로서 대중의 역할 확대, 가상 공간에서 맺는 사회적 관계 증가에 따른 비대면적 접촉 증가, 각자의 개성과 자아실현 중시 등

(3) **정보화에 따른 문제점**: ★정보 격차에 따른 불평등 심화, 개인 정보 유출로 인한 사생활 침해, 인터넷 중독, 사이버 범죄, 정보 홍수 및 오남용 문제, 특정 집단이나 권력자에 의한 정보의 통제와 감시, 대면 접촉의 부족으로 인한 인간 소외 등 〔자료②〕
> 예 해킹, 악성 루머 유포, 저작권 침해 등

(4) **정보화의 대응 방안**

개인적 차원	정보 사회에 필요한 다양한 지식과 기능 습득, 정보를 비판적으로 수용할 수 있는 능력 배양, 정보 윤리 의식 함양 등
제도적 차원	정보 인프라 구축 및 정보 격차 완화 방안 마련, 사이버 범죄를 막을 수 있는 법적 장치 마련 및 정비 등

> 불법 다운로드, 유해 정보 유통, 악성 댓글 달기 등 타인의 권리를 침해하는 행위를 하지 않아야 해.

192   V. 현대의 사회 변동

완자 자료 탐구

내 옆의 선생님

자료 ① 세계화

인류의 기술적 진전은 시·공간에 대한 기존의 생각들을 지속적으로 수정해 왔다. 1500~1840년 마차나 항해선의 평균 속도는 시속 36마일, 1850~1930년 증기 기관차의 평균 속도는 65마일인 반면, 오늘날 제트 여객기는 500~700마일의 뛰어난 속력을 보여 준다. 나아가 경이적인 원격 통신 기술의 발달은 물리적 이동 자체를 무의미한 것으로 만들고 있다. 이제 사람들은 지리적 공간에 개의치 않고 사회적 관계와 공동체를 조직한다. 그 결과 지구라는 행성 자체를 하나의 생활과 사고의 단위로 생각하는 추상적 사고가 현실화되고 있다.   – 조민식 외, 『대중을 위한 사회학의 이해』

교통과 통신의 발달로 국가 간 공간과 시간 거리가 줄어들면서 다양한 분야에 걸쳐 국경을 뛰어넘는 교류가 확대되고 있다. 특히 인터넷과 같은 정보 통신 기술의 발달로 상품을 더 신속하고 쉽게 거래하고, 세계 각 지역의 소식을 실시간으로 접하며, 세계의 다양한 문화를 이해할 수 있게 되면서 세계가 더욱 긴밀하게 연결되고 있다.

수능이 보이는 교과서 자료   세계화의 영향

(가) 세계화로 자본 시장이 연결되면서 어느 한 나라의 경제적 부실은 다른 나라에도 치명상을 입힌다. 미국의 비우량 주택 담보 대출 문제로 시작된 미국 자본 시장의 부실 문제는 유럽과 아시아에도 영향을 미쳐 세계 금융 위기를 불러왔다.

(나) 일부 문화권에서 벌어지는 명예 살인이 국제 사회의 뜨거운 논쟁거리로 떠올랐다. 명예 살인은 가족의 명예를 더럽혔다는 이유로 남자 가족 구성원이 해당 여성을 살해하는 관습을 말한다. 하지만 국제 인권 단체에서는 명예 살인은 범죄이며, 여성의 인권을 침해하는 문제라며 이를 막기 위한 노력을 하고 있다.

(가)는 세계화로 인해 특정 국가의 경제 문제가 다른 국가에 영향을 주어 전 세계적인 경기 침체로 이어질 수 있음을 보여 준다. (나)는 세계화가 일부 지역에서 나타나는 여성 인권 침해 문제를 해결하기 위한 전 세계적인 노력을 끌어내어 인류의 보편적 가치가 훼손되는 것을 막는 데 기여할 수 있음을 보여 준다.

자료 ② 정보 격차

컴퓨터 기반 정보화 수준		스마트폰 기반 정보화 수준
86.2	장애인	62.5
77.4	장노년	56.3
87.7	저소득	74.5
72.2	농어민	55.2
83.5	북한 이탈 주민	68.5
87.9	결혼 이민자	73.1

(단위: %)

* 각 수치는 일반 국민을 100으로 가정했을 때 비교 수준임
(과학 기술 정보 통신부·한국 정보화 진흥원, 2015)

⬆ 계층별 정보화 수준

제시된 그림은 우리나라에서 취약 계층의 정보화 수준이 일반 국민에 비해 낮게 나타남을 보여 준다. 개인의 정보 접근 능력이나 활용 능력 등의 격차는 곧 경제적·사회적 불평등으로 이어질 수 있다. 이러한 격차를 해소하기 위해서는 정보 통신 교육, 정보 인프라 등을 확대하고, 취약 계층이 정보에 쉽게 접근할 수 있도록 해야 한다.

자료 하나 더 알고 가자!

세계 무역 기구(WTO)와 세계화

1995년 세계의 자유 무역 질서를 추진하고 감시하는 국제기구인 세계 무역 기구(WTO)가 출범하였다. 세계 무역 기구는 무역의 장벽을 낮추고 공산품과 농수산물뿐만 아니라, 교육과 같은 각종 서비스 산업의 자유로운 이동을 추구한다.

세계 무역 기구의 출범으로 각종 무역 장벽이 철폐되거나 완화됨으로써 전 세계가 하나의 거대한 단일 시장 체제로 통합되는 계기가 마련되었다.

완자샘의 탐구 강의

• 세계화에 따라 국가 간 관계가 어떻게 변화하는지 써 보자.
국가 간 상호 의존도가 높아진다.

• 문화적 측면에서 세계화의 긍정적 영향과 부정적 영향을 각각 서술해 보자.
– 긍정적 영향: 여러 나라의 다양한 문화를 접할 수 있고, 이를 통해 새로운 문화를 창출할 수 있다.
– 부정적 영향: 지역의 고유문화가 훼손되고 문화의 획일화를 초래할 수 있다.

함께 보기 200쪽, 1등급 정복하기 1

문제로 확인할까?

정보화의 영향으로 가장 적절한 것은?
① 전자 상거래가 감소한다.
② 구성원 간 대면 접촉이 증가한다.
③ 소품종 대량 생산 방식이 확산된다.
④ 정보 격차가 경제적·사회적 격차로 이어진다.
⑤ 개인의 개성을 억압하는 획일적인 문화가 확산된다.

④ 🔒

02 현대 사회의 변화와 대응 방안

2 저출산·고령화와 다문화적 변화

이것이 핵심!

저출산·고령화와 다문화적 변화

저출산·고령화	출산율이 낮아지고, 전체 인구에서 노인 인구가 차지하는 비율이 증가하는 현상
다문화적 변화	우리 사회가 서로 다른 문화적 배경을 가진 사람들이 함께 살아가는 다문화 사회로 변화하는 현상

★ 노인 인구
65세 이상 인구

★ 생산 가능 인구
경제 활동이 가능한 15~64세 인구

★ 고령 친화 산업
노인을 주요 수요자로 하는 고령 친화 기기와 용품 제조, 장수 의학, 평생 교육 등을 내용으로 하는 산업

★ 다문화 사회
다양한 인종, 종교, 언어 등 서로 다른 문화적 배경을 가진 사람들이 함께 살아가는 사회

★ 관용
나와 다른 생각이나 가치를 가진 사람들을 너그럽게 받아들이는 태도

1. 저출산·고령화에 따른 변화와 대응 방안

(1) 저출산·고령화의 의미와 원인

결혼하지 않거나 출산을 기피하는 경향이 나타나고 있어.

저출산 현상	• 의미: 출산율이 적정 수준보다 낮은 현상 • 원인: 자녀 양육에 대한 경제적 부담 증가, 결혼이나 자녀에 관한 가치관 변화, 여성의 사회 진출 증가 등
고령화 현상	• 의미: 전체 인구에서 ★노인 인구가 차지하는 비율이 증가하는 현상 • 원인: 의료 기술의 발달과 생활 수준의 향상에 따른 평균 수명의 연장, 저출산 현상의 심화

(2) 저출산·고령화에 따른 문제점과 대응 방안 〔자료 3〕

문제점	• ★생산 가능 인구 감소에 따른 노동 생산성 하락으로 국민 경제의 활력 저하 • 인구 정체 또는 감소에 따른 소비 위축과 저성장 초래 • 노후 소득 감소에 따른 노인의 빈곤 문제 발생 • 노인을 대상으로 한 복지 지출 증가로 국가 재정 악화 • 노인 부양 책임 및 일자리를 둘러싼 세대 간 갈등 심화
대응 방안	• 일·가정 양립을 위한 제도적 지원 강화 → 출산 보조금과 양육 수당 지급, 국공립 어린이집 개설 확대 등 ┗ 출산을 장려하려는 노력에 해당해. • 노인 일자리 창출 및 정년 연장에 대한 사회적 합의 • 노후 소득 보장을 위한 연금 제도 개선 • 고령화에 따른 산업 구조 개편 → ★고령 친화 산업 육성

2. 다문화적 변화와 대응 방안

(1) 다문화 사회의 의미와 형성 〔자료 4〕

① 다문화적 변화: 우리 사회가 서로 다른 문화적 배경을 가진 사람들이 함께 어우러져 살아가는 ★다문화 사회로 변화하는 현상

② 다문화 사회의 형성 배경: 교통·통신 기술의 발달과 함께 세계화가 진행되면서 서로 다른 문화권에 속한 사람들 간의 접촉이 빈번해짐

③ 우리나라의 양상: 1990년대부터 결혼 이민자, 외국인 노동자, 유학생, 북한 이탈 주민 등의 유입 증가로 다문화적 변화가 나타나기 시작함

꼭! 우리나라에서는 산업 구조의 고도화와 저출산에 따른 노동력의 공백을 메우는 과정에서 외국인 노동자의 유입이 급격히 늘어났어.

(2) 다문화 사회의 영향

긍정적 영향	• 여러 문화의 공존으로 풍부한 문화적 경험을 할 수 있음 • 문화 다양성을 강화하여 문화 발전의 가능성이 높아질 수 있음 • 저출산·고령화에 따른 노동력 부족 문제 해결에 이바지할 수 있음
부정적 영향	• 이주민들은 언어, 가치관, 생활 양식 등의 차이로 사회 적응에 어려움을 겪을 수 있음 • 서로 다른 문화에 대한 이해 부족으로 집단 간 대립과 갈등이 발생할 수 있음 • 외국인 이주민에 대한 편견과 차별에 따른 인권 침해 문제가 발생할 수 있음

(3) 다문화 사회의 대응 방안 〔자료 5〕

개인적 차원	• 서로의 문화적 차이를 인정하고 문화 다양성을 존중하는 ★관용의 자세를 갖추어야 함 • 다문화적 변화의 흐름을 자연스러운 것으로 인식하고, 외국인 이주민에 대한 편견이나 차별을 비판적으로 성찰해야 함
사회적 차원	• 이주민에 대한 편견과 사회적 차별을 막을 수 있는 법적·제도적 장치를 마련해야 함 • 외국인 이주민이 우리 사회의 일원으로 적응하여 살아갈 수 있도록 다문화 정책을 마련해야 함 • 기존 사회 구성원과 외국인 이주민이 서로의 문화를 체험하도록 하는 다문화 교육을 강화해야 함

완자 자료 탐구

자료 ③ 우리나라의 저출산·고령화 현황

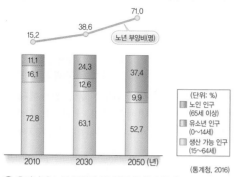

⬆ 우리나라 노년 부양비 및 인구 구성비 추계
└ 생산 가능 인구 100명이 부양해야 하는 노인 인구의 수를 말해.

(단위: %)
■ 노인 인구 (65세 이상)
■ 유소년 인구 (0~14세)
■ 생산 가능 인구 (15~64세)

(통계청, 2016)

우리나라에서는 저출산·고령화가 빠른 속도로 진행되고 있다. 저출산·고령화가 심화되면 생산 가능 인구가 줄어들어 생산 활동이 감소함으로써 국민 경제의 활력이 떨어진다. 또한 노인을 대상으로 한 복지 지출 증가로 국가 재정이 악화될 수 있으며, 노년 부양비의 증가로 청장년층의 부담이 커질 수 있다. 그리고 일자리 문제와 관련하여 세대 간에 갈등이 나타날 수도 있다.

자료 ④ 우리나라의 다문화적 변화

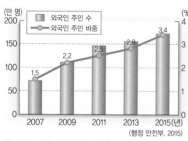

⬆ 국내 거주 외국인 주민 수와 비중 추이
(행정 안전부, 2015)

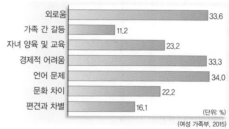

⬆ 국내 체류 외국인들이 겪는 어려움(복수 응답)
(단위: %) (여성 가족부, 2015)

우리나라는 빠른 속도로 다문화 사회에 진입하면서 여러 가지 과제가 제기되고 있다. 우선 서로 다른 문화를 가진 구성원이 서로의 언어 및 생활 양식의 차이를 이해하지 못해 오해가 생길 수 있고, 외국인 이주민에 대한 편견 및 차별 대우로 갈등이 발생할 수 있다. 따라서 다문화적 변화로 나타날 문제점을 예상하고, 효과적인 대응 방안을 마련해야 한다.

자료 ⑤ 동화주의와 다문화주의

구분	동화주의	다문화주의
문화적 지향	이주민 문화와 주류 문화의 문화적 동질성 추구	이주민 문화와 주류 문화의 문화적 이질성 존중
정책 목표	이주민의 주류 사회 동화	이주민 문화의 고유성 인정 및 다양한 문화 공존
이주민에 대한 관점	이방인, 통합의 대상	사회 구성원, 공존의 주체

동화주의는 이주민의 문화를 주류 문화로 편입시켜 동질적인 문화를 유지하는 것을 목표로 하고, 다문화주의는 이주민이 이주 오기 전 지녔던 문화를 있는 그대로 인정함으로써 문화의 다양성을 실현하고자 한다. 주류 문화에 이주민들의 문화를 흡수시키는 용광로(Melting Pot) 정책은 동화주의, 주류 문화와 이주민 문화의 공존을 추구하는 샐러드 볼(Salad Bowl) 정책은 다문화주의를 바탕으로 한다.

자료 하나 더 알고 가자!

우리나라의 고령화 수준

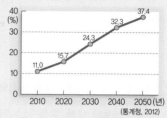

⬆ 우리나라의 노인 인구 비율 추이
(통계청, 2012)

노인 인구가 전체 인구의 7% 이상이면 고령화 사회, 14% 이상이면 고령 사회, 20% 이상이면 초고령 사회로 정의한다. 우리나라는 이미 고령화 사회에 진입하였으며 곧 고령 사회를 지나 초고령 사회에 진입할 것으로 예상되고 있다.

정리 비법을 알려줄게!

다문화 사회의 대응 방안

개인적 차원	문화 다양성 존중, 이주민에 대한 편견과 차별 지양 등
사회적 차원	이주민에 대한 편견 및 차별을 막을 수 있는 법적·제도적 장치 마련, 다문화 정책 마련, 다문화 교육 강화 등

문제 로 확인할까?

다문화주의에 대한 설명으로 옳은 것은?
① 용광로 정책을 지향한다.
② 이주민을 동화의 대상으로 본다.
③ 이주민 문화의 고유성을 인정한다.
④ 이주민 문화와 주류 문화의 동질성을 추구한다.
⑤ 이주민의 문화는 장려하고, 주류 문화는 배척한다.

ⓒ

STEP 1 핵심 개념 확인하기

정답친해 60쪽

1 다음 설명이 맞으면 ○표, 틀리면 ×표를 하시오.

(1) 세계화로 인해 국가 간 상호 의존성이 심화된다. (   )

(2) 세계화에 따라 선진국의 문화가 일방적으로 전파되는 과정에서 문화적 다양성이 강화된다. (   )

2 다음 빈칸에 들어갈 내용을 쓰시오.

(1) 지식과 정보의 생산, 유통, 소비가 생활의 중심이 되는 현상을 (   )라고 한다.

(2) 정보화는 정보에 대한 접근성과 정치적 자유를 증진하여 (   ) 민주 정치의 실현 가능성을 높인다.

(3) 새로운 정보 기술에 접근할 수 있는 능력에 따라 경제적·사회적 격차가 나타나는 현상을 (   )라고 한다.

3 다음 괄호 안의 내용 중 알맞은 말에 ○표를 하시오.

(1) 저출산 현상의 원인에는 자녀 양육에 대한 경제적 부담 증가, 여성의 사회 진출 (증가, 감소) 등이 있다.

(2) 저출산·고령화에 따라 생산 가능 인구가 (증가, 감소)하여 생산 활동이 위축됨으로써 국민 경제의 활력이 떨어진다.

(3) 고령화가 급속히 진행되면서 노인을 대상으로 한 복지 지출이 (증가, 감소)하여 정부의 재정 건전성이 악화될 수 있다.

4 다문화 사회에서 나타나는 문제를 해결하기 위한 개인적 차원의 노력을 〈보기〉에서 골라 기호를 쓰시오.

> **보기**
> ㄱ. 다문화 교육 강화
> ㄴ. 다문화 정책과 제도 마련
> ㄷ. 외국인 이주민에 대한 편견 및 차별 지양
> ㄹ. 문화 다양성을 존중하는 관용의 자세 함양

5 ㉠, ㉡에 들어갈 내용을 각각 쓰시오.

> 다문화 정책 중 (㉠   )는 이주민의 문화를 주류 문화에 흡수시켜 문화적 동질성을 유지하는 것을 목표로 한다. 반면 (㉡   )는 이주민의 고유한 문화를 그대로 인정하고 존중하여, 기존 문화와 이주민 문화의 공존을 추구한다.

STEP 2 내신 만점 공략하기

01 다음에서 설명하는 현대 사회의 변동 양상에 대한 옳은 설명을 〈보기〉에서 고른 것은?

> 오늘날에는 지구촌이라는 말을 사용할 정도로 전 세계가 여러 면에서 긴밀하게 연관되어 있다. 공산품과 농수산물뿐만 아니라 서비스업 영역에 이르기까지 국제 무역 및 교류가 활성화되고 있으며 국제적 인구 이동도 활발하다. 이처럼 오늘날에는 다양한 측면에서 국가 간 교류가 확대되면서 국경을 넘어 전 세계가 마치 하나의 공동체처럼 변화해 가고 있다.

> **보기**
> ㄱ. 국경의 의미를 강화시킨다.
> ㄴ. 전 세계를 단일한 시장으로 통합한다.
> ㄷ. 국가 간 상호 의존성의 약화를 초래한다.
> ㄹ. 교통·통신 기술의 발달을 주요 배경으로 한다.

① ㄱ, ㄴ   ② ㄱ, ㄷ   ③ ㄴ, ㄷ
④ ㄴ, ㄹ   ⑤ ㄷ, ㄹ

☆중요
02 밑줄 친 ㉠~㉤ 중 옳지 않은 것은?

> 전 세계적으로 교류가 활발해지면서 세계화는 다양한 측면에서 영향을 미치고 있다. 우선 국제 경제가 활성화되어 ㉠ 생산자는 더 넓은 시장을 확보하고 소비자는 다양한 상품을 접할 수 있다. 또한 국제기구, 다국적 기업 등의 영향력이 커지면서 ㉡ 개별 주권 국가의 정책 자율성이 강화된다. 그리고 여러 나라의 ㉢ 다양한 문화를 접하는 과정에서 창의적이고 새로운 문화를 창출할 수 있다. 한편 세계화 과정에서 ㉣ 국가 간 경쟁이 심화됨에 따라 경쟁력이 약한 개발 도상국의 산업이 위축되면서 국가 간 빈부 격차가 확대되는 문제도 나타나고 있다. 또한 강대국 중심의 일방적인 문화 전파로 ㉤ 지역의 고유문화가 훼손될 수 있다.

① ㉠   ② ㉡   ③ ㉢   ④ ㉣   ⑤ ㉤

03 다음 글에 나타난 현대 사회의 변동 양상에 관한 옳은 진술을 〈보기〉에서 고른 것은?

> 한 나라의 영화와 음악, 음식 문화와 패션 등은 더 이상 그 나라 사람들만의 전유물이 아니다. 오늘날에는 이와 같은 문화 요소의 생산과 분배 및 소비가 국제적인 시스템을 형성하고 있어 누구나 쉽게 이용이 가능하다. 전 세계가 하나의 문화 시장이 되어 가고 있는 것이다.

보기

> ㄱ. 국제 행위 주체의 역할이 크게 약화된다.
> ㄴ. 세계 각국이 다양한 문화를 함께 공유할 수 있다.
> ㄷ. 문화 교류 과정에서 서로의 문화가 비슷해질 수 있다.
> ㄹ. 국가의 문화적 정체성이 위협받을 가능성이 줄어든다.

① ㄱ, ㄴ ② ㄱ, ㄷ ③ ㄴ, ㄷ
④ ㄴ, ㄹ ⑤ ㄷ, ㄹ

04 다음과 같은 현대 사회의 변동 양상으로 나타날 현상으로 적절하지 <u>않은</u> 것은?

> 현대 사회에서는 지식과 정보의 생산, 유통, 소비가 생활의 중심이 되고 있으며, 전 세계가 정보 기술을 기반으로 한 네트워크로 연결되고 있다. 이러한 현상은 의학 기술이나 인공 지능 연구 등 다양한 분야에 변화를 가져왔으며, 인터넷을 통해 국내외적으로 문화 교류의 방식에도 영향을 끼치고 있다.

① 구성원 간 면대면 접촉이 증가한다.
② 다품종 소량 생산 방식이 확대된다.
③ 직접 민주 정치의 실현 가능성이 높아진다.
④ 탈관료제와 같은 수평적 사회 조직이 증가한다.
⑤ 재택근무를 실현함으로써 기업의 생산성이나 노동 환경이 개선된다.

05 다음 사례에 나타난 정보화의 문제점으로 가장 적절한 것은?

> 전자 상거래가 증가하면서 인터넷상의 결제 수단으로서 신용 카드 사용이 보편화되고 있다. 또한 대부분의 인터넷 쇼핑 사이트에 회원으로 가입하기 위해서는 주민 등록 번호와 주소, 전화번호 등 신상 정보를 입력해야 한다. 이렇게 입력된 신용 카드 번호를 이용하여 신용 카드를 쉽게 복제하는 범죄가 발생하고 있으며, 입력된 신상 정보가 유출되어 악용되는 사례도 빈번하게 발생하고 있다.

① 개인 정보 유출로 사생활이 침해된다.
② 형식적이고 피상적인 인간관계가 확산된다.
③ 익명성을 악용하여 가상 공간에서 타인을 비방한다.
④ 인터넷 중독 현상이 사회생활에 심각한 지장을 준다.
⑤ 정보의 소유와 접근 정도에 따라 계층 간에 격차가 나타난다.

06 다음 글에 나타난 정보화의 문제점에 대응하기 위한 방안으로 가장 적절한 것은?

> 현대인은 정보의 홍수 속에서 살아가고 있다. 하지만 넘쳐나는 정보에는 정확하지 않은 정보나 특정 목적 달성을 위해 유포된 허위 정보가 많이 포함되어 있고, 이러한 정보에 현혹되어 잘못된 판단을 내리는 사람들도 많다.

① 정보 인프라에 대한 투자를 확대해야 한다.
② 정보 소외 계층에 정보 기기를 지원해야 한다.
③ 대량의 정보를 수집할 수 있는 능력을 길러야 한다.
④ 정보를 비판적으로 분석하고 평가하는 안목을 길러야 한다.
⑤ 정보 소비자에서 벗어나 정보를 생산하는 주체가 되어야 한다.

07 밑줄 친 ㉠~㉢에 대한 설명으로 옳지 <u>않은</u> 것은?

우리나라에서는 ㉠ 저출산 현상이 빠르게 진행되고 있다. 우리나라의 합계 출산율은 급속한 감소를 거듭하여 2016년에는 1.25명으로, 경제 협력 개발 기구(OECD) 국가 가운데 최하위를 기록하였다. 또한 우리나라는 ㉡ 고령화 현상 역시 빠르게 진행되고 있다. 2015년 기준 우리나라 전체 인구에서 노인 인구가 차지하는 비율은 13.1%로 나타났고, 2026년에는 초고령 사회로 진입할 것으로 전망된다. 이러한 저출산·고령화 현상은 사회 전반에 걸쳐 광범위한 ㉢ 사회 변화를 초래하므로, 이에 대한 대응 방안이 필요하다.

① ㉠ – 사회 유지와 인구 부양에 위협을 준다.
② ㉠ – 출산과 양육에 대한 경제적 부담 증가에 기인한다.
③ ㉡ – ㉠의 심화로 나타나기도 한다.
④ ㉢ – 노동 생산성의 약화를 초래한다.
⑤ ㉢ – 사회 보장 제도를 유지하는 비용이 줄어든다.

08 표는 갑국의 인구 구성비 변화를 예측한 것이다. 이에 대한 옳은 분석 및 추론을 〈보기〉에서 고른 것은?

(단위: %)

구분＼연도	2015년	2035년	2055년
유소년 인구	13.8	11.3	9.4
생산 가능 인구	73.4	60.0	51.4
노인 인구	12.8	28.7	39.2

보기
ㄱ. 출산 억제 정책의 필요성이 대두될 것이다.
ㄴ. 노동 생산성이 낮아져 경제 활력이 저하될 것이다.
ㄷ. 2055년에 생산 가능 인구 대비 노인 인구의 비율은 2015년에 비해 증가할 것이다.
ㄹ. 노인 인구는 지속적으로 증가하는 반면, 유소년 인구는 지속적으로 감소할 것이다.

① ㄱ, ㄴ   ② ㄱ, ㄷ   ③ ㄴ, ㄷ
④ ㄴ, ㄹ   ⑤ ㄷ, ㄹ

09 다음 두 제도가 공통으로 추구하는 목적으로 가장 적절한 것은?

• 부모의 맞벌이 등의 사유로 양육 공백이 발생한 가정의 12세 이하 아동을 대상으로 아이 돌보미가 찾아가는 돌봄 서비스를 제공하여 부모의 양육 부담을 줄여준다.
• 탄력 근무제(재택근무제, 시간 근무제 등), 자녀 출산 지원 등 가족 친화 제도를 모범적으로 운영하고 있는 기업 등에 대하여 인증을 부여하고 각종 인센티브를 제공한다.

① 노인 실업 문제를 해결한다.
② 고령 친화 사업을 육성한다.
③ 정부의 재정 건전성을 개선한다.
④ 국민 경제의 새로운 성장 동력을 확보한다.
⑤ 일과 가정의 양립을 지원함으로써 출산을 장려한다.

10 밑줄 친 ㉠~㉢에 대한 설명으로 옳지 <u>않은</u> 것은?

오늘날 서로 다른 문화적 배경을 가진 사람들이 함께 살아가는 ㉠ 다문화 사회가 형성되고 있다. 우리나라 역시 세계 여러 국가에서 온 이주민이 늘어나면서 사회, 문화, 정치, 경제 등 사회 전반에서 많은 변화가 나타나고 있다. 그러나 그 변화에는 ㉡ 긍정적인 측면만 있는 것은 아니다. 따라서 ㉢ 다문화적 변화로 나타날 문제점을 예상하고, 효과적인 대응 방안을 마련하는 것이 과제로 대두되고 있다.

① ㉠ – 교통·통신 기술의 발달로 국가 간 인적·물적 교류가 증가하면서 나타났다.
② ㉠ – 우리나라는 결혼 이민자, 외국인 노동자, 북한 이탈 주민 등의 증가를 주요 배경으로 한다.
③ ㉡ – 문화 다양성을 강화하여 문화 발전의 가능성을 높인다.
④ ㉢ – 노동력 부족 현상의 심화를 초래한다.
⑤ ㉢ – 서로 다른 문화를 가진 구성원 간에 갈등이 발생할 가능성이 높아진다.

11 교사의 질문에 옳은 답변을 한 학생을 고른 것은?

교사: 다문화 사회에서 나타나는 문제점에 대응하기 위한 방안을 말해 봅시다.

• 주제: 다문화 사회의 대응 방안

을: 외국인 이주민만을 대상으로 다문화 교육을 실시해야 합니다.

병: 외국인 이주민을 기존 사회 구성원으로부터 엄격하게 분리해야 합니다.

갑: 문화 다양성을 존중하는 관용의 자세를 갖추어야 합니다.

정: 외국인 이주민에 대한 편견이나 차별을 비판적으로 성찰할 필요가 있습니다.

① 갑, 을   ② 갑, 정   ③ 을, 병
④ 을, 정   ⑤ 병, 정

12 다문화 정책 (가), (나)에 대한 옳은 설명을 〈보기〉에서 고른 것은?

(가) 이주민의 문화를 주류 문화에 흡수시키고자 한다. 즉 이주민이 자신들의 문화 대신 주류 문화를 선택하여 따르도록 유도한다.
(나) 이주민의 문화가 가지는 고유성을 인정한다. 즉 이주민의 문화가 가지는 이질성을 존중하고 주류 문화와 함께 공존할 수 있는 방안을 강구한다.

보기
ㄱ. (가)는 이주민을 동화의 대상으로 인식한다.
ㄴ. (나)는 이주민 문화와 주류 문화의 동질성을 추구한다.
ㄷ. (나)가 (가)보다 문화 다양성 실현에 유리하다.
ㄹ. (가)는 문화의 다원화, (나)는 사회적 통합을 중시한다.

① ㄱ, ㄴ   ② ㄱ, ㄷ   ③ ㄴ, ㄷ
④ ㄴ, ㄹ   ⑤ ㄷ, ㄹ

● 정답친해 61쪽

서술형 문제

01 다음 글을 읽고 물음에 답하시오.

오늘날 여성의 사회 활동 증가, 결혼과 자녀에 관한 가치관 변화 등의 이유로 A 현상이 심화하고 있으며, 의료 기술 발달에 따른 평균 수명의 연장으로 B 현상 역시 빠르게 진행되고 있다. A 현상과 B 현상은 우리 사회 전반에 여러 문제를 야기하므로, 정부에서는 이를 해결하기 위한 대책을 마련해야 한다.

(1) A 현상과 B 현상이 무엇인지 각각 쓰시오.

(2) 밑줄 친 '대책'에 해당하는 내용을 두 가지 이상 서술하시오.

02 다음 글을 읽고 물음에 답하시오.

오늘날에는 세계화가 진행되면서 서로 다른 문화권에 속한 사람들 간의 접촉이 빈번해지고 있다. 특히 취업, 결혼, 교육 등을 목적으로 하는 이주민이 늘어나면서 다양한 인종, 종교, 문화를 가진 사람들이 함께 살아가게 되었는데, 이러한 사회를 (㉠)(이)라고 한다.

(1) ㉠에 들어갈 내용을 쓰시오.

(2) (1)로의 변화가 미치는 긍정적 영향과 부정적 영향을 각각 한 가지씩 서술하시오.

STEP 3 1등급 정복하기

1 다음은 한 학생이 정리한 노트 필기의 일부이다. ㉠~㉤에 들어갈 내용으로 옳은 것은?

> • 주제: 세계화
> 1. 의미: 전 세계가 상호 의존하면서 삶의 공간이 국경을 넘어 전 지구로 확대되는 과정
> 2. 주요 배경: 교통·통신 기술의 발달, (㉠) 등
> 3. 영향
>
> | 구분 | 긍정적 영향 | 부정적 영향 |
> |---|---|---|
> | 경제적 측면 | ㉡ | ㉢ |
> | 정치적 측면 | ㉣ | ㉤ |
> | 사회·문화적 측면 | 다양한 문화의 체험·향유 기회 확대 | 문화의 획일화 |

① ㉠ – 무역 장벽의 강화
② ㉡ – 다양한 상품의 소비 기회 확대
③ ㉢ – 경쟁력 있는 기업의 시장 축소
④ ㉣ – 개별 국가의 정책 자율성 강화
⑤ ㉤ – 민주주의 이념의 확산 범위 축소

평가원 응용

2 그림은 A, B의 일반적 특징을 비교한 것이다. 이에 대한 옳은 설명을 〈보기〉에서 고른 것은? (단, A, B는 각각 산업 사회와 정보 사회 중 하나이다.)

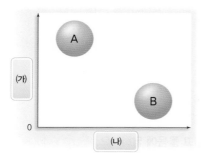

* 원점에서 멀어질수록 그 정도가 높거나 강함

보기

ㄱ. A가 정보 사회라면 (가)에는 '비대면 접촉 비중', (나)에는 '관료제 조직의 비중'이 적절하다.
ㄴ. B가 정보 사회라면 (가)에는 '사회의 다원화 정도', (나)에는 '가정과 일터의 결합 정도'가 적절하다.
ㄷ. (가)가 '구성원 간 익명성 정도', (나)가 '소품종 대량 생산 방식의 비중'이라면 A는 B보다 정보 확산의 시·공간적 제약이 크다.
ㄹ. (가)가 '업무의 표준화 정도', (나)가 '전자 상거래 이용 빈도'라면 B는 A보다 부가 가치의 원천으로 지식과 정보를 중시한다.

① ㄱ, ㄴ
② ㄱ, ㄹ
③ ㄴ, ㄷ
④ ㄴ, ㄹ
⑤ ㄷ, ㄹ

> **세계화의 요인과 영향**
>
> **완자쌤의 시험 꿀팁**
> 세계화로 나타나는 다양한 변화 양상을 긍정적 측면과 부정적 측면으로 구분할 수 있어야 한다.

> **정보화의 영향**
>
> **완자쌤의 시험 꿀팁**
> 정보화로 나타나는 변화 양상을 산업 사회의 일반적인 특징과 비교하는 문제가 자주 출제된다.
>
> **완자 사전**
> • 다원화
> 사회 구성원의 이해관계와 생활 양식, 가치 등이 다양해지는 현상

3 그림은 갑국의 노년 부양비와 유소년 부양비 추이를 나타낸 것이다. 이에 대한 옳은 분석 및 추론만을 〈보기〉에서 있는 대로 고른 것은? (단, 갑국의 생산 가능 인구는 지속적으로 증가할 것으로 예측하고 있다.)

▶ 저출산·고령화 현상

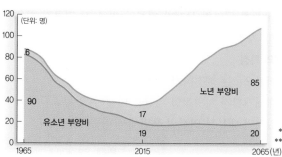

* 노년 부양비 = (노인 인구 / 생산 가능 인구)×100
** 유소년 부양비 = (유소년 인구 / 생산 가능 인구)×100

┌ 보기 ┐
ㄱ. 1965년의 유소년 인구는 노인 인구의 15배이다.
ㄴ. 2065년의 노인 인구는 2015년의 5배가 될 것이다.
ㄷ. 2065년에는 생산 가능 인구가 전체 인구의 50% 미만이 될 것이다.
ㄹ. 2015년 이후 노인 인구의 증가율이 생산 가능 인구의 증가율보다 높을 것이다.

① ㄱ, ㄷ   ② ㄴ, ㄹ   ③ ㄷ, ㄹ
④ ㄱ, ㄷ, ㄹ   ⑤ ㄴ, ㄷ, ㄹ

4 다문화 정책 ㉠, ㉡에 대한 옳은 설명을 〈보기〉에서 고른 것은?

▶ 다문화 정책

> 다문화 정책은 크게 두 가지 방향으로 나뉜다. 우선 (㉠)에서는 한 사회에 이주해 온 다양한 특성이 있는 사람들을 주류 문화에 융해시키고자 한다. 즉 새로운 소수 집단 구성원이 주류 사회 구성원으로 효과적으로 적응할 것인가에 초점을 둔다. 반면 (㉡)에서는 이주민들의 고유한 문화를 있는 그대로 인정하며, 집단 간 차이와 서로 다른 문화 요소를 존중하고자 한다. 이 관점을 택하면 다문화 교육을 할 때 모든 구성원이 자신들의 고유한 정체성을 유지하면서 사회 활동에 참여할 수 있는 권리를 강조하게 된다.

완자샘의 시험 꿀팁

다문화 정책으로서 동화주의와 다문화주의를 구분하고, 각각의 특성을 비교하는 문제가 자주 출제된다.

┌ 보기 ┐
ㄱ. ㉠은 여러 문화의 공존과 화합을 중시한다.
ㄴ. ㉡은 '로마에 가면 로마법을 따르라.'는 속담과 관련이 깊다.
ㄷ. ㉠보다 ㉡에 근거하여 다문화 정책을 시행할 때 우리 사회의 문화 다양성이 높아질 수 있다.
ㄹ. ㉡은 ㉠보다 타 문화에 대한 관용적 태도를 중시한다.

① ㄱ, ㄴ   ② ㄱ, ㄷ   ③ ㄴ, ㄷ
④ ㄴ, ㄹ   ⑤ ㄷ, ㄹ

03 전 지구적 수준의 문제와 지속 가능한 사회

이것이 핵심!

전 지구적 수준의 문제

전 지구적 수준의 문제
한 지역이나 한 국가의 문제가 전 지구적 차원에까지 영향을 미치는 문제

• 환경 문제
• 자원 문제
• 전쟁과 테러

★ **전쟁**
서로 대립하는 국가 또는 이에 준하는 집단 간에 군사력을 비롯한 각종 수단을 써서 상대의 의지를 강제하는 행위

★ **테러**
특정 목적을 가진 개인이나 단체가 살인, 납치, 유괴, 저격, 약탈 등 다양한 방법의 폭력을 행사하여 사회적 공포를 일으키는 행위

① 전 지구적 수준의 문제

1. 전 지구적 수준에서 나타나는 문제

(1) **전 지구적 수준의 문제**: 한 지역이나 한 국가의 문제가 다른 국가나 전 지구적 차원에까지 영향을 미치는 문제 ⓔ 환경 문제, 자원 문제, 전쟁과 테러 등

(2) **전 지구적 수준에서 나타나는 문제의 특징**

① 특정 지역이나 특정 국가의 노력만으로는 해결하기 어려움

② 현재 세대뿐만 아니라 미래 세대에게까지 치명적인 영향을 미칠 수 있음

③ 자연적 원인에서 비롯된 것도 있지만 대부분 인간의 욕망에서 비롯하였음

> Qn? 더 편리하고 풍요로운 삶만을 추구하는 인간의 무분별한 욕망에 따른 것이지.

2. 전 지구적 수준의 문제와 해결 방안

구분	양상	해결 방안
환경 문제 자료 ①	지구 온난화로 인한 기상 이변, 무분별한 개발로 인한 사막화와 열대 우림 파괴, 황사 및 미세 먼지 발생, 토양·수질·대기 오염 등	자연과 더불어 살아가려는 인식 확립, 환경친화적인 상품 개발, 환경 문제 해결을 위한 국제 사회의 유기적 협력 등
자원 문제 교과서 자료	석유, 석탄 등과 같은 에너지 자원의 고갈 문제, 식량 자원의 부족 및 물 부족 문제, 한정된 자원을 둘러싼 국가 간 분쟁 발생 등	자원 절약과 재활용을 위한 인류 공동의 노력, 신·재생 에너지 개발, 성장 위주의 정책과 소비 위주의 문화 개선 등
전쟁과 테러	민족 간의 대립, 이념 및 종교 갈등, 이해관계의 충돌 등으로 전쟁과 테러 발생 → 인간의 존엄성, 평화 등 인류 공통의 가치 저해	분쟁 당사자 간 상호 존중과 협력을 통한 평화적 갈등 해결, 국제기구의 적극적 개입을 통한 분쟁 중재 등

> 꼭! 최근 불특정 다수를 대상으로 한 테러가 증가하면서 사람들의 일상이 위협받고 있어.

> ⓔ 기후 변화 협약, 생물 다양성 협약, 사막화 방지 협약 등의 체결

이것이 핵심!

지속 가능한 사회 실현을 위한 노력

지속 가능한 사회
미래 세대의 필요를 충족시키기 위해 갖추어야 할 여건을 저해하지 않으면서 현세대가 필요로 하는 욕구를 충족시키는 사회

↑

국제 사회의 협력과 시민 각자가 세계 시민으로서의 자질을 함양함으로써 이룰 수 있음

② 지속 가능한 사회와 세계 시민 의식

1. 지속 가능한 사회와 세계 시민

> 꼭! 경제 성장, 사회의 안정과 통합, 환경의 보전이 균형을 이루는 사회를 말해.

(1) **지속 가능한 사회**: 미래 세대가 자신들의 필요를 충족시키기 위해 갖추어야 할 여건을 저해하지 않으면서, 현재 세대가 필요로 하는 다양한 욕구를 충족시키는 사회

(2) **세계 시민**

의미	특정 국가의 국민으로서만이 아니라 인류 공동체의 구성원으로서 세계 공동체 의식을 가지고 지구촌 문제 해결을 위해 협력하는 사람
자세	• 전 지구적 수준의 문제에 지속적인 관심을 가지고, 국가를 초월한 반성과 참여 및 연대를 할 수 있어야 함
• 특정한 이해관계를 초월하여 인권, 평화 등과 같은 보편적인 가치를 추구해야 함
• 편견 없는 사고와 열린 마음으로 다양한 문화를 이해하고 존중하는 자세를 갖추어야 함

2. 지속 가능한 사회를 위한 노력 자료 ②

(1) **전 지구적 수준의 문제에 대한 국제적 협력**: 장기적 목표에 대한 국가 간의 이해와 합의를 바탕으로 전 지구적 수준의 문제에 대한 국제 공조를 강화하고 합의 내용을 준수해야 함

(2) **세계 시민 의식 함양**: 시민 각자가 전 지구적 수준의 문제에 관심을 갖고 해결책을 찾기 위해 능동적·적극적으로 노력하는 세계 시민으로서의 자질을 함양해야 함

완자 자료 탐구

내 옆의 선생님

자료 ① 환경 문제

동남아시아와 아마존강 유역 등지에 발달한 열대 우림은 지구상에 있는 전 식물의 50%가 집중된 지역으로, 많은 산소를 공급하는 큰 역할을 하며 다양한 동식물의 보금자리가 되고 있다. 그런데 지구의 허파 역할을 하는 열대 우림이 목재 벌채, 식량 획득을 위한 개간 등으로 점차 파괴되고 있다. 열대 우림과 같은 삼림의 파괴는 대기 중의 이산화 탄소의 양을 증가시켜 지구 온난화를 가중할 뿐만 아니라, 지구 전체의 모든 환경 오염과 관계가 있다. 특히 토지가 황폐해지는 현상인 사막화의 직접적인 원인이라고 할 수 있다.

열대 우림의 파괴와 같은 환경 문제는 특정 지역에서 발생하는 문제라고 하더라도 그 피해는 전 지구적 차원으로 확산된다. 이러한 문제는 특정 지역이나 특정 국가의 노력만으로는 해결할 수 없으므로 환경 문제 개선을 위한 개인적·사회적 관심과 실천, 환경 문제에 대한 국제 사회의 유기적이고 전폭적인 협력이 요구된다.

수능이 보이는 교과서 자료 자원 문제

양질의 수자원 확보는 지구의 생명을 유지하는 데 매우 중요하다. 하지만 현재 전 세계는 물 부족과 오염이라는 이중고에 시달리고 있다. 국제 연합(UN) 조사에 따르면 세계 인구 중 12억 명이 안전한 마시는 물 부족 현상을 겪고 있으며, 이보다 두 배나 많은 24억 명이 하수도 시설이 없는 상태에서 물을 마시고 있는 것으로 나타났다. 물 부족 사태는 세계 주요 하천의 수자원 확보를 위한 국가 간 분쟁으로 이어지고 있다.

세계 인구의 증가와 소득 수준 향상, 도시 확장 등으로 물 수요는 기하급수적으로 늘어나지만 공급은 한정되어 있어 물 부족 현상이 심화되고 있다. 물 부족 현상은 인간의 생존을 위협할 뿐만 아니라 물을 둘러싼 국가 간 분쟁과 갈등을 초래할 수 있다. 물 부족 문제와 같은 자원 문제를 해결하기 위해서는 자원을 아껴 쓰려는 개인적 차원의 노력과 함께 자원의 한계와 생태계의 수용 능력을 고려한 경제 개발이 필요하다.

자료 ② 지속 가능한 사회를 위한 소비

'아무것도 사지 않는 날' 캠페인은 1992년 캐나다의 테드 데이브(Dave, T.)라는 광고인에 의해 시작되었다. 그는 자신이 만든 광고가 사람들로 하여금 끊임없이 무엇인가를 소비하게 만든다는 문제의식을 갖고 이 캠페인을 추진하였다. 이 캠페인은 매년 11월 26일을 '아무것도 사지 않는 날'로 정하여 소비 행위를 잠시 멈추고 소비와 환경, 지속 가능한 발전에 대해 함께 생각하도록 요청한다. 우리나라에서는 2002년부터 녹색 연합을 중심으로 이 캠페인을 펼치고 있다.

제시된 사례에서 '아무것도 사지 않는 날' 캠페인은 과도한 소비가 지구를 파괴하고, 미래 세대가 자원을 사용할 권리를 빼앗는 행위가 될 수 있다는 점을 알리고자 한다. 이러한 노력은 전 지구적 수준의 문제에 능동적으로 대응하며 지속 가능한 사회를 이끌어 나가기 위한 것이다.

문제 로 확인할까?

전 지구적 수준의 문제에 대한 설명으로 옳은 것은?
① 세계화가 진전되면서 감소하고 있다.
② 미래 세대에는 영향을 끼치지 않는다.
③ 문제가 발생한 국가에만 영향을 끼친다.
④ 국제기구가 개입해야만 해결할 수 있다.
⑤ 특정 국가의 노력만으로 해결하는 데 한계가 있다.

⑤ 🔒

완자쌤의 탐구 강의

• 물 부족과 같은 자원 문제가 발생하는 이유를 서술해 보자.
자원에 대한 수요는 꾸준히 증가하지만, 공급은 한정되어 있기 때문이다.

• 물 부족 문제를 해결하기 위한 개인적·사회적 차원의 노력을 써 보자.
– 개인적 차원: 물을 아껴 써야 한다.
– 사회적 차원: 지속 가능한 수자원을 개발해야 한다.

함께 보기 205쪽, 내신 만점 공략하기 04

자료 하나 더 알고 가자!

지구 생태 용량 초과의 날

지구 생태 용량 초과의 날이란 지구가 한 해 동안 재생할 수 있는 수준의 생태 자원을 인류가 모두 소진해 버린 날을 의미한다. 2000년에는 11월 1일, 2016년에는 8월 8일로 매년 점차 빨라지고 있다.

지구 생태 용량 초과의 날은 인간의 활동이 지구 환경에 미치는 부담을 수치화한 것으로, 이날 이후부터 쓰는 자원은 지구에 지는 '생태적 빚'이 된다.

STEP 1 핵심 개념 확인하기

1 전 지구적 수준의 문제에 대한 설명이 맞으면 ○표, 틀리면 ×표를 하시오.

(1) 특정 국가의 힘과 의지만으로도 해결할 수 있다. (　　)

(2) 현재 세대뿐만 아니라 다음 세대에까지 치명적인 영향을 끼친다. (　　)

(3) 국경을 넘어 유기적으로 연결된 여러 국가들이 공통으로 직면한 문제이다. (　　)

2 전 지구적 수준의 문제와 그 사례를 옳게 연결하시오.

(1) 환경 문제　　•　　　　•　㉠ 식량 부족 문제

(2) 자원 문제　　•　　　　•　㉡ 열대 우림 파괴

(3) 전쟁과 테러　•　　　　•　㉢ 무력에 의한 인명 살상

3 ㉠, ㉡에 들어갈 내용을 각각 쓰시오.

> (㉠　　　　)은 서로 대립하는 국가 또는 이에 준하는 집단 간에 군사력을 비롯한 각종 수단을 써서 상대의 의지를 강제하는 행위이다. 그리고 (㉡　　　　)는 개인 혹은 특정 조직이 자신들의 목적을 위해 무차별적으로 상대에게 위해를 가하는 행위이다.

4 다음 괄호 안의 내용 중 알맞은 말에 ○표를 하시오.

(1) 지구의 평균 기온이 지속해서 상승하는 현상을 (지구 온난화, 사막화)라고 한다.

(2) 자원 고갈 및 분쟁을 해결하기 위해 (화석, 신·재생) 에너지를 개발해야 할 필요가 있다.

5 다음 빈칸에 들어갈 내용을 쓰시오.

(1) 미래 세대의 필요를 충족시키기 위해 갖춰야 할 여건을 저해하지 않으면서 현재 세대가 필요로 하는 욕구를 충족시키는 사회를 (　　　　)라고 한다.

(2) 특정 국가의 국민으로서만이 아니라 인류 공동체의 일원으로서 세계 공동체 의식을 가지고 지구촌 문제 해결을 위해 협력하는 사람을 (　　　　)이라고 한다.

STEP 2 내신 만점 공략하기

01 다음 두 사례의 공통점으로 가장 적절한 것은?

> • 열대 우림 파괴는 지구의 이산화 탄소 흡수 능력을 약화하여 온실가스를 증가시키고, 홍수 시에는 심각한 토양 유실로 다양한 생물 종의 서식을 위협한다.
> • 전 세계의 곡물 생산량은 지구상 모든 사람이 충분히 먹고도 남을 분량이지만, 생산 지역의 편중과 국제 교역 및 복잡한 정치적·경제적 이해관계 등으로 지역에 따라 식량 부족 문제가 발생하고 있다.

① 생활 수준이 낮은 개발 도상국에서만 나타난다.

② 미래 세대에게는 직접적인 영향을 끼치지 않는다.

③ 국제적 공동 대응을 통해 해결해야 하는 문제이다.

④ 특정 국가에서 독립적으로 해결해야 하는 문제이다.

⑤ 국제 연합(UN)과 같은 국제기구가 개입해야만 해결할 수 있는 문제이다.

02 다음 글을 토대로 옳은 진술을 한 사람을 고른 것은?

> 지구 온난화는 세계 여러 지역에 이상 기후를 유발하는데, 특히 아프리카 지역에 큰 피해를 입힌다. 지구 온난화의 주요 요인이 되는 온실가스의 배출국은 대부분 산업이 발달한 선진국들이다. 그들이 발전하기 위해 자연을 함부로 파괴한 대가를 아프리카인들이 받고 있는 것이다. 선진국들이 아프리카인들의 아픔을 외면해서는 안 된다.

① 갑, 을　　② 갑, 병　　③ 을, 병

④ 을, 정　　⑤ 병, 정

03 밑줄 친 ㉠에 대한 옳은 설명을 〈보기〉에서 고른 것은?

생물체이든 무생물체이든 이 지구 안에 존재하는 모든 것의 용량에는 한계가 있다. 인류가 그 한계를 초과해서 사용한다면 자연은 우리 인간에게 무서운 보복을 해 올 수도 있다. 이에 대한 문제의식을 바탕으로 만들어진 개념이 ㉠ 지구 생태 용량 초과의 날이다. 이 날은 지구에서 한 해 동안 재생할 수 있는 수준의 지구 자원을 모두 소진해 버린 날을 의미한다.

보기
ㄱ. ㉠이 늦어질수록 자원 고갈 시기는 빨라진다.
ㄴ. 친환경적인 대체 자원 개발은 ㉠을 앞당길 수 있다.
ㄷ. ㉠은 인간의 활동이 지구 환경에 미치는 부담을 나타낸다.
ㄹ. 자연과 더불어 살아가려는 인식의 확산은 ㉠을 늦추는 요인이 된다.

① ㄱ, ㄴ　　② ㄱ, ㄷ　　③ ㄴ, ㄷ
④ ㄴ, ㄹ　　⑤ ㄷ, ㄹ

05 다음 주장에 부합하는 진술을 〈보기〉에서 고른 것은?

'환경'이 인간의 주위 세계를 뜻하는 개념이라면, '생태'는 인간도 다른 생물체와 마찬가지로 자연의 일부에 불과하다고 보는 개념이다. 두 단어의 개념에는 인류가 공동으로 직면한 문제를 해결하기 위한 열쇠가 내포되어 있다. 즉 환경 문제, 자원 문제 등을 해결하기 위해서는 인간과 자연의 관계를 '환경'이라는 개념을 바탕으로 접근하던 사고방식에서 '생태'라는 개념을 바탕으로 접근하는 사고방식으로 전환해야 한다.

보기
ㄱ. 경제 개발 과정에서 자원의 한계를 고려한다.
ㄴ. 환경친화적인 상품을 생산하는 산업을 육성한다.
ㄷ. 성장 위주의 정책과 소비 위주의 문화를 추구한다.
ㄹ. 자연을 인간의 필요와 욕구를 충족하기 위한 도구로 인식한다.

① ㄱ, ㄴ　　② ㄱ, ㄷ　　③ ㄴ, ㄷ
④ ㄴ, ㄹ　　⑤ ㄷ, ㄹ

04 (가)에 들어갈 내용으로 적절하지 않은 것은?

세계 인구의 증가와 산업 발달로 자원 사용량이 급증하면서 한정된 자원이 고갈되고 있으며 국가 간 자원 전쟁 양상이 나타나기도 한다. 특히 석유나 석탄 등 인류가 의존해 온 에너지 자원의 감소는 세계 경제에 큰 불안 요소로 작용하고 있다. 이러한 자원 고갈 및 분쟁 문제를 해결하기 위해서는 _____(가)_____

① 신·재생 에너지를 개발해야 한다.
② 자원 재활용 산업을 육성해야 한다.
③ 고효율·저소비 방식의 자원 소비 시스템을 개발해야 한다.
④ 자원 확보를 위해 국가 간 자원 이동의 장벽을 높여야 한다.
⑤ 자원 개발과 이용에 대한 국제적 협약을 체결하고, 이를 실천해야 한다.

06 A, B의 일반적인 특징에 대한 설명으로 옳지 않은 것은? (단, A, B는 각각 전쟁과 테러 중 하나이다.)

A는 서로 대립하는 국가나 정치 집단 간에 전면적 또는 국지적으로 무력이나 폭력이 발생하는 갈등 상황이고, B는 특정 목적을 가진 개인이나 단체가 살인, 납치, 유괴, 저격, 약탈 등 다양한 방법의 폭력을 행사하여 사회적 공포 상태를 일으키는 행위이다.

① A는 군사력을 사용해서 상대의 의지를 강제하려는 행위이다.
② B는 종교적·정치적 갈등에 의해 발생하는 경우가 많다.
③ B는 이해관계가 없는 불특정 다수에게 큰 피해를 줄 수 있다.
④ A는 B와 달리 민간인에 대한 살상이 이루어진다.
⑤ A와 B로 인한 피해는 특정 지역에 국한되지 않고 전 세계로 파급될 수 있다.

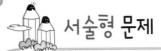

● 정답친해 64쪽

07 밑줄 친 '이것'에 대한 옳은 설명을 〈보기〉에서 고른 것은?

> 이것은 현세대는 물론 미래 세대의 삶의 질이 함께 보장되는 사회를 말한다. 전 지구적 수준의 문제들은 인류의 생존과 지구라는 공동체의 존속을 위협하는 요인들이며, 인류는 이러한 문제들에 대해 효과적이고 체계적으로 대응해야 이것을 실현할 수 있다.

┌ 보기 ┐
ㄱ. 개발의 필요성을 부인한다.
ㄴ. 대량 생산 및 대량 소비 체제를 추구한다.
ㄷ. 세계 시민 의식의 실천을 통해 실현할 수 있다.
ㄹ. 미래 세대의 필요를 고려하여 현세대의 욕구 충족을 지향한다.

① ㄱ, ㄴ   ② ㄱ, ㄷ   ③ ㄴ, ㄷ
④ ㄴ, ㄹ   ⑤ ㄷ, ㄹ

08 ⊙에 해당하는 사람의 자세나 행동으로 적절하지 않은 것은?

> 전 지구적 수준의 문제를 해결하기 위해서는 '나'라는 존재가 한 국가의 국민일 뿐만 아니라 지구촌을 구성하는, 책임 있는 시민이라는 인식이 필요하다. 이처럼 인류 공동체의 일원으로서 세계 공동체 의식을 갖고 지구촌 문제 해결을 위해 협력하는 사람을 (⊙)(이)라고 한다.

① 인권, 평화와 같은 인류 보편의 가치를 지향한다.
② 자신이 속한 사회의 관점에서 다른 문화를 평가한다.
③ 전 지구적 수준의 문제 해결에 능동적으로 참여한다.
④ 환경 오염, 자원 고갈 등과 같은 문제에 지속적인 관심을 가진다.
⑤ 다른 나라의 빈곤이나 재난과 같은 문제 해결에 이바지하고자 한다.

서술형 문제

01 다음 글을 읽고 물음에 답하시오.

> (가) 화석 연료의 사용이 급증하면서 지구 온난화가 가속화되고, 이로 인한 이상 기후 현상이 지구 곳곳에서 나타나고 있다.
> (나) 2011년에 시리아에서 발생한 평화 시위에 대한 정부의 무자비한 진압은 내전으로 격화되어 수많은 사람이 난민으로 전락하였다. 또한 2016년 프랑스 대혁명 기념일에는 특정 종교의 극단주의자로 추정되는 남성이 대형 트럭을 몰고 군중에게 돌진하여 수많은 사람이 다치고, 사망하였다.

(1) (가), (나)에 나타난 전 지구적 수준의 문제가 무엇인지 각각 쓰시오.

(2) (가)를 해결하기 위한 방안을 두 가지 이상 서술하시오.

02 다음 글을 읽고 물음에 답하시오.

> A는 현재 세대뿐만 아니라 미래 세대도 안정적이고 풍요로운 삶을 이어나갈 수 있도록 경제 성장, 사회 안정과 통합, 환경 보전 등이 조화를 이루는 사회를 말한다. 전 지구적 수준의 문제에 능동적으로 대응하며, A를 이끌어 가기 위해서는 시민 각자가 ⊙ 세계 시민으로서의 자질을 함양할 필요가 있다.

(1) A에 해당하는 개념을 쓰시오.

(2) 밑줄 친 ⊙에 해당하는 내용을 두 가지 이상 서술하시오.

1 밑줄 친 ㉠~㉢에 대한 옳은 설명만을 〈보기〉에서 있는 대로 고른 것은?

> 2015년 12월 12일 국제 연합(UN) 기후 변화 회의의 참가국들은 지구 평균 온도 상승폭을 산업화 이전 대비 2℃, 이상적으로는 1.5℃ 이하로 제한하는 것을 주요 내용으로 하는 ㉠ 파리 협정에 서명한 바 있다. 그리고 최근 지구 평균 온도 상승 폭 제한 목표를 달성하지 못할 경우 폭염으로 인한 사망률이 증가할 것이라는 ㉡ 연구 결과가 발표되었다. 이 연구에 따르면 지구의 평균 온도가 3~4℃ 상승할 경우, 그에 따른 사망률은 1~9% 증가한다. 그리고 현재 지구 온난화가 3℃ 이상 진행될 것으로 예측되는데, ㉢ 이 추세대로라면 ㉣ 세계 여러 지역에서 건강과 관련된 심각한 문제가 발생할 수 있다.

┌ 보기 ┐
ㄱ. ㉠은 지구 온난화에 대응하기 위한 국제적인 공조의 결과이다.
ㄴ. ㉡은 지구 온도와 사망률 간에 역(−)의 관계가 있음을 보여 준다.
ㄷ. ㉢을 완화하기 위해서는 대량 생산 및 대량 소비 시스템을 강화해야 한다.
ㄹ. ㉣은 지구 온난화가 전 지구적 수준의 문제임을 보여 준다.
└───┘

① ㄱ, ㄹ　　　　　② ㄷ, ㄹ　　　　　③ ㄱ, ㄴ, ㄷ
④ ㄱ, ㄴ, ㄹ　　　⑤ ㄴ, ㄷ, ㄹ

> **전 지구적 수준의 문제**
>
> **│완자 사전│**
>
> • **파리 협정**
> 국제 연합(UN)의 기후 변화 협약에 가입한 195개 선진국과 개발 도상국 모두가 온실가스 감축에 동참하기로 한 최초의 세계적 기후 합의이다. 산업화 이전 시기 대비 지구 평균 기온 상승 폭을 2℃보다 낮은 수준으로 유지하는 것을 목표로 한다.

2 밑줄 친 ㉠~㉢에 대한 설명으로 옳은 것은?

> 오늘날 인류는 생존을 위협할 수 있는 ㉠ 공통의 문제에 직면해 있다. 이를 해결하고 ㉡ 현재와 미래 사회의 지속 가능한 발전을 모색하려면 사회 구성원들은 ㉢ 세계 시민이라는 정체성 형성을 위해 노력하고 전 지구적 차원에서 협력해야 한다.

① ㉠은 인간 활동보다는 주로 자연적 요인에 의해 발생한다.
② 성장 위주가 아닌 분배 위주의 정책을 추진하면서 ㉠이 심화되었다.
③ 생태계의 수용 능력을 고려하는 경제 개발은 ㉡에 기여한다.
④ ㉡을 위해서는 자연을 인간의 욕구를 충족하는 수단으로 여기는 태도를 가져야 한다.
⑤ ㉢은 자신이 속한 국가의 이해관계를 최우선으로 하는 태도를 전제로 한다.

> **지속 가능한 사회와 세계 시민**
>
> **완자샘의 시험 꿀팁**
>
> 지속 가능한 사회를 이루기 위해 세계 시민이 가져야 할 자세를 정리해 둔다.

01 사회 변동과 사회 운동

1. 사회 변동의 의미와 요인

의미	인간의 생활 방식, 의식 구조, 사회적 관계, 사회 구조 등이 총체적으로 변화하는 현상
특징	모든 사회에서 보편적으로 나타남, 사회 변동의 양상은 사회마다 다름, 사회 변동의 속도가 점차 빨라짐, 한 영역의 변화가 다른 영역의 변화를 유발하기도 함 등
요인	과학과 기술의 발달, 가치관이나 이념의 변화, 자연환경의 변화, 인구 변화, 새로운 문화 요소의 전파 등

2. 사회 변동을 설명하는 다양한 이론

(1) 사회 변동의 방향에 관한 관점

구분	(❶)	순환론
기본 입장	• 사회는 일정한 방향으로 변동하며, 변동이 곧 진보임 • 사회는 단순하고 미분화된 상태에서 복잡하고 분화된 상태를 향하여 변화함	• 사회는 생성, 성장, 쇠퇴, 해체를 반복함 • 사회는 특정 방향으로 지속해서 진보하는 것이 아니라 발전과 퇴보를 반복함
의의	사회의 발전 양상을 설명하기 유용함	장기적 측면에서 반복되는 사회 변동을 설명하기 유용함
한계	• 사회가 퇴보·멸망하는 사례를 설명하기 어려움 • 서구 제국주의 역사를 정당화하는 수단으로 악용됨	• 미래 사회의 변동을 예측하여 대응하는 데 부적합함 • 인간 행위의 역동성과 자율성을 과소평가함

(2) 사회 변동에 관한 구조적 관점

구분	(❷)	갈등론
기본 입장	사회 변동은 사회 각 부분이 일시적 불균형을 극복하면서 새로운 균형의 상태를 찾아가는 과정임 → 사회 변동은 일시적이며 병리적인 현상임	사회적 희소가치를 갖지 못한 피지배 집단이 지배 집단에 저항하면서 사회 변동이 발생함 → 사회 변동은 자연스러운 현상임
의의	점진적 사회 변동을 설명하기 유용함	혁명과 같은 급격한 사회 변동을 설명하기 유용함
한계	• 사회 질서와 안정을 중시하는 보수적 관점임 • 혁명과 같은 급격한 사회 변동을 설명하기 어려움	사회 변동을 갈등과 대립의 산물로만 이해하여 사회의 안정과 질서, 사회 구성 요소 간 상호 의존성을 간과함

3. 사회 운동과 사회 변동

(1) (❸)

의미	사회 문제를 해결하거나 사회 체제를 바꾸기 위하여 대중이 벌이는 조직적·집단적 행위
특징	뚜렷한 목표와 이념이 있으며, 목표 달성을 위한 구체적인 활동 방법과 조직을 가짐
역할	사회 구조적 모순과 갈등을 드러내고 그에 대한 해결책을 제시함으로써 사회 변동을 유발하는 동력이 되기도 함

(2) 사회 운동의 유형

개혁적 사회 운동	기존 사회 질서에 만족하지만 어떤 개혁이 필요할 때 발생함 → 사회 체계의 일부분을 바꾸려는 제한적인 목표를 가짐
(❹) 사회 운동	기존 사회 질서에 불만을 가지고 급진적인 변동을 추구할 때 발생함 → 사회 체제 자체를 변화시키려 함
복고적(반동적) 사회 운동	급격한 사회 변동에 대항하여 기존의 질서를 고수하고자 할 때 발생함

02 현대 사회의 변화와 대응 방안

1. 세계화에 따른 변화와 대응 방안

(1) **세계화:** 다양한 측면에서 전 세계가 상호 의존하면서 삶의 공간이 국경을 넘어 전 지구로 확대되는 현상

(2) 세계화에 따른 변화

경제적 측면	전 세계의 단일 시장화, 생산자의 넓은 시장 확보, 소비자의 상품 선택의 폭 확대 등 ↔ 국가 간 빈부 격차 심화, 경쟁력 없는 기업 및 산업 도태 등
정치적 측면	지구촌 문제에 공동 대응, 민주주의나 인권 등의 가치 확산 등 ↔ 개별 국가의 (❺) 침해 등
사회·문화적 측면	다양한 문화의 체험·향유 기회 확대, 새로운 문화 창출의 기회 확대 등 ↔ 고유문화의 훼손, 문화의 획일화 등

(3) 세계화의 대응 방안

경제적 측면	국제 경쟁력을 높이기 위한 개인과 기업, 정부의 노력 필요, 세계화에 따른 양극화에 대비 등
문화적 측면	다른 문화를 존중하는 관용의 자세와 문화 상대주의적 태도 함양, 외래문화의 비판적 수용, 우리 문화의 창조적 계승 노력 등
개인적 측면	인류 전체의 보편적 가치 추구, 지구촌 문제 해결을 위한 세계 공동체 의식 함양 등

2. 정보화에 따른 변화와 대응 방안

(1) 정보화: 지식과 정보의 생산, 유통, 소비가 생활의 중심이 되는 현상

(2) 정보화에 따른 변화

경제적 측면	지식과 정보 관련 산업 발달, (❻) 소량 생산 방식의 확산, 재택근무 실현, 전자 상거래 증가 등
정치적 측면	정보의 접근성과 정치적 자유 증진 → 시민의 정치 참여 증가, 직접 민주 정치의 실현 가능성 증대
사회·문화적 측면	탈관료제와 같은 수평적 사회 조직 증가, 정보의 생산자와 소비자로서 대중의 역할 확대, 가상 공간에서 맺는 사회적 관계 증가 등

(3) 정보화에 따른 문제점과 대응 방안

문제점	정보 격차, 사생활 침해, 인터넷 중독, 사이버 범죄, 정보 홍수 및 정보 오남용 문제, 특정 집단이나 권력자에 의한 정보의 통제와 감시, 인간 소외 등
대응 방안	• 개인적 차원: 정보 사회에 필요한 다양한 지식과 기능 습득, 정보의 비판적 수용, 정보 윤리 의식 함양 등 • 사회적 차원: 정보 인프라 구축 및 정보 격차 완화 방안 마련, 사이버 범죄 방지를 위한 법적 장치 마련 및 정비 등

3. 저출산·고령화에 따른 변화와 대응 방안

(1) 저출산·고령화의 의미와 원인

저출산 현상	• 의미: 출산율이 적정 수준보다 낮은 현상 • 원인: 자녀 양육에 대한 경제적 부담 증가, 결혼이나 자녀에 관한 가치관 변화, 여성의 사회 진출 증가 등
고령화 현상	• 의미: 전체 인구에서 노인 인구가 차지하는 비율이 증가하는 현상 • 원인: 의료 기술의 발달과 생활 수준의 향상에 따른 평균 수명의 연장, 저출산 현상의 심화

(2) 저출산·고령화에 따른 문제점과 대응 방안

문제점	• (❼) 감소로 국민 경제의 활력 저하 • 인구 정체 또는 감소에 따른 소비 위축과 저성장 초래 • 노후 소득 감소에 따른 노인의 빈곤 문제 발생 • 노인을 대상으로 한 복지 지출 증가로 국가 재정 악화 • 노인 부양 책임 및 일자리를 둘러싼 세대 간 갈등 심화
대응 방안	• 일·가정 양립을 위한 제도적 지원 강화 → 출산 보조금과 양육 수당 지급, 국공립 어린이집 개설 확대 등 • 노인 일자리 창출 및 정년 연장에 대한 사회적 합의 • 노후 소득 보장을 위한 연금 제도 개선 • 고령화에 따른 산업 구조 개편

4. 다문화적 변화와 대응 방안

(1) (❽   )

의미	다양한 인종, 종교, 문화 등 서로 다른 문화적 배경을 가진 사람들이 함께 살아가는 사회
형성 배경	교통·통신 기술의 발달과 함께 세계화가 진행되면서 서로 다른 문화권에 속한 사람들 간의 접촉이 빈번해짐

(2) 다문화 사회의 영향과 대응 방안

영향	• 긍정적 영향: 문화 다양성 확대, 저출산·고령화에 따른 노동력 부족 문제 해소 • 부정적 영향: 이주민의 사회 부적응, 문화의 차이에 따른 갈등 발생, 이주민에 대한 편견과 차별에 따른 인권 침해 등
대응 방안	• 개인적 차원: 문화 다양성 존중, 이주민에 대한 편견 및 차별 지양 등 • 사회적 차원: 이주민에 대한 편견 및 차별을 막을 수 있는 법적·제도적 장치 마련, 다문화 정책 마련, 다문화 교육 강화 등

03 전 지구적 수준의 문제와 지속 가능한 사회

1. 전 지구적 수준의 문제

(❾)	• 양상: 지구 온난화, 사막화와 열대 우림 파괴, 황사 및 미세 먼지 발생, 토양·수질·대기 오염 등 • 해결 방안: 자연과 더불어 살아가려는 인식 확립, 환경 친화적 상품 개발 등
자원 문제	• 양상: 에너지 자원 고갈, 식량 자원과 물 부족 문제 발생, 한정된 자원을 둘러싼 국가 간 분쟁 발생 등 • 해결 방안: 자원 절약 및 재활용, 신·재생 에너지 개발, 성장 위주의 정책과 소비 위주의 문화 개선 등
전쟁과 테러	• 양상: 민족 간의 대립, 이념 및 종교 갈등, 정치적·경제적 이해관계의 충돌 등으로 전쟁과 테러 발생 • 해결 방안: 분쟁 당사자 간의 상호 존중과 이해 및 협력, 국제기구의 적극적 개입을 통한 분쟁 중재 등

2. 지속 가능한 사회와 세계 시민 의식

(❿)	미래 세대의 필요를 충족시키기 위해 갖춰야 할 여건을 저해하지 않으면서, 현재 세대가 필요로 하는 다양한 욕구를 충족시키는 사회
지속 가능한 사회를 위한 노력	• 전 지구적 수준의 문제에 대응하기 위한 국제적 차원의 협력이 필요함 • 시민 각자가 세계 시민 의식을 함양해야 함

01 다음 내용에 부합하는 진술로 적절하지 <u>않은</u> 것은?

인류는 오랜 세월 동안 농업을 중심으로 하는 사회를 이루고 살았으나, 18세기 무렵 산업 생산에 의해 지배되는 사회로 전환되는 광범위한 사회 변동을 경험하였다. 이후 정보 통신 기술의 발달로 인해 지식과 정보가 중심이 되는 새로운 사회로의 변동이 나타났으며, 기술의 급속한 발달이 사회 변동을 촉진하는 요인으로 작용하고 있다. 이 과정에서 구성원에게 적용되는 사회적 관계와 제도도 크게 변화하였다.

① 사회 변동은 복합적이고 총체적으로 진행된다.
② 사회 변동은 사회 전반에 걸친 구조적 변화이다.
③ 물질문화의 변동은 사회 변동의 요인이 될 수 있다.
④ 시간이 흐를수록 사회 변동의 속도는 점차 둔화된다.
⑤ 한 영역에서의 변화는 다른 영역에서의 변화를 유발한다.

02 다음 사례에 나타난 사회 변동의 요인을 가장 적절하게 파악한 사람은?

지구 온난화에 따른 해수면 상승으로 남태평양의 투발루는 이미 2개 섬이 바다에 잠겼고, 머지않아 전 국토가 잠길 위험에 처해 있다. 이와 같은 기후 변화는 각국의 산업 전반에 걸쳐 신·재생 에너지 개발과 환경친화적인 생산 체제로의 변화를 초래하였다.

① 갑: 과학과 기술의 발달은 생활 전반에 큰 변화를 초래하지.
② 을: 인구의 변화는 기존의 사회 구조에 큰 변화를 가져오기도 해.
③ 병: 자연환경의 변화에 대응하는 과정에서 사회 변동이 일어나기도 해.
④ 정: 가치관이나 이념 등과 같은 정신적 요인은 사회 변동을 이끄는 힘이야.
⑤ 무: 다른 사회로부터 새로운 문화 요소가 전파되어 사회가 변동하기도 해.

03 사회 변동을 바라보는 관점 (가), (나)에 대한 설명으로 옳은 것은?

(가) 인류 문명은 단순한 것에서 분화된 것으로, 미신적인 것에서 합리적인 것으로, 낡은 것에서 새로운 것으로 발전해 나간다.
(나) 각 문명은 독자적 정체성을 가지지만 결국 생물체와 같이 성장, 발전, 노쇠, 몰락의 과정을 되풀이한다. 모든 문명은 1천 년을 생애 주기로 하므로, 서구 문명은 이미 몰락의 과정에 접어들었다고 볼 수 있다.

① (가)는 사회가 일정한 양상을 반복하면서 변동한다고 본다.
② (가)는 모든 발전은 곧 서구화임을 전제로 하여 제국주의의 지배를 정당화할 우려가 있다.
③ (나)는 사회 변동이 바람직한 방향으로의 변화를 의미한다고 본다.
④ (가)는 (나)와 달리 과거의 사회 변동만을 설명한다는 비판을 받는다.
⑤ (나)는 (가)와 달리 사회의 다양한 변화 가능성을 부정한다.

04 그림은 각 질문에 대한 사회 변동을 바라보는 관점 A의 응답을 나타낸 것이다. (가), (나)에 들어갈 수 있는 질문을 <보기>에서 고른 것은?

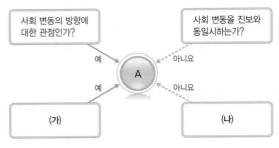

보기
ㄱ. (가): 미래 사회의 변동을 예측하여 대응하기 적합한가?
ㄴ. (가): 흥망성쇠를 거듭한 국가의 사회 변동 사례를 설명하기 유용한가?
ㄷ. (나): 사회 변동은 일정한 방향을 추구하고 있는가?
ㄹ. (나): 사회 변동 과정에서 문명이 퇴보할 수 있는가?

① ㄱ, ㄴ ② ㄱ, ㄷ ③ ㄴ, ㄷ
④ ㄴ, ㄹ ⑤ ㄷ, ㄹ

05 그림은 사회 변동을 바라보는 어떤 관점을 나타낸 것이다. 이 관점에 대한 진술로 옳은 것은?

> 사회의 균형을 저해하는 비정상적인 현상이 발생함
>
> ↓
>
> 비정상적인 현상을 해결하기 위한 사회 각 부분들의 유기적인 움직임이 나타남
>
> ↓
>
> 새로운 균형을 달성함

① 사회 변동은 불가피한 현상이다.
② 사회는 발전과 퇴보를 반복한다.
③ 사회의 각 부분은 본질적으로 대립 관계에 있다.
④ 사회 변동은 사회의 구조적 모순을 제거해 나가는 과정이다.
⑤ 사회의 각 부분이 기능적으로 통합되어 있어 사회는 안정적으로 유지된다.

06 다음 글에 나타난 사회 변동을 바라보는 관점에 대한 옳은 설명을 〈보기〉에서 고른 것은?

> 산업화 과정에서 핵가족 내 부부의 성 역할 분담이 나타난 것은 기존의 남성 지배적인 가족 관계를 고착화한 것이다. 즉 남성 중심의 가부장적인 가치에 기초하여 남성은 사회에, 여성은 가정에 귀속한 것이다. 부부간의 수직적인 권력관계에 기초한 이러한 역할 규정에 대해 여성이 문제 제기와 변화를 지속적으로 요구하면서 가족 내 양성평등이 가능해졌다.

보기

ㄱ. 사회 변화보다는 사회 안정과 유지를 중시한다.
ㄴ. 혁명과 같은 급격한 사회 변동을 설명하기 어렵다.
ㄷ. 사회 변동을 필연적이며 보편적인 현상이라고 본다.
ㄹ. 사회 변동을 집단 간 갈등과 대립의 산물이라고 본다.

① ㄱ, ㄴ   ② ㄱ, ㄷ   ③ ㄴ, ㄷ
④ ㄴ, ㄹ   ⑤ ㄷ, ㄹ

07 표는 질문 (가)~(다)를 활용하여 사회 변동을 보는 관점 A, B를 구분한 것이다. 이에 대한 설명으로 옳은 것은? (단, A, B는 각각 기능론과 갈등론 중 하나이다.)

관점＼질문	(가)	(나)	(다)
A	아니요	예	예
B	예	아니요	예

① A가 기능론이면 (가)에는 '사회 변동을 일시적인 현상으로 보는가?'가 적절하다.
② B가 갈등론이면 (나)에는 '사회 질서와 안정을 중시하는 보수적 관점이라는 비판을 받는가?'가 적절하다.
③ (가)가 '사회 변동을 일시적 불균형을 극복해 가는 과정으로 보는가?'라면, A는 기능론이다.
④ (나)가 '사회가 본질적으로 변동을 지향하는가?'라면, B는 갈등론이다.
⑤ (다)에는 '사회 변동을 불평등한 사회 구조를 개선하는 과정으로 보는가?'가 적절하다.

08 (가)와 구별되는 (나)의 특징으로 가장 적절한 것은?

> (가) 갑국의 경영인들이 결성한 '○○ 경제 단체'는 집회, 서명 운동 등을 통해 정부가 추진 중인 생활 임금제 도입에 반대하고 있다.
> (나) 을국의 '18세 선거권 □□ 네트워크'는 청소년 참정권 실현을 위한 전국 연대체로, 선거권 연령을 19세에서 18세로 내릴 것을 주장하며 캠페인, 국민 청원 운동 등 다양한 활동을 펼치고 있다.

① 사회 운동에 해당한다.
② 달성하고자 하는 목표가 있다.
③ 기존 질서의 변화를 추구한다.
④ 구성원 간에 역할이 분담되어 있다.
⑤ 체계적인 조직을 갖추고 이루어진다.

09 다음 글에 나타난 현대 사회의 변동 양상의 영향으로 가장 적절한 것은?

> A 자동차 회사는 세계적인 다국적 기업이다. 본사는 스웨덴에 있지만, 대부분의 자동차 생산은 중국에서 이루어진다. 자동차 디자인은 전 세계 산업 디자이너들의 공동 작업에 의해 이루어지고, 생산된 자동차는 세계 여러 국가에 판매된다.

① 국가 간 경계가 강화된다.
② 문화 간 교류가 감소한다.
③ 계층 간 소득 불평등이 해소된다.
④ 국가 간 상호 의존성이 심화된다.
⑤ 소비자의 상품 선택 범위가 축소된다.

10 (가)에 들어갈 내용으로 적절하지 않은 것은?

> 세계화에 찬성하는 입장에서는 세계화로 국가 간의 교역이 증가하면서 세계 전체의 부가 증대되며, 여러 나라의 다양한 문화를 접할 수 있는 기회가 확대됨으로써 문화 발전의 가능성이 높아진다고 본다. 그러나 세계화로 나타나는 _____(가)_____ 등의 문제를 이유로 하여 세계화에 반대하는 입장도 있다.

① 개별 주권 국가의 자율성이 침해되는
② 국제 행위 주체의 역할이 크게 약화되는
③ 선진국 문화의 일방적 전파로 문화적 획일성이 나타나는
④ 약소국이나 소수 민족의 문화적 정체성이 상실될 우려가 있다는
⑤ 국가 간 경쟁이 심화함에 따라 선진국과 개발 도상국 간 격차가 확대된다는

11 표는 A, B의 일반적 특징을 비교한 것이다. 이에 대한 옳은 설명을 〈보기〉에서 고른 것은? (단, A, B는 각각 산업 사회와 정보 사회 중 하나이다.)

비교 기준	비교 결과
비대면 접촉 비중	A > B
(가)	A < B

보기
ㄱ. A는 B보다 전자 상거래의 비중이 높다.
ㄴ. B는 A보다 지식 산업을 통한 부가 가치 창출이 유리하다.
ㄷ. (가)에는 '구성원 간 익명성 정도'가 적절하다.
ㄹ. (가)에는 '가정과 일터의 분리 정도'가 적절하다.

① ㄱ, ㄴ   ② ㄱ, ㄹ   ③ ㄴ, ㄷ
④ ㄴ, ㄹ   ⑤ ㄷ, ㄹ

12 다음 자료에 대한 옳은 분석 및 추론을 〈보기〉에서 고른 것은?

> 표는 갑국에서 일반 국민의 정보화 수준을 100이라 할 때 A, B 계층의 정보화 수준을 비교한 것이다.

구분	2016년	2017년	2018년
A 계층	70	80	90
B 계층	60	50	40

보기
ㄱ. 2016년에 B 계층은 A 계층에 비해 정보화 수준이 높다.
ㄴ. 2017년 A 계층의 정보화 수준은 2018년 B 계층의 정보화 수준의 두 배이다.
ㄷ. 일반 국민과 A 계층 간 정보화 수준 격차는 점차 줄어들고 있다.
ㄹ. A 계층에 비해 B 계층에 대한 정보화 교육의 필요성이 더 클 것이다.

① ㄱ, ㄴ   ② ㄱ, ㄷ   ③ ㄴ, ㄷ
④ ㄴ, ㄹ   ⑤ ㄷ, ㄹ

13 (가), (나)와 관련 있는 현상에 대한 설명으로 옳지 <u>않은</u> 것은?

> (가) 2016년 우리나라의 출생아 수가 전년보다 7.3%가 감소하면서 통계 작성 이래 최저치를 기록하였다. 합계 출산율도 1.17명으로 전년도 1.24명에서 약 5.6% 감소하였다.
>
> (나) 통계청 발표에 따르면 2015년 기준 우리나라 전체 인구에서 노인 인구가 차지하는 비율은 13.1%로 나타났고, 2030년에는 24%를 넘을 것으로 예측된다. 또한 우리나라는 2026년에 초고령 사회로 진입하고, 2050년에는 노년 부양비가 약 71명에 이를 것으로 전망된다.

① (가)는 자녀 양육 부담의 감소로 나타난다.
② (가)는 생산 가능 인구 감소의 요인이 된다.
③ (나)는 의료 기술의 발달로 나타난다.
④ (나)는 복지 비용의 증가로 재정 악화를 초래한다.
⑤ (가), (나) 모두 국민 경제의 활력 저하를 초래한다.

14 다음 자료에 대한 옳은 분석을 〈보기〉에서 고른 것은?

> 표는 갑국의 노년 부양비와 유소년 부양비의 변화를 나타낸다. 단, 갑국의 생산 가능 인구는 지속적으로 증가하였다.
>
> (단위: 명)
>
> | 구분 | 1995년 | 2005년 | 2015년 |
> |---|---|---|---|
> | 노년 부양비 | 10 | 25 | 40 |
> | 유소년 부양비 | 40 | 25 | 10 |
>
> * 노년 부양비 = (노인 인구 / 생산 가능 인구) × 100
> ** 유소년 부양비 = (유소년 인구 / 생산 가능 인구) × 100

〔보기〕
ㄱ. 1995년, 2005년, 2015년의 총인구는 같다.
ㄴ. 2005년의 생산 가능 인구는 유소년 인구와 노인 인구의 합의 2배이다.
ㄷ. 1995년의 노인 인구보다 2015년의 유소년 인구가 많다.
ㄹ. 유소년 인구에 대한 노인 인구의 비는 2015년이 1995년의 4배이다.

① ㄱ, ㄴ   ② ㄱ, ㄷ   ③ ㄴ, ㄷ
④ ㄴ, ㄹ   ⑤ ㄷ, ㄹ

15 다문화 사회를 바라보는 갑, 을의 입장에 대한 분석 및 추론으로 옳은 것은?

> • 갑: 한 사회에 사는 사람들은 같은 문화를 공유해야 합니다. 따라서 이주민의 문화를 주류 문화로 편입시킴으로써 하나의 문화를 유지할 수 있는 방안을 고민해야 합니다.
> • 을: 문화를 공유하는 것도 중요하지만 문화적 이질성을 존중하는 것을 우선해야 합니다. 우리 사회의 이주민들이 자신의 고유한 문화 정체성을 지키며 살아갈 수 있도록 배려하고 존중해 주어야 합니다.

① 갑은 문화 다양성이 곧 그 사회의 경쟁력이라고 여길 것이다.
② 을은 이주민의 문화 정체성이 바뀌기를 기대할 것이다.
③ 을은 갑과 달리 이주민을 동화의 객체로 인식한다.
④ 을은 갑과 달리 서로 다른 문화의 공존을 모색한다.
⑤ 갑, 을 모두 문화의 동질성 확보를 중시한다.

16 다음에서 권장하는 소비 행태에 대한 설명으로 적절한 것을 〈보기〉에서 고른 것은?

> • 종이컵 대신 개인 컵을 사용해 주세요. 우리는 매년 우리 몸무게의 6배나 되는 쓰레기를 지구에 버린답니다.
> • 먹을거리는 모두 지역에서 해결해 주세요. 식품의 유통 과정에서 발생하는 이산화 탄소를 절감하는 효과를 가져옵니다.
> • 여행하면서 에너지를 아껴 주세요. 매년 여행지 숙소의 냉방 시설에서 발생하는 이산화 탄소는 1.5억 톤으로, 이를 위해서는 소나무 300억 그루가 필요합니다.

〔보기〕
ㄱ. 세계 시민 의식에 부합한다.
ㄴ. 지속 가능한 사회를 만드는 데 기여한다.
ㄷ. 국가 간 소득 격차 완화를 목적으로 한다.
ㄹ. 새로운 형태의 전 지구적 수준의 문제를 야기한다.

① ㄱ, ㄴ   ② ㄱ, ㄷ   ③ ㄴ, ㄷ
④ ㄴ, ㄹ   ⑤ ㄷ, ㄹ

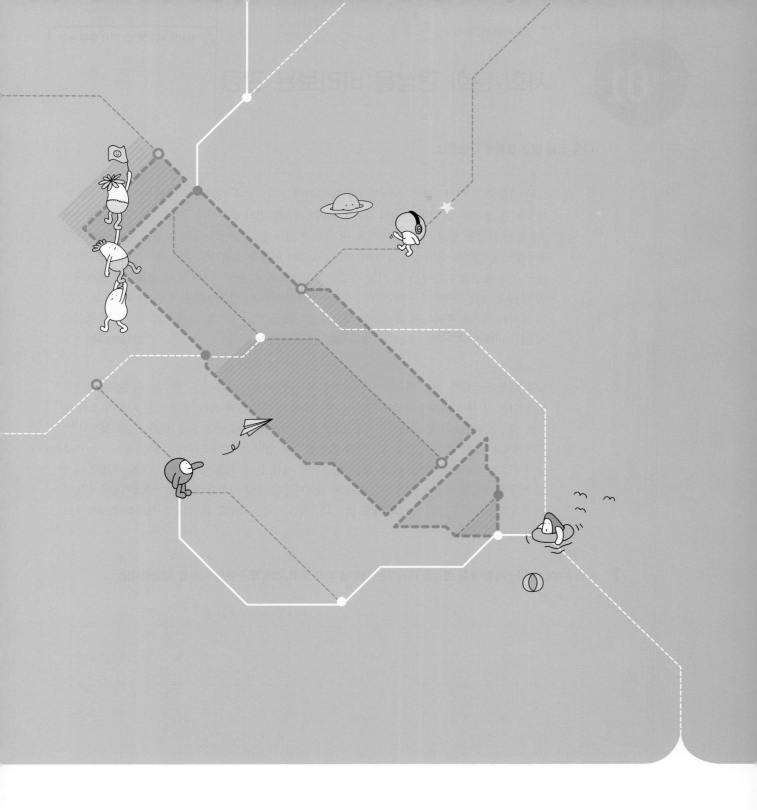

논술형 문제

주제 01 사회·문화 현상을 바라보는 관점

다음 글을 읽고 물음에 답하시오.

(가) 노동 시장 구조 개혁을 위한 노사정 대타협이 끝내 결렬되었다. 대타협이 깨진 이유는 노사정 모두 미래를 생각하기보다는 눈앞의 기득권 지키기에 매달렸기 때문이다. ○○ 노총은 협상 막판에 5대 불가 사항을 들고 나왔다. 재계도 해고 요건 완화 등 그동안의 숙원 사항을 해결하는 데만 집중하였다. 기업의 준비 상황을 고려하지 않고 정년 연장을 법제화한 정부 역시 부처 간 의견 조율도 못해 혼선을 더했다. 노동 시장 개혁에 실패한 스페인, 이탈리아의 20대 고용률은 20%에도 못 미친다. 지금 개혁하지 못하면 우리 젊은이들의 미래가 더 암울해진다. 정부는 그동안 노사 간에 제시된 의견을 수렴하여 법 제도를 새롭게 정비해 밀고 나가야 한다. 국회도 갈등을 증폭시키지 말고 미래를 내다보며 타협하는 정치력을 발휘해야 할 것이다. — 「중앙일보」, 2015. 4. 9.

(나) 노동 개혁이 실패한 것은 애초부터 논의의 틀이 잘못 짜였기 때문이다. 정부는 이제라도 올바르게 된 논의를 할 새판 짜기에 나서야 한다. 우선 원칙을 분명히 해야 한다. 현행 노동 시장 구조의 핵심은 대기업 – 중소기업, 정규직 – 비정규직으로 나뉜 이중 구조이다. 소수 대기업에만 성장의 결실이 몰리는 것을 막아야 한다. 대기업의 불공정 거래 엄단 등이 대표적이다. 또한 중소기업·비정규직 근로자의 이해를 반영하도록 협상 틀도 다시 짜야 한다. 기존 협상에는 노동계 대표로 대기업·사무직 조합원 비율이 높은 ○○ 노총만 참여하였다. 국내 노동자의 88%가 중소기업에서 일하는 현실과는 거리가 멀다. 경영계 대표 역시 대기업의 이익을 대변할 뿐이다. — 「한겨레신문」, 2015. 4. 10.

1 (가), (나)에 나타난 사회·문화 현상을 바라보는 관점을 각각 쓰고, 그렇게 구분한 이유를 서술하시오.

....

....

....

2 (가), (나)의 관점 중 한 가지를 선택하여 '가족 내 성별 분업'이라는 현상에 관해 논술하시오.

....

....

....

사회·문화 현상의 탐구 방법

주제 **02**

다음 글을 읽고 물음에 답하시오.

(가) 경험적인 자료를 수량화하고 이를 통계적으로 분석하여 사회·문화 현상에 존재하는 인과 법칙을 찾아내고자 한다. 수량화된 자료를 통해 검증된 과학적 지식의 발견을 중시한다는 점에서 실증적 연구 방법이라고도 한다. 이 연구 방법은 사회·문화 현상과 자연 현상은 본질적으로 차이가 없으며, 실험, 측정 등과 같은 자연 과학적 연구 방법을 사회·문화 현상의 연구에도 그대로 적용할 수 있다는 방법론적 일원론의 입장을 취한다.

(나) 사회·문화 현상과 자연 현상은 본질적으로 다르다고 전제한다. 사회·문화 현상은 자연 현상과 달리 인간의 의식과 의지를 바탕으로 일어나며, 인간의 행위에는 주어진 환경과 조건, 그리고 자신의 행위에 대한 해석과 의미가 담겨 있기 때문이다. 따라서 이 연구 방법에서는 행위자가 어떤 행위를 하는 사회적 맥락을 중시하고 겉으로 드러난 행위의 이면에 감추어진 동기나 목적을 파악하려 하며, 자연 과학과는 다른 방법으로 사회·문화 현상을 탐구해야 한다는 방법론적 이원론의 입장을 취한다.

1 (가), (나)에서 설명하는 사회·문화 현상의 연구 방법을 쓰고, 그 연구 방법이 갖는 한계를 각각 서술하시오.

2 '청소년 비행 문제'라는 현상을 탐구하기 위해 (가), (나)의 연구 방법 중 어느 것을 사용할 것인지 선택하고, 그 근거를 들어 논술하시오.

주제 03 연구자가 지켜야 할 연구 윤리

다음 글을 읽고 물음에 답하시오.

(가) 미국의 사회학자인 스탠리 밀그램은 '권위에 대한 무조건적인 복종'을 알아보기 위한 연구를 '징벌에 대한 학습 효과 측정'이라고 속여 실험 대상자를 모집하였다. 그리고 실험 참가자를 2인 1조로 하여 한 명은 학생, 한 명은 교사 역할을 맡게 하였다. 교사는 학생에게 질문하고 학생이 답을 틀리면 전기 충격을 15볼트에서 450볼트까지 올리게 하였다. 그러나 전기 충격 장치는 가짜였고, 학생 역할을 맡은 사람은 교육된 실험 관계자였다. 실제로 450볼트면 즉사할 가능성도 있었지만, 450볼트까지 가도 사람이 죽지 않을 것이라는 밀그램 교수의 말을 듣고 실험 대상자 40명 중 26명이 450볼트까지 전압을 올렸다. 그러나 실험 이후 실험 대상자 중에는 실험을 거부하지 못하였다는 죄책감에 시달리는 사람들도 많았고, 자신이 이러한 비인간적인 연구에 이용되었다는 것에 분노하는 사람도 있었다.

– 얼 바비, 『사회 조사 방법론』

(나) 우생학은 특정 개인이나 인종이 사회 유지에 도움이 되는지를 고려하여 우수 형질과 열등 형질로 구분하고서, 열등 형질을 가진 인간을 단종해야 한다고 주장하는 학문이다. 이런 주장에 따라 1905년 미국의 한 지역에서는 장애나 유전 질병이 있거나, 알코올 의존증이 있는 사람은 혼인을 금지한다는 우생학적 법률을 정하였다. 다른 나라에서도 수십만 명의 사람들이 질병이 있거나 범죄자라는 이유로 강제적인 불임 수술을 받았다. 또한 나치 독일은 우생학을 근거로 1930년대 혼혈아와 청소년 범죄자에게 불임 수술을 받게 하였을 뿐만 아니라, 유대인을 대량 학살하였다.

– 김호연, 『우생학, 유전자 정치의 역사』

1 (가)에 나타난 연구 윤리상의 문제점을 서술하시오.

....

....

....

2 (나)를 고려하여 연구자가 제시한 연구 결과가 타인의 삶에 부정적인 영향을 미치는 경우 책임을 져야 하는지에 관해 논술하시오.

....

....

....

비판적 사고력 ✚ 의사 결정 능력

주제 **04**

사회 실재론과 사회 명목론

다음 글을 읽고 물음에 답하시오.

(가) 국가는 인간의 노력으로 만들어지는 인위적인 산물이다. 사람들은 자연 상태에서 일어날 수 있는 분쟁을 해결하고 자신의 생명과 자유와 재산을 더 안전하게 지키고 누리기 위해, 각자가 스스로 동의한 계약에 따라 국가를 형성한다. 이때 사회 구성원 각자가 국가에 양도하는 권력은 국가가 그 역할을 수행할 정도에서 그쳐야 한다.

(나) 시민으로서 나의 의무를 행할 때나 나의 계약을 수행할 때 나는 법과 관습이 규정한 바에 따른다. 그것은 개별 존재에 앞서 존재한 것이기에 결과적으로 개인의 외부에 존재하는 것이라 할 수 있다. 내 생각을 표현하기 위해서 사용하는 기호 체계, 내가 채무를 갚기 위해 사용하는 통화 체제, 내가 상업적 관계에서 활용하는 신용 도구들, 내가 나의 직업에서 행하는 일 등은 모두 나의 개인적 사용과는 별개로 존재하고 기능하고 있다.

(다) 개인들이 아픔을 이해하는 방식도 사회적으로 정해지는 것으로, 육체적 고통 그 자체의 성질과는 무관하다. 예를 들어, 우리나라 사람들이 흔히 '화병'이라고 하는 것을 다른 나라에서 찾기 어렵다. 이처럼 어떤 고통을 '질병'이라고 부르거나 '아프다'고 표현하는 것은 사회적으로 정해진 것이다.

1 개인과 사회의 관계를 바라보는 (가), (나)의 관점을 비교하여 서술하시오.

....

....

....

2 (다)의 주장은 (가), (나) 중 어느 관점을 정당화한다고 생각하는지 서술하고, 개인과 사회의 관계를 바라보는 바람직한 관점에 대해 논술하시오.

....

....

....

관료제와 탈관료제

다음 글을 읽고 물음에 답하시오.

(가) 조직은 인간이 보다 능률적으로 생활하기 위해서 만들어 낸 것이다. 그러나 관료 조직을 보면 알수 있듯이, 조직이 거대화하면 조직체의 공동 목표로 설정된 사실들이 조직 자체의 요청으로 되어 버려 개인의 힘으로는 어떻게 할 수 없는 수준으로 규범화하고, 결국 조직 앞에 개인은 무력한 존재가 되고 만다. 그리하여 거대화하고 고도화한 조직은 그 목표 달성을 위한 능률이라는 규범 체제를 확립시켜, 소속 개인들을 개성 있는 인간으로서가 아니라 합리적으로 움직이는 기계의 부품처럼 되기를 요구한다. 따라서 관료 조직에서는 자본주의 정신으로서의 개인주의적 윤리가 통용되지 않고 오히려 그것은 방해가 되며, 대체로 동조형이나 형식주의적인 행동과 반응을 존중하는 관료제적 윤리가 중요해지고, 사람들은 이러한 윤리를 각기의 행동 속에 내면화한다.

(나) A 사는 직급 단순화와 정기 승진 폐지 등의 내용을 담은 새로운 인사 제도를 도입하기로 결정하였다. 이에 따라 내년부터 A 사에서는 '사원 − 대리 − 과장 − 차장 − 부장'의 직급이 사라지는 대신 '선임(사원·대리급) − 책임(과장·차장급) − 수석(부장)'의 3단계로 직급이 단순화된다. 보상체계 역시 직급이 높아지면 연봉도 올라가는 기존의 연공서열 체제에서 개인의 성과를 평가하여 보상하는 체제로 변화된다.

1 (가)에 나타난 사회 조직의 문제점을 서술하시오.

....

....

....

2 (나)와 같은 사회 조직의 등장 배경을 (가)에 나타난 사회 조직과 관련지어 논술하시오.

....

....

....

주제 06 일탈 행동을 설명하는 다양한 이론

(가)~(다)는 일탈을 설명하는 이론이다. 물음에 답하시오.

> (가) 사회에는 성원들 사이에 널리 받아들여지고 있는 '문화적 목표'와 이 목표를 달성하기 위해 사회적으로 인정된 '제도적 수단'들이 존재한다. 이 목표와 수단 사이의 괴리에서 비롯되는 사회 구조의 긴장, 즉 목표는 확립되어 있는데 그 목표를 실현시킬 수 있는 제도적 수단이 적절히 제공되지 못하는 아노미 상태에서 사람들은 일탈 행동을 하게 된다.
>
> (나) 누구나 한 번쯤은 규율을 어긴다. 그러나 그들이 잡혀서 일탈자라고 낙인찍히는 것은 전혀 다른 문제이다. … (중략) … 사람의 자기 정체감은 그 혹은 그녀의 성취들뿐만 아니라 다른 사람들이 어떻게 인지하고 기대하는가를 기초로 하여 형성된다. 불행하게도 일탈을 하기 쉬운 사람에게는 자기 성취적 예언이 작용하는 것 같다. 사람들은 종종 다른 사람들이 자기들에게 원한다고 믿고 있는 방식으로 행동한다.
>
> (다) 비행 지구에 대한 연구는 비행자들의 집이 특정 지구에 집중되어 있고, 지구에 따라 비행 유형도 다르게 나타나는 경향이 있다는 사실에 주목하여 이루어졌다. 이 연구들에 의하면 어떤 사회 또는 집단이 관습적인 행위들보다는 일탈적인 행위를 지향하는 가치를 공유하고 있어서 그것이 개인에게 내면화되어 행위의 동기를 형성하고, 또 그러한 행위를 수행하는 데 필요한 기법들도 그 사회 내에서 습득하게 됨으로써 비행이 형성된다.

1 (가)~(다) 이론을 '일탈을 규정하는 객관적 기준의 존재 여부'를 중심으로 비교하여 서술하시오.

....

....

....

2 (가)~(다) 이론이 강조하는 범죄의 예방책에 대해 논술하시오.

....

....

....

문화 이해의 태도

다음 글을 읽고 물음에 답하시오.

(가) 독일의 철학자 헤르더(Herder, J. G.)는 문화를 생활 양식으로 정의하면서 문화의 다양성을 인정하는 '문화들(cultures)'이라는 용어를 처음으로 사용하였다. 그는 문화(culture)에 소문자 에스(s)를 붙임으로써 다른 문화의 존재와 가치를 인정하는 혁신적 견해를 제시하였다. 그 결과 문화는 서구에만 존재한다는 인식에서 확장되어 복수의 형태로 전환되었다. 이는 서구 문화만이 아닌 다른 문화의 가치를 인정함을 의미한다. 이후 문화를 더는 서구만의 특정한 것으로 인식하지 않게 되었다.

(나) '모든 문화는 그 나름의 타당성을 지닌다.'라는 생각은 다른 사회를 이해하는 열쇠가 된다. 인류 모두에게 적용될 수 있는 보편적인 판단 기준이나 진리가 있다는 생각은 신화에 불과하며, 다른 사회에는 서로 다른 판단이 존재할 뿐이다. 그리고 우리가 이 판단에 '바람직하다.'거나 '부당하다.'라고 말할 수 없는 것은, 그렇게 하면 그것은 그러한 판단의 옳고 그름에 관한 독립적인 기준을 가지고 있다는 것을 의미하기 때문이다. 그러나 그와 같은 독립적인 기준은 존재하지 않는다. 예를 들어 인권, 정의와 같은 가치는 특정 사회에서만 통용되는 것이기 때문에 이를 기준으로 다른 사회를 평가해서는 안 된다.

1 (가), (나)에 나타난 문화를 이해하는 태도의 공통점을 서술하시오.

....

....

....

2 (나)의 주장에 제기할 수 있는 비판을 논술하시오.

....

....

....

비판적 사고력 ✚ 의사 결정 능력

주제 08 대중문화의 기능

다음 글을 읽고 물음에 답하시오.

(가) 대중 매체가 발달함에 따라 과거 일부 집단만이 누렸던 고급문화가 광범위하게 확장되어, 대중의 일상생활 속으로 들어오게 되었다. 대중문화가 진정한 예술을 추구하지 않는 것이 아니라, 값비싼 공연장에서만 보던 셰익스피어의 작품을 텔레비전이나 인터넷으로 더 많은 사람이 더 쉽게 볼 수 있게 되면서 고급문화가 대중화된 것이다. 이것은 곧 문화의 민주주의라고 표현할 수 있다.

(나) 우리가 흔히 대중문화라고 부르는 현상은 대중 사회에서 대중 매체에 의해 형성된 문화를 지칭하는 때가 많다. 영어로 '매스 컬처(mass culture)'에 해당하는 대중문화의 개념이 이것이다. 여기서 대중(mass)이라는 말에는 고립 분산되어 있고 주체성을 가지지 못했으며 비합리적이고 열등한 집단이라는 경멸적인 의미가 담겨 있다. 이처럼 대중문화를 매스 컬처라고 보는 관점은 대중이 출현한 근대 사회 이전의 엘리트 집단의 고급문화와 그 이후 대량 생산된 문화를 구분하여, 고급문화는 수준 높은 뛰어난 문화인 반면 대중문화는 수준 낮은 열등한 문화라는 인식을 기본으로 한다. … (중략) … 대중문화는 고급문화를 통속적인 것으로 만든다. 대중문화는 고급문화를 어설프게 모방하면서 수준이 낮은 문화를 제공한다. 이 속에서 예술적 창의성이나 심미성을 찾아보기는 어렵다. 이러한 문화가 대중 매체를 통해 널리 보급되면서, 사람들이 진정한 예술을 경험할 기회를 빼앗는다.

– 김창남, 「대중문화의 이해」

1 (가), (나)에 나타난 대중문화의 기능을 각각 서술하시오.

....

....

....

2 (가)의 주장에 근거하여 (나)의 주장에 관한 비판을 논술하시오.

....

....

....

주제 **09**

문화 변동에 대처하는 자세

다음 글을 읽고 물음에 답하시오.

(가) 한국은 아파트 왕국이다. 아파트가 본격적으로 들어서기 시작한 것은 1970년대 중반부터로, 도입된 지 40년도 되지 않아 사람들의 주거지가 온통 아파트로 변했다. 그런데 주거 환경은 급격히 변동했지만 사람들의 행동이나 생활 태도는 단독 주거 시절에서 크게 벗어나지 못했다. 취침 시간에 쿵쿵대며 걷기도 하고 심야 세탁을 하기도 한다. 그사이 이웃은 점점 야수로 변한다. 빠른 물질문화의 변화 속도를 거주 문화가 따라잡지 못해 일어나는 이와 같은 현상은 쓰레기 배출, 공동 시설 사용, 애완동물 관리 등 많은 부분에서 나타난다.
– 「중앙일보」, 2013. 2. 15.

(나) 문화 전파라는 것은 해당 사회나 문화권 간에 상호 교류되는 것이지만, 물이 위에서 아래로 흐르듯이 힘센 문화에서 힘이 약한 문화 쪽으로 흐르게 마련이다. 대중문화도 마찬가지이다. 즉 대중문화에는 원산지가 있고 그 문화가 다른 사회로 흘러들어 간다는 이야기이다. 힘센 사회의 문화가 힘이 약한 사회로 흘러들어 가면 그 사회는 큰 영향을 받게 되고, 두고두고 그 문화의 영향 아래 놓인다는 것은 지금까지의 인류 역사가 말해 주고 있다. 오늘날 한국 사회를 풍미하고 있는 지배적 문화 형태는 대중문화이다. 만약 이 대중문화가 민족적 정서나 가치로부터 동떨어진 힘센 문화에서 온 것이라고 한다면 그것이 가져올 부작용을 경계해야 한다.

1 (가)에 나타난 문화 변동에 따른 문제점을 쓰고, 그 발생 원인을 서술하시오.

....

....

....

2 (나)의 주장에 근거하여 문화 변동에 대처하는 자세를 논술하시오.

....

....

....

주제 **10**

사회 불평등 현상을 설명하는 이론

다음 글을 읽고 물음에 답하시오.

(가) 사회 불평등은 경제적 차이뿐만 아니라 정치 권력과 사회적 위신 등 다양한 사회적 희소 자원의 차이에 의해 나타나며, 그 결과 경제적 측면에서는 '계급', 사회적 측면에서는 '지위 집단', 정치적 측면에서는 '파당'이 나타나게 된다. 이들 불평등의 각 측면은 서로 영향을 주고받지만, 기본적으로는 그 기원이 독립적이다.

(나) 일찍이 계급이 없는 원시 공동체가 존재하였는데, 이 공동체 내부에서 생산력의 발전에 기초하여 생산 수단을 독점하는 인간 집단이 출현하고 이들이 다른 인간 집단을 착취·지배할 수 있게 되면서 계급이 발생하고 원시 공동체의 붕괴와 더불어 계급 사회가 형성되었다. 계급 사회에서는 역사의 발전 단계를 특징짓는 경제적 사회 구성체에 따라 각기 두 개의 기본 계급이 존재하고 필연적으로 계급 투쟁을 낳는다. 착취 계급은 경제뿐만 아니라 그 상부 구조인 국가를 비롯하여 정치·법률·사상·문화의 모든 이데올로기를 지배한다. 그러나 생산력의 발전을 담당하는 계급은 현존 사회를 변혁하고 새로운 생산 관계에 기초한 사회를 만들어내어 사회 전체를 개조한다.

1 사회 불평등 현상을 설명하는 이론 (가), (나)의 차이점을 비교하여 서술하시오.

2 (가), (나) 이론 중 현대 사회의 사회 불평등 현상을 설명하는 데 어떤 이론이 더 적절한지 서술하시오.

주제 **11** 빈곤의 측정

다음 자료를 보고 물음에 답하시오.

(가)

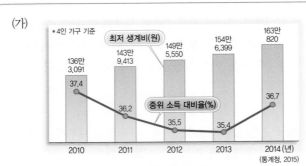

▲ 우리나라의 중위 소득과 비교한 최저 생계비 수준

(나) 보건 복지부는 2016년 1월부터 절대적 빈곤의 측정 기준인 최저 생계비 대신 상대적 빈곤의 측정 기준인 중위 소득의 50%를 각종 사회 복지 사업의 기준으로 사용하기로 하였다. 기존의 최저 생계비는 「국민 기초 생활 보장법」에 규정된 '국민이 건강하고 문화적인 생활을 유지하기 위하여 필요한 최소한의 비용'을 의미하였다. 그러나 법에서 정하고 있는 '건강하고 문화적인 생활'이 무엇인지 법에 명시되어 있지 않아 최저 생계비의 정의, 계측 방법, 수준에 관한 논란이 끊이지 않았다. 이러한 상황에서 중위 소득을 사회 복지 사업의 기준으로 사용하기로 한 것은 한국 사회에서의 상대적 빈곤을 정책적 개념에 도입하였다는 점에서 의미가 있다.

* **중위 소득**: 전체 가구를 소득 순으로 나열했을 때 한가운데 위치한 가구의 소득

1 (가)를 보고 2014년에 우리나라의 절대적 빈곤율과 상대적 빈곤율의 크기를 비교하시오.

....

....

....

2 (나)와 같이 사회 복지 사업의 기준이 바뀐 이유를 (가)를 근거로 추론하여 쓰시오.

....

....

....

복지 제도의 문제점과 새로운 방향

다음 자료를 보고 물음에 답하시오.

(가)

연도(년)	부정 수급자 수(명)	부정 수급액(백만 원)
2013	21,735	11,725
2014	22,108	13,092
2015	21,493	14,806

(고용 노동부, 2015)

▲ 우리나라의 실업 급여 부정 수급자 및 부정 수급액 추이

(나) 사회학자 앤서니 기든스(Giddens, A.)는 복지를 강조하는 사회 민주주의 계획인 '제1의 길'과 시장의 자유를 중시하는 신자유주의 계획인 '제2의 길'의 문제점을 비판하며, '제3의 길'을 주장하였다. '제3의 길'은 시장의 효율성과 사회적 형평성을 함께 부각시키자는 것이다. 그는 사회적 위험에 대비하는 복지 정책은 빈곤 퇴치의 실효성이 없으므로 노동을 전제로 한 복지 제도를 세워야한다고 주장하였다.

(다) 희망 키움 통장은 본인이 매월 일정하게 저축한 금액에 정부와 지방 자치 단체가 지원금을 추가로 지원하여 자립을 위한 목돈을 마련할 수 있도록 지원해 주는 제도이다. 희망 키움 통장I은 본인이 매달 10만 원을 저축하면 소득에 비례하여 근로 소득 장려금을 지원하며, 3년 이내 수급자에서 벗어나면 적립된 근로 소득 장려금 수령이 가능하다. 희망 키움 통장II는 본인이 매달 10만 원을 저축하면 근로 소득 장려금 월 10만 원이 추가 적립되어 3년 만기 후 수령이 가능하다.

1 (가)에 나타난 복지 제도의 한계를 쓰고, 보완 방안에 대해 서술하시오.

2 (나)의 입장에서 (다)의 제도를 평가하시오.

사회 변동의 방향에 관한 관점

다음 글을 읽고 물음에 답하시오.

(가) 사회학자 뒤르켐은 단순 사회에서는 사회 구조가 아직 제대로 분화되어 있지 않아서 사회 성원들 간에 존재하는 공통의 가치 체계에 의해 사회적 결속이 유지된다고 보았다. 이때의 결속을 '기계적 연대'라고 한다. 그러나 인구가 증가하고 사회 성원의 구성이 다양해지면 희소한 자원을 효율적으로 이용하기 위하여 분업이 이루어지게 되고, 보다 전문화된 부분들이 상호 의존함으로써 전체 사회의 기능이 원활하게 이루어진다. 이러한 사회적 분화로 인해 공통의 가치는 감소하고, 보다 공식적인 사회 통제의 수단에 의해 사회 결속이 유지되는데, 이때의 결속을 '유기적 연대'라고 한다. 모든 사회는 동질성에 기반을 둔 '기계적 연대'가 지배적인 사회에서 이질성에 기반을 둔 '유기적 연대'가 지배적인 사회로 발전해 간다고 보았다.

(나) 역사학자 토인비는 세계의 문명을 21개로 나누어서 이들 문명의 동태를 밝히면서 사회 변동을 설명하였다. 먼저 문명의 발생과 관련하여 그는 인류의 문명을 움직이는 원리를 도전과 응전이라는 인과적 기제를 제시하였다. 문명을 발생시키는 것은 유리한 조건이라기보다는 오히려 불리한 조건, 즉 어려운 물리적 환경, 신개척지, 군사적 패배, 외부의 위협, 억압받는 계급과 인종 등으로부터 주어지는 도전에 의한 것이라고 보았다. 그는 특히 적절한 응전을 주도해 나갈 창조적 소수가 필요함을 강조하였다. 창조적 소수가 적절한 기능을 수행하지 못하고 대중이 엘리트를 따르지 않아 사회 통합이 붕괴될 때 문명은 성장을 멈추고 쇠퇴하기 시작하여 결국 해체로 이어져 사회적 분열을 가져온다고 설명하였다.

1 (가), (나)에 나타난 사회 변동을 바라보는 관점을 각각 쓰고, 그렇게 구분한 이유를 서술하시오.

....

....

....

2 사회 변동을 바라보는 (가), (나)의 관점 중 한 가지를 선택하여 다른 관점에 대한 비판을 논술하시오.

....

....

....

통합적 사고력 ✚ 의사 결정 능력

주제 **14** **정보화의 영향**

다음 글을 읽고 물음에 답하시오.

(가) 온라인 공간을 통해 제공되는 누리 소통망(SNS), 블로그, 게시판, 인터넷 신문 등 다양한 서비스는 각각 기성 매체의 대안 매체로 사회적 역할을 담당한다. 특히 온라인 매체는 상업적·정치적 영향력으로부터 상대적으로 자유로워 표현의 자유와 언론의 자유가 구현되기에 유리한 조건을 갖추고 있다. 그래서 누리꾼은 잘 알려지지 않은 사건이나 기성 언론이 보도하기 꺼리는 금기 사안조차도 당당하게 폭로하고 새로운 여론을 만들어 낼 수 있다. 이처럼 매체로서의 온라인 공간은 정보 사회를 자유로운 소통이 구현되는 사회로 이끌고 있다.

(나) 온라인 매체를 활용한 시민들의 자유로운 의사 표현이 늘어나면서 부정확한 정보의 유포와 악의적인 선전·선동도 함께 증가하고 있다. 아울러 다양한 의견이 합리적인 방법으로 사회적 합의를 끌어내기보다는 비슷한 의견을 가진 사람들끼리만 폐쇄적으로 모이고, 다른 의견을 가진 사람들을 악성 댓글 등을 통해 감정적으로 비난하고 매도하면서 공론장을 혼탁하게 만드는 부작용도 심각하다.

1 정보화와 관련하여 (가), (나)에 나타난 입장의 공통점과 차이점을 서술하시오.

....

....

....

2 정보 사회의 미래에 관한 자신의 견해를 밝히고, 그 근거를 (가), (나)의 내용과 연관지어 논술하시오.

....

....

....

주제 15 다문화 사회와 다문화 정책

다음 글을 읽고 물음에 답하시오.

(가) 오늘날 교통·통신 기술의 발달과 함께 세계화가 진행되면서 서로 다른 문화권에 속한 사람들 간의 접촉이 빈번해지고 다양한 인종, 종교, 문화를 가진 사람들이 함께 살아가게 되었다. 우리나라는 1990년대부터 결혼 이민자, 외국인 노동자, 북한 이탈 주민 등이 증가하면서 이러한 변화가 나타나기 시작하였다. 이는 세계화 과정에서 노동력의 이동이 활발해지면서 자연스럽게 나타난 것이기도 하지만, 우리나라가 저출산·고령화에 따른 노동력 감소 문제를 해결하기 위해 선택한 대안이기도 하다.

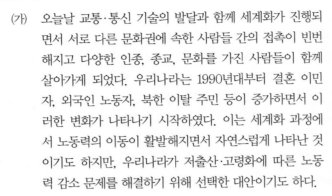

▲ 국내 거주 외국인 주민 수와 비중 추이

(나) 다문화 정책은 크게 ㉠ 동화주의와 ㉡ 다문화주의로 나눌 수 있다. 동화주의는 이주민들의 문화를 사회의 주류 문화에 동화시켜 문화적 동질성을 유지하는 것을 목표로 한다. 이는 다양한 이주민들의 문화를 기존 문화에 흡수시키는 용광로(Melting Pot) 정책의 기반이 된다. 이에 반해 다문화주의는 이주민들의 문화를 동화의 대상으로 보지 않고, 그들의 고유한 문화를 있는 그대로 인정하는 정책이다. 즉, 한 그릇 안에 다양한 채소가 들어 있는 샐러드 볼(Salad Bowl)처럼 이주민들의 문화와 기존 문화의 공존을 추구한다.

1 (가)에 나타난 현대 사회의 변동 양상을 쓰고, 이러한 변화로 나타날 수 있는 문제점을 서술하시오.

2 (가)와 같은 변화에 대응하기 위한 바람직한 정책 방향을 (나)의 밑줄 친 ㉠, ㉡ 중 하나를 선택하여 논술하시오.

Memo

· 완벽한 자율학습서 ·

ⱳ
완자

완자네 새주소

자율학습시
비상구

정확한 답과 친절한 해설

정답친해로
53

정답친해로
오삼~

사 회·문 화

📖 책 속의 가접 별책 (특허 제 0557442호)
'정답친해'는 본책에서 쉽게 분리할 수 있도록 제작되었으므로
유통 과정에서 분리될 수 있으나 파본이 아닌 정상제품입니다.

visang

완벽한 자율학습서

완자

자율학습시 비상구 정답친해로 53

정확한 답과 친절한 해설

사회·문화

I. 사회·문화 현상의 탐구

01 사회·문화 현상의 이해

STEP 1 핵심 개념 확인하기
014쪽

1 (1) 사회·문화 현상 (2) 당위 법칙　2 (1) 개연성 (2) 특수성　3 ㉠
거시적 ㉡ 미시적　4 (1) ㄷ (2) ㄴ (3) ㄱ　5 (1) ○ (2) × (3) ○

STEP 2 내신 만점 공략하기
014~018쪽

01 ④	02 ③	03 ②	04 ①	05 ③	06 ⑤	07 ④
08 ⑤	09 ④	10 ②	11 ②	12 ⑤	13 ③	14 ⑤
15 ①	16 ④					

01 자연 현상과 구별되는 사회·문화 현상의 특성

(가)는 자연 현상, (나)는 사회·문화 현상에 해당한다. ㄴ. 사회·문화 현상은 인간의 의지와 가치가 내포되어 있어 가치 판단을 내릴 수 있다. ㄹ. 사회·문화 현상은 예외적인 현상이 나타날 수 있으므로, 어떤 현상이 일어날 가능성, 즉 개연성이나 확률로 설명할 수 있다.

┃바로 알기┃ ㄱ, ㄷ. 자연 현상의 특성이다.

02 자연 현상과 사회·문화 현상의 특성

(가)는 자연 현상, (나)는 사회·문화 현상에 해당한다. ① 자연 현상은 인간의 인식 여부와 상관없이 사실 그대로 존재한다는 점에서 존재 법칙을 따른다. ② 사회·문화 현상은 인간의 의지나 가치가 개입되어 발생한다. ④ 자연 현상은 인과 관계가 명확하므로 사회·문화 현상에 비해 비교적 정확한 예측이 가능하다. ⑤ 자연 현상은 같은 조건에서 특정한 현상이 대부분 나타난다는 점에서 보편성이 강하게 나타난다. 반면 사회·문화 현상은 보편성을 띠기도 하지만, 시대와 사회에 따라 구체적인 모습이 달라진다는 점에서 특수성을 띤다.

┃바로 알기┃ ③ 사회·문화 현상은 자연 현상과 달리 '인간이라면 마땅히 그래야 한다.'라는 당위 법칙을 따른다.

완자 정리 노트　자연 현상과 사회·문화 현상의 특성

자연 현상	사회·문화 현상
• 몰가치적	• 가치 함축적
• 존재 법칙	• 당위 법칙
• 필연성과 인과 법칙	• 개연성과 확률의 원리
• 보편성	• 보편성과 특수성의 공존

03 자연 현상과 사회·문화 현상의 특성

㉠, ㉡은 자연 현상, ㉢, ㉣은 사회·문화 현상에 해당한다. ② 물이 100℃가 되면 끓는 것처럼, 자연 현상은 같은 조건하에서는 동일한 현상이 발생한다.

┃바로 알기┃ ① 사회·문화 현상의 특성이다. ③, ④ 자연 현상의 특성이다. ⑤ 자연 현상과 사회·문화 현상 모두 인과 관계가 나타난다.

04 사회·문화 현상의 특성

┌ 자료 분석 ┐

┌─ 같은 조건에서 특정한 현상이 나타난다는 점에서 사회·문화 현상의 보편성을 확인할 수 있어.

수요 법칙은 상품의 가격이 상승하면 수요량이 감소하고 가격이 하락하면 수요량이 증가한다는 것이다. 그러나 물건 가격이 계속 오르는데도 사재기를 하는 경우나 비쌀수록 잘 팔리는 과시 소비 현상은 수요 법칙이 적용되지 않는 예외적인 현상이다.

└─ 사회·문화 현상의 원인과 결과에 있어서 예외가 존재한다는 점에서 개연성과 확률의 원리가 작용한다는 점을 알 수 있어.

제시된 글을 통해 사회·문화 현상은 일정한 조건 아래에서 어떤 결과가 발생할 가능성이 확률적으로 높을 뿐이고, 그 인과 관계가 필연적인 것이 아니라는 점을 알 수 있다. 이처럼 사회·문화 현상은 개연성과 확률의 원리가 작용한다.

┃바로 알기┃ ②, ③ 사회·문화 현상의 특성에 해당하지만, 제시된 자료와는 관련 없다. ④ 제시된 자료를 통해 가격과 수요량 사이에 어느 정도 인과 관계가 존재함을 알 수 있다. ⑤ 자연 현상의 특성이다.

05 사회·문화 현상의 보편성과 특수성

제시된 수업 시간의 내용에서 각 사회마다 인사법이 다르게 나타난다는 점을 통해 사회·문화 현상의 특수성을 알 수 있다. 또한 대부분의 사회에서 인사법이 발견되고 있으며, 이러한 인사법들에 모두 반가움과 예절의 의미가 담겨 있다는 점을 통해 사회·문화 현상의 보편성을 알 수 있다. 이처럼 사회·문화 현상은 보편성과 특수성이 공존한다.

┃바로 알기┃ ① 사회·문화 현상의 특성에 해당하지만, 제시된 내용과는 관련 없다. ⑤ 제시된 내용을 통해 사회·문화 현상이 공간에 따라 특수한 모습으로 나타나고 있음을 알 수 있다.

06 사회·문화 현상의 특성

ㄷ. 폭설과 강풍이라는 자연 현상이 공항의 운영 중단이라는 사회·문화 현상에 영향을 미쳤으므로, 자연 현상과 사회·문화 현상이 밀접하게 연관되어 있음을 알 수 있다. ㄹ. 공항의 운영 중단 결정 및 대책 마련 등의 모습을 통해 사회·문화 현상에 인간의 의지와 의도가 개입됨을 알 수 있다.

┃바로 알기┃ ㄱ. 사회·문화 현상도 반복과 재현이 나타날 수 있지만, 제시된 사례와는 관련 없다. ㄴ. 사회·문화 현상은 인간의 자율적인 판단과 의지가 개입되므로 예외가 존재한다. 따라서 사회·문화 현상은 일반적인 법칙을 발견하기 어렵다.

07 간학문적 탐구 경향

제시된 사례는 성 불평등 현상을 경제학, 사회학, 법학, 정치학 등 다양한 학문적 관점에서 총체적으로 분석하는 간학문적 탐구 경향을 나타낸다. 복잡한 사회·문화 현상을 개별 학문의 관점과 연구 방법만으로는 올바르게 이해하는 데 한계가 있기 때문에 간학문적 탐구 경향이 등장하였다.

08 거시적 관점과 미시적 관점

갑은 실업 문제가 산업 구조의 변화로 나타난다고 보고 있다. 즉 사회 구조나 제도 등에 초점을 맞추고 있으므로, 갑의 관점은 거시적 관점에 해당한다. 반면 을은 실업자가 처한 상황이나 사회 구성원 간의 상호 작용에 초점을 두어 실업 문제를 바라보고 있다. 즉 개인 간의 상호 작용이나 개인의 행위에 초점을 두고 있으므로, 을의 관점은 미시적 관점에 해당한다.

| 바로 알기 | ①, ③ 미시적 관점에 대한 설명이다. ② 거시적 관점에 대한 설명이다. ④ 실업 문제에 대한 사회적 책임을 강조하는 사람은 을이 아니라 갑이다.

완자 정리 노트 거시적 관점과 미시적 관점

구분	거시적 관점	미시적 관점
내용	사회 제도나 구조에 초점을 두고 사회라는 큰 체계 속에서 사회·문화 현상을 파악함	개인 간의 상호 작용이나 개인의 행위에 초점을 두고 사회·문화 현상을 파악함
관련 이론	기능론, 갈등론	상징적 상호 작용론

09 기능론

제시된 글에서는 사회와 생물 유기체가 많은 공통점을 갖고 있다고 보고 있으므로, 기능론적 관점에서 사회·문화 현상을 바라보고 있음을 알 수 있다. ④ 기능론에서는 사회의 각 부분은 사회 전체가 합의한 규범에 따라 사회의 안정과 질서 유지에 필요한 기능을 수행한다고 본다.

| 바로 알기 | ①, ② 상징적 상호 작용론에 대한 설명이다. ③, ⑤ 갈등론에 대한 설명이다.

10 기능론의 한계

기능론은 사회 질서와 통합이 이루어지는 현상을 이해하는 데 유용하다. 그러나 사회 안정과 합의를 지나치게 강조한 나머지 혁명과 같은 급격한 사회 변동을 제대로 설명하기 어렵고, 기존 질서나 기득권을 유지하려는 집단의 논리로 이용될 수 있다는 비판을 받기도 한다.

| 바로 알기 | ㄴ. 갈등론의 한계에 해당한다. 갈등론에서는 지나치게 갈등을 강조함으로써 현실 속에 존재하는 협동과 조화를 경시한다는 비판을 받기도 한다. ㄹ. 상징적 상호 작용론의 한계에 해당한다. 상징적 상호 작용론은 개인의 행위에 초점을 두어 사회·문화 현상을 심층적으로 파악할 수 있지만, 개인의 행위에 영향을 미치는 사회 구조나 제도의 측면을 소홀히 한다는 비판을 받기도 한다.

11 갈등론

제시된 글에 따르면 학교 교육은 지배 집단과 피지배 집단 간의 불평등한 권력 관계를 정당한 것으로 받아들이도록 하는 데 이바지한다. 즉 갈등론적 관점에서 학교 교육을 바라보고 있음을 알 수 있다. ㄱ. 갈등론에서는 지배 집단의 억압에 대하여 피지배 집단이 저항하는 과정에서 대립과 갈등이 발생하며, 이 과정에서 사회가 필연적으로 변화한다고 본다. ㄷ. 갈등론에서는 갈등과 대립을 사회의 본질적인 속성으로 보며, 사회 발전의 원동력이라고 본다.

| 바로 알기 | ㄴ. 상징적 상호 작용론에 대한 설명이다. ㄹ. 기능론에 대한 설명이다.

12 갈등론

제시된 글은 갈등론에 대한 설명이다. ⑤ 갈등론에서는 부와 권력을 가진 중산층, 즉 지배 집단이 사회적 역할에서 노인을 배제함으로써 노인 소외 문제가 발생한다고 본다.

| 바로 알기 | ①, ② 기능론에 부합하는 견해이다. ③, ④ 상징적 상호 작용론에 부합하는 견해이다.

13 기능론과 갈등론

갑은 기능론적 관점, 을은 갈등론적 관점에서 올림픽을 바라보고 있다. ㄴ. 기능론에서는 사회에 문제가 생길 경우 사회의 각 부분이 제 기능을 온전히 수행함으로써 조화와 균형을 이루려는 속성을 지닌다고 본다. ㄷ. 갈등론에서는 사회적 희소가치가 배분되는 과정에서 구성원 간에 대립과 갈등이 필연적으로 발생한다는 점에서 갈등을 사회의 본질적인 속성이라고 본다.

| 바로 알기 | ㄱ. 기능론에서는 사회 변동보다 사회 안정을 중시한다. ㄹ. 상징적 상호 작용론에 대한 설명이다.

완자 정리 노트 기능론과 갈등론

기능론	• 사회 = 하나의 유기적 통합 체계 • 사회의 각 부분은 사회 전체가 합의한 규범에 따라 사회 유지에 필요한 기능을 수행한다고 봄
갈등론	• 사회 = 희소가치를 둘러싼 집단 간의 갈등과 대립의 장 • 갈등은 사회의 본질적인 속성이며, 사회 변화와 발전의 원동력이 된다고 봄

14 상징적 상호 작용론

제시된 글에서는 빨간 장미가 갖는 의미에 초점을 두어 사회·문화 현상을 바라보고 있으므로, 상징적 상호 작용론적 관점임을 알 수 있다. ⑤ 상징적 상호 작용론에 따르면 개인은 어떤 상황에 아무렇게나 반응하는 것이 아니라, 그 상황을 규정하고 해석하는 상황 정의를 내리고 이에 따라 행동한다.

| 바로 알기 | ① 갈등론에 부합하는 진술이다. ②, ③ 기능론에 부합하는 진술이다. ④ 사회·문화 현상을 보는 거시적 관점에 부합하는 진술이다. 상징적 상호 작용론은 개인의 행위에 초점을 두는 미시적 관점에 해당한다.

15 기능론과 상징적 상호 작용론

(가)는 기능론적 관점, (나)는 상징적 상호 작용론적 관점에서 사회 규범을 바라보고 있다. ㄱ. 기능론에서는 사회를 이루는 사회 제도나 집단 등이 상호 연관성을 갖고 사회 유지에 필요한 고유의 기능을 수행한다는 점에서 사회 각 부분 간의 균형과 통합을 강조한다. ㄴ. 상징적 상호 작용론은 사회 구성원이 의미 전달의 수단으로서 상징을 활용하여 타인과 상호 작용한다는 점에 초점을 둔다.

║ 바로 알기 ║ ㄷ. 개인의 행위에 영향을 미치는 사회 구조의 영향력을 간과한다는 비판을 받는 것은 상징적 상호 작용론이다. ㄹ. 갈등론에 대한 설명이다.

16 사회·문화 현상을 바라보는 관점

(가)는 상징적 상호 작용론, (나)는 기능론, (다)는 갈등론에 해당한다. ① 상징적 상호 작용론은 개인이 능동적인 주체로서 자율성을 갖고 사회·문화 현상에 의미를 부여하는 주체임을 강조한다. ② 기능론에서는 사회가 구성 요소 간의 상호 보완적 관계 형성을 통해 질서와 안정을 이룬다고 본다. ③ 갈등론에서는 사회 구성 요소의 기능과 역할도 지배 집단이 정당한 것으로 규정하거나 강제와 억압을 통해 기정사실로 된 것이며, 불평등을 재생산하는 도구에 불과하다고 본다. ⑤ 거시적 관점은 사회 전체의 특성을 바탕으로 사회·문화 현상을 이해하려는 관점으로, 대표적으로 기능론와 갈등론이 있다. 미시적 관점은 개인 간의 상호 작용과 인간의 행위에 담긴 의미를 통해 사회·문화 현상을 이해하려는 관점으로, 대표적으로 상징적 상호 작용론이 있다.

║ 바로 알기 ║ ④ 인간이 의미를 추구하는 존재임을 전제하는 관점은 상징적 상호 작용론이다. 상징적 상호 작용론에 따르면 인간은 자신이 처한 상황에 의미를 부여하고 해석하는 상황 정의를 토대로 행동한다.

서술형 문제

018쪽

01 주제: 자연 현상과 사회·문화 현상

(1) ㉠ 자연 현상 ㉡ 사회·문화 현상

(2) **예시 답안** 사회·문화 현상은 인간의 의지와 가치가 개입되어 나타나기에 가치 함축적이며, 보편성과 특수성을 함께 지닌다. 그리고 그 현상의 발생 원인과 결과가 확률적으로 관련을 맺고 있어 예외적인 현상이 나타날 수 있다는 점에서 개연성과 확률의 원리가 적용된다.

채점 기준

상	자연 현상과 구분되는 사회·문화 현상의 특성을 두 가지 이상 정확하게 서술한 경우
하	자연 현상과 구분되는 사회·문화 현상의 특성을 한 가지만 서술한 경우

02 주제: 기능론

(1) 기능론

(2) **예시 답안** 기능론은 사회 질서와 조화를 설명하는 데 유용하다는 장점이 있다. 그러나 사회 안정과 합의를 지나치게 강조하고 기득권층의 이익을 대변하는 논리로 이용될 우려가 있다는 점에서 한계가 있다.

채점 기준

상	기능론의 장점과 한계를 모두 정확하게 서술한 경우
하	기능론의 장점과 한계 중 한 가지만 서술한 경우

STEP 3 1등급 정복하기

019~021쪽

1 ② 2 ③ 3 ⑤ 4 ① 5 ④ 6 ④

1 자연 현상과 사회·문화 현상의 특성

㉠, ㉡, ㉢은 자연 현상, ㉣은 사회·문화 현상에 해당한다. 첫 번째 질문에서 ㉠과 같은 자연 현상은 존재 법칙을 따르므로 을, 병, 정만 옳은 대답을 하였다. 두 번째 질문에서 ㉡과 같은 자연 현상은 동일 조건하에서 동일 현상이 발생하므로 갑, 을, 무만 옳은 대답을 하였다. 세 번째 질문에서 ㉢과 같은 자연 현상은 인간의 의지와 의도와 상관없이 발생하여 가치 판단이 불가능하므로 갑, 을, 무만 옳은 대답을 하였다. ㉣과 같은 사회·문화 현상은 보편성과 특수성이 모두 공존하므로 을, 정, 무만 옳은 대답을 하였다. 따라서 모든 질문에 옳은 대답을 한 학생은 을이다.

2 사회·문화 현상의 특성

제시된 두 사례는 모두 현상에 대한 예측과 다른 결과가 나타난 모습을 보여 준다. ③ 사회·문화 현상은 인간의 의지와 판단에 따라 나타나기 때문에 일정한 조건에서 예외적인 현상이 나타날 수 있다. 이처럼 사회·문화 현상은 특정 조건에 따라 어떤 결과가 발생할 가능성이 있다는 점에서 개연성의 원리가 작용하므로, 현상에 대한 정확한 예측이 어렵다.

║ 바로 알기 ║ ① 사회·문화 현상도 경험적으로 관찰하는 것이 가능하다. ② 사회·문화 현상도 자연 현상과 마찬가지로 인과 관계가 나타난다. 하지만 사회·문화 현상은 예외가 존재한다는 점에서 그 인과 관계가 필연적인 것은 아니다. ④, ⑤ 사회·문화 현상의 특성에 해당하지만, 제시된 사례와는 관련 없다.

3 사회 과학의 연구 경향

제시된 표를 통해 가족에 대한 연구를 법학, 사회 복지학, 심리학, 정신 의학 등 다양한 학문의 관점에서 총체적으로 진행하고 있음을 알 수 있다. 즉 개별 학문의 독립성을 강조하기보다 여러 학문의 다양한 관점이나 방법을 종합하여 총체적으로 접근하는 간학문적 탐구가 이루어지고 있음을 알 수 있다.

4 거시적 관점과 미시적 관점

(가) 관점은 사회 제도나 구조 등에 관심을 두고 연구를 하고 있으므로, 거시적 관점에 해당한다. (나) 관점은 개인의 심리 및 상호 작용에 초점을 두고 연구를 하고 있으므로, 미시적 관점에 해당한다. ㄱ. 거시적 관점은 사회 구조에 대한 분석을 전제로 사회·문화 현상을 이해하고자 한다. ㄴ. 미시적 관점은 개인의 자율성을 중시하므로 인간의 능동적인 사고 과정을 설명하기 용이하다.

┃바로 알기┃ ㄷ. 사회 갈등과 대립을 중시하는 것은 갈등론, 사회 각 부분 간 균형과 통합을 중시하는 것은 기능론이다. 갈등론과 기능론 모두 사회라는 큰 체계 속에서 사회·문화 현상을 파악하는 거시적 관점에 해당한다. ㄹ. 거시적 관점과 미시적 관점은 각기 장단점을 갖고 있으므로, 두 관점을 상호 보완적으로 활용하여 사회·문화 현상을 이해하는 것이 바람직하다.

5 사회·문화 현상을 바라보는 관점

갑은 기능론적 관점, 을은 갈등론적 관점, 병은 상징적 상호 작용론적 관점에서 성 불평등 현상을 바라보고 있다. ④ 기능론은 사회의 질서와 안정을 강조함으로써 지배 집단의 이익을 옹호하고 사회 변동을 거부하는 보수적인 관점이라는 비판을 받는다.

┃바로 알기┃ ① 갈등론에 대한 설명이다. 갈등론에서는 지배 집단의 억압에 대하여 피지배 집단이 저항하는 과정에서 나타나는 갈등과 대립은 불가피한 현상으로서 사회 발전과 변화의 원동력이 된다고 본다. ② 상징적 상호 작용론에 대한 설명이다. ③ 기능론에 대한 설명이다. ⑤ 개인의 행위에 미치는 사회 구조의 영향력을 중시하는 관점은 거시적 관점으로, 대표적으로 기능론과 갈등론이 있다.

6 사회·문화 현상을 바라보는 관점

ㄴ. 사회 질서와 안정을 위한 행위자의 역할을 강조하는 것은 기능론에만 해당하는 설명이다. 따라서 ㉠과 ㉡의 답변은 서로 다르다. ㄹ. A, B가 각각 기능론과 갈등론 중 하나라면 C는 상징적 상호 작용론이다. 따라서 (다)에는 갈등론의 특징만을 묻는 질문이 들어가야 한다. 갈등론에서는 사회 규범이 사회 구성원 전체의 합의가 아닌 지배 집단과 같은 특정 집단의 합의에 의해 형성된다고 본다.

┃바로 알기┃ ㄱ. 인간의 능동적 사고와 자율적 행위의 측면을 강조하는 것은 상징적 상호 작용론에만 해당하는 설명으로, (가)에는 '예'라는 답변이 하나만 있어야 한다. ㄷ. 개인의 행위를 초월한 사회 체계를 중시하는 것은 거시적 관점인 기능론과 갈등론에 해당하며, 미시적 관점인 상징적 상호 작용론에는 해당하지 않는다. 따라서 (다)에는 '예'라는 답변이 두 개가 있어야 한다.

---

02 사회·문화 현상의 탐구 방법

STEP 1 핵심 개념 확인하기   026쪽

1 (1) 양적 (2) 질적   **2** (1) 양 (2) 양 (3) 질 (4) 질   **3** (1) × (2) × (3) ○   **4** ㉠ 독립 변수 ㉡ 종속 변수   **5** (1) 면접법 (2) 참여 관찰법 (3) 질문지법

STEP 2 내신 만점 공략하기   026~030쪽

01 ②	02 ⑤	03 ①	04 ④	05 ⑤	06 ⑤	07 ③
08 ④	09 ③	10 ①	11 ①	12 ④	13 ⑤	14 ②
15 ②	16 ④					

01 양적 연구 방법

제시된 글은 자연 과학의 연구 방법을 사회·문화 현상의 연구에도 적용할 수 있다고 보는 방법론적 일원론에 대한 설명이다. 이러한 방법론적 일원론에 기초한 사회·문화 현상의 연구 방법이 양적 연구 방법이다. ㄱ. 양적 연구 방법은 계량화된 자료를 수집한 후 이를 통계적으로 분석하여 일반적인 법칙을 발견하는 것을 목적으로 한다. ㄷ. 양적 연구 방법은 변수와 변수 간의 관계를 파악함으로써 특정 사회·문화 현상을 초래한 원인을 설명하거나 특정 사회·문화 현상으로 인해 발생할 결과를 예측하는 데 용이하다.

┃바로 알기┃ ㄴ, ㄹ. 질적 연구 방법에 대한 설명이다.

02 양적 연구 방법

자료 분석

추상적인 개념을 양적으로 수치화하는 개념의 조작적 정의 과정을 거치고 있어.

연구 주제	청소년의 이성 교제 여부와 학교 적응의 관계
연구 목적	청소년의 학교 적응을 위한 교육 방안 모색
연구 설계	• 연구 대상: 이성 교제 경험이 있는 중고생 300명(남 150명, 여 150명), 이성 교제 경험이 없는 중고생 300명(남 150명, 여 150명) • 조사 방법: 학교 적응 관계를 학교생활 적응, 학교 친구 적응, 학교 교사 적응, 학교 수업 적응으로 구체화하고, 이를 측정할 수 있게 개발된 질문지를 활용하여 600명의 학생을 조사하고 각각을 100점 만점으로 점수화함

수집한 자료를 통계적으로 분석하고 있어.

제시된 사례에서는 청소년의 이성 교제 여부와 학교 적응의 관계를 알아보기 위해 경험적 자료를 계량화하여 분석하고자 하는 양적 연구 방법이 사용되었다. ① 양적 연구 방법은 사회·문화 현상도 자연 현상 연구와 동일한 방법으로 연구할 수 있다는 방법론적

일원론에 기초한다. ② 양적 연구 방법에서는 추상적인 사회·문화 현상을 양적으로 수치화하기 위해서 개념의 조작적 정의 과정을 거친다. ③, ④ 양적 연구 방법은 경험적 자료를 통계적으로 분석하여 일반화된 법칙을 발견하고자 한다.

‖ **바로 알기** ‖ ⑤ 질적 연구 방법에 대한 설명이다.

03 질적 연구 방법

밑줄 친 '이 연구 방법'은 연구 대상자의 주관적 입장에서 사회·문화 현상을 이해해야 한다고 강조하고 있으므로, 질적 연구 방법임을 알 수 있다. ㄱ. 질적 연구 방법은 연구자의 직관적 통찰을 통해 인간 내면을 심층적으로 이해하고자 한다. ㄴ. 질적 연구 방법은 행위 자체보다 행위의 이면에 담긴 동기나 목적 파악을 중요하게 여긴다.

‖ **바로 알기** ‖ ㄷ, ㄹ. 양적 연구 방법에 대한 설명이다.

04 질적 연구 방법의 연구 주제

④ 비행 청소년의 비행 동기는 수량화·계량화하여 파악하기 어려우므로, 연구자의 직관적 통찰을 통해 현상을 파악하는 질적 연구 방법에 적합한 주제이다.

‖ **바로 알기** ‖ ①, ②, ③, ⑤ 자료를 계량화하여 통계적 분석을 통해 탐구할 수 있으므로, 양적 연구 방법에 적합한 주제이다.

05 질적 연구 방법의 한계

제시된 연구에서 갑은 연구 대상자의 일상생활을 직접 관찰하고, 연구 대상자와 면담을 통해 자료를 수집하고 있다. 이는 인간의 행위 속에 담긴 주관적 동기와 의미를 해석하고 이해하고자 하는 질적 연구 방법에 해당한다. ⑤ 질적 연구 방법은 현상의 의미를 해석하는 과정에서 연구자의 주관적 가치나 편견이 개입될 가능성이 크다는 한계가 있다.

‖ **바로 알기** ‖ ①, ②, ③, ④ 양적 연구 방법의 한계에 해당한다.

06 양적 연구 방법과 질적 연구 방법

(가)에서는 계량화된 자료를 수집하여 분석하는 양적 연구 방법을, (나)에서는 사회·문화 현상에 담긴 의미를 해석하고 이해하는 질적 연구 방법을 선택하였다. ㄷ. 양적 연구 방법은 계량화된 자료를 통해 정확하고 정밀한 연구가 가능하므로, 질적 연구 방법에 비해 사회·문화 현상의 일반적인 법칙을 발견하고 현상을 예측하기 용이하다. ㄹ. 양적 연구 방법은 자연 과학의 연구 방법을 사회·문화 현상의 연구에도 적용할 수 있다고 보는 방법론적 일원론에 기초하며, 질적 연구 방법은 사회·문화 현상은 자연 현상과 본질적으로 다르므로 자연 현상 연구와 다른 방법으로 연구해야 한다는 방법론적 이원론에 기초한다.

‖ **바로 알기** ‖ ㄱ. 질적 연구 방법에 대한 설명이다. ㄴ. 양적 연구 방법에 대한 설명이다.

양적 연구 방법과 질적 연구 방법

구분	양적 연구 방법	질적 연구 방법
전제	사회·문화 현상은 자연 현상과 본질적인 특성이 같음 → 자연 과학과 같은 방법을 사용하여 사회·문화 현상 탐구	사회·문화 현상은 자연 현상과 본질적으로 다름 → 자연 과학과 다른 방법으로 사회·문화 현상 탐구
내용	경험적 자료를 계량화하여 분석함으로써 일반화된 법칙 발견	연구자의 직관적 통찰을 통해 행위 이면에 담긴 의미 해석

07 양적 연구 방법과 질적 연구 방법의 상호 보완

제시된 글에서는 양적 연구 방법과 질적 연구 방법이 각각 장점과 한계를 지니고 있음을 나타내고 있다. 따라서 둘 중 어느 한 가지 연구 방법만을 고집하기보다 두 연구 방법을 상호 보완적으로 활용할 경우 사회·문화 현상을 보다 정확하게 파악할 수 있음을 추론할 수 있다.

‖ **바로 알기** ‖ ①, ④ 양적 연구 방법에만 해당하는 내용이다.

08 질문지법

제시된 연구에서 사용된 자료 수집 방법은 질문지법이다. 질문지법은 조사하고자 하는 내용을 질문지로 구성한 후 연구 대상자에게 직접 답변을 기재하도록 하여 자료를 수집하는 방법이다. ④ 질문지법은 여론 조사와 같이 다수를 대상으로 자료를 수집하는 데 용이하다.

‖ **바로 알기** ‖ ① 질문지법은 비교적 짧은 시간에 적은 비용으로 많은 자료를 수집할 수 있어 시간과 비용을 절약할 수 있다. ② 질문지법은 구조화된 자료 수집 방법으로, 연구자의 가치 개입을 줄일 수 있다. ③ 질문지법은 문자를 통해 질문을 제시하므로 글을 모르는 사람에게는 활용하기 어렵다. ⑤ 질문지법은 연구 대상자가 질문지의 항목에 국한하여 응답하므로 심층적인 정보를 얻기 어렵다.

질문지법의 장단점

장점	단점
• 시간과 비용의 절약 가능 • 조사 결과의 통계 분석 및 비교 분석 용이	• 문맹자에게 실시 곤란 • 연구자의 무성의한 응답 시 자료의 신뢰도 저하 우려

09 실험법

제시된 연구에서 사용된 자료 수집 방법은 실험법이다. 실험법은 가상의 상황을 설정하여 인위적인 자극을 주고 그에 따른 변화를 측정하여 자료를 수집하는 방법이다. ① 실험법을 통해 수집한 자료를 통해 독립 변수와 종속 변수 간의 인과 관계를 파악하여 일반적인 법칙을 발견할 수 있다. ② 연구 대상에게 인위적으로 가한 일정한 조작인 ⓛ은 독립 변수, 독립 변수의 영향을 받아 변화하는 변수인 ⓒ은 종속 변수에 해당한다. ④ 인위적인 자극을 가한 집단인 ⓤ은 실험 집단, 그러한 자극이 가해지지 않은 집단인 ⓥ은 통제 집단에 해당한다. ⑤ ⓐ은 연구 대상에게 직접 구한 원자료이므로, 1차 자료에 해당한다.

‖ 바로 알기 ‖ ③ ⓔ은 모집단 중에서 실제 조사를 위해 선택한 집단으로 표본이다. 연구에서 조사하고자 하는 전체 대상이 되는 모집단은 어린아이들이다.

10 실험법과 면접법

(가)는 실험법, (나)는 면접법에 대한 설명이다. ② 면접법은 연구자가 연구 대상자와 직접 대화하면서 자료를 수집하므로, 무성의하거나 악의적인 응답을 줄일 수 있다.

‖ 바로 알기 ‖ ① 실험법은 비교적 정밀하고 정확한 연구가 가능하지만, 일상생활을 심층적으로 파악하는 데는 어려움이 있다. ③ 연구자의 주관적 가치가 개입되기 쉬운 자료 수집 방법은 실험법이 아니라 면접법이다. ④ 면접법은 비구조화된 자료 수집 방법으로, 연구자가 자료 수집 과정에서 유연성이나 융통성을 발휘할 수 있다. ⑤ 실험법은 양적 연구, 면접법은 질적 연구에서 주로 활용된다.

11 면접법

제시된 연구에서 사용된 자료 수집 방법은 면접법이다. ㄱ. 면접법은 연구자가 연구 대상자와 직접 대면하여 대화를 통해 자료를 수집하므로 문맹자에게도 사용할 수 있다. ㄴ. 면접법은 자료를 수집하거나 해석하는 과정에서 연구자의 주관적 가치나 편견이 개입될 가능성이 크다.

‖ 바로 알기 ‖ ㄷ. 면접법은 소수의 사람을 상대로 주관적인 세계에 대한 깊이 있는 자료를 수집하는 데 적합하다. 반면 다수의 사람을 상대로 활용하기에는 시간과 비용과 많이 든다는 한계가 있다. ㄹ. 면접법으로 수집한 자료는 계량화하기 어려우므로 통계 및 비교 분석이 용이하지 않다.

12 참여 관찰법

제시된 사례에서 연구자는 유아들의 생활에 직접 참여하여 관찰하면서 자료를 수집하고 있으므로, 참여 관찰법이 사용되었음을 알 수 있다. ④ 참여 관찰법은 연구자가 연구 대상과 함께 생활하고 그들의 모습을 직접 관찰하면서 자료를 수집하기 때문에 실제성이 높은 생생한 자료를 수집하기 용이하다.

‖ 바로 알기 ‖ ① 참여 관찰법은 관찰하고자 하는 현상이 나타날 때까지 기다려야 하므로 시간과 비용이 많이 든다. ② 참여 관찰법은 언어적 의사소통이 어려운 대상에게서도 자료를 수집할 수 있으므로 언어를 매개로 한 상호 작용이 필수적이라고 볼 수 없다. ③ 참여 관찰법은 예상치 못한 상황이 발생할 경우 유연한 대처나 통제가 어렵다. ⑤ 참여 관찰법은 자료를 해석하는 과정에서 연구자의 주관이 개입될 가능성이 크다.

완자 정리 노트   참여 관찰법의 장단점

장점	단점
• 자료의 실제성 확보 • 의사소통이 어려운 사람에 대한 자료 수집 가능	• 시간과 비용이 많이 듦 • 예상치 못한 변수의 통제 곤란 • 연구자의 주관 개입 우려

13 참여 관찰법의 한계

제시된 사례에서는 참여 관찰법을 통해 자료를 수집하는 과정에서 연구자의 관찰 행위가 연구 대상자에게 영향을 미치고 있음을 보여 준다. 이처럼 연구자의 행동이 연구 대상자에게 영향을 미칠 경우 연구 대상자가 평소와 다르게 행동하는 등 행동이 왜곡되어 객관적이고 정확한 자료를 수집하기 어려워진다.

‖ 바로 알기 ‖ ② 참여 관찰법의 한계에 해당하지만, 제시된 사례와는 관련 없다. ③ 심층적인 자료의 확보는 참여 관찰법의 장점에 해당한다. ④ 실험법의 한계에 해당한다.

14 질문지법과 참여 관찰법

제시된 사례에서 연구자는 청소년 500명을 대상으로 설문 조사를 하여 자료를 수집하고 있으므로, 질문지법을 사용하였음을 알 수 있다. 그리고 하루에 게임을 세 시간 이상 하는 청소년 3명을 선정하여 그들의 모습을 직접 관찰하면서 자료를 수집하고 있으므로, 참여 관찰법을 사용하였음을 알 수 있다. ㄱ. 질문지법을 통해 수집한 자료는 양적 자료이고, 참여 관찰법을 통해 수집한 자료는 질적 자료이다. ㄷ. 참여 관찰법은 연구 대상자의 행동을 직접 관찰하고 대화한 내용을 기록하므로 자료의 실제성이 높다.

‖ 바로 알기 ‖ ㄴ. 제시된 연구에서 문헌 연구법은 사용되지 않았다. ㄹ. 실험법에 대한 설명이다. 제시된 연구에서 실험법은 사용되지 않았다.

15 문헌 연구법

제시된 연구에서는 문헌 연구법이 사용되었다. ㄱ. 문헌 연구법은 과거에 수집 및 분석하여 기록으로 남아 있는 자료를 활용하여 정보를 수집하므로, 시간과 공간의 제약을 적게 받는다. ㄹ. 문헌 연구법은 기존 연구의 동향이나 성과를 파악할 수 있어 모든 연구의 기초가 되기도 한다.

‖ 바로 알기 ‖ ㄴ. 실제성이 높은 현장 자료를 얻기 용이한 자료 수집 방법은 참여 관찰법이다. ㄷ. 문헌 연구법은 기존의 연구 결과물이나 통계 자료, 기록물 등을 활용하여 2차 자료를 수집하는 방법이다.

16 다양한 자료 수집 방법

A는 언어를 매개로 한 상호 작용이 필수적이므로 면접법과 질문지법 중 하나이고, C는 계량화된 자료를 수집하는 데 주로 사용되므로 질문지법에 해당한다. 따라서 A는 면접법, B는 참여 관찰법, C는 질문지법이다. ④ 면접법은 질문지법보다 연구 대상자의 깊이 있는 답변을 유도하기 용이하다.

‖ 바로 알기 ‖ ① 면접법은 소수를 대상으로 심층적인 자료를 얻는 데 유용하다. 대규모 집단을 대상으로 자료를 얻는 데 유용한 자료 수집 방법은 질문지법이다. ② 참여 관찰법은 주로 질적 자료를 수집하는 데 활용된다. ③ 면접법과 참여 관찰법에 대한 설명이다. ⑤ 면접법, 참여 관찰법, 질문지법 모두 경험적인 자료를 수집하는 방법이다.

01 주제: 양적 연구 방법

(1) 양적 연구 방법

(2) (예시 답안) 양적 연구 방법은 계량화된 자료를 수집하기에 자료 분석 과정에서 연구자의 주관 개입을 통제할 수 있으며, 사회·문화 현상의 일반적인 법칙을 발견하고 현상을 예측하는 데 유용하다. 반면 인간 행위의 주관적인 측면에 대한 깊이 있는 이해와 계량화하기 힘든 내면세계에 대한 연구가 어렵다는 한계가 있다.

채점 기준	
상	양적 연구 방법의 장점과 한계를 모두 정확하게 서술한 경우
하	양적 연구 방법의 장점과 한계 중 한 가지만 서술한 경우

02 주제: 질문지법

(예시 답안) 질문지법. 질문지법은 비교적 짧은 시간에 다수의 대상자에게 자료를 얻을 수 있어 시간과 비용을 줄일 수 있다. 또한 조사 결과의 통계적인 분석과 비교 분석이 용이하다는 장점이 있다. 그러나 문맹자에게 활용하기 어렵고, 깊이 있는 정보를 얻기 어렵다는 단점이 있다.

채점 기준	
상	질문지법을 쓰고, 그 장점과 단점을 모두 정확하게 서술한 경우
중	질문지법을 쓰고, 그 장점과 단점 중 한 가지만 서술한 경우
하	질문지법만 쓴 경우

03 주제: 참여 관찰법

(예시 답안) 참여 관찰법. 참여 관찰법은 의사소통이 어려운 대상을 조사할 때 유용하고, 생동감 있는 깊이 있는 정보를 파악할 수 있다는 장점이 있다.

채점 기준	
상	참여 관찰법을 쓰고, 그 장점을 두 가지 이상 정확하게 서술한 경우
중	참여 관찰법을 쓰고, 그 장점을 한 가지만 서술한 경우
하	참여 관찰법만 쓴 경우

STEP 3 1등급 정복하기 031~033쪽

1 ① 2 ⑤ 3 ④ 4 ② 5 ⑤ 6 ②

1 사회·문화 현상의 연구 방법

제시된 글에서는 사회·문화 현상을 구성하는 인간의 행위에 대한 주관적 동기와 의미를 해석하고 이해하고자 하므로, 사회·문화 현상의 연구에서 질적 연구 방법을 강조하고 있음을 알 수 있다.

ㄱ. 질적 연구 방법은 자료 분석 과정에서 연구자의 주관이 개입될 소지가 있어 객관적이고 정확한 연구가 어렵다는 한계가 있다. ㄷ. 질적 연구 방법은 연구 대상자가 구성해 내는 세계에 연구에 초점을 두어 일상생활을 심층적으로 파악하고자 한다.

┃ 바로 알기 ┃ ㄴ. 질적 연구 방법에서는 주로 면접법이나 참여 관찰법을 통해 자료를 수집한다. 실험법과 질문지법은 양적 연구 방법에서 주로 활용된다. ㄹ. 질적 연구 방법에서는 연구자의 직관적 통찰을 통해 인간 행위의 이면에 담긴 의미를 심층적으로 파악하고자 한다.

2 사회·문화 현상의 연구 방법

A는 양적 연구 방법, B는 질적 연구 방법이다. 따라서 (가)에는 양적 연구 방법만의 특징을 묻는 질문이 들어가야 한다. ⑤ 양적 연구 방법은 자연 현상과 사회·문화 현상의 본질이 같으므로 자연 과학과 동일한 방법으로 연구해야 한다는 방법론적 일원론에 기초한다.

┃ 바로 알기 ┃ ① 질적 연구 방법에 대한 설명이다. 질적 연구 방법에서는 사회·문화 현상의 의미는 그것을 인식하는 주체, 즉 연구자의 해석에 의해 다르게 규정된다고 본다. ② 양적 연구 방법에 대한 설명이다. 양적 연구 방법은 추상적인 사회·문화 현상을 양적으로 수치화하여 객관적으로 분석하고자 한다. ③ 양적 연구 방법과 질적 연구 방법 모두 경험적 자료를 바탕으로 연구한다. ④ 대화록이나 관찰 일지 등과 같이 계량화되지 않은 비공식적 자료는 질적 연구 방법에서 중시된다.

3 질문지 작성 시 유의 사항

ㄴ. 1번 문항의 경우, 만 31세~만 40세에 해당하는 답지가 없으므로, 응답 가능한 모든 보기를 제시하지 않았음을 알 수 있다. ㄹ. 2번 문항의 경우, 여가 시간과 여가 비용 두 가지 내용을 한 문항에서 동시에 묻고 있다.

┃ 바로 알기 ┃ ㄱ. 3번 문항의 경우, 청소년이 놀지 못하고 공부만 하면 인간관계에 문제가 생길 수 있다는 연구자의 의견이 나타나 있다. 즉 질문에 연구자에 가치가 개입되어 특정 응답을 유도하고 있다. ㄷ. 제시된 설문 문항 가운데 답지가 상호 배타적이지 않은 문항은 존재하지 않는다.

4 자료 수집 방법

ㄴ. '방관자들의 존재 여부'는 인위적으로 자극이 된 독립 변수, '곤경에 처한 사람이 낯선 사람으로부터 도움을 받을 가능성 정도'는 독립 변수의 영향을 받는 종속 변수에 해당한다. ㄹ. 연구자 갑은 방관자들과 함께 있는 상황과 혼자 있는 상황, 즉 실험 상황을 만들어 연구 대상자의 행동을 관찰하였다.

┃ 바로 알기 ┃ ㄱ. 방관자들과 함께 있는 연구 대상자인 ⓒ은 실험 집단, 연구 대상자만 있는 ㉠은 통제 집단이다. ㄷ. 참여 관찰법에 대한 설명이다. 제시된 연구에서는 실험법을 사용하여 자료를 수집하였다.

5 다양한 자료 수집 방법

(가)는 문헌 연구법, (나)는 질문지법, (다)는 참여 관찰법이다. ⑤ 참여 관찰법은 연구자와 연구 대상 간에 신뢰감이 형성되지 않을 경우 연구 대상이 연구자를 경계하여 정확한 자료 수집이 어려울 수 있다.

바로 알기 ① 문헌 연구법은 기존의 연구 결과물이나 통계 자료, 기록물 등을 활용하여 2차 자료를 수집하는 방법이다. 질문지법은 조사 대상자로부터 직접 자료를 수집하므로 1차 자료를 수집하는 데 사용된다. ② 질문지법을 구성하는 설문 문항을 통해 연구 대상의 주관적인 인식을 파악할 수 있다. ③ 참여 관찰법은 연구자가 연구 대상이나 상황을 특별히 통제하지 않고 있는 그대로 관찰해야 하므로, 자료를 수집할 때 상황에 대한 통제 수준이 질문지법에 비해 상대적으로 낮다. ④ 질문지법은 엄격히 구조화된 질문지를 배포하여 자료를 수집하므로 연구자의 감정 이입이 중시되지 않는다.

6 다양한 자료 수집 방법

주로 양적 자료를 수집하는 데 활용되는 자료 수집 방법은 질문지법과 실험법이다. 따라서 A, C는 질문지법과 실험법 중 하나이며, 나머지 B, D는 면접법과 참여 관찰법 중 하나이다. ② 자료 수집에서 연구 대상자의 응답이 필수 요건인 자료 수집 방법은 질문지법과 면접법이므로, A는 질문지법, B는 면접법이다. 이에 따라 나머지를 분류하면 C는 실험법, D는 참여 관찰법이다.

바로 알기 ① 대규모 집단을 대상으로 한 자료를 수집하기 용이한 것은 질문지법만의 특징에 해당한다. 이 질문으로는 면접법과 참여 관찰법을 구분할 수 없다. ③ 언어적 상호 작용에 의한 자료 수집이 필수적인 자료 수집 방법은 질문지법과 면접법이므로, A는 질문지법, B는 면접법이다. 이에 따라 나머지를 분류하면 C는 실험법, D는 참여 관찰법이다. ④ 인위적으로 상황을 통제함으로써 변수의 효과를 관찰하는 것은 실험법에만 해당한다. 이 질문으로는 면접법과 참여 관찰법을 구분할 수 없다. ⑤ 연구자가 현상이 실제로 발생한 현지에 가서 연구하는 것은 참여 관찰법에만 해당한다. 이 질문으로는 질문지법과 실험법을 구분할 수 없다.

03 사회·문화 현상의 탐구 절차와 태도

STEP 1 핵심 개념 확인하기 038쪽

1 (1) 양적 (2) 면접법 **2** (1) 질적 (2) 가설 **3** (1) – ⓒ (2) – ㉠ (3) – ㉣ (4) – ㉡ **4** ㉠ 가치 개입 ㉡ 가치 중립 **5** (1) ○ (2) × (3) ×

STEP 2 내신 만점 공략하기 038~042쪽

01 ⑤	02 ③	03 ③	04 ②	05 ②	06 ⑤	07 ④
08 ④	09 ③	10 ①	11 ②	12 ①	13 ②	14 ③
15 ④	16 ①					

01 양적 연구의 탐구 절차

(가) 단계는 양적 연구의 탐구 절차에서 연구 설계에 해당한다. 연구 설계 단계에서는 연구 방법과 자료 수집 방법, 조사 대상과 범위 등 연구의 진행에 필요한 구체적인 계획을 세운다. ⑤ 최근 5년간 환율과 국제 수지 자료를 수집하고 이를 통계 분석하기로 계획을 세웠으므로, 연구 설계 단계에 해당한다.

바로 알기 ① 연구 문제 인식 단계에 해당한다. ② 결론 도출 단계에 해당한다. ③ 가설 설정 단계에 해당한다. ④ 자료 분석 단계에 해당한다.

02 가설의 조건

ㄴ에서 자기 주도 학습 정도는 독립 변수, 학업 성취도는 종속 변수에 해당하며, ㄷ에서 학습 스트레스 여부는 독립 변수, 인터넷 게임 중독 정도는 종속 변수에 해당한다. ㄴ, ㄷ의 진술 모두 가치 중립적이고, 변수 간에 인과 관계가 명확하며, 경험적으로 검증할 필요가 있으므로 제시된 가설의 조건을 충족한다.

바로 알기 ㄱ. 사실에 해당하는 진술이므로 변수 간의 인과 관계를 검증할 필요가 없다. ㄹ. 의미 있는 학교생활을 경험적으로 증명할 수 없으며, 변수 간의 인과 관계가 명확하지 않다.

03 양적 연구의 탐구 절차

제시된 연구에서는 노인의 인간관계와 삶의 만족도 간의 관계를 알아보기 위한 양적 연구를 수행하고 있다. (가)는 자료 수집 단계, (나)는 가설 설정 단계, (다)는 자료 분석 단계, (라)는 연구 설계 단계에 해당한다. 따라서 연구는 (나)−(라)−(가)−(다) 순으로 진행된다.

04 양적 연구의 탐구 절차

ㄱ. (가)에서 사용된 질문지법은 양적 연구에서 주로 사용하는 자료 수집 방법이다. ㄹ. (라)에서는 노인들의 인간관계 밀도라는 추상적인 개념을 신뢰하는 사람들과의 접촉 빈도로 측정 가능하도록 조작적 정의하였다.

┃바로 알기┃ ㄴ. (나)에서는 연구 문제에 대한 잠정적 결론인 가설을 설정하였다. ㄷ. (다)에 따르면 신뢰하는 사람들과의 접촉 빈도, 즉 노인의 인간관계 밀도가 높을수록 노인들의 삶의 만족도가 높아진다. 따라서 가설은 수용되었을 것이다.

05 질적 연구의 탐구 절차

① 질적 연구에서 연구자는 사회·문화 현상에 대한 의문을 제기하며, 이를 토대로 연구 주제를 선정한다. ③, ④ 질적 연구에서는 주로 면접법이나 참여 관찰법을 통해 자료를 수집하며, 자료를 수집한 후에는 연구자의 직관적 통찰과 감정 이입적 이해를 통한 자료 해석이 이루어진다. ⑤ 질적 연구에서는 그 결론이 특정 상황에 관한 것이므로, 이를 연구 사례가 아닌 다른 모든 사례를 설명하고자 하는 일반화를 시도하지 않는다. 질적 연구의 결론 도출 과정에서는 연구 대상을 이해하는 새로운 관점을 제시하거나 대안적 이론을 제안하기도 한다.

┃바로 알기┃ ② 질적 연구의 목적은 보편적인 법칙 발견이 아니라 사회·문화 현상에 담긴 함축된 의미를 이해하고 해석하는 것이므로 양적 연구와 달리 가설을 세우지 않는 것이 일반적이다. 질적 연구에서는 연구의 특성상 현상을 있는 그대로 관찰해야 하므로 가설을 설정하면 오히려 연구의 폭을 제한하여 현상을 이해하는 데 방해가 될 수 있다고 본다.

06 질적 연구의 탐구 절차

〈자 료 분 석〉

연구 대상자의 주관적 세계를 이해하고자 하는 연구 주제를 선정하였어.

연구 문제 인식	고등학생에게 스마트폰 사용이 갖는 의미를 알아보기로 하였다.
연구 설계	• 연구 대상: 스마트폰을 사용하는 ○○ 고등학교 2학년 학생 5명 • 자료 수집 방법: 연구 대상자의 수업 시간 및 학교생활 관찰, 비정기적 면접 – 참여 관찰법, 면접법 선택
자료 수집 및 분석	3개월간 스마트폰을 사용하는 연구 대상자의 행동을 관찰하고, 그들과 심층 면담을 시행하였다. 연구 대상자는 스마트폰으로 하는 단체 대화를 통해 친구관계를 형성하는 경우가 많았으며, 학습을 위해 강의를 듣기도 하였다.
결론 도출	고등학생의 스마트폰 사용은 인간관계 형성에 도움이 될 뿐만 아니라 학습에도 유용하다.

질적 연구에서 도출한 결론은 특정 상황에 관한 것이므로, 이를 일반화하기는 어려워.

제시된 연구에서는 면접법과 참여 관찰법을 통해 자료를 수집하여 행위자의 주관적 세계가 가지는 의미를 해석하고자 하므로, 질적 연구의 탐구 절차임을 알 수 있다. ㄷ. 질적 연구에서는 자료 분석 단계에서 연구자의 직관적 통찰을 통해 사회·문화 현상에 담긴 의미를 해석하고 이해하고자 한다. ㄹ. 제시된 연구에서는 고등학생에게 스마트폰이 갖는 의미, 즉 연구 대상자의 주관적 가치를 측정하고자 한다.

┃바로 알기┃ ㄱ, ㄴ. 양적 연구의 탐구 절차에서 이루어진다.

07 사회·문화 현상의 탐구 태도

① 객관적 태도에 해당한다. 연구자는 개인의 주관이나 선입견, 이해관계 등이 연구 과정에 개입되지 않도록 해야 하며, 경험적 증거에 입각하여 탐구해야 한다. ② 상대주의적 태도에 해당한다. 연구자는 사회·문화 현상의 특수성을 인정하고, 그 사회의 맥락에서 이해하려고 해야 한다. ③ 개방적 태도에 해당한다. 사회·문화 현상은 관점에 따라 다르게 인식될 수 있으므로, 연구자는 여러 가능성이 동시에 공존할 수 있음을 인정해야 한다. ⑤ 성찰적 태도에 해당한다. 연구자는 사회·문화 현상을 수동적으로 받아들이지 않고 현상의 내면에 담긴 의미나 인과 관계가 무엇인지를 궁금해 하며 이를 파악하고자 노력해야 한다.

┃바로 알기┃ ④ 연구자는 자신의 주장이나 이론이 무조건 옳다고 생각해서는 안 되며, 다른 사람의 비판이나 새로운 주장의 가능성을 받아들이는 개방적 태도를 갖추어야 한다.

완자 정리 노트   사회·문화 현상의 탐구 태도

객관적 태도	제삼자의 입장에서 있는 그대로 사실을 관찰하는 태도
개방적 태도	새로운 주장의 가능성과 자신의 주장에 관한 비판을 허용하는 태도
상대주의적 태도	사회·문화 현상이 지닌 고유한 가치와 의미를 각 사회의 맥락에서 이해하는 태도
성찰적 태도	사회·문화 현상의 이면에 담긴 의미나 인과 관계를 살펴보는 태도

08 사회·문화 현상을 탐구하는 객관적 태도

제시된 글에서는 사회·문화 현상을 탐구하는 객관적 태도의 중요성을 강조하고 있다. ④ 객관적 태도는 사회·문화 현상을 연구할 때 연구자가 자신의 주관이나 이해관계 등을 배제하고, 관찰을 통해 경험적으로 얻은 증거에 따라 제삼자의 눈으로 사실을 관찰하려는 태도이다. 이를 위하여 연구 과정에 연구자의 주관이나 편견, 이해관계 등이 적용되지 않도록 해야 한다.

┃바로 알기┃ ①은 개방적 태도, ②는 상대주의적 태도, ⑤는 성찰적 태도에 관한 진술이다.

09 사회·문화 현상의 탐구 태도

(가)에서는 자신의 연구 결과가 절대적인 진리가 아닐 수 있음을 전제로 다른 사람의 비판을 허용해야 한다는 개방적 태도를 강조하고 있다. (나)에서는 특정 현상이 해당 집단이나 사회의 고유한 맥락 속에서 형성된 것임을 인정하는 상대주의적 태도를 강조하고 있다.

10 사회·문화 현상을 탐구하는 개방적 태도

제시된 글에서는 사회·문화 현상을 탐구하는 개방적 태도의 중요성을 강조하고 있다. ㄱ, ㄴ. 개방적 태도는 여러 가지 가능성이 동시에 공존할 수 있다는 사실을 인정하는 태도로, 새로운 주장이나 자신의 주장에 대한 비판을 열린 마음으로 받아들이는 것을 말한다.

|바로 알기| ㄷ. 상대주의적 태도에 관한 진술이다. ㄹ. 성찰적 태도에 관한 진술이다.

11 사회·문화 현상을 탐구하는 성찰적 태도

제시된 글에서는 제사 관습이라는 현상을 그대로 받아들이는 것이 아니라 그 이면에 담겨 있는 의미를 궁금해 하며 이를 능동적으로 파악해야 한다고 주장하고 있다. 따라서 (가)에는 사회·문화 현상을 탐구하는 성찰적 태도와 관련된 내용이 들어가야 한다.

|바로 알기| ①은 객관적 태도, ③은 상대주의적 태도, ⑤는 개방적 태도에 해당한다.

12 사회·문화 현상 탐구에서의 가치 개입과 가치 중립

㉠은 가치 중립, ㉡은 가치 개입이다. 연구 과정에서 연구 문제 인식이나 연구 설계, 연구 결과의 활용 단계에서는 연구자의 가치 개입이 인정될 수 있다. 그러나 자료 수집 및 분석, 결론 도출 단계에서는 연구자의 가치나 이해관계를 엄격하게 배제하는 가치 중립이 필요하다.

완자 정리 노트   연구 과정에서의 가치 개입과 가치 중립

가치 개입	연구 문제 인식, 연구 설계, 연구 결과의 활용
가치 중립	자료 수집 및 분석, 결론 도출

13 연구 대상자에 대한 윤리

제시된 사례에서 연구자는 연구를 수행하는 과정에서 연구에 동의하지 않은 가족들의 생활까지 일거수일투족 관찰하면서 그들의 사생활을 침해했다는 점에서 연구 윤리를 위반하고 있다. 이처럼 연구자는 연구 과정에서 연구 대상자의 사생활을 침해해서는 안 된다.

14 사회·문화 현상 탐구에서의 연구 윤리

제시된 연구에서 갑이 연구 결과를 제출할 때 연구 대상자의 이름을 밝힌 것은 연구 대상자의 익명성을 보장하지 않은 것이다. 연구자는 연구 대상자의 개인 정보 및 사생활을 보호하기 위해서 연구 대상의 익명성을 보장해야 한다.

15 연구 결과 활용에서 지켜야 할 연구 윤리

제시된 사례는 연구자가 자신이 행한 연구가 가져오게 될 결과에 대한 윤리적 책임에서 자유롭지 않다는 것을 보여 준다. 연구자는 단순히 주어진 연구 과제를 성실하게 수행하는 것이 아니라, 그 결과가 어떤 사회적 영향을 가져올 것인지도 고려해야 한다. 연구자의 의도와 달리 연구 결과가 비윤리적으로 활용됨으로써 다른 사람들에게 해를 끼칠 수 있기 때문이다.

|바로 알기| ②, ③, ⑤ 연구자가 지켜야 할 연구 윤리에 해당하지만, 제시된 사례와는 관련 없다.

16 사회·문화 현상 탐구에서의 연구 윤리

ㄱ. 갑이 모든 입사 지원자에게 설문 조사에 강제적으로 응답하게 한 것은 연구 대상자의 자발적 참여를 침해한 것이다. ㄴ. 을은 자료 분석 단계에서 고의적으로 해당 지역의 부동산 가격 상승만을 예측한 자료만을 선별하여 분석하였다.

|바로 알기| ㄷ. 제시된 사례만으로는 알 수 없다. ㄹ. 갑은 연구 대상을 결정하기 전에 연구 대상자에게 지켜야 할 윤리를, (나)에서는 자료를 수집하고 분석하는 단계에서 연구자가 지켜야 할 윤리를 위배하고 있다.

 **서술형 문제**

042쪽

01 주제: 사회·문화 현상의 탐구 절차

(1) (가) – (나) – (라) – (마) – (다)

(2) **예시 답안** (다), (마). 자료 수집 및 분석과 결론 도출 단계에서 연구자가 자신의 주관이나 가치를 개입하면 왜곡된 결론이 도출될 수 있으므로, 그 연구의 신뢰도가 낮아질 수 있다.

채점 기준

상	가치 중립이 요구되는 단계를 모두 쓰고, 연구자의 주관 개입이 연구 결과에 미치는 영향을 들어 서술한 경우
중	가치 중립이 요구되는 단계를 모두 쓰고, 연구자의 주관이 개입되면 안 된다고만 서술한 경우
하	가치 중립이 요구되는 단계만을 쓴 경우

02 주제: 사회·문화 현상을 탐구하는 개방적 태도

(1) 개방적 태도

(2) **예시 답안** 사회·문화 현상은 보는 시각에 따라 다양한 견해가 존재하며, 상황에 따라 달라질 수 있기 때문에 어떤 사회 과학의 연구도 그 결론이 완벽할 수는 없다. 따라서 자신의 연구 결과에 대한 비판과 새로운 주장의 가능성을 허용하는 개방적 태도가 필요하다.

채점 기준

상	사회·문화 현상에는 다양한 측면이 있으며, 상황에 따라 달라진다는 점을 들어 개방적 태도의 필요성을 정확하게 서술한 경우
하	새로운 주장의 가능성을 허용해야 한다고만 서술한 경우

1 사회·문화 현상의 탐구 절차

③ 제시된 연구에서 부모의 경제 수준은 독립 변수이며, 월평균 소득은 이를 측정하기 위한 조작적 정의에 해당한다.

바로 알기 ① 부모의 경제 수준과 부모의 정보 지향적 인터넷 이용 정도는 모두 독립 변수에 해당한다. 제시된 연구에서 독립 변수의 영향을 받는 종속 변수는 자녀의 정보 지향적 인터넷 이용 정도에 해당한다. ② 모집단은 A 지역 고등학생 전체에 해당하며, 표본은 A 지역에서 선정된 6개 고등학교의 학생 1,000명 중 부모도 응답 가능한 300명에 해당한다. ④ 월평균 소득과 인터넷 이용 시간 중 정보 검색 시간 비중은 모두 갑이 직접 수집한 1차 자료에 해당한다. ⑤ (가)는 가설 설정 단계, (나)는 자료 수집 단계, (다)는 연구 설계 단계, (라)는 결론 도출 단계에 해당한다. 따라서 연구는 (가)-(다)-(나)-(라) 순으로 진행된다.

2 사회·문화 현상의 탐구 태도

제시된 글에서는 과학적 연구의 결론이더라도 새로운 증거나 연구 방법에 의해 결론이 달라질 수 있음을 보여 준다. 따라서 연구자는 자신의 연구 결과에 대한 비판과 새로운 주장의 가능성을 항상 허용해야 하는데, 이를 개방적 태도라고 한다. ④ 개방적 태도는 논리적으로 완벽해 보이는 주장이나 이론이라고 하더라도 경험적 증거로 확인되기 전까지는 하나의 가설로 받아들여야 함을 강조한다.

바로 알기 ①은 객관적 태도, ③은 상대주의적 태도, ⑤는 성찰적 태도에 관한 진술이다.

3 사회·문화 현상의 탐구 태도

(가)에서는 객관적 태도, (나)에서는 상대주의적 태도를 강조하고 있다. ㄱ. 객관적 태도는 연구 과정에서 특정 가치가 개입되어서는 안 된다는 측면에서 연구자의 가치 중립적 태도를 강조한다. ㄷ. 상대주의적 태도는 사회·문화 현상이 가지고 있는 고유한 가치에 대한 인정을 중시한다.

바로 알기 ㄴ. 개방적 태도에 대한 설명이다. ㄹ. 제삼자의 관점에서 사실을 있는 그대로 관찰하는 태도는 객관적 태도이며, 연구 대상자의 관점에서 해당 사회의 맥락을 고려하여 현상을 이해하는 태도는 상대주의적 태도이다.

4 연구 과정에서의 가치문제

④ 자료를 분석하고 결론을 도출하는 단계에서는 연구의 객관성을 유지해야 하며, 사실의 왜곡을 방지하기 위해 연구자는 자신의 이해관계나 가치를 배제하고 연구를 진행해야 한다.

바로 알기 ① 제시된 연구에서는 가설을 설정하고 변수들 간의 상관관계를 분석하였으므로, 양적 연구 방법이 사용되었음을 알 수 있다. ② 연구의 목적을 정하는 단계에서는 연구자의 가치가 어느 정도 개입될 수밖에 없다. ③ 양적 연구에서는 주로 질문지법이나 실험법을 통해 계량화가 용이한 자료를 수집한다. ⑤ 연구 결과의 활용 단계에서 연구자는 연구 결과가 악용되거나 오용되는 것을 막고 연구 결과를 적절하게 활용하기 위하여 바람직한 가치 판단을 내려야 한다.

5 사회·문화 현상 탐구에서의 연구 윤리

자료 분석

┌ 연구 대상자의 동의를 구하지 않았어.

자료 수집 과정에서 연구 대상자의 ┐ 안전을 고려하고 있어.

연구자 갑은 학술 대회 논문 발표를 위해 노인의 요양 기간과 가족 유대감 간의 관계를 연구하기로 하였다. 이를 위해 ○○ 요양 병원 원장에게 허락을 구하고 해당 병원의 노인들을 대상으로 설문 조사와 면접을 실시하였다. 면접 중에 피로를 호소하거나 정서적 불안을 토로하는 노인들의 경우, 면접을 중단하고 미리 대기시켜 놓은 의료진의 보살핌을 받도록 하였다. 그 대신 본인에게는 알리지 않고 가족으로부터 노인들의 편지, 수첩 등을 확보하였다. 수집한 자료 중 기대한 것과 다른 내용이 있었지만 수정하지 않고 그대로 분석에 반영하여 논문을 발표하였다. 그 후, 가족 유대감이 낮은 노인들의 명단 등 조사 자료를 노인 전문 상담 기관에 제공하고 금전적 보상을 받았다.

└ 연구자의 가치 중립적 태도가 나타나 있어.

수집한 자료를 학술 대회 논문 ┐ 발표라는 연구 이외의 목적으로 활용한 거야.

② 갑의 연구 목적은 학술 대회 논문 발표이다. 그런데 갑이 조사 자료를 금전적 보상을 받고 노인 전문 상담 기관에 제공한 것은 수집한 자료를 연구 목적 이외의 용도로 활용한 것이다.

바로 알기 ① 갑은 연구 대상인 노인들의 동의를 구하지 않고 자료를 수집하였으므로 연구 대상자의 자발적 참여를 침해하였다. ③ 갑은 면접 과정에서 연구 대상인 노인들이 피로를 호소하거나 정서적 불안을 토로할 경우 의료진의 보살핌을 받을 수 있도록 하였다. 이는 자료 수집 과정에서 연구 대상자의 안전을 고려한 것이다. ④, ⑤ 수집한 자료 중 기대한 것과 다른 내용이 있었지만 이를 그대로 분석했다는 점에서 연구자는 자의적인 자료 선별을 하지 않았으며, 가치 중립적 태도를 지키려고 하였음을 알 수 있다.

6 사회·문화 현상 탐구에서의 연구 윤리

ㄱ. 연구 대상자들은 상대에게 전기 충격을 가하는 명령에 따르면서 심리적으로 커다란 고통을 겪는 등 연구로 인해 인권을 침해당하였다. ㄴ. 연구자는 실험이 연구 대상자에게 미칠 수 있는 부정적인 영향과 실제 연구 목적을 알리지 않고 연구를 수행하였다. 이를 통해 연구자가 연구 대상자에게 연구 목적을 속이고 자료를 수집하였음을 알 수 있다.

바로 알기 ㄷ. 연구 목적을 속이고 자료를 수집하였으나, 수집한 자료를 임의적으로 조작하지는 않았다. ㄹ. 제시된 사례만으로는 알 수 없다.

대단원 실력 굳히기

048~051쪽

01 ④	02 ③	03 ⑤	04 ②	05 ②	06 ①	07 ⑤
08 ①	09 ③	10 ②	11 ③	12 ①	13 ⑤	14 ④
15 ②	16 ⑤					

01 자연 현상과 사회·문화 현상의 특성

㉠, ㉡은 자연 현상, ㉢, ㉣은 사회·문화 현상에 해당한다. ④ 사회·문화 현상은 어느 사회에서나 나타난다는 점에서 보편성을 띠며, 시대나 사회적 상황에 따라 다른 모습으로 나타난다는 점에서 특수성을 띠기도 한다.

바로 알기 ①, ② 사회·문화 현상의 특성이다. ③ 자연 현상의 특성이다. ⑤ 자연 현상과 사회·문화 현상 모두 경험적 자료에 의해 연구가 가능하다.

02 사회·문화 현상의 특성

제시된 자료에 따르면 공급 법칙은 보편적인 사회·문화 현상 중 하나이다. 하지만 공급 법칙의 예외가 존재하는 것을 통해 사회·문화 현상에 개연성의 원리가 작용함을 알 수 있다. 개연성이란 일정한 조건하에서 어떤 현상이 일어날 가능성이 확률적으로 높다는 것을 의미한다. 이처럼 사회·문화 현상은 다양한 요인의 영향을 받기 때문에 현상의 원인과 결과에 있어 예외가 존재한다.

바로 알기 ①, ② 사회·문화 현상은 인간의 의지와 가치가 개입되기 때문에 현상 간의 인과 관계를 파악하기 어렵고, 법칙 발견 및 예측이 힘들다. ④, ⑤ 사회·문화 현상의 특성에 해당하지만, 제시된 자료와는 관련 없다.

03 간학문적 탐구 경향

우리가 사회·문화 현상을 인식할 때에는 그 부분이나 요소들을 개별적으로 이해하려고 하기보다는 그 대상 전체를 총체적으로 이해할 필요가 있다. 사회·문화 현상을 탐구하는 학문으로는 사회학 이외에도 정치학, 경제학, 법학 등이 있는데, 이러한 학문들은 사회의 특정 부분에 관심을 두고 각각의 고유 영역을 갖고 있다. 그렇지만 사회라는 전체는 여러 구성 요소들과 그것들의 결합으로 구성되어 있기 때문에 어느 한 요소만을 지나치게 강조한다면 사회를 총체적으로 이해하는 데 한계가 따른다. 따라서 복잡한 사회·문화 현상을 올바르게 이해하기 위해서는 다양한 학문들의 이론과 방법을 종합하여 총체적으로 연구를 수행해야 한다.

04 기능론과 갈등론

갑은 기능론적 관점, 을은 갈등론적 관점에서 아동 학대 문제를 바라보고 있다. ② 기능론에서는 사회 구성 요소가 상호 유기적 관계를 맺으며, 각 부분은 사회 전체가 합의한 규범에 따라 사회의 안정과 질서 유지에 필요한 기능을 수행한다고 본다.

바로 알기 ① 갈등론에 대한 설명이다. ③ 상징적 상호 작용론에 대한 설명이다. ④ 기능론에 대한 설명이다. ⑤ 기능론과 갈등론 모두 사회 구조에 대한 분석을 통해 사회·문화 현상을 파악하려는 거시적 관점에 해당한다.

05 상징적 상호 작용론

제시된 글에서는 개인이 올림픽 메달에 부여하는 의미를 중시하고 있으므로, 상징적 상호 작용론적 관점임을 알 수 있다. ㄱ. 상징적 상호 작용론에서는 사회 구성원이 자신의 상황에 대해 각자의 의미를 부여하고 해석하는 상황 정의에 따라 행동한다고 본다. ㄷ. 상징적 상호 작용론은 개인의 능동적 사고와 자율적 행위의 측면을 강조하는 미시적 관점에 해당한다.

바로 알기 ㄴ. 개인의 행위를 강제하는 사회 체계를 강조하는 것은 거시적 관점인 기능론과 갈등론에 해당한다. ㄹ. 기능론에 대한 설명이다.

06 양적 연구 방법과 질적 연구 방법

(가)는 양적 연구 방법, (나)는 질적 연구 방법에 해당한다. ② 질적 연구 방법에서는 수치화하기 어려운 인간의 주관적 세계의 의미를 심층적으로 파악할 수 있다. ③ 양적 연구 방법은 경험적 자료의 통계적 분석을 통한 일반화가 용이하다. 반면 질적 연구 방법은 특정 사례에 관한 심층적 이해를 추구하기 때문에 일반화가 어렵다. ④ 질적 연구 방법은 연구 대상자의 관점에서 현상을 깊이 있게 이해하고자 하므로, 연구자와 연구 대상자 간의 상호 주관적 이해를 중시한다. ⑤ 양적 연구 방법은 방법론적 일원론에, 질적 연구 방법은 방법론적 이원론에 기초한다.

바로 알기 ① 질적 연구 방법에 대한 설명이다.

07 질적 연구 방법

제시된 자료에서 연구자는 ○○ 지역에 거주하는 여성 결혼 이민자들이 겪는 문화 차이와 갈등을 파악하기 위해 참여 관찰, 심층 면접, 비공식적 자료 활용 등의 방법으로 자료를 수집하고 있으므로, 질적 연구 방법을 사용하였음을 알 수 있다. ⑤ 질적 연구 방법은 연구 대상의 관점에서 현상을 이해하기 위해 감정 이입적 이해를 추구한다.

바로 알기 ①, ②, ③, ④ 양적 연구 방법에 대한 설명이다.

08 면접법과 질문지법

(가)는 면접법, (나)는 질문지법에 해당한다. ㄱ. 면접법은 연구자가 연구 대상자와 직접 대화하여 자료를 수집하므로, 무성의한 응답을 방지하기 용이하다. ㄴ. 질문지법은 문자로 된 질문지에 답변을 기재하게 하므로, 글을 모르는 사람에게는 사용하기 곤란하다.

바로 알기 ㄷ. 면접법은 연구자의 주관이 개입되기 쉬운 반면, 질문지법은 구조화된 자료 수집 방법으로 연구자의 가치 개입을 막을 수 있다. ㄹ. 면접법은 질적 연구, 질문지법은 양적 연구에서 주로 활용된다.

09 실험법

ㄴ. 표본에 대해 나이, 성별, 운전 경력 등에서 차이가 나지 않도록 조정하는 이유는 독립 변수 이외의 다른 변수가 종속 변수에 영향을 미치는 것을 통제하기 위해서이다. ㄷ. 안전 교육을 실시한 A 집단은 실험 집단, 실시하지 않은 B 집단은 통제 집단에 해당한다.

바로 알기 ㄱ. 연구에서 조사하고자 하는 전체 대상이 되는 모집단은 모든 운전자들이며, 운전자 200명은 표본에 해당한다. ㄹ. 연구 대상에게 인위적으로 가한 일정한 조작인 ⓔ은 독립 변수, 독립 변수의 영향을 받는 변수인 ⓕ은 종속 변수에 해당한다.

10 다양한 자료 수집 방법

(가)는 질문지법, (나)는 참여 관찰법, (다)는 면접법에 해당한다. ② 참여 관찰법은 연구자가 연구 대상자의 행동을 직접 관찰하고 언어나 문자로 표현할 수 없는 현상도 조사할 수 있어 심층적인 자료를 수집할 수 있다. 반면 질문지법은 연구 대상자가 질문지의 항목에만 국한하여 답변하므로 깊이 있는 정보를 얻기 어렵다.

바로 알기 ① 자료의 실제성을 확보하기 용이한 자료 수집 방법은 참여 관찰법이다. ③ 시간과 비용 측면에서 효율성이 높은 자료 수집 방법은 질문지법이다. ④ 질문지법, 참여 관찰법, 면접법 모두 연구자가 연구 목적에 맞게 직접 자료를 수집하는 방법으로, 1차 자료를 수집하는 방법에 해당한다. ⑤ 면접법과 참여 관찰법은 자료 해석 시 연구자의 주관이 개입될 가능성이 크다.

11 양적 연구의 탐구 절차

제시된 연구에서는 고등학생의 아르바이트 경험이 그들의 소비 의식에 미치는 영향을 알아보기 위해 질문지법을 통해 자료를 수집하고, 이를 통계적으로 분석하여 결론을 도출하고 있다. 이는 양적 연구에 해당한다. ③ 아르바이트 경험은 3년간 아르바이트를 해 본 경우와 그렇지 않은 경우로 측정할 수 있으므로 ⓔ은 ⓐ의 조작적 정의에 해당한다. 소비 의식은 물건을 사고 싶은 마음이 생기는 횟수나 유혹을 느끼는 정도로 측정할 수 있으므로 ⓕ은 ⓑ의 조작적 정의에 해당한다.

바로 알기 ① 아르바이트 경험(ⓐ)은 연구 결과에 영향을 주는 변수이므로 독립 변수, 소비 의식(ⓑ)은 그 영향을 받는 변수이므로 종속 변수에 해당한다. ② 모집단은 전국의 고등학생이며, ⓒ은 표본에 해당한다. ④ (다)에서는 수집한 자료를 통계적으로 분석하고 있다. 연구자의 감정 이입적 이해에 따른 해석은 질적 연구에서 이루어진다. ⑤ (가)는 자료 수집 단계, (나)는 가설 설정 단계, (다)는 자료 분석 단계, (라)는 연구 설계 단계에 해당한다. 따라서 (나)-(라)-(가)-(다) 순서로 연구가 진행되었다.

12 질적 연구의 탐구 절차

제시된 연구는 북한 이탈 청소년을 대상으로 그들의 생애를 분석하였다는 점에서, 질적 연구의 사례임을 보여 준다. ② 선행 연구의 검토는 주로 이미 발표된 문헌 등을 수집하여 분석하는 문헌 연구법을 통해 이루어진다. ③ 면접법은 연구자가 직접 연구 대상자를 만나 대화를 통해 자료를 수집하는 방법이다. 면접법을 실시할 경우 북한 이탈 청소년들로부터 그들의 출생과 성장, 유랑 시절, 남한에서의 정착 과정에 대해 심층적인 자료를 얻을 수 있다. ④ 질적 연구에서는 연구자의 직관적 통찰을 통해 자료 해석이 이루어진다. ⑤ 질적 연구에서는 그 결론이 특정 상황에 대한 것이므로, 결론을 전체 집단의 특성으로 일반화하기는 어렵다.

바로 알기 ① 연구 과정에서 연구 주제와 목적을 정할 때 연구자의 관심이나 가치 판단이 개입되므로, 이 단계에서 연구자의 엄격한 가치 중립이 요구된다고 볼 수 없다.

13 사회·문화 현상을 탐구하는 상대주의적 태도

제시된 글에 따르면 사회·문화 현상은 비록 동일한 것이라 할지라도, 그 사회가 지닌 역사적·문화적 배경이나 그 사회가 처해 있는 현실적인 여건에 따라 각각 다른 의미로 받아들여지는 것이 일반적이다. 어떤 시대에 일반적으로 받아들여졌던 견해나 어떤 특수한 사회에서 가장 이상적이라고 받아들여졌던 주장이 모든 시대, 모든 사회에 걸쳐 두루 타당성을 가질 수는 없다. 그러므로 우리는 사회·문화 현상이 지닌 고유한 가치와 의미를 그 사회의 맥락에서 이해하려는 태도, 즉 상대주의적 태도를 가져야 한다.

바로 알기 ①은 객관적 태도, ②, ④는 개방적 태도, ③은 성찰적 태도에 관한 진술이다.

14 사회·문화 현상을 탐구하는 성찰적 태도

제시된 글에서는 사회·문화 현상을 수동적으로 받아들이지 않고 현상의 내면에 담긴 의미나 인과 관계가 무엇인지를 궁금해 하며 이를 파악해야 한다는 성찰적 태도를 강조하고 있다.

바로 알기 ①, ②는 객관적 태도, ③은 상대주의적 태도, ⑤는 개방적 태도에 해당한다.

15 사회·문화 현상 탐구의 연구 윤리

ㄱ. (가)에 따르면 연구자는 연구 대상자의 자발적인 참여를 위해 연구 참여에 대한 동의를 얻어야 한다. ㄷ. (나)에서는 연구 대상자와 그가 제공하는 정보를 분리하여 연구 대상자의 익명성을 보장하는 것을 강조한다.

바로 알기 ㄴ. (가)는 연구 대상자에게 연구와 관련된 정보를 제공함으로써 연구 대상자의 자발적 참여를 보장하기 위한 것으로, 연구자의 주관적 가치 개입을 막는 것과는 관련이 없다. ㄹ. (나)는 연구 대상자와 그가 제공한 정보를 공개해서는 안 된다는 내용이지, 연구 대상자 본인만이 알고 있는 비밀스러운 정보에 대해 질문해서는 안 된다는 것이 아니다.

16 사회·문화 현상 탐구에서의 연구 윤리

제시된 사례에서 연구자는 ○○시에 카지노 시설을 유치하기 위해 카지노 시설을 운영하는 □□시의 범죄 건수 추이를 조사하였다. □□시의 범죄 건수가 증가하고 있지만, 이를 백의 자리에서 반올림하여 범죄 건수의 변동이 거의 없는 것으로 연구 결과를 발표한 것은 특정 방향으로 결론을 유도하기 위해 자료를 조작하여 분석한 것이다.

II. 개인과 사회 구조

01 사회적 존재로서의 인간

STEP 1 핵심 개념 확인하기 058쪽

1 (1) 사회 명목론 (2) 사회 실재론 2 (1) ○ (2) ○ (3) × 3 (1) ㄷ, ㄹ (2) ㄱ, ㄴ 4 (1) 지위 (2) 역할 (3) 역할 갈등 5 (1) – ㉠, ㉡ (2) – ㉢, ㉣

STEP 2 내신 만점 공략하기 058~062쪽

01 ⑤ 02 ⑤ 03 ④ 04 ③ 05 ⑤ 06 ② 07 ②
08 ④ 09 ④ 10 ⑤ 11 ① 12 ③ 13 ③ 14 ⑤
15 ④ 16 ③

01 사회 실재론
제시된 글은 사회가 개인의 생각이나 행동에 영향을 미친다는 내용이다. 이는 사회 실재론의 관점에 해당한다. ㄷ. 사회 실재론에 따르면 사회는 개인으로 환원하여 설명할 수 없는 고유한 성격을 지닌다. 따라서 사회적 사실은 개인적 사실로 환원될 수 없다. ㄹ. 사회 실재론에 따르면 개인의 행동과 의식은 사회에 의해 구속되므로, 사회를 떠난 개인은 존재 의미를 가질 수 없다.
【 바로 알기 】 ㄱ, ㄴ. 사회 명목론에 부합하는 진술이다.

02 사회 실재론
제시된 글은 사회에는 심층적 구조가 있고 이를 파악하기 위해서는 사회적 관계들의 작동 규칙들을 이해해야 한다는 내용이다. 이는 사회 실재론의 관점에 해당한다. ② 편법이 만연한 사회에서 사람들의 도덕성이 떨어진다고 보는 것은 개인에 대한 사회 구조의 영향력을 중시하는 사회 실재론의 관점에 해당한다.
【 바로 알기 】 ①, ④ 선거에서 소속 정당보다 후보자 개인의 능력을 보고 투표하는 것과 배우자를 고를 때 배우자를 둘러싼 환경보다 배우자 개인의 성품을 살펴보는 것은 사회보다 개인을 강조하는 사회 명목론의 관점에 해당한다. ③ 개인에게 초점을 맞춰 사회 현상을 분석하므로, 사회 명목론의 관점에 해당한다. ⑤ 개인의 의식 개혁을 사회 문제의 해결책으로 제시하므로, 사회 명목론의 관점에 해당한다.

03 사회 명목론
제시된 글은 개인 간의 상호 작용 형식에 초점을 맞춰 사회 현상을 이해하고 있다. 이는 사회보다 개인을 중시하는 사회 명목론의 관점에 해당한다. ㄴ, ㄹ. 사회 명목론에 따르면 사회 현상은 자유 의

지에 따라 능동적으로 행동하는 개인들에 의해 만들어 진다. 따라서 사회 명목론은 사회 현상의 분석 단위로 개인의 의식, 정서, 심리 상태 등을 중시한다.
【 바로 알기 】 ㄱ. 사회를 연구할 때 사회 구조에 주목해야 한다고 보는 것은 사회 실재론의 관점에 해당한다. ㄷ. 사회를 개개인의 특성과 다른 고유한 특성을 지니는 실체라고 보는 것은 사회 실재론의 관점에 해당한다.

04 사회 명목론의 한계
제시된 글은 사회를 개인 간 계약의 산물로 보고 있다. 이는 사회보다 개인을 중시하는 사회 명목론의 관점에 해당한다. ③ 사회 명목론은 지나칠 경우 개인의 이익만이 강조되는 극단적 이기주의가 나타날 우려가 있다.
【 바로 알기 】 ①, ②, ④, ⑤ 사회 실재론적 관점의 한계에 해당한다.

05 사회 실재론과 사회 명목론
(가)는 개인을 사회보다 더 중시한다는 점에서 사회 명목론의 관점이고, (나)는 사회 구조의 영향력을 강조한다는 점에서 사회 실재론의 관점이다. ⑤ 사회 명목론은 개인이 자유 의지에 따라 행동한다고 보므로, 개인의 자율성을 중시한다. 반면 사회 실재론은 개인이 사회의 영향을 받아 행동한다고 보므로, 사회 규범의 구속성을 중시한다.
【 바로 알기 】 ① 사회를 생물 유기체에 비유하는 관점은 사회 실재론이다. ② 사회 실재론의 한계에 해당한다. ③ 사회 전체의 공익보다 개인의 이익이나 권리 보장을 중시하는 관점은 사회 명목론이다. ④ 개인의 의식 개혁을 통해 사회 문제를 해결할 수 있다고 보는 관점은 사회 명목론이다.

완자 정리 노트	개인과 사회의 관계를 바라보는 관점
사회 실재론	• 사회는 개인의 합 이상임 • 사회는 개인의 외부에 실제하는 독립적 실체임 • 사회 구조적인 요인에 초점을 두고 사회를 연구함 • 지나칠 경우 전체주의로 흐를 수 있음
사회 명목론	• 사회는 개인들의 합에 불과함 • 개인만이 실제로 존재함 • 개인의 특성과 행동 양식에 초점을 두고 사회를 연구함 • 지나칠 경우 극단적 이기주의를 초래할 수 있음

06 사회화의 중요성
제시된 사례는 숲속에서 동물과 함께 살아온 것으로 추정되는 소년이 인간에 의해 발견되었을 당시 동물처럼 행동하였지만, 교육을 통해 인간 사회에 점차 적응하기 시작하였다는 내용이다. 이를 통해 인간은 사회화 과정을 통해 사회적 존재로 성장한다는 것을 알 수 있다.
【 바로 알기 】 ① 사회화의 내용이나 방법은 사회마다 다르나, 제시된 사례와는 관련 없다. ③ 사회화는 태어나서 죽을 때까지 평생에 걸쳐 계속되지만, 제시된 사례와는 관련 없다. ④ 사회화는 공식적 사회화 기관뿐 아니라 비공식적 사회화 기관을 통해서도 이루어진다. ⑤ 사회화는 타인의 행위에 대한 모방이나 보상과 처벌의 경험 등을 통해 이루어지나 제시된 사례와는

관련 없다.

07 사회화의 기능

ㄱ, ㄹ. 개인은 사회화를 통해 사회생활에 필요한 행동 양식을 습득하고, 자아 정체성과 인성을 형성하면서 사회적 존재로 성장한다. ㄴ, ㄷ. 사회적 차원에서 사회화는 한 세대의 문화를 다음 세대로 전승하고, 사회의 유지와 존속 및 발전에 기여한다.

완자 정리 노트 사회화의 기능

개인적 차원	사회생활에 필요한 행동 양식 습득, 자아 정체성 및 인성 형성 등
사회적 차원	문화 공유 및 전승, 사회의 유지와 존속 및 발전에 기여 등

08 재사회화

제시된 법 조항은 한국으로 이주한 외국인이 새로운 환경 적응에 필요한 교육을 받을 수 있도록 하는 내용을 담고 있다. 이는 사회화의 유형 중 하나인 재사회화와 관련 있다. ④ 변화 속도가 빠른 현대 사회에서 새로운 지식과 기술 등을 습득하는 재사회화의 필요성이 강조되고 있다.

┃ **바로 알기** ┃ ① 개인의 인성 형성에 결정적인 영향을 끼치는 것은 유아기 및 아동기의 사회화이다. ② 가족, 또래 집단은 주로 기초적인 사회화를 담당한다. ③ 재사회화 과정에서 탈사회화가 나타나기도 하지만, 반드시 기존의 생활 방식을 버려야 하는 것은 아니다. ⑤ 미래에 속하게 될 집단에서 요구되는 행동 양식을 미리 학습하는 것은 예기 사회화이다.

09 사회화의 유형

ㄱ. 갑은 사회 변화에 적응하기 위해 새로운 지식과 기술 등을 학습하고 있으므로, 재사회화를 경험하고 있다. ㄴ. 을은 미래에 속하게 될 미국 사회에 적응하기 위해 미국 문화를 미리 학습하고 있으므로, 예기 사회화를 경험하고 있다. ㄷ. 재사회화와 예기 사회화는 모두 새로운 환경에의 적응을 목적으로 한다.

┃ **바로 알기** ┃ ㄹ. 가족과 또래 집단은 사회화 이외의 목적으로 형성되었으나 부수적으로 사회화 기능을 수행하므로, 비공식적 사회화 기관이다.

10 1차적 사회화와 2차적 사회화

(가)는 1차적 사회화, (나)는 2차적 사회화이다. ① 1차적 사회화의 내용은 개인의 자아 정체성 형성과 정서적 안정 형성에 큰 영향을 미치므로, 원초적 사회화라고도 한다. ② 1차적 사회화를 통해 개인은 인성의 기본 틀을 형성하고, 기초적인 행동 양식을 습득한다. ③ 1차적 사회화를 담당하는 기관으로 가족과 또래 집단 등이 있고, 2차적 사회화를 담당하는 기관으로 학교, 직장, 대중 매체 등이 있다. ④ 2차적 사회화는 1차적 사회화 이후 의도적인 교육을 통해 전문적인 지식과 기능을 습득하는 것이다.

┃ **바로 알기** ┃ ⑤ 주로 주변 사람들의 역할 행동에 대한 모방을 통해 이루어지는 것은 1차적 사회화이다.

11 사회화 과정

① 유아기에는 주로 가족 구성원과의 상호 작용을 통해 기본적인 욕구 충족 방법 및 정서적 반응 방식을 습득한다.

┃ **바로 알기** ┃ ② 유아기에는 가족을 중심으로 사회화가 이루어진다. ③ 가족은 유아기는 물론 아동기에도 사회화 기관으로서의 영향력을 행사한다. ④ 청소년기에는 학교에서 전문된 지식과 기술 등을 습득하고, 진로와 직업을 탐색한다. ⑤ 성인기에는 직장이나 대중 매체 등을 통해 사회 변화에 적응하기 위한 다양한 재사회화가 이루어진다.

12 사회화 기관

가족은 인성의 기본 틀을 형성하고 기초적인 행동 양식을 습득하는 데 영향을 미치므로 1차적 사회화 기관이며, 부수적으로 사회화 기능을 수행하므로 비공식적 사회화 기관이다. 따라서 (가)는 2차적 사회화 기관, (나)는 1차적 사회화 기관, (다)는 공식적 사회화 기관, (라)는 비공식적 사회화 기관이다. ㄴ. 공식적 사회화 기관은 사회화 자체를 목적으로 설립된 기관이다. ㄷ. 학교는 2차적·공식적 사회화 기관이고, 직장은 2차적·비공식적 사회화 기관이다.

┃ **바로 알기** ┃ ㄱ. (가)는 2차적 사회화 기관이다. ㄹ. 초기 사회화를 담당하는 기관은 1차적 사회화 기관이다.

완자 정리 노트 사회화 기관의 유형

분류 기준	유형	내용
사회화의 내용	1차적 사회화 기관	기초적인 행동 양식을 습득하는 데 영향을 미치는 기관 예 가족, 또래 집단 등
	2차적 사회화 기관	전문적인 지식과 기능의 사회화를 담당하는 기관 예 학교, 직장, 대중 매체 등
형성 목적	공식적 사회화 기관	사회화 자체를 목적으로 설립된 기관 예 학교, 직업 훈련소 등
	비공식적 사회화 기관	사회화 이외의 목적으로 형성되었으나 부수적으로 사회화 기능을 수행하는 기관 예 가족, 직장, 대중 매체 등

13 사회화 기관과 지위

ㄴ. 학교는 공식적 사회화 기관으로서 지속적이고 체계적으로 사회화를 담당한다. ㄷ. 학생과 부모는 개인의 의지나 노력으로 후천적으로 얻게 되는 성취 지위이다.

┃ **바로 알기** ┃ ㄱ. 가정에서는 주로 1차적 사회화가 이루어진다. ㄹ. 인터넷과 같은 뉴 미디어는 오늘날 개인의 사회화에 미치는 영향력이 점차 확대되고 있다.

14 사회화 기관과 지위 및 역할

① 장남은 개인의 능력이나 노력과 관계없이 선천적으로 가지게 되는 귀속 지위이다. ② 가족은 사회화 이외의 목적으로 형성되었으나 부수적으로 사회화 기능을 수행하므로 비공식적 사회화 기관

이다. ③ 학생은 개인의 의지나 노력으로 후천적으로 얻게 되는 성취 지위이다. ④ 학교는 전문적인 지식과 기능의 사회화를 담당하는 2차적 사회화 기관이다.

바로 알기 ⑤ 역할 갈등은 한 개인이 둘 이상의 서로 다른 지위에 따른 역할을 동시에 수행해야 하는 상황에서 역할 간 충돌이 발생하여 나타나는 심리적 갈등이다. 갑은 아들과 동아리 회원이라는 지위에 대해 기대되는 역할들이 서로 충돌하여 역할 갈등을 겪고 있다. 반면에 을은 어느 학과에 원서를 내야 할지 고민하고 있는데, 이는 단순한 내적 갈등이므로 역할 갈등으로 볼 수 없다.

15 지위와 역할, 역할 갈등

ㄴ. 사진작가는 개인의 의지나 노력으로 후천적으로 얻게 되는 성취 지위이다. ㄹ. 갑이 사진작가로서 사진을 먼저 찍을 것인지, 인간으로서 독수리로부터 소녀를 먼저 구할 것인지 고민한 것은 역할 간 충돌이 발생하여 나타난 심리적 갈등이므로, 역할 갈등에 해당한다.

바로 알기 ㄱ. 사진 찍는 것은 사진작가의 역할이며, 셔터를 누른 것은 사진작가인 갑의 역할 행동이다. ㄷ. 갑이 퓰리처상을 수상한 것은 사진작가로서 수행한 역할 행동에 대한 보상이다.

16 사회화 기관과 지위 및 역할

③ 을이 새로운 영업 시스템을 개발한 것은 영업부 부장이라는 지위에 따른 역할을 구체적으로 수행한 것이므로, 역할 행동에 해당한다.

바로 알기 ① 회사는 2차적 사회화 기관이다. ② 영업부 부장은 을의 지위에 해당한다. 역할이란 일정한 지위에 대해 사회적으로 기대되는 행동 양식을 말한다. ④ 성과급과 휴가는 을이 영업부 부장으로서 수행한 역할 행동에 대한 보상이다. ⑤ 을이 회사를 옮길지 고민하는 것은 단순한 내적 갈등으로, 두 개 이상의 역할이 충돌하여 나타나는 역할 갈등이라고 볼 수 없다.

서술형 문제
062쪽

01 주제: 사회 실재론

(1) 사회 실재론

(2) **예시 답안** 사회 실재론은 사회가 개인의 사고와 행동에 어떤 영향을 미치는지 설명하기 유용하다는 장점이 있다. 하지만 개인의 자율성에 기초한 능동적인 행동을 설명하기 어렵고, 사회의 우월성을 지나치게 강조할 경우 전체주의에 빠져 개인의 희생을 정당화할 우려가 있다는 한계가 있다.

채점 기준

상	사회 실재론의 장점과 한계를 모두 정확하게 서술한 경우
하	사회 실재론의 장점과 한계 중 한 가지만 서술한 경우

02 주제: 역할 갈등

(1) 역할 갈등

(2) **예시 답안** 갈등을 일으키는 역할 간 우선순위를 정하여 중요한 것부터 수행하거나, 갈등을 일으키는 지위와 역할을 분석하여 타협점을 찾는다.

채점 기준

상	개인적 차원의 역할 갈등 해결 방안 두 가지를 정확하게 서술한 경우
하	개인적 차원의 역할 갈등 해결 방안을 한 가지만 서술한 경우

STEP 3 **1등급 정복하기**
063~065쪽

1 ②   2 ⑤   3 ④   4 ④   5 ②   6 ⑤

1 사회 실재론과 사회 명목론

자료 분석

> 개인보다 조직의 우월성을 강조하므로, 사회 실재론의 관점에 해당해.
>
> • 게임 규칙: 참가자는 두 장의 단어 카드를 배부 받은 후, 배부 받은 카드 중 하나를 버리고 바닥에서 하나의 카드를 가져갈 수 있다. 이러한 과정을 반복하여 두 장의 카드 모두가 사회 실재론 또는 사회 명목론에 부합하는 것이면 게임의 승자가 된다.
>
> • 게임 결과: 갑이 '조직력이 강한 팀을 개인기가 강한 팀이 이길 수 없다.'가 쓰여 있는 단어 카드를 버리고 '개인의 이익이 곧 사회 전체의 이익이다.'가 쓰여 있는 단어 카드를 가져와 게임의 승자가 되었다.
>
> └─ 사회보다 개인의 우월성을 강조하므로, 사회 명목론의 관점에 해당해.

갑은 사회 실재론에 부합하는 카드를 버리고, 사회 명목론에 부합하는 카드를 가져와 게임에서 이겼으므로, 게임의 승자가 되기 직전 사회 명목론에 부합하는 내용의 카드를 손에 가지고 있었음을 알 수 있다. ㄱ. 조직의 구성원이 조직의 경쟁력을 결정한다고 보는 것은 개인을 중시하는 사회 명목론의 관점에 해당한다. ㄹ. 학생들의 태도가 학교의 학습 분위기를 결정한다고 보는 것은 개인을 중시하는 사회 명목론의 관점에 해당한다.

바로 알기 ㄴ. 자살의 원인을 자살하는 개인이 아닌 사회의 결속력 와해에서 찾는 것은 사회를 중시하는 사회 실재론의 관점에 해당한다. ㄷ. 공동체의 이익을 위해 개인에게 희생을 강요할 수 있다고 보는 것은 사회를 중시하는 사회 실재론의 관점에 해당한다.

2 개인과 사회의 관계를 바라보는 바람직한 관점

제시문의 '우리는 사회 속에서 정해진 우리 자신의 자리와 그 사회의 미묘한 줄에 매달린 스스로의 위치를 인식하게 된다.'에서 사회가 개인에게 영향을 미치고 있음을 알 수 있다. 그리고 '우리는 꼭 두각시 인형과 달리, 움직이다 말고 정지하여 고개를 들어 우리를 움직이는 기제 그 자체를 지각할 가능성을 가지고 있다. 바로 이 행위에서 우리는 자유에로의 첫걸음을 본다.'에서 개인이 전적으로 사회에 종속되지 않고 자율 의지를 가지고 행동할 가능성이 있음을 알 수 있다. 따라서 이를 통해 개인과 사회는 서로 영향을 주고받는다는 결론을 내릴 수 있다.

3 사회화의 유형과 사회화 기관
① (가)는 변화된 사회에 적응하기 위해 새로운 지식이나 기술 등을 습득하는 과정이므로, 재사회화에 해당한다. ② 가족은 비공식적 사회화 기관이다. ③ 학원은 2차적 사회화 기관이다. ⑤ (가)는 사회 변화에 적응하기 위한 재사회화이고, (나)는 앞으로 속하게 될 집단에 적응하기 위한 예기 사회화이다. 재사회화와 예기 사회화는 모두 구성원이 새로운 사회에 적응하는 데 도움이 된다.

▌**바로 알기**▌ ④ (나)는 예기 사회화인데, 결혼 이민자가 이전의 생활 습관을 버리는 과정은 탈사회화이다. 따라서 같은 사회화의 유형으로 볼 수 없다.

4 지위와 역할, 역할 갈등

─(자 료 분 석)─

촉나라 군대의 수장 제갈량이 위나라와 싸울 때 일이다. 제갈량이 가정 지역을 누구에게 맡길까 고심하고 있는데, 장수 '마속'이 지원하였다. 그는 제갈량이 가장 신임하는 참모이자 절친한 친구인 '마량'의 동생이다. 목숨을 걸고 가정 지역을 지키겠다는 마속의 간청에 제갈량은 가정의 산기슭을 지키라고 작전을 지시하였다. 하지만 마속은 지시를 어기고 제멋대로 작전을 펼치다가 참패하고 말았다. 제갈량은 오랜 고민 끝에 군법의 준엄함을 보이기 위해 눈물을 흘리며 마속을 처형하였다. 이와 같은 제갈량과 마속의 일화에서 비롯된 읍참마속(泣斬馬謖)은 공정한 업무 처리와 법 적용을 위해 사사로운 정을 포기함을 이르는 말이다.

(밑줄) 장수 '마속'이 → 성취 지위
(밑줄) 눈물을 흘리며 → 역할 갈등
(밑줄) 처형하였다 → 사회적 제재
(밑줄) 제멋대로 작전을 펼치다가 참패 → 사회적 기대를 저버린 역할 행동

① 제갈량이 오랜 고민 끝에 눈물을 흘리며 마속을 처형한 것에서 군대의 수장으로서의 역할과 친구로서의 역할이 충돌하여 역할 갈등을 경험하였음을 알 수 있다. ② 마속은 동생이라는 지위와 장수라는 지위를 동시에 가지고 있다. ③ 마속에 대한 처형은 잘못된 역할 행동에 대한 사회적 제재에 해당한다. ⑤ 장수는 성취 지위에 해당한다.

▌**바로 알기**▌ ④ 제갈량은 마속의 역할이 아닌, 역할 행동에 대해 실망하였을 것이다.

5 사회화 기관과 지위 및 역할
② 역할 갈등은 한 개인이 가지고 있는 지위에 따른 역할들이 충돌하여 발생하는 심리적 갈등이다. 따라서 아버지와 어머니 사이에서 나타나는 긴장은 역할 갈등이라고 볼 수 없다.

▌**바로 알기**▌ ① 아들은 태어나면서 자연스럽게 갖게 되는 귀속 지위이고, 아버지와 어머니는 개인의 의지나 노력에 의해 후천적으로 얻게 되는 성취

지위이다. ③ 대학은 공식적 사회화 기관이자 2차적 사회화 기관이다. ④ 어머니가 갑의 가치관 형성에 큰 영향을 미쳤다는 내용에서 가족이 사회화의 기능을 수행하였음을 알 수 있다. ⑤ 책을 저술한 것은 갑의 역할 행동이다.

6 역할 갈등의 해결 방안
제시된 사례에서 기업들은 사내 어린이집을 설치·운영하고, 유연 근무제를 도입하는 등 사회 제도를 마련하여 워킹맘이 엄마로서의 역할과 직장인으로서의 역할을 동시에 수행할 수 있도록 지원하고 있다.

02 사회 집단과 사회 조직

STEP 1 핵심 개념 확인하기   070쪽

1 사회 집단 2 (1) – ㉠ (2) – ㉢ (3) – ㉡ 3 A – 사회 집단, B – 사회 조직 4 (1) × (2) ○ (3) ○ (4) ○ 5 (1) ㄷ, ㄹ (2) ㄱ, ㄴ

STEP 2 내신 만점 공략하기   070~074쪽

01 ② 02 ① 03 ③ 04 ④ 05 ② 06 ⑤ 07 ③
08 ⑤ 09 ④ 10 ③ 11 ① 12 ② 13 ③ 14 ②
15 ④ 16 ③

01 사회 집단

사회 집단은 둘 이상의 사람들이 소속감이나 공동체 의식을 가지고 지속적인 상호 작용을 하는 모임을 말한다. ② 축구 국가 대표팀을 조직적으로 응원하기 위해 결성한 단체인 붉은 악마는 둘 이상의 사람들이 소속감을 가지고 지속적인 상호 작용을 하므로 사회 집단으로 볼 수 있다. 반면 축구 국가 대표팀을 응원하기 위해 전국에서 모인 수만 명의 축구 팬들은 둘 이상의 사람이 어느 정도의 소속감을 가지고 있으나, 지속적인 상호 작용을 한다고 보기 어렵기 때문에 사회 집단이라고 볼 수 없다.

02 사회 집단의 유형

구성원의 본질적 의지에 의해 형성된 집단은 공동 사회이고, 선택적 의지에 의해 형성된 집단은 이익 사회이다. 그리고 구성원 간 직접적인 대면 접촉을 바탕으로 전인격적인 관계를 맺는 집단은 1차 집단이고, 간접적 접촉으로 부분적 관계를 맺는 집단은 2차 집단이다. ① (가)는 공동 사회이면서 1차 집단으로, 가족이 대표적인 사례이다. (나)는 이익 사회이면서 2차 집단으로, 회사가 대표적인 사례이다.

바로 알기 ② 친족은 공동 사회이면서 1차 집단이다. ④, ⑤ 학교, 정당, 회사는 이익 사회이면서 2차 집단이다.

03 1차 집단과 2차 집단

제시된 글은 동호회가 특정한 목적을 달성하기 위해 수단적 관계를 바탕으로 형성된 2차 집단이지만, 동호회 회원들이 친밀한 인간관계를 맺을 경우 1차 집단의 성격이 나타날 수도 있다는 내용이다. 이를 통해 1차 집단의 성격을 가진 2차 집단이 존재할 수 있음을 알 수 있다.

바로 알기 ① 특정한 목적을 달성하기 위해 형성된 집단은 2차 집단이다. ② 구성원 간의 인간관계 자체가 목적인 집단은 1차 집단이다. ④, ⑤ 2차 집단에 대한 옳은 설명이나, 제시된 글과는 관련 없다.

04 내집단과 외집단

㉠은 내집단, ㉡은 외집단이다. ㄱ. 개인은 내집단을 통해 사회생활에 필요한 판단과 행동의 기준을 학습한다. ㄷ. 한 개인에게 내집단과 외집단의 구분은 고정불변하는 것이 아니며, 상황에 따라 달라질 수 있다. ㄹ. 외집단과의 갈등은 내집단 의식을 강화하는 요인으로 작용하기도 한다.

바로 알기 ㄴ. 외집단은 자신이 소속해 있지 않으면서 이질감을 느끼는 집단으로, '그들 집단'이라고도 한다.

완자 정리 노트   사회 집단의 유형

분류 기준	유형	내용
접촉 방식	1차 집단	구성원 간의 직접적인 대면 접촉을 바탕으로 전인격적인 인간관계가 나타나는 집단
	2차 집단	구성원 간 간접적 접촉과 수단적 만남이 이루어지는 집단
결합 의지	공동 사회	인간의 본질적 의지에 의해 자연 발생적으로 형성된 집단
	이익 사회	구성원의 선택적 의지에 의해 형성된 집단
소속감	내집단	자신이 소속해 있으면서 소속감을 느끼는 집단
	외집단	자신이 소속해 있지 않으면서 이질감을 느끼는 집단

05 내집단의 특성

제시된 사례에서 자신이 좋아하는 스타의 팬클럽은 내집단이고, 다른 스타의 팬클럽은 외집단이다. 그러므로 자신이 좋아하는 스타에 대한 무한한 애정은 강한 내집단 의식으로 볼 수 있으며, 다른 스타에 대한 미움은 외집단에 대한 배타적인 태도로 볼 수 있다. 이를 통해 내집단 의식이 지나치게 강하면 외집단에 대한 배타적인 태도로 이어져 집단 간 갈등을 일으킬 수 있다는 것을 알 수 있다.

06 준거 집단

제시된 사례는 수험생들이 대학생처럼 행동하고 싶어 하는 경향이 있어서 중고 시장에서 학과 점퍼를 사 입는다는 내용이다. 이를 통해 수험생들에게 대학생은 준거 집단임을 알 수 있다. ㄷ. 한 사람의 준거 집단을 알면 그 사람의 행동이나 특성을 이해하는 데 큰 도움이 된다. ㄹ. 준거 집단이 소속 집단과 일치하지 않을 경우 개인은 상대적 박탈감을 느낄 수 있다. 반면 소속 집단과 준거 집단이 일치하면 개인은 집단에 만족하면서 안정적인 생활을 영위할 수 있다.

바로 알기 ㄱ. 소속 집단에 대한 설명이다. 준거 집단은 대체로 자신이 속해 있는 집단인 경우가 많지만, 그렇지 않을 수도 있다. ㄴ. 외집단에 대한 설명이다.

완자 정리 노트   소속 집단과 준거 집단

소속 집단	한 개인이 실제로 소속하고 있는 집단
준거 집단	한 개인이 자신의 신념, 태도, 가치 등을 규정하고 행동의 지침으로 삼는 집단

07 사회 집단과 사회 조직

㉠은 사회 집단이고, ㉡은 사회 조직이다. ㄴ, ㄷ. 사회 조직은 사회 집단 중에서 목표가 구체적이고, 그 목표를 달성하기 위한 구성원의 지위와 역할이 명확하며, 공식적인 규범과 절차에 따라 구성원의 행동을 통제하는 집단을 의미한다.

┃바로 알기┃ ㄱ, ㄹ. 사회 집단과 사회 조직의 공통적인 특징이다.

08 공식 조직과 비공식 조직

(가)는 공식 조직이고, (나)는 공식 조직 내에서 공통의 관심사나 취미를 가진 구성원들이 자발적으로 만든 사회 집단으로, 비공식 조직에 해당한다. ③ 비공식 조직은 공식 조직의 구성원으로 이루어진다. ④ 공식 조직과 비공식 조직은 구성원의 선택적 의지에 의해 형성된 이익 사회이다.

┃바로 알기┃ ⑤ 공통의 관심사나 목표를 가진 사람들이 자발적으로 결성한 집단은 자발적 결사체이다. 모든 비공식 조직은 자발적 결사체이나, 모든 공식 조직이 자발적 결사체인 것은 아니다.

09 자발적 결사체

(가)는 친목 집단, (나)는 이익 집단, (다)는 시민 단체이다. ④ 친목 집단, 이익 집단, 시민 단체는 모두 자발적 결사체에 해당한다.

┃바로 알기┃ ① 친목 집단, 이익 집단, 시민 단체는 모두 공동 사회가 아닌, 이익 사회에 해당한다. ② 이익 집단과 시민 단체에만 해당하는 설명이다. ③ 이익 집단과 시민 단체는 비공식 조직이 아니며, 친목 집단은 비공식 조직의 형태를 띠기도 한다. ⑤ 구성원의 지위와 역할이 명확하게 구분되는 것은 공식 조직이다.

완자 정리 노트 자발적 결사체의 종류

시민 단체	사회 문제의 해결과 공익 증진을 목적으로 만들어진 집단
이익 집단	특정 집단의 이익을 추구할 목적으로 만들어진 집단
친목 집단	취미나 친목을 목적으로 만들어진 집단

10 사회 집단 간의 관계

자료 분석

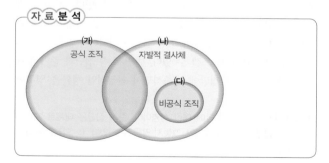

모든 비공식 조직은 자발적 결사체이므로 (다)는 비공식 조직이고, (나)는 자발적 결사체이며, 자발적 결사체 중 일부가 공식 조직의 형태를 띠기도 하므로 (가)는 공식 조직이다.

┃바로 알기┃ ①, ⑤ 사회 집단은 결합 의지에 따라 공동 사회와 이익 사회로 구분되므로, 두 집단은 서로 겹칠 수가 없다. ② 모든 비공식 조직은 자

발적 결사체이나, 모든 자발적 결사체가 비공식 조직인 것은 아니다. ④ 공식 조직과 비공식 조직은 모두 구성원의 선택적 의지에 의해 형성되었으므로, 이익 사회에 해당한다.

11 자발적 결사체의 특성

(가)는 사내 동호회, (나)는 시민 단체이다. ②, ④ 사내 동호회는 공식 조직 내에 만들어진 비공식 조직이면서 자발적 결사체에 해당하고, 시민 단체는 공식 조직이면서 자발적 결사체에 해당한다. ③ 사내 동호회는 취미를 같이하는 사람들의 모임으로 친목 도모를 목적으로 하는 반면, 시민 단체는 사회 문제의 해결이라는 과업 달성을 목적으로 한다. ⑤ 사내 동호회와 시민 단체는 모두 자발적 결사체이므로, 가입과 탈퇴가 비교적 자유롭다.

┃바로 알기┃ ① 사내 동호회나 시민 단체는 모두 구성원의 선택적 의지에 의해 인위적으로 형성된 집단으로, 이익 사회에 해당한다.

12 사회 집단의 유형

자료 분석

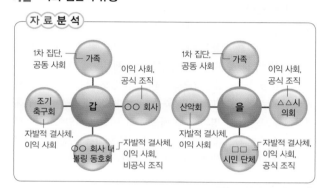

① 갑과 을은 모두 가족이라는 1차 집단에 속해 있다. ③ 갑은 ○○ 회사 내 볼링 동호회라는 비공식 조직에 속해 있는 반면, 을은 비공식 조직에 속해 있지 않다. ④ 갑이 속한 자발적 결사체는 조기 축구회와 ○○ 회사 내 볼링 동호회이고, 을이 속한 자발적 결사체는 산악회와 □□ 시민 단체이다. 따라서 갑과 을이 속한 자발적 결사체의 수는 2개로 같다. ⑤ 갑과 을이 속한 집단 중 가족은 공동 사회이고, 가족을 제외한 나머지 소속 집단은 모두 이익 사회이다.

┃바로 알기┃ ② 갑이 속한 공식 조직은 ○○ 회사이고, 을이 속한 공식 조직은 △△시 의회와 □□ 시민 단체이다. 따라서 갑과 을이 속한 공식 조직의 수는 같지 않다.

13 관료제의 특징

그림에 나타난 사회 조직은 관료제이다. 관료제는 대규모 조직을 합리적이고 효율적으로 관리하기 위한 조직 운영 원리이다. ③ 관료제는 규칙과 절차에 따른 업무 수행을 중시한다. 따라서 특정 직위에 따른 업무와 업무 수행 절차가 문서로 표준화되어 있기 때문에 구성원이 바뀌어도 조직을 안정적으로 유지할 수 있다.

┃바로 알기┃ ①, ②, ④, ⑤ 탈관료제 조직의 특징이다.

14 관료제의 문제점

파출소는 시민의 안전을 도모하기 위해 만들어진 조직으로, 그 목적을 효율적으로 달성하기 위해 관할 구역과 같은 규칙과 절차를 두고 있다. 하지만 제시된 사례에서 경찰관은 규칙과 절차를 지나치게 강조한 나머지 시민의 안전 도모라는 본래의 목적을 달성하지 못하고 있다. 이처럼 관료제에서는 규칙과 절차가 조직의 목적보다 강조되는 목적 전치 현상이 나타나기도 한다.

바로 알기 ① 관료제는 정해진 규칙과 절차에 따라 업무를 처리하므로 구성원이 바뀌어도 안정적이고 지속적인 과업 수행이 가능하다. ③ 관료제의 문제점에 해당하지만, 제시된 사례와는 관련 없다. ④ 관료제는 조직 내의 지위가 권한과 책임에 따라 서열화되어 있어 과업 수행에 있어서 책임 소재가 분명하다. ⑤ 탈관료제의 문제점에 해당한다.

15 탈관료제 조직

△△ 조직은 특정 목표 달성을 위해 구성되고, 그 목표를 달성하면 해체되는 팀제 조직으로서, 대표적인 탈관료제 조직에 해당한다. ㄴ, ㄹ. 탈관료제 조직은 위계 서열적 관계에서 벗어나 수평적 조직 체계를 이루고 있다. 따라서 탈관료제 조직은 구성원 간 자유로운 의사소통이 가능하고, 개인의 자율성과 창의성을 최대한 존중한다.

바로 알기 ㄱ. 탈관료제 조직은 조직의 안정성이 떨어져 구성원에게 심리적으로 불안감을 줄 수 있다. ㄷ. 탈관료제 조직은 환경이나 목표 변화에 대해 유연하게 대처할 수 있다.

16 관료제와 탈관료제

장기의 말들은 지위와 역할이 명확하며, 차부터 졸까지 수직적으로 계층화되어 있으므로 관료제에 비유할 수 있다. 반면 바둑의 알들은 자율성과 창의성을 발휘할 수 있고, 모두 평등하므로 탈관료제에 비유할 수 있다. 따라서 A는 관료제, B는 탈관료제이다. ① 관료제는 업무와 업무 수행 절차가 문서로 표준화되어 있다. ② 탈관료제는 유연한 조직 구조를 가지므로, 환경 변화에 유연하게 대응할 수 있다. ④ 탈관료제는 업적에 따른 보상을, 관료제는 경력에 따른 보상을 더 중시한다. ⑤ 관료제와 탈관료제는 모두 공식 조직으로 조직의 목표 달성을 위해 조직 운영의 효율성을 추구한다.

바로 알기 ③ 관료제는 의사 결정 권한이 상부에 집중되어 있다.

서술형 문제

074쪽

01 주제: 준거 집단

(1) 가수

(2) **예시 답안** 준거 집단의 일원이 되기 위하여 열심히 노력하는 동기를 부여할 수 있다.

채점 기준

상	준거 집단에 속하기 위해 노력하는 동기를 부여할 수 있다고 정확하게 서술한 경우
하	열심히 노력하는 동기를 부여할 수 있다고만 서술한 경우

02 주제: 관료제와 탈관료제

(1) A – 관료제, B – 탈관료제

(2) **예시 답안** 환경이나 목표 변화에 대해 유연하게 대처할 수 있을 것이며, 구성원 간 자유로운 의사소통이 가능해질 것이다.

채점 기준

상	탈관료제 조직의 순기능을 두 가지 이상 정확하게 서술한 경우
하	탈관료제 조직의 순기능을 한 가지만 서술한 경우

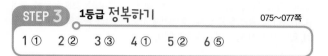

STEP 3 **1등급 정복하기**

075~077쪽

1 ① 2 ② 3 ③ 4 ① 5 ② 6 ⑤

1 내집단 의식

제시된 사례에서 연구에 참여한 소년들은 같은 집단의 구성원에게 우호적으로 행동을 하였다. 이를 통해 내집단 구성원들끼리는 서로에 대해 유대감을 느끼며, 호의적인 반응을 보인다는 것을 알 수 있다.

2 사회 집단의 유형

자료 분석

⊙ ○○ 금융 회사에 다니고 있는 갑은 회사를 사랑하고 회사를 위해 열심히 일한다. 갑은 음악에 관심 있는 동료들과 함께 ⓒ △△ 사내 밴드를 만들어 애착을 두고 활동하고 있다. 갑의 밴드는 지난 주에 ⓒ □□ 시민 단체가 주최한 자선 콘서트에서 공연하였다.

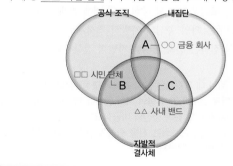

○○ 금융 회사는 구체적인 목표를 지니고 있고, 그 목표를 달성하기 위한 구성원의 지위와 역할이 명확하며, 공식적인 규범과 절차가 체계적으로 규정되어 있으므로 공식 조직에 해당한다. 그리고 ○○ 금융 회사는 갑이 소속해 있으면서 소속감을 느끼는 집단이므로 갑의 내집단에 해당한다. 따라서 A에 속한다. △△ 사내 밴드는 갑이 소속해 있으면서 소속감을 느끼는 집단이므로 갑의 내집단에 해당한다. 그리고 △△ 사내 밴드는 공식 조직 내에 존재하는 비공식 조직으로서 자발적 결사체에 해당한다. 따라서 C에 속한다. □□ 시민 단체는 공통의 관심사를 가진 사람들이 자발적으로

결성한 조직이므로 자발적 결사체이다. 그리고 사회 정의 실현 및 공익 증진이라는 구체적 목표를 지니고 있으므로 공식 조직에 해당한다. 따라서 B에 속한다.

3 사회 집단의 유형

③ 갑은 청소년기부터 비공식 조직에 속하였다. 청소년기의 교내 봉사 동아리, 청년기의 교내 봉사 동아리, 성인기의 회사 내 봉사 활동 단체는 비공식 조직이다.

▮ 바로 알기 ▮ ① 유아기의 유치원은 이익 사회에 해당한다. ② 아동기의 초등학교나 피아노 학원은 이익 사회에 해당한다. ④ 성인기에 속한 비공식 조직의 수는 1개(회사 내 봉사 활동 단체)이다. 노동조합은 비공식 조직이 아니다. ⑤ 갑이 속한 자발적 결사체의 수는 청년기에 3개(고등학교 동문회, 교내 봉사 동아리, 환경 운동 단체), 성인기에 4개(고등학교 동문회, 대학교 동문회, 회사 내 봉사 활동 단체, 노동조합)이다.

4 사회 집단의 유형

㉠은 자발적 결사체, ㉡은 사회 조직, ㉢은 비공식 조직, ㉣은 공동 사회, ㉤은 회사이다. ② 모든 비공식 조직은 자발적 결사체이다. ③ 회사는 대표적인 사회 조직이다. ④ 회사는 공식 조직이다. 공식 조직 내에는 공통의 관심사나 취미를 가진 구성원들이 자발적으로 만든 비공식 조직이 존재하기도 한다. ⑤ 회사는 공동 사회가 아닌, 이익 사회에 해당한다.

▮ 바로 알기 ▮ ① 자발적 결사체는 공통의 관심사나 목표를 가진 사람들이 자발적으로 만든 사회 집단이다. 따라서 구성원의 선택적 의지에 의해 인위적으로 형성된 집단인 이익 사회에 해당한다.

5 비공식 조직과 자발적 결사체

ㄴ. 친목 중심의 비공식 조직에는 학교 내 동아리, 직장 내 동호회 등이 있다. 이들 조직은 반드시 공식 조직 내에 존재한다. ㄷ. 이익 집단과 시민 단체는 과업 중심의 자발적 결사체로 C 유형에 해당한다. 반면 친목 집단은 친목 중심의 자발적 결사체로 D 유형에 해당한다.

▮ 바로 알기 ▮ ㄱ. 회사 내 동호회는 공식 조직의 구성원들이 공통의 관심사나 취미에 따라 만든 것으로, B 유형의 사회 집단에 해당한다. ㄹ. 친목 중심의 자발적 결사체가 모두 친목 중심의 비공식 조직인 것은 아니다. 그 예로 동네 사람들끼리 만든 동호회는 친목 중심의 자발적 결사체이나, 친목 중심의 비공식 조직에는 해당하지 않는다.

6 관료제와 탈관료제

정해진 규칙에 따른 업무 처리를 중시하는 사회 조직 유형은 관료제이다. 따라서 A는 관료제, B는 탈관료제이다. ⑤ 관료제와 탈관료제 조직은 모두 효율적인 과업 수행을 지향한다. 따라서 제시된 질문은 (나)에 들어갈 수 있다.

▮ 바로 알기 ▮ ① 관료제는 탈관료제에 비해 하향식 의사 결정 방식을 강조한다. ② 관료제는 탈관료제에 비해 환경 변화에 유연하게 대응하기 어렵다. ③ 관료제와 탈관료제는 모두 공식 조직으로 구성원 간 2차적 관계가 지배적으로 나타난다. ④ 관료제는 의사 결정 권한의 집중을, 탈관료제는 의사 결정 권한의 분산을 지향한다.

---

03 사회 구조와 일탈 행동

STEP 1 핵심 개념 확인하기 082쪽

1 사회 구조 **2** (1) 강제성 (2) 변동성 (3) 지속성 (4) 안정성 **3** (1) ○ (2) ○ (3) × **4** (1) 낙인 이론 (2) 차별 교제 이론 (3) 뒤르켐 (4) 머튼 (5) 2차적 일탈

STEP 2 내신 만점 공략하기 082~087쪽

01 ②	02 ⑤	03 ①	04 ④	05 ⑤	06 ②	07 ④
08 ⑤	09 ④	10 ②	11 ④	12 ③	13 ①	14 ③
15 ⑤	16 ③	17 ④	18 ④	19 ③	20 ①	

01 사회 구조

㉠은 사회 구조이다. 사회에서 사람들이 사회적 상호 작용을 지속하면 사회적 관계가 형성되고, 이러한 사회적 관계가 오랫동안 유지되면서 정형화되어 일정한 틀을 이루게 되면 사회 구조가 형성된다. 사회 구조는 사회 구성원들의 사고와 행동을 제약하는 강제성을 갖는다. 따라서 사회 구성원들은 사회 구조의 영향을 받아 구조화된 행동을 하기 때문에 우리는 특정 상황에서 개인이나 집단의 행동 양식을 예측할 수 있고, 안정된 사회적 관계를 유지할 수 있다.

▮ 바로 알기 ▮ ② 사회 구조는 사회 구성원들이 바뀌어도 쉽게 바뀌지 않고 유지되나, 사회 구성원들의 행동이나 가치, 규범 등의 변화에 의해 사회 구조 자체가 변화하기도 한다.

02 사회 구조의 강제성

제시문은 집의 구조가 사람들의 행동 방식에 영향을 주는 것처럼 사회 구조도 사람들의 생활 모습에 영향을 준다는 내용이다. 이를 통해 사회 구성원들에게 특정한 행동을 하도록 구속하는 사회 구조의 강제성을 알 수 있다.

03 구조화된 행동

사회 구조의 영향을 받아 사회 구성원 대부분이 당연한 것으로 받아들이고 따르는 행동을 구조화된 행동이라고 한다. 사회 구성원들은 구조화된 행동을 함으로써 서로의 행동을 예측하고, 사회 질서를 안정적으로 유지할 수 있다. 반면 제시된 사례에서처럼 구조화되지 않은 행동은 다른 사람들을 당황하게 만들며, 때로는 사회적 비난의 대상이 되기도 한다.

04 사회 구조의 변동성

제시문의 내용은 사회 구성원들의 행동에 의해 사회 구조가 변화

한 사례로, 사회 구조의 변동성을 확인할 수 있다.

┃바로 알기┃ ① 사회 구조가 개인에게 영향을 줄 뿐만 아니라 개인도 사회 구조에 영향을 준다. ②는 사회 구조의 안정성, ③은 사회 구조의 강제성, ⑤는 사회 구조의 지속성에 대한 설명이다.

05 사회 구조의 지속성

제시된 사례는 사회 구성원이 바뀌어도 학교 구조 자체는 바뀌지 않고 유지된다는 내용으로, 사회 구조의 지속성을 확인할 수 있다.

완자 정리 노트　사회 구조의 특징

지속성	사회 구성원들이 바뀌어도 쉽게 바뀌지 않고 유지됨
안정성	사회 구성원들은 구조화된 행동을 함으로써 사회적 관계를 안정적으로 유지함
강제성	사회 구성원들의 의지와는 상관없이 어떤 특정한 행동을 하도록 구속함
변동성	사회 구성원들의 행동이나 가치, 규범 등의 변화에 의해 그 성격이 달라질 수 있음

06 사회 구조와 개인의 행위의 관계

첫 번째 사례는 사회 구조가 개인의 사고와 행동에 영향을 미친 모습을 보여 주고, 두 번째 사례는 개인의 가치관 변화가 사회 구조에 영향을 미친 모습을 보여 준다. 두 사례를 통해 개인과 사회 구조는 상호 영향을 주고받음을 알 수 있다.

07 일탈 행동

㉠은 일탈 행동이다. 일탈 행동은 사회의 통합과 존속을 저해할 수 있기 때문에 비난이나 처벌 등 사회적 제재의 대상이 된다. 그러나 일탈 행동은 사회의 문제를 표출함으로써 사회 변화를 이끌어 내는 요인으로 작용하기도 한다.

┃바로 알기┃ ㄹ. 친구와의 약속을 어기는 것은 사회 규범에 벗어나는 행위로서 일탈 행동에 해당한다.

08 일탈 행동의 상대성

제시된 두 사례는 일탈 행동을 판단하는 기준이 시대나 사회에 따라 다르다는 상대성을 보여 준다. 이처럼 일탈 행동은 시대나 사회에 따라 상대적이라는 특징이 있기 때문에 같은 행동을 하더라도 일탈 행동으로 판단될 수도 있고 아닐 수도 있다.

┃바로 알기┃ ① 일탈 행동은 사회 규범에 어긋나는 행동으로, 법을 위반하는 행동인 범죄보다 더 광범위한 행동을 포함하는 개념이다. ②, ④ 무규범 상태나 상반된 규범이 혼재할 경우 일탈 행동이 발생하기도 하나, 제시된 사례와는 관련 없다. ③ 일탈 행동은 사회 문제를 표출함으로써 사회 변화를 이끌어내 사회 질서를 유지하는 데 기여하는 측면이 있으나, 제시된 사례와는 관련 없다.

09 뒤르켐의 아노미 이론

사회 규범이 약화하거나 부재할 때 또는 상반된 규범이 혼재할 때 일탈 행동이 발생한다고 보는 이론은 뒤르켐의 아노미 이론이다.

④ 뒤르켐의 아노미 이론은 일탈 행동에 대한 해결 방안으로 지배적 규범을 확립하여 사회 통제 기능을 강화할 것을 강조한다.

┃바로 알기┃ ① 일탈을 규정하는 객관적 기준이 없다고 보는 이론은 낙인 이론이다. ② 낙인 이론에 대한 설명이다. 낙인 이론은 최초의 일탈에 대해 주위 사람들이 낙인을 찍으면 일탈자는 스스로 일탈자라는 부정적인 정체성을 형성함으로써 일탈 행동을 계속하게 된다고 본다. ③ 차별 교제 이론에 대한 설명이다. ⑤ 머튼의 아노미 이론에 대한 설명이다. 머튼의 아노미 이론은 문화적 목표와 이를 달성하기 위한 제도적 수단 간의 괴리에 따른 혼란 상태를 아노미로 규정하고, 이러한 아노미적 상황에서 비합법적인 수단을 사용해서 문화적 목표를 달성하려고 할 때 일탈이 발생한다고 본다.

10 뒤르켐의 아노미 이론

제시문은 외적 규제인 사회 규범의 통제력이 약화하면 일탈이 발생한다는 내용으로, 뒤르켐의 아노미 이론에 해당한다. ㄱ. 뒤르켐의 아노미 이론은 사회 규범의 약화나 부재 또는 기존의 규범과 새로운 규범의 혼재 상태를 아노미로 규정하고, 사회가 이러한 아노미 상태에 빠질 때 일탈 행동이 증가한다고 설명한다. ㄷ. 뒤르켐의 아노미 이론은 사회가 급격하게 변동하면 사회 규범이 붕괴하여 범죄와 같은 일탈 행동이 증가한다고 본다.

┃바로 알기┃ ㄴ. 낙인 이론에 부합하는 진술이다. ㄹ. 일탈 행동의 발생 원인을 개인적 차원에서 찾는 시각이다. 뒤르켐의 아노미 이론은 일탈 행동의 발생 원인을 사회적 차원에서 찾는다.

11 아노미 이론

갑은 뒤르켐의 아노미 이론, 을은 머튼의 아노미 이론의 입장에서 일탈 행동을 설명하고 있다. ㄱ. 뒤르켐의 아노미 이론은 지배적 규범을 확립하여 사회 통제 기능을 강화함으로써 일탈 행동을 해결할 수 있다고 본다. ㄷ. 머튼의 아노미 이론은 문화적 목표와 제도적 수단의 괴리에 따른 아노미 상태에서 비합법적인 수단을 사용해서 문화적 목표를 달성하려고 할 때 일탈 행동이 발생한다고 본다. ㄹ. 뒤르켐은 사회 규범의 약화나 부재 또는 기존 규범과 새로운 규범의 혼재 상태를 아노미로 보았으며, 머튼은 문화적 목표와 제도적 수단 간의 괴리 상태를 아노미로 보았다. 두 이론은 이러한 아노미 상태에서 일탈 행동이 발생한다고 설명한다.

┃바로 알기┃ ㄴ. 차별 교제 이론에 대한 설명이다.

완자 정리 노트　아노미 이론

뒤르켐의 아노미 이론	머튼의 아노미 이론
사회 규범의 약화나 부재 또는 기존의 규범과 새로운 규범이 혼재하면서 나타나는 아노미 상태에서 일탈 행동이 발생함	문화적 목표와 제도적 수단의 괴리에 따른 아노미적 상황에서 비합법적인 수단을 사용해서 문화적 목표를 달성하려고 할 때 일탈 행동이 발생함

12 머튼의 아노미 이론

제시문은 하층 노동 계급 청년들의 재산 범죄율이 높은 이유를 문화적 목표와 제도적 수단 간의 괴리에서 찾고 있다. 이는 머튼의 아노미 이론의 입장에 해당한다. ③ 머튼의 아노미 이론은 하층 노동 계급 청년들처럼 기회 구조가 차단된 집단의 범죄를 설명하는 데 유용하다. 그러나 중상류층의 범죄를 설명하는 데는 한계가 있으며, 문화적 목표에 상관없이 발생하는 일시적 범죄 등을 설명하기 어렵다는 한계가 있다.

┃바로 알기┃ ① 낙인 이론에 대한 설명이다. ② 뒤르켐의 아노미 이론에 대한 설명이다. ④ 차별 교제 이론에 대한 설명이다. ⑤ 특정 행위가 본질적으로 일탈적 성격을 갖는 것이 아니라는 것은 일탈 행동을 규정하는 객관적 기준이 없다는 것을 의미하므로 낙인 이론에 대한 설명이다.

13 머튼의 아노미 이론
머튼은 문화적 목표와 제도적 수단의 수용 여부에 따라 적응 유형을 구분하였다. ㄱ. (가)는 문화적 목표와 제도적 수단을 모두 수용하므로, 일탈 행동이 아니다. ㄴ. 당선이라는 문화적 목표를 달성하기 위해 금품과 향응이라는 비합법적인 수단을 이용한 것은 (다)의 사례에 해당한다.

┃바로 알기┃ ㄷ. 사회 규범의 약화에 따른 일탈 행동의 발생은 뒤르켐의 아노미 이론의 사례에 해당한다. ㄹ. (나)는 문화적 목표는 거부하였으나 제도적 수단은 수용하였고, (다)는 문화는 목표는 수용하였으나 제도적 수단을 거부하였다. 따라서 (나)와 (다)에서는 문화적 목표와 제도적 수단 사이에 괴리가 나타난다.

14 차별 교제 이론
맹모삼천지교는 인간의 성장에 있어서 환경이 중요하다는 것을 강조하는 말이다. 따라서 이는 개인이 일탈 행동을 하는 집단과 지속적으로 접촉하면서 일탈 행동의 방법과 일탈 행동을 정당화하는 가치관을 학습한 결과 일탈 행동이 발생한다고 보는 차별 교제 이론과 가장 관련이 있다.

15 차별 교제 이론
제시된 사례는 차별 교제 이론과 관련이 있다. ⑤ 차별 교제 이론에 따르면 일탈 행동은 일탈 행동을 하는 개인 또는 집단과의 상호 작용을 통해 그들의 행동을 학습하여 사회화한 결과이다.

┃바로 알기┃ ①, ③ 부정적 자아가 형성되어 일탈 행동이 반복된다고 보는 것은 낙인 이론이다. 낙인 이론은 신중한 낙인을 일탈의 해결 방안으로 강조한다. ②, ④ 사회 규범의 부재를 일탈의 발생 원인으로 보는 것은 뒤르켐의 아노미 이론이다. 뒤르켐의 아노미 이론은 사회 규범의 통제력 회복을 일탈의 해결 방안으로 제시한다.

16 차별 교제 이론
제시문은 우범 지역으로 이주해 온 사람들이 일탈 행동을 쉽게 배우게 된다는 내용으로, 이는 차별 교제 이론과 관련이 있다. ㄴ, ㄷ. 차별 교제 이론은 일탈 행동이 발생하는 과정을 설명하는 데 유용하나, 우연적이고 충동적인 일탈 행동을 설명하지 못한다는 한계가 있다.

┃바로 알기┃ ㄱ. 2차적 일탈에 주목하는 것은 낙인 이론이다. ㄹ. 낙인 이론의 유용성에 해당한다.

17 낙인 이론
제시문은 1차적 일탈에 대하여 주위 사람들이 낙인을 찍으면 일탈자는 스스로 일탈적 정체성을 형성하게 되고 이에 따라 행동한다는 내용으로, 이는 낙인 이론에 해당한다. ① 낙인 이론에 따르면 일탈은 특정 행위 자체가 가지는 본질적인 특성이 아니라, 그 행위가 발생하는 상황과 여건에 따라 규정되는 것이다. 따라서 낙인 이론은 일탈을 규정하는 객관적 기준이 존재하지 않는다고 본다. ③ 낙인 이론은 주위 사람들의 낙인이 일탈 행동을 유발한다고 보므로 일탈 행동 자체보다 그에 대한 사회적 반응을 더 문제시한다. ⑤ 낙인 이론은 특정 행위에 대한 신중한 낙인을 일탈 행동에 대한 해결 방안으로 강조한다.

┃바로 알기┃ ④ 차별 교제 이론에서 강조하는 일탈 행동에 대한 해결 방안이다.

18 낙인 이론
제시문은 특정 행동에 대한 사회적 반응이 일탈자를 만들어 낸다는 내용으로, 이는 낙인 이론과 관련이 있다. ④ 낙인 이론에 따르면 일탈은 특정 행동 자체가 가지는 본질적인 특성이 아니라, 그 행동에 대한 사람들의 반응에 따라 규정된다.

┃바로 알기┃ ①, ③, ⑤는 차별 교제 이론, ②는 갈등 이론에 부합하는 진술이다.

19 일탈 행동을 설명하는 이론
(가)에는 낙인 이론과 차별 교제 이론의 공통적인 내용이 들어가야 하고, (나)에는 차별 교제 이론에만 해당하는 내용이 들어가야 한다. ③ 낙인 이론은 타인의 낙인으로 인해 일탈 행동을 반복하게 된다고 보고, 차별 교제 이론은 타인과 접촉하는 과정에서 일탈 행동을 학습하게 된다고 본다. 즉, 두 이론은 모두 일탈 행동이 타인과의 상호 작용 과정에서 비롯된다고 본다. 따라서 제시된 질문은 (가)에 들어갈 수 있다.

┃바로 알기┃ ① 차별적인 제재가 일탈 행동의 원인이라고 보는 것은 낙인 이론에만 해당하는 내용이다. 따라서 제시된 질문은 (가)에 들어갈 수 없다. ② 차별 교제 이론은 일탈 행동을 정의하는 객관적인 기준이 있다고 보지만, 낙인 이론은 일탈 행동을 정의하는 객관적인 기준이 없다고 본다. 따라서 제시된 질문은 (가)에 들어갈 수 없다. ④ 일탈 행동에 대한 부정적 반응을 일탈의 원인으로 보는 것은 낙인 이론이다. 따라서 제시된 질문은 (나)에 들어갈 수 없다. ⑤ 문화적 목표에 도달한 기회의 제공을 일탈의 해결책으로 보는 것은 머튼의 아노미 이론이다. 따라서 제시된 질문은 (나)에 들어갈 수 없다.

20 일탈 행동을 설명하는 이론
갑은 차별 교제 이론, 을은 낙인 이론, 병은 머튼의 아노미 이론의 입장에서 일탈 행동의 해결책을 제시하고 있다. ㄱ. 차별 교제 이론은 일탈 행위자와 장기간 접촉해도 일탈자가 되지 않은 경우나 반대로 일탈 행위자와 접촉 없이 나타나는 일탈 행동을 설명하기 어렵다는 한계가 있다. ㄴ. 낙인 이론은 1차적 일탈에 대한 타인의 부정적 낙인이 2차적 일탈을 초래한다고 본다.

┃바로 알기┃ ㄷ. 머튼의 아노미 이론은 제도적 수단이 없는 사람이 비합법적인 수단을 사용해서 문화적 목표를 달성하려고 할 때 일탈 행동이 발생한다고 보므로, 제도적 수단을 갖춘 중상류층의 범죄를 설명하는 데 한계가 있다. ㄹ. 차별 교제 이론에 대한 설명이다.

완자 정리 노트 ┃ 일탈의 해결 방안

뒤르켐의 아노미 이론	사회적 합의에 바탕을 둔 지배적 규범 확립 → 사회 통제 기능 강화
머튼의 아노미 이론	목표와 수단 간의 괴리를 줄이기 위한 적절한 기회 제공
차별 교제 이론	일탈 행위자와의 접촉을 차단하고 정상적인 집단과의 교류 촉진
낙인 이론	• 사회적 낙인에 대한 신중한 접근 • 일탈 행위자의 올바른 정체성 회복을 위한 지원

서술형 문제

087쪽

01 주제: 일탈의 긍정적 영향

예시 답안 일탈 행동은 사회의 문제를 표출하여 해결 방안을 마련하도록 유도함으로써 사회가 한 단계 더 발전할 수 있는 계기가 되기도 한다.

채점 기준

상	사회 문제 표출, 해결 방안 마련 유도를 모두 포함하여 정확하게 서술한 경우
하	사회의 문제를 표출한다고만 서술한 경우

02 주제: 머튼의 아노미 이론과 차별 교제 이론

(1) (가) 머튼의 아노미 이론 (나) 차별 교제 이론
(2) 예시 답안 머튼의 아노미 이론은 중상류층의 범죄와 문화적 목표에 상관없이 발생하는 일시적 범죄를 설명하는 데 한계가 있다. 차별 교제 이론은 일탈 행위자와 장기간 접촉해도 일탈자가 되지 않은 경우나 반대로 일탈 행위자와 접촉 없이 나타나는 일탈 행동을 설명하기 어려우며, 우연적이고 충동적인 범죄를 설명하지 못한다는 한계가 있다.

채점 기준

상	머튼의 아노미 이론과 차별 교제 이론의 한계를 모두 정확하게 서술한 경우
하	머튼의 아노미 이론과 차별 교제 이론의 한계 중 한 가지만 서술한 경우

03 주제: 낙인 이론

예시 답안 경미하고 일시적인 범죄를 저지른 사람들이 전과자로 낙인이 찍히면 스스로 전과자라는 부정적인 자아 정체성을 형성함으로써 일탈 행동을 계속하게 될 가능성이 높다. 따라서 이러한 부작용을 방지하기 위해 경미 범죄 심사 제도가 필요하다.

채점 기준

상	낙인에 따른 반복적인 일탈 행동을 방지하기 위해서 경미 범죄 심사 제도가 필요하다고 정확하게 서술한 경우
하	낙인 이론의 관점에서 경미 범죄 심사 제도의 필요성을 서술하였으나 그 내용이 미흡한 경우

STEP 3 ┃ 1등급 정복하기

088~091쪽

1 ①	2 ③	3 ③	4 ②	5 ④	6 ④	7 ②	8 ⑤

1 사회 구조의 특징

제시문은 개인들이 '보이지 않는 큰 프로그램'인 사회 구조의 영향을 받아 특정한 방식으로 행동한다는 내용이다. ㄱ, ㄴ. 개인은 사회 구조의 영향을 받아 구조화된 행동을 하므로 우리는 특정 상황에서 사회 구성원들이 어떤 행동을 할 것인지 예측할 수 있으며, 사회적 관계를 안정적으로 유지할 수 있다.

┃바로 알기┃ ㄷ. 사회 구조의 변동성에 대한 설명이나, 제시된 자료와는 관련 없다. ㄹ. 사회 구성원들이 구조화된 행동을 하지 않을 경우 사회 구조 자체가 변화하기도 한다.

2 사회 구조의 특징

제시문은 사회 구조에 의해 개인의 행동 양식이 결정된다는 내용으로, 사회 구조의 강제성과 관련 있다. ㄴ, ㄷ. 학생들이 교복을 입고 정해진 시간에 맞춰 등교하는 것과 이슬람 사회의 여성들이 히잡을 착용하는 것은 사회 구조가 개인에게 강제력을 행사한 사례에 해당한다.

┃바로 알기┃ ㄱ. 성격 차이는 사회 구조적 요인이라기 보다는 개인적 요인에 해당한다. ㄹ. 사회 구조의 변동성과 관련 있는 사례에 해당한다.

3 일탈 행동의 특징

제시된 사례는 대마초 흡연 및 판매 행위가 네덜란드에서는 합법이지만 우리나라에서는 불법이라는 내용으로, 이를 통해 일탈 행동의 상대성을 알 수 있다. ③ 일탈 행동을 판단하는 기준은 시대나 상황, 사회에 따라 다를 수 있다. 따라서 어떤 행위가 일탈 행동인지 여부는 한 개인이 구체적으로 무엇을 했는지 보다 그 행위가 어떤 상황에서 발생했는지, 특정 시대와 사회의 구성원이 그것을 어떻게 보는지에 따라 결정된다.

4 일탈 행동을 설명하는 이론

(가)는 차별 교제 이론, (나)는 뒤르켐의 아노미 이론이다. ② 뒤르켐의 아노미 이론은 급격한 사회 변동에 따른 사회 규범의 약화 또는 부재를 일탈의 발생 원인으로 본다.

┃바로 알기┃ ①, ③, ④ 낙인 이론에 대한 설명이다. ⑤ 뒤르켐의 아노미 이론에만 해당하는 설명이다.

5 일탈 행동을 설명하는 이론

그래프의 내용은 폭력 집단과의 접촉 빈도가 높을수록 일탈 행위 가능성이 높다는 것으로, 이는 차별 교제 이론의 핵심 주장이다. ④ 차별 교제 이론은 일탈 행동을 하는 집단과 접촉하는 과정에서 일탈 행동의 방법과 일탈 행동을 정당화하는 가치관을 학습하게 된다고 본다.

┃바로 알기┃ ②, ⑤ 낙인 이론에 대한 설명이다. ③ 뒤르켐의 아노미 이론에 대한 설명이다.

6 일탈 행동을 설명하는 이론

제시문은 자녀의 잘못된 행위에 대해 부모가 낙인을 가하면 자녀는 부정적 자아를 내면화하여 일탈 행동을 반복할 가능성이 커진다는 내용으로, 이는 낙인 이론과 관련이 있다. ④ 낙인 이론의 주장에 동의하는 학자는 전과자가 다시 범죄를 저지르는 원인을 주변 사람들의 낙인에서 찾을 것이다. 따라서 전과자에 대한 주변 사람들의 의식을 조사하는 것이 가장 적절하다.

┃바로 알기┃ ① 전과자들이 겪는 경제적 어려움을 조사하는 것은 제도적 수단의 부족 상태를 알아보는 것이므로, 머튼의 아노미 이론과 관련 있다. ⑤ 전과자들이 어울리는 친구들의 성향을 조사하는 것은 차별 교제 이론과 관련 있다.

7 일탈 행동을 설명하는 이론

(가)는 낙인 이론, (나)는 머튼의 아노미 이론이다. ㄱ. 낙인 이론은 1차적 일탈을 한 사람에 대해 낙인을 찍으면 부정적인 자아가 형성되고 이로 인해 2차적 일탈을 저지르게 된다고 본다. 이처럼 낙인 이론은 2차적 일탈을 설명하는 데 유용하다. 하지만 최초의 일탈 즉, 1차적 일탈의 원인을 설명하기 어렵다는 한계가 있다. ㄷ. 낙인 이론은 일탈 행위자의 올바른 정체성 회복을 위한 지원 및 신중한 낙인을 일탈의 해결 방안으로 제시한다.

┃바로 알기┃ ㄴ. 차별 교제 이론에 대한 설명이다. ㄹ. 뒤르켐의 아노미 이론에 대한 설명이다.

8 일탈 행동을 설명하는 이론

ㄴ. 일탈자와의 접촉 차단을 일탈에 대한 대책으로 보는 것은 차별 교제 이론이다. 따라서 B는 차별 교제 이론이다. ㄷ. 낙인 이론은 일탈을 규정하는 객관적 규범이 존재하지 않는다고 보고, 나머지 차별 교제 이론과 머튼의 아노미 이론은 일탈을 규정하는 객관적 규범이 존재한다고 본다. 따라서 제시된 질문은 (나)에 적절하다. ㄹ. 차별 교제 이론과 낙인 이론은 머튼의 아노미 이론과 달리 타인과의 상호 작용이 일탈 발생 과정에 미치는 영향을 중시한다. 따라서 제시된 질문은 (다)에 적절하다.

┃바로 알기┃ ㄱ. (가)가 '문화적 목표와 제도적 수단 간의 괴리로 일탈 행동이 발생한다고 보는가?'라면 A는 낙인 이론 또는 차별 교제 이론 중 하나이다.

---

01 ①	02 ⑤	03 ④	04 ①	05 ⑤	06 ③	07 ④
08 ②	09 ①	10 ②	11 ⑤	12 ③	13 ④	14 ③
15 ⑤	16 ③					

01 사회 실재론

제시문은 음식 맛에 대한 개인들의 선호에 사회의 힘이 작용한다는 내용으로, 사회 실재론의 관점에 해당한다. ㄱ, ㄴ. 사회 실재론에 따르면 개인은 사회 속에서만 존재 의미를 지니고, 사회로부터 영향을 받기 때문에 구조화된 행동을 한다.

┃바로 알기┃ ㄷ. 사회 명목론의 관점에 부합하는 진술이다. 사회 명목론에 따르면 실제로 존재하는 것은 개인뿐이기 때문에 개인의 자율적 의지에 의해 사회 현상이 만들어진다. ㄹ. 사회 명목론의 관점에 부합하는 진술이다. 사회 명목론에 따르면 사회는 개인의 합에 불과하므로, 사회 현상을 개인의 행위로 환원하여 설명할 수 있다.

02 사회 명목론

제시문의 필자는 사회 문제의 해결책으로 개인의 의식 개혁을 강조하고 있으므로, 사회 명목론의 관점을 지니고 있음을 알 수 있다. ⑤ 사회 명목론에 따르면 사회는 개인의 집합체에 붙여진 이름에 불과하며, 실제로 존재하는 것은 사회가 아니라 개인뿐이다.

┃바로 알기┃ ① 사회 전체를 위한 개인의 희생을 정당하다고 보는 것은 개인보다 사회를 중시하는 사회 실재론의 관점이다. ② 개인의 자율성보다 사회의 구속성을 강조하는 것은 사회 실재론의 관점이다. ③ 사회 문제의 원인이 사회 구조나 사회 제도에 있다고 보는 것은 사회 실재론의 관점이다. ④ 개인의 사고나 행위에 미치는 사회의 영향력을 중시하는 것은 사회 실재론의 관점이다.

03 재사회화와 예기 사회화

㉠은 재사회화, ㉡은 예기 사회화이다. ① 기존에 습득한 규범이나 생활 방식을 버리는 과정을 탈사회화라고 한다. 재사회화가 이루어질 때에는 탈사회화가 동시에 나타나기도 한다. ② 사회 변동 속도가 빨라질수록 재사회화의 필요성이 커진다. ③ 신입생 예비 교육은 입학 예정인 학교에서 요구되는 행동 양식을 미리 습득하는 과정으로, 예기 사회화에 해당한다.

┃바로 알기┃ ④ 태어나면서부터 겪는 기본적인 사회화는 1차적 사회화(원초적 사회화)이다.

완자 정리 노트	**사회화의 유형**
재사회화	사회 변화나 새로운 환경에 적응하기 위해 이전과는 다른 규범이나 가치, 기능 등을 습득하는 과정
예기 사회화	미래에 속하게 될 집단에서 요구되는 행동 양식을 미리 습득하는 과정
탈사회화	기존에 습득한 규범이나 생활 방식을 버리는 과정

04 사회화 기관

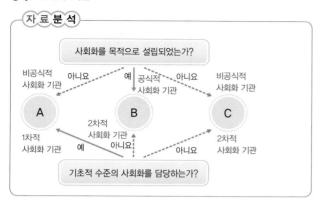

사회화를 목적으로 설립되었는가?

비공식적   아니요   예 공식적 아니요   비공식적
사회화 기관   사회화 기관   사회화 기관

A   **B**   **C**

2차적
사회화 기관
1차적   아니요   2차적
사회화 기관   예   사회화 기관

기초적 수준의 사회화를 담당하는가?

사회화를 목적으로 설립된 기관은 공식적 사회화 기관이고, 그렇지 않은 기관은 비공식적 사회화 기관이다. 기초적 수준의 사회화를 담당하는 기관은 1차적 사회화 기관이고, 그렇지 않은 기관은 2차적 사회화 기관이다. 그러므로 A는 비공식적 사회화 기관이자 1차적 사회화 기관이고, B는 공식적 사회화 기관이자 2차적 사회화 기관이며, C는 비공식적 사회화 기관이자 2차적 사회화 기관이다. 따라서 A에는 가족, B에는 학교, C에는 대중 매체가 들어갈 수 있다.

05 지위와 역할 및 사회화 기관

㉠ 지위는 한 개인이 집단이나 사회 속에서 차지하는 위치로서, 영업부 부장은 갑이 직장에서 차지하는 위치인 지위에 해당한다. ㉡ 역할은 지위에 대해 사회적으로 기대되는 행동 양식으로서, 회사의 영업 이익을 늘려 회사 발전에 이바지해야 하는 것은 영업부 부장의 역할에 해당한다. ㉢ 역할 행동은 개인이 자신의 역할을 실제로 수행하는 구체적인 방식으로서, 영업을 활성화하여 회사의 매출액을 증대하기 위해 노력한 것은 갑의 역할 행동에 해당한다. ㉣ 직장은 사회화 이외의 목적으로 형성되었으나 부수적으로 사회화 기능을 수행하는 기관으로서, 비공식적 사회화 기관에 해당한다.

┃**바로 알기**┃ ㉤ 인성의 기본 틀을 형성하고 기초적인 행동 양식을 습득하는 1차적 사회화는 주로 가족이나 또래 집단 등을 통해 이루어진다. 직장에서는 주로 2차적 사회화가 이루어진다.

06 지위와 역할 및 사회 집단

ㄴ. 갑은 종합 병원의 의사라는 지위에 따른 역할과 친구라는 지위에 따른 역할이 서로 충돌하여 역할 갈등을 겪고 있다. ㄷ. 의사는 갑의 성취 지위이다.

┃**바로 알기**┃ ㄱ. 개인이 자신의 역할을 실제로 수행하는 구체적인 방식인 역할 행동은 제시된 글에 나타나 있지 않다. ㄹ. 내집단은 자신이 소속해 있으면서 소속감을 느끼는 집단이고, 준거 집단은 한 개인이 행동의 지침으로 삼는 집단이다. 제시된 글을 통해서 갑의 내집단과 준거 집단이 일치하고 있는지는 알 수 없다.

07 사회 집단

ㄱ. 동호회의 구성원들은 집단에 대한 소속감을 가지고 지속적인 상호 작용을 한다. ㄴ. 지하철을 탄 승객들은 일시적으로 같은 공간에 있을 뿐 지속적인 상호 작용을 하지 않는다. ㄷ. (가)는 사회 집단이나, (나)는 사회 집단이 아니다.

┃**바로 알기**┃ ㄹ. 동호회는 특정한 목적을 달성하기 위해 구성원의 선택적 의지에 의해 형성된 이익 사회이다.

08 1차 집단

제시된 내용은 1차 집단에 대한 설명이다. 1차 집단은 구성원 간의 직접적인 대면 접촉을 바탕으로 전인격적인 만남이 이루어지는 집단으로, 개인의 인성 형성과 정서적 안정에 큰 영향을 미친다. 가족, 또래 집단 등이 이에 해당한다.

┃**바로 알기**┃ ㄴ, ㄷ. 학교, 회사는 2차 집단에 해당한다.

09 내집단과 외집단

'팔은 안으로 굽는다.'라는 속담은 우리로 묶여 있는 집단에는 관대한 반면, 우리라는 테두리 밖에 있는 사람들은 상대적으로 배척한다는 뜻이다. 이와 관련한 사회학적 개념은 내집단과 외집단이다. 우리로 묶여 있는 집단은 내집단이고, 우리라는 테두리 밖에 있는 사람들은 외집단인 것이다.

10 공식 조직과 비공식 조직

A는 공식 조직, B는 비공식 조직이다. ① 공식 조직은 특정한 목적을 달성하기 위해 구성원의 선택적 의지에 의해 형성된 이익 사회이다. ③ 비공식 조직은 공식 조직의 구성원으로 이루어지므로, 비공식 조직의 구성원은 모두 공식 조직의 구성원이다. ④ 비공식 조직은 구성원들의 친밀감과 만족감을 높여 사기를 증진함으로써 공식 조직의 과업 수행의 효율성 향상에 기여하기도 한다. ⑤ 공식 조직의 구성원들은 조직의 목표 달성을 위해 규범과 절차에 따라 구조화된 상호 작용을 하므로, 구성원들 사이에 형식적이고 수단적인 인간관계가 일반적으로 나타난다.

┃**바로 알기**┃ ② 비공식 조직은 이익 사회이다. 공동 사회는 인간의 본질적 의지에 의해 자연 발생적으로 형성된 집단으로, 가족, 친족, 촌락 공동체 등이 그 예이다.

11 자발적 결사체

⑤ 노동조합과 동네 등산 모임은 공통의 관심사나 목표를 가진 사람들이 자발적으로 결성한 자발적 결사체에 해당한다.

┃**바로 알기**┃ ① 고등학교 동문회, 동네 등산 모임, 사내 봉사 모임에 해당하는 설명이다. ② 사내 봉사 모임에 해당하는 설명이다. ③ 노동조합에 해당하는 설명이다. ④ 가족에 해당하는 설명이다.

12 관료제와 탈관료제

능력과 성과에 따른 보상을 더 강조하는 조직은 탈관료제이다. 따라서 A는 관료제, B는 탈관료제이다. ② 관료제는 권한과 책임의 정도에 따라 조직 내 지위가 서열화되어 있으므로, 탈관료제에 비해 책임 소재 파악이 더 용이하다. ④ 환경 변화에 유연하게 대처할 수 있는 조직은 탈관료제이다. ⑤ 표준화된 업무 처리를 강조하는 조직은 관료제이다.

┃ 바로 알기 ┃ ③ 연공서열에 따른 승진과 보상으로 인해 업무 수행이 나태해지는 무사안일주의가 나타날 가능성이 큰 조직은 관료제이다.

13 머튼의 아노미 이론
제시문은 머튼의 아노미 이론의 관점에서 일탈 행동을 분석한 것이다. ① 사회 구성원이 사회적으로 달성하고자 하는 목표를 문화적 목표라고 한다. ② 정상적인 방법을 제도적 수단이라고 한다. ③, ⑤ 머튼의 아노미 이론은 문화적 목표와 제도적 수단 간의 괴리를 일탈의 발생 원인으로 보고, 이를 해결하기 위해서는 문화적 목표를 달성할 수 있도록 적절한 수단을 제공하여 목표와 수단 간의 괴리를 줄여야 한다고 본다.

┃ 바로 알기 ┃ ④ 2차적 일탈에 대한 설명으로, 이는 낙인 이론과 관련 있다.

14 차별 교제 이론
제시된 내용은 차별 교제 이론에 대한 설명이다. 차별 교제 이론은 일탈 행동을 하는 집단과 접촉하면 그들의 문화와 행동을 학습하여 일탈자가 된다고 본다. 그러므로 개인의 일탈 행동 여부는 일탈 행동을 하는 집단과 얼마나 긴밀한 접촉을 하고 있느냐에 달려 있다.

15 낙인 이론
⑤ 갑은 1차적 일탈에 대한 주위 사람들의 낙인 때문에 스스로 일탈자라는 부정적인 자아를 형성하고 이에 따라 2차적 일탈을 저지르게 되었다.

┃ 바로 알기 ┃ ①, ④ 차별 교제 이론에 대한 설명이다. ② 머튼의 아노미 이론에 대한 설명이다. ③ 뒤르켐의 아노미 이론에 대한 설명이다.

16 일탈 행동을 설명하는 이론
(가)는 뒤르켐의 아노미 이론, (나)는 차별 교제 이론, (다)는 낙인 이론에 해당한다. ① 차별 교제 이론은 일탈자와의 교류를 통해 일탈 행동의 방법과 일탈 행동을 정당화하는 가치관을 학습하여 사회화한 결과 일탈 행동이 발생한다고 본다. ② 낙인 이론은 사회적 낙인 때문에 일탈이 발생한다고 본다. ④ 차별 교제 이론은 타인과의 상호 작용 과정에서 일탈을 학습한다고 보고, 낙인 이론은 타인의 낙인찍기가 일탈자를 만들어 낸다고 본다. 따라서 두 이론은 모두 타인과의 상호 작용 과정이 일탈 행동에 미치는 영향을 중시한다. ⑤ 낙인 이론은 두 이론과 달리 일탈 행동을 규정하는 객관적 기준이 없다고 본다.

┃ 바로 알기 ┃ ③ 머튼의 아노미 이론의 사례에 해당한다.

Ⅲ. 문화와 일상생활

01 문화의 이해

STEP 1 핵심 개념 **확인하기**   104쪽

1 (1) 좁은 (2) 보편성   **2** (1) ○ (2) × (3) ○   **3** (1) ㄷ (2) ㄴ (3) ㄱ
4 (1) 자문화 중심주의 (2) 문화 사대주의 (3) 문화 상대주의

STEP 2 내신 만점 **공략하기**   104~109쪽

01 ④	02 ②	03 ⑤	04 ③	05 ②	06 ①	07 ④
08 ①	09 ③	10 ②	11 ③	12 ⑤	13 ②	14 ④
15 ①	16 ④	17 ②	18 ③	19 ④	20 ⑤	

01 문화의 의미

㉠은 좁은 의미의 문화, ㉡은 넓은 의미의 문화에 해당한다. ㄴ. 넓은 의미의 문화는 한 사회의 구성원이 공유하는 모든 생활 양식을 의미한다. ㄹ. 좁은 의미의 문화는 공연이나 예술 등 특정 분야에 관련된 것 또는 교양 있거나 세련된 것을 의미한다.

▌바로 알기▐ ㄱ. 청소년 문화에서의 문화는 한 사회의 청소년이 공유하는 행동 양식이나 사고방식 등의 생활 양식을 의미하므로, 넓은 의미의 문화에 해당한다. ㄷ. ㉡은 문화를 넓은 의미로 이해하고 있다.

02 넓은 의미의 문화

제시된 글에서는 문화를 넓은 의미로 규정하고 있다. ①, ③, ④, ⑤ 전통문화, 다문화 사회, 인사 문화, 주거 문화에서의 문화는 한 사회 구성원이 공유하는 생활 양식을 의미하므로, 넓은 의미의 문화에 해당한다.

▌바로 알기▐ ② 문화가 있는 날에서의 문화는 공연이나 작품 등 예술적인 것을 가리키므로, 좁은 의미의 문화에 해당한다.

> **완자 정리 노트**   문화의 의미
>
> | 좁은 의미 | 공연이나 예술 등 특정 분야에 관련된 것 또는 교양 있거나 세련된 것 ⑩ 문화 행사, 문화생활, 문화 시민, 문화인 등 |
> |---|---|
> | 넓은 의미 | 한 사회의 구성원이 공유하는 모든 생활 양식 ⑩ 한국 문화, 청소년 문화, 다문화 사회, 전통문화 등 |

03 문화인 것과 문화가 아닌 것

(가)에는 문화적인 행동에 포함되지 않는 사례가 들어가야 한다. ①은 개인의 독특한 습관이나 버릇에 의한 행동이고, ②, ③, ④는 본능이나 선천적 요인에 따른 행동이므로 문화로 보지 않는다.

▌바로 알기▐ ⑤ 어른을 만나면 고개를 숙여 인사하는 것은 후천적으로 학습된 행동이므로 문화에 해당한다.

04 문화의 보편성과 특수성

> **자료 분석**
>
> 대부분의 사회에는 새해에 더 좋은 일이 생기기를 기원하며 새해를 맞이하는 문화가 있어요. – 문화의 보편성을 확인할 수 있어.
>
> 맞아요. 그러나 덴마크에서는 친척 집이나 이웃집 문 앞에서 접시와 컵을 깨뜨리고, 에스파냐와 멕시코에서는 새해를 알리는 종이 울릴 때 포도 12알을 먹으며 소원을 비는 등 새해를 맞이하는 구체적인 모습은 나라마다 다르게 나타나요.
> └ 문화의 특수성을 확인할 수 있어.

제시된 대화를 통해 문화는 어느 사회에서나 공통으로 나타나는 생활 양식이 있다는 보편성과 다른 사회의 문화와 구분되는 고유한 특징을 가진다는 특수성을 모두 지니고 있다는 것을 추론할 수 있다.

05 문화의 공유성

제시된 글은 문화의 공유성에 대한 설명이다. ㄱ, ㄷ. 우리나라 사람들이 생일에 미역국을 먹고, 명절에 윷놀이를 하는 것은 문화의 공유성에 해당하는 사례이다.

▌바로 알기▐ ㄴ은 문화의 학습성, ㄹ은 문화의 변동성에 해당하는 사례이다.

06 문화의 학습성

제시된 사례는 외국인이 우리나라에서 오랜 시간을 보내면서 우리나라 문화에 적응하는 모습을 보여 준다. 이를 통해 문화의 학습성을 알 수 있다. ① 문화의 학습성은 문화가 선천적으로 타고나는 것이 아니라 후천적으로 학습한 것을 말한다.

▌바로 알기▐ ②는 문화의 축적성, ③은 문화의 공유성, ④는 문화의 변동성, ⑤는 문화의 전체성에 대한 설명이다.

07 문화의 축적성

> **자료 분석**
>
> ┌ 시간이 지남에 따라 새로운 문화 요소가 축적된다는 것을 보여줘.
> • 현대의 수학적 지식은 피타고라스의 정리, 원주율 계산 등 고대부터 그 내용이 쌓여 형성된 것이다.
> • 절인 음식에서 시작된 김치는 구전 또는 음식과 관련한 문헌 등을 통해 지역별로 다양한 형태로 계승되었다.
>   └ 문화가 언어와 문자를 통해 전해진다는 것을 보여줘.

제시된 두 사례를 통해 문화의 축적성을 확인할 수 있다. ㄴ, ㄹ. 문화는 언어와 문자를 통해 한 세대에서 다음 세대로 전승되고, 시간이 지남에 따라 새로운 요소가 추가되기도 하면서 풍부해진다.

▌바로 알기▐ ㄱ은 문화의 학습성, ㄷ은 문화의 공유성에 대한 설명이다.

08 문화의 전체성

제시된 글은 문화의 전체성에 대한 설명이다. ① 인터넷의 발달이 정치, 경제 등 생활 전반에 영향을 미치는 것을 통해 한 사회의 문화를 구성하는 요소들이 상호 밀접한 관련을 맺고 있다는 것을 알 수 있다. 이처럼 문화를 구성하는 각 요소는 상호 유기적인 관계를 맺으며 하나의 전체를 이루고 있으므로, 문화의 어느 한 부분에 변화가 생기면 연쇄적으로 다른 부분에도 영향을 미치게 된다.

┃ 바로 알기 ┃ ②는 문화의 변동성, ③은 문화의 공유성, ④는 문화의 축적성, ⑤는 문화의 학습성에 해당하는 사례이다.

09 문화의 속성

A는 문화의 공유성, B는 문화의 변동성에 해당한다. ㄴ. 윷놀이에 사용하는 윷의 재료가 변화한 것은 문화가 시간이 지남에 따라 끊임없이 변화한다는 문화의 변동성에 해당하는 사례이다. ㄷ. 한 사회의 구성원들은 같은 문화를 공유하고 있기 때문에 특정한 상황에서 서로의 행동을 이해하고 예측할 수 있다.

┃ 바로 알기 ┃ ㄱ. 문화의 전체성에 대한 설명이다.

10 문화의 속성

(가) 주거 양식이 한옥에서 아파트로 바뀐 것은 문화의 변동성과 관련이 깊다. (나) 윷놀이 문화가 한 세대에서 다음 세대로 전해지면서 새로운 요소가 추가되는 것은 문화의 축적성과 관련이 깊다. (다) 우리나라의 난방 방식이 우리나라의 주거 형태 및 생활 방식 등과 연관되어 있다는 것은 문화의 전체성과 관련이 깊다.

완자 정리 노트	문화의 속성
공유성	문화는 한 사회의 구성원이 공통으로 가지는 생활 양식임
학습성	문화는 선천적으로 타고나는 것이 아니라 후천적으로 습득하는 것임
축적성	문화는 언어와 문자를 통해 한 세대에서 다음 세대로 전승되면서 풍부해짐
전체성(총체성)	문화를 구성하는 다양한 문화 요소들은 상호 유기적인 관계를 맺으며 하나의 전체를 이룸
변동성	문화는 시간이 흐르면서 그 형태와 내용이 끊임없이 변화함

11 총체론적 관점

제시된 글에서는 특정 문화 현상의 의미를 다른 문화 요소와의 관련성 속에서 이해하는 총체론적 관점에서 문화를 바라보고 있다. ㄴ, ㄷ. 총체론적 관점은 문화의 각 구성 요소가 상호 유기적인 관계를 맺고 있기 때문에 한 사회의 문화는 다른 문화 요소나 전체 문화와의 관련성 속에서 파악해야 한다고 본다.

┃ 바로 알기 ┃ ㄱ, ㄹ. 비교론적 관점에 대한 설명이다.

12 비교론적 관점

밑줄 친 '이 관점'은 비교론적 관점이다. 비교론적 관점은 서로 다른 문화 간의 유사성과 차이점을 분석하여 문화가 갖는 보편성과 특수성을 파악하려는 관점이다.

┃ 바로 알기 ┃ ①, ②, ③ 총체론적 관점에 대한 설명이다. 총체론적 관점은 특정 문화 현상의 의미를 다른 문화 요소나 전체 문화와의 관련성 속에서 이해하려는 관점이다. ④ 상대론적 관점에 대한 설명이다. 상대론적 관점은 특정 기준에 따라 문화를 평가하지 않고, 문화 현상의 의미를 그 문화가 발생한 사회적·역사적 맥락 속에서 이해하려는 관점이다.

13 문화를 바라보는 관점

(가)는 서로 다른 사회의 장례 문화의 공통점과 차이점을 분석하여 다양한 장례 문화를 이해하려고 하므로, 비교론적 관점에서 연구를 진행하고자 함을 알 수 있다. (나)는 A 부족의 장례 문화의 의미를 다른 문화 요소와의 관련성 속에서 이해하려고 하므로, 총체론적 관점에서 연구를 진행하고자 함을 알 수 있다. ② 비교론적 관점에서 문화를 바라보면 자기 문화의 특징을 객관적으로 이해할 수 있으며, 다른 문화에 대한 이해의 폭을 넓힐 수 있다.

┃ 바로 알기 ┃ ① 총체론적 관점에 대한 설명이다. ③ 상대론적 관점에 대한 설명이다. ④ 비교론적 관점에 대한 설명이다. ⑤ 총체론적 관점은 문화의 각 구성 요소가 상호 유기적인 관계를 맺고 있기 때문에 한 사회의 문화를 바라볼 때 어느 한 측면의 문화 요소만을 부분적으로 이해해서는 안 되고, 다른 문화 요소나 전체 문화와의 관련성 속에서 파악해야 한다는 점을 강조한다.

14 자문화 중심주의

┌ 자료 분석 ┐

미국의 한 언론 매체에서 운영하는 ○○ 사이트는 '세계 7대 혐오 음식'을 선정하여 사진과 함께 소개하였다. 그러나 일곱 가지 음식에 서양 음식은 하나도 포함되지 않았고 중국의 피단, 한국의 개고기 요리, 필리핀의 지렁이 수프 등 아시아 음식만 포함되었다.
└ 자기 문화를 기준으로 다른 사회의 문화를 열등하다고 여기는 자문화 중심주의적 태도가 나타나 있어.

ㄴ. 자문화 중심주의는 자기 문화만을 우월한 것으로 여기고 그것을 기준으로 다른 문화를 열등하게 평가하는 태도이다. ㄹ. 자문화 중심주의는 자기 문화에 대한 자부심을 높이고 집단 내 결속력을 강화한다는 장점이 있다.

┃ 바로 알기 ┃ ㄱ, ㄷ. 문화 사대주의에 대한 설명이다.

15 자문화 중심주의의 문제점

제시된 사례에서 서양의 일부 국가는 자기 문화만을 우월한 것으로 여기고 그것을 기준으로 다른 문화를 낮게 평가하고 있으므로, 자문화 중심주의적 태도를 가지고 있음을 알 수 있다. 갑, 을. 자문화 중심주의는 자기 문화를 뛰어난 것으로 믿고 다른 문화를 배척하는 국수주의로 연결되어 다른 문화와 갈등을 일으킬 수 있다.

┃ 바로 알기 ┃ 병. 문화 사대주의의 문제점에 해당한다. 정. 자문화 중심주의는 자기 문화에 대한 자부심을 높이고 집단 내 결속력을 강화할 수 있다는 장점이 있다.

16 문화 사대주의

자료 분석

조선 시대 사람들은 세계를 하나의 원으로 표현하여 세계의 중심에 중국을 그리고 조선을 그 주변에 배치한 세계 지도인 천하도를 제작하였다. – 문화 사대주의

문항	답안
(1) 문화를 평가의 대상으로 본다.	○
(2) 자기 문화의 주체성을 높이는 데 유리하다.	×
(3) 다른 문화를 수용하는 데 어려움을 겪을 수 있다.	○ – ×
(4) 각 사회의 문화는 그 사회의 맥락에서 이해해야 한다고 본다.	×
(5) 다른 사회의 문화를 기준으로 자기 문화를 열등하게 평가한다.	○

└ 한 문제를 틀렸으므로 학생이 받을 점수는 8점이야. (문항당 2점)

제시된 사례에서 조선 시대 사람들은 중국을 세계의 중심으로 보고 자기 문화를 낮게 평가하고 있으므로, 문화 사대주의적 태도를 지니고 있음을 알 수 있다. (1) 문화 사대주의는 문화의 우열을 평가하는 절대적 기준이 있다고 보는 태도이다. (2) 문화 사대주의는 다른 문화를 무분별하게 수용할 경우 자기 문화의 주체성을 상실할 수 있다. (4) 문화 상대주의에 대한 설명이다. (5) 문화 사대주의는 다른 사회의 문화를 기준으로 자기 문화를 열등하게 평가하는 태도이다.

바로 알기 (3) 문화 사대주의적 태도는 다른 문화의 좋은 점을 받아들여 자기 문화가 발전하는 계기가 될 수 있다.

17 자문화 중심주의와 문화 사대주의

(가)에서 연나라에 살던 한 젊은이는 조나라의 문화를 우월한 것으로 여기고 자기 문화는 열등하다고 여기므로, 문화 사대주의적 태도를 가지고 있음을 알 수 있다. (나)에서 우리나라 사람들은 우리나라의 문화를 기준으로 서양의 문화를 부정적으로 평가하므로, 자문화 중심주의적 태도를 가지고 있음을 알 수 있다.

18 문화 사대주의와 문화 상대주의

갑은 다른 사회의 문화를 우월한 것으로 여기고 그것을 기준으로 자기 문화를 열등하게 평가하고 있으므로, 문화 사대주의적 태도를 지니고 있음을 알 수 있다. 을은 특정한 문화 현상을 그 사회의 특수한 자연환경, 역사적 배경, 사회적 맥락 등을 고려하여 이해하고 있으므로, 문화 상대주의적 태도를 지니고 있음을 알 수 있다. ㄴ. 문화 사대주의적 태도를 가지고 다른 사회의 문화를 무분별하게 수용하면 고유문화의 유지 및 발전을 어렵게 할 수 있다. ㄷ. 문화 상대주의적 태도는 문화 간에 우열이 존재하지 않는다고 보며, 문화를 평가의 대상이 아닌 이해의 대상으로 인식한다.

바로 알기 ㄱ. 자문화 중심주의에 대한 설명이다. 자문화 중심주의적 태도는 극단적일 경우 다른 사회의 문화를 자기 문화에 종속하려는 문화 제국주의로 변질될 수 있다. ㄹ. 문화 상대주의는 다양한 문화 현상을 편견 없이 이해함으로써 문화적 다양성을 보존하는 데 이바지할 수 있다.

19 문화를 이해하는 태도

(가)는 문화 상대주의, (나)는 문화 사대주의, (다)는 자문화 중심주의에 해당한다. ① 문화 상대주의는 모든 문화는 서로 다른 자연환경, 역사적 배경, 사회적 맥락에 따라 형성된 것이므로 각자 나름의 고유한 가치가 있다고 보는 태도이다. ② 조선의 일부 집현전 학자들이 중국의 문화를 우수한 것으로 여기고 자기 문화를 열등하게 평가한 것은 문화 사대주의의 사례에 해당한다. ③ 고대 그리스 사람들이 자기 문화를 우월한 것으로 여기고 그것을 기준으로 다른 사회의 문화를 열등하게 평가한 것은 자문화 중심주의의 사례에 해당한다. ⑤ 문화 사대주의와 자문화 중심주의는 문화 상대주의와 달리 특정 문화를 기준으로 문화의 우열을 평가할 수 있다고 보는 태도이다.

바로 알기 ④ 문화 사대주의에 대한 설명이다. 문화 사대주의는 다른 문화의 좋은 점을 받아들여 자기 문화가 발전하는 계기가 될 수 있다는 장점이 있다.

완자 정리 노트   문화를 이해하는 태도

자문화 중심주의	자기 문화만을 우월한 것으로 여기고 그것을 기준으로 다른 문화를 낮게 평가하는 태도
문화 사대주의	다른 문화를 우월한 것으로 여기고 추종하면서 자기 문화를 열등하게 평가하는 태도
문화 상대주의	모든 문화는 서로 다른 자연환경, 역사적 배경, 사회적 맥락에 따라 형성된 것이므로 각자 나름의 고유한 가치가 있다고 보는 태도

20 문화 상대주의의 유의점

제시된 글에서 명예 살인은 인류의 보편적 가치를 훼손하는 문화이므로, 문화 상대주의를 적용하는 것은 바람직하지 않다. ⑤ 문화를 그 사회의 맥락을 고려하여 이해하는 태도는 필요하지만, 생명 존중이나 인간의 존엄성과 같은 인류의 보편적 가치를 무시하는 문화까지 인정하려는 극단적인 태도는 경계해야 한다.

서술형 문제

109쪽

01 주제: 문화의 속성

예시 답안 문화의 전체성(총체성). 문화를 구성하는 다양한 문화 요소들은 상호 유기적인 관계를 맺고 있으므로, 문화의 어느 한 부분에 변화가 생기면 연쇄적으로 다른 부분에도 영향을 미친다.

채점 기준

상	문화의 전체성(총체성)이라고 쓰고, 그 특징을 정확하게 서술한 경우
하	문화의 전체성(총체성)이라고만 쓴 경우

02 주제: 문화를 바라보는 관점

예시 답안 총체론적 관점. 총체론적 관점은 특정 문화 현상의 의미를 다른 문화 요소나 전체 문화와의 관련성 속에서 이해하려는 관점을 말한다.

채점 기준

상	총체론적 관점을 쓰고, 그 의미를 정확하게 서술한 경우
하	총체론적 관점이라고만 쓴 경우

03 주제: 문화를 이해하는 태도

(1) (가) 문화 사대주의 (나) 자문화 중심주의

(2) 예시 답안 문화 사대주의와 자문화 중심주의는 모두 특정 문화를 기준으로 문화의 우열을 평가할 수 있다고 본다. 그러나 문화 사대주의는 다른 사회의 문화를 기준으로 문화의 우열을 평가하고, 자문화 중심주의는 자기 문화를 기준으로 문화의 우열을 평가한다는 점에서 차이가 있다.

채점 기준

상	문화 사대주의와 자문화 중심주의의 공통점과 차이점을 모두 정확하게 서술한 경우
중	문화 사대주의와 자문화 중심주의의 공통점과 차이점을 모두 서술하였으나, 내용이 미흡한 경우
하	문화 사대주의와 자문화 중심주의의 공통점과 차이점 중 한 가지만 서술한 경우

1 ⑤	2 ④	3 ③	4 ③	5 ①	6 ②	7 ⑤	8 ①

1 문화의 의미

㉠은 한 사회의 구성원이 공유하는 모든 생활 양식을 의미하므로, 넓은 의미의 문화에 해당한다. ㉡은 공연이나 예술 등 특정 분야에 관련된 것을 의미하므로, 좁은 의미의 문화에 해당한다. ① 넓은 의미의 문화는 한 사회의 구성원이 공유하는 행동 양식이나 사고방식 등의 모든 생활 양식을 의미한다. ② 문화인에서의 문화는 세련되고 교양 있는 것을 의미하므로, 좁은 의미의 문화에 해당한다. ③ 인간의 행위 중에서 갈증이 날 때 물을 끓여 마시거나 졸려서 하품을 할 때 입을 가리는 것 등과 같이 후천적으로 학습된 행동은 문화에 해당한다.

┃바로 알기┃ ⑤ 배가 고프면 배에서 소리가 나는 것은 본능에 따른 행동이므로 문화라고 볼 수 없다. 따라서 좁은 의미의 문화, 넓은 의미의 문화 중 어디에도 속하지 않는다.

2 문화의 속성

자료 분석

• A국에서는 식사할 때 남성은 도구를 사용하지 않고, 맨손으로 음식을 집어 먹는다. A국 사람들에게 이런 행위는 남성다움을 보여 주는 것으로 인식되어 있다. ┈ A국 사람들이 공유하는 문화야.

• B국에서는 전통적으로 결혼한 여성은 두건을 착용해야 한다. B국 사람들에게 두건은 기혼 여성으로서의 표식이자 가족의 생계를 책임지는 사람임을 나타내는 상징물이다. ┈ B국 사람들이 공유하는 문화야.

제시된 두 사례에서는 공통적으로 문화의 공유성이 부각되어 있다. ㄴ, ㄹ. 한 사회의 구성원들은 같은 문화를 공유하고 있기 때문에 특정한 상황에서 서로의 행동을 이해하고 예측할 수 있으며, 원만한 사회생활을 할 수 있게 된다.

┃바로 알기┃ ㄱ은 문화의 축적성, ㄷ은 문화의 변동성에 대한 설명이다.

3 문화의 의미와 속성

㉡은 문화는 태어날 때부터 가지고 나오는 것이 아니라 후천적으로 학습하는 것임을 보여 준다. 이를 통해 문화의 학습성을 알 수 있다. ㉣은 시간이 흐르면서 문화의 형태와 내용이 변화한다는 것을 보여 준다. 이를 통해 문화의 변동성을 알 수 있다. ㉤은 문화를 구성하는 각 요소가 상호 밀접한 관련을 맺고 있다는 것을 보여 준다. 이를 통해 문화의 전체성을 알 수 있다. ③ ㉢은 문화가 한 세대에서 다음 세대로 전해지면서 새로운 문화 요소가 추가되어 풍부해지고 있음을 보여 준다. 이를 통해 문화의 축적성을 알 수 있다.

┃바로 알기┃ ① 전통문화에서의 문화는 한 사회의 구성원이 공유하는 생활 양식을 의미하므로, 넓은 의미로 사용되었다. ② 문화의 공유성에 대한

설명이다. ④ 문화의 전체성에 대한 설명이다. ⑤ 문화의 변동성에 대한 설명이다.

4 문화를 바라보는 관점

자료 분석

┌─ 서로 다른 문화 간의 유사성과 차이점을 분석하는
│ 것은 비교론적 관점이야.
• 갑은 우리나라, 중국, 일본의 젓가락 문화의 공통점과 차이점을 살펴봄으로써 각 나라의 젓가락 문화에 담긴 사회적 의미를 연구하였다.
• 을은 우리나라, 중국, 일본의 젓가락 문화가 다른 것이 각 나라의 사람들이 음식을 먹는 방식이나 즐겨먹는 음식 등과 어떤 연관성을 가지는지 연구하였다.
└─ 특정 문화 현상의 의미를 다른 문화 요소와의 관련성
   속에서 파악하려는 것은 총체론적 관점이야.

갑의 관점은 비교론적 관점, 을의 관점은 총체론적 관점에 해당한다. ㄴ. 총체론적 관점은 문화의 각 구성 요소가 다른 문화 요소와 상호 유기적인 관계를 맺으면서 하나로서의 전체를 이루고 있다고 본다. ㄷ. 비교론적 관점은 다른 문화와의 비교를 통해 자기 문화의 특징을 객관적으로 이해할 수 있게 한다.

┃바로 알기┃ ㄱ. 상대론적 관점에 대한 설명이다. 상대론적 관점은 한 사회의 문화를 그 사회의 자연환경, 사회적 상황, 역사적 맥락 등을 고려하여 이해하려는 관점이다. ㄹ. 비교론적 관점에 대한 설명이다.

5 문화를 바라보는 관점

(가)는 서로 다른 문화 간의 유사성과 차이점을 분석하려고 하므로, 비교론적 관점에 해당한다. (나)는 특정 문화 현상의 의미를 다른 문화 요소나 전체와의 관련성 속에서 파악하려고 하므로, 총체론적 관점에 해당한다. 따라서 나머지 (다)는 상대론적 관점에 해당한다. ① 비교론적 관점은 서로 다른 문화를 비교하여 문화의 보편성과 특수성을 이해하려는 관점이다.

┃바로 알기┃ ② 총체론적 관점에 대한 설명이다. ③ 총체론적 관점은 문화의 각 구성 요소가 상호 유기적인 관계를 맺고 있기 때문에 한 사회의 문화는 다른 문화 요소나 전체와의 관련성 속에서 파악해야 한다고 본다. ④ 상대론적 관점은 특정 기준에 따라 문화의 우열을 평가하지 않으므로 다른 문화를 편견 없이 이해할 수 있게 한다. ⑤ 미국 청소년과 사모아 청소년의 사춘기 스트레스를 비교하는 것은 비교론적 관점의 연구 사례에 해당한다.

6 문화를 이해하는 태도

오리엔탈리즘은 서양의 관점에서 동양의 문화를 낮게 평가하는 관점이므로, 자문화 중심주의적 태도에 해당한다. ㄱ. 자문화 중심주의는 다른 문화를 배척하는 국수주의로 연결되어 다른 문화와 갈등을 일으킬 수 있다. ㄹ. 자문화 중심주의는 자기 문화만을 우월한 것으로 여기고 자기 문화를 기준으로 다른 문화를 열등하게 평가하는 태도이다.

┃바로 알기┃ ㄴ. 자문화 중심주의는 자기 문화에 대한 자부심을 높이고 집단 내 결속력을 강화할 수 있다는 장점이 있다. ㄷ. 문화 상대주의에 대한 설명이다.

7 문화를 이해하는 태도

갑은 우리나라의 문화만을 우월한 것으로 여기고 그것을 기준으로 A 부족의 문화를 낮게 평가하고 있으므로, 자문화 중심주의적 태도를 지니고 있음을 알 수 있다. 을은 문화가 형성된 역사적 배경과 사회적 맥락을 고려하여 A 부족의 문화를 이해하고 있으므로, 문화 상대주의적 태도를 지니고 있음을 알 수 있다. ㄷ. 자문화 중심주의는 문화의 우열을 평가하는 절대적 기준이 있다고 보는 반면, 문화 상대주의는 문화의 우열을 평가할 수 없다고 본다. ㄹ. 문화 상대주의는 각 사회의 문화가 가진 고유성을 인정하는 태도이므로, 문화의 다양성 보존에 기여한다.

┃바로 알기┃ ㄱ. 자문화 중심주의는 자기 문화만을 우월한 것으로 여기고 그것을 기준으로 다른 문화를 낮게 평가하는 태도로, 문화의 우열을 평가할 수 있다고 본다. ㄴ. 자문화 중심주의에 대한 설명이다. 자문화 중심주의는 자기 문화를 뛰어난 것으로 믿고 다른 문화를 배척하는 국수주의로 변질될 수 있다는 비판을 받는다.

8 문화를 이해하는 태도

㉠은 문화 사대주의, ㉡은 자문화 중심주의, ㉢은 문화 상대주의에 해당한다. ① 외국 브랜드 제품을 더 좋은 것으로 생각하고 맹목적으로 선호하는 것은 문화 사대주의의 사례에 해당한다.

┃바로 알기┃ ② 문화 상대주의를 극단적으로 적용할 경우 인류의 보편적 가치를 훼손하는 문화까지도 인정하는 극단적 문화 상대주의에 빠질 수 있다는 문제점이 있다. ③ 자문화 중심주의의 사례에 해당한다. ④ 문화 사대주의와 자문화 중심주의는 문화의 우열을 평가할 수 있다고 본다. ⑤ 문화 상대주의는 문화 간 우열을 비교할 수 없다고 보고, 문화를 그 사회의 맥락에서 이해하려는 태도이다.

02 현대 사회의 문화 양상

STEP 1 · 핵심 개념 확인하기
116쪽

1 (1) 하위문화 (2) 강화 2 (1) 반 (2) 세 (3) 지 3 ㉠ 대중문화 ㉡
대중 매체 4 (1) 획일화 (2) 생산자 5 (1) × (2) ○ (3) ○

STEP 2 · 내신 만점 공략하기
116~119쪽

01 ② 02 ③ 03 ② 04 ③ 05 ① 06 ④ 07 ⑤
08 ④ 09 ② 10 ⑤ 11 ① 12 ②

01 하위문화의 의미와 특징

㉠은 주류 문화(전체 문화), ㉡은 하위문화이다. ㄱ. 주류 문화는
한 사회의 구성원 대부분이 공유하는 문화이므로, 각 사회의 일반
적인 생활 양식의 특징을 나타낸다. ㄹ. 하위문화는 주류 문화의
범주를 어떻게 규정하느냐에 따라 상대적으로 규정할 수 있다.

❚ 바로 알기 ❚ ㄴ. 사회가 다양화되고 복잡해질수록 하위문화는 더욱 다양해
진다. ㄷ. 하위문화에 대한 설명이다. 하위문화는 형성 요인과 양상이 다양하
기 때문에 주류 문화에서는 얻을 수 없는 독특하고 다양한 문화적 욕구를
충족시켜 준다.

02 하위문화의 기능

자료 분석

문항	답안
(1) 사회 전체의 문화를 풍부하게 한다.	× - ○
(2) 전체 사회 구성원의 문화 공유성을 높여 준다.	○ - ×
(3) 같은 하위문화를 공유하는 구성원의 소속감을 약화할 수 있다.	×
(4) 전체 사회에 문화 다양성을 제공하여 주류 문화의 획일성을 방지해 준다.	○
(5) 서로 다른 하위문화 간의 차이를 인정하지 않을 경우 문화적 갈등이 발생할 수 있다.	○

└ 두 문제를 틀렸으므로 학생이 받을 점수는 6점이야. (문항당 2점)

(3) 하위문화는 같은 하위문화를 공유하는 구성원들의 문화 정체
성과 소속감 형성에 도움을 준다. (4) 하위문화는 주류 문화에서는
얻을 수 없는 다양한 문화적 욕구를 충족시켜 주므로, 주류 문화
의 획일성을 방지하고 주류 문화에 활력을 불어 넣는다. (5) 서로
다른 하위문화를 공유하는 사람들이 다른 하위문화의 특징을 인
정하지 않을 경우 문화적 갈등이나 충돌이 발생할 수 있다.

❚ 바로 알기 ❚ (1), (2) 하위문화는 다양한 문화적 욕구를 충족하여 사회 전체
의 문화를 풍부하고 다양하게 한다.

03 지역 문화의 기능

㉠은 지역 문화이다. ㄱ, ㄹ. 지역 문화가 활성화되면 지역 주민의
문화적 정체성이 강화되고, 향토 예술과 같은 지역의 고유문화가
발전할 수 있다.

❚ 바로 알기 ❚ ㄴ, ㄷ. 지역 문화는 같은 지역에 사는 사람들에게 동질감과
유대감을 길러 주고, 국가 전체적으로 문화적 다양성을 높일 수 있는 바탕
을 제공한다.

04 세대 문화

① 청소년 문화는 기존 문화에 대해 비판적이고 저항적인 성격을
띤다. ② 오늘날 고령화가 급속히 진행되고 노인의 정치적·사회적
영향력이 커지면서 노인 문화에 대한 관심이 높아지고 있다. ④ 청
소년 문화는 새로운 것을 추구하는 변화 지향적인 성격이 강하므
로, 노인 문화에 비해 새로운 문화 요소를 빠르게 수용하는 편이
다. ⑤ 서로 다른 세대의 경험이나 사고를 이해하지 못할 경우 세
대 간 갈등이 발생할 수 있다.

❚ 바로 알기 ❚ ③ 청소년 문화에 대한 설명이다. 청소년 문화는 대중문화의
영향을 많이 받아 충동적이고 모방적인 성향을 띠기도 한다.

05 반문화

자료 분석

┌ 유교적 신분 질서가 엄격한 조선 시대에
천주교 문화는 반문화에 해당해.

• 조선은 엄격하게 신분을 구별하는 사회였다. 따라서 │신분과 성
별의 구별 없이 한 방에 모여 예배를 드리는 천주교도의 모습은│
당시 조선의 사회 문화에 크게 반하는 것이었다.

• 1960년대 미국에 나타난 히피 집단은 기존의 사회 통념이나 제
도 등에 저항하면서 자신들만의 공동체를 형성하였다. 이들은
전쟁과 폭력을 반대하고, │인권, 평화 등과 같은 새로운 가치 질
서를 확산시켜 나갔다.
└ 히피 문화는 기존 사회의 지배적인 문화에
반대하므로 반문화에 해당해.

제시된 두 사례에 공통으로 나타난 하위문화의 유형은 반문화이
다. ㄱ, ㄴ. 반문화는 사회의 지배적인 문화에 저항하고 대립하는
문화로, 주류 문화에 적대적인 경우가 많다. 그러나 주류 문화의
변동을 유도함으로써 사회 변동을 촉진하는 요인이 되기도 한다.

❚ 바로 알기 ❚ ㄷ. 반문화는 하위문화의 한 유형으로, 같은 하위문화를 공유
하는 집단 구성원 간의 소속감이나 연대 의식을 강화한다. ㄹ. 반문화는 독
자성이 강하고 주류 문화에 적대적인 경우가 많기 때문에 사회적 갈등 및
혼란을 초래하기도 한다.

06 주류 문화와 하위문화

(가)는 한 사회의 지배적인 문화에 저항하는 문화라고 했으므로 반
문화, (다)는 한 사회 내에서 일부 구성원들만 공유하는 문화가 아
니라고 했으므로 주류 문화에 해당한다. 따라서 나머지 (나)는 반
문화의 성격이 없는 하위문화이다. ④ 원래 하위문화였던 것이 사
회 변동에 따라 주류 문화가 되거나, 하위문화가 한 사회 구성원
대부분이 공유하는 전체 문화로 변화할 수도 있다.

┃ 바로 알기 ┃ ① 지역별로 다르게 나타나는 사투리 문화는 지역 문화로, 반문화의 성격이 없는 하위문화의 사례에 해당한다. ② 반문화와 하위문화는 모두 해당 문화를 공유하는 구성원의 문화 정체성 및 소속감 형성에 도움을 준다. ③ 반문화에 대한 설명이다. 반문화는 주류 문화에 적대적인 경우가 많아 사회 갈등 및 사회적 혼란을 초래하기도 한다. ⑤ 주류 문화는 여러 하위문화를 통틀어서 일컫는 말이 아니다. 따라서 주류 문화는 하위문화의 총합으로 설명할 수 없다.

완자 정리 노트   다양한 하위문화

지역 문화	한 사회를 구성하는 여러 지역 사회에서 나타나는 고유한 생활 양식
세대 문화	공통의 체험을 토대로 한 특정 범위의 연령층이 공유하는 문화
반문화	사회의 지배적인 문화에 저항하고 대립하는 문화

07 대중문화의 의미와 특징

㉠은 대중문화이다. ㄷ. 대중문화는 대중의 수준과 기호를 반영해 대량으로 생산되고 다수에 의해 대량으로 소비된다. ㄹ. 대중문화는 대중이 일상생활 속에서 손쉽게 접하고 즐길 수 있다.

┃ 바로 알기 ┃ ㄱ. 대중문화는 대중 매체를 통해 전달되므로 공유되는 범위가 넓고 확산 속도가 빠른 편이다. ㄴ. 대중문화의 발달로 일부 상류층만이 누리던 문화적 혜택을 다수의 사람들이 누릴 수 있게 되었다. 이처럼 대중문화는 대중의 수준과 기호를 고려하고, 이를 반영하기 위해 노력한다.

08 대중문화의 순기능

제시된 대화를 통해 대중문화가 대중 매체를 통해 대중에게 새로운 지식이나 정보를 전달하고 있음을 알 수 있다.

┃ 바로 알기 ┃ ① 대중문화는 대중 매체를 통해 같은 정보가 동시에 제공되어 사회 구성원들의 생활 양식이나 가치관을 획일화할 수 있으나, 제시된 사례와는 관련 없다. ② 대중문화의 순기능에 해당하지만 제시된 사례와는 관련 없다. ③ 대중문화의 발달로 소수의 특권 계층만이 누리던 문화적 혜택이 대중화되었다. ⑤ 대중문화의 상업성이 지나치게 강조될 경우 자극적이고 선정적인 내용을 다루어 대중문화의 질이 낮아질 수 있으나, 제시된 사례와는 관련 없다.

09 대중문화의 역기능

제시된 글에서는 대중문화의 상업성이 지나치게 강조됨으로써 대중문화가 선정성과 폭력성을 띠는 등 문화의 질적 저하가 나타나는 모습을 보여 준다.

10 대중문화의 특징

제시된 글에서는 스마트폰과 인터넷이라는 뉴 미디어의 등장과 보급으로 간편하고 짧게 즐길 수 있는 문화 콘텐츠가 늘어나고 있음을 보여 준다. 이처럼 대중문화는 대중 매체를 통해 형성되고 확산되므로, 새로운 대중 매체가 등장하면 대중문화의 양상도 달라질 수 있다.

11 대중 매체의 종류

A는 정보 전달의 양방향성이 가장 높다고 했으므로 뉴 미디어, B는 정보의 확산 속도가 C보다 높다고 했으므로 영상 매체에 해당한다. 따라서 C는 인쇄 매체이다. ㄱ. 뉴 미디어는 디지털 방식으로 정보를 제작하고 유통하기 때문에 인쇄 매체에 비해 정보를 전송하고 재가공하는 것이 용이하다. ㄴ. 영상 매체는 소리와 영상을 이용하여 정보를 전달하는 매체이므로, 문자와 사진을 이용하여 정보를 전달하는 인쇄 매체에 비해 시각과 청각에 의존하는 정도가 높다.

┃ 바로 알기 ┃ ㄷ, ㄹ. 뉴 미디어는 정보 소비자가 정보 생산 과정에 적극적으로 참여하는 쌍방향 매체로, 인쇄 매체와 영상 매체에 비해 정보의 생산자와 소비자 간의 상호 작용이 활발하다. 또한 뉴 미디어와 같은 쌍방향 매체의 등장으로 문화의 생산자와 소비자의 경계가 점차 모호해지고 있다.

완자 정리 노트   대중 매체의 종류

인쇄 매체	문자와 사진을 이용하여 정보 전달, 깊이 있는 정보 전달 가능 ⑩ 신문, 잡지 등
음성 매체	소리를 이용하여 정보 전달, 적은 비용으로 넓은 범위에 정보 전달 가능 ⑩ 라디오
영상 매체	소리와 영상을 이용하여 정보 전달 ⑩ 텔레비전
뉴 미디어	문자, 사진, 소리, 영상 등을 이용하여 정보 전달, 정보 복제 및 전송에 용이 ⑩ 인터넷, 스마트폰 등

12 대중문화를 수용하는 바람직한 자세

① 대중 매체는 이익을 추구하므로 이를 통해 형성되는 대중문화도 상업적인 성격을 띨 수밖에 없다. 따라서 대중은 대중문화의 지나친 상업성을 경계해야 한다. ③ 대중 매체가 잘못된 정보를 제공할 경우 대중문화는 대중 조작의 수단으로 이용될 수 있으므로, 대중은 건전한 대중문화를 만들기 위해 노력해야 한다. ④, ⑤ 대중 매체는 동일한 현상에 대해 서로 다른 내용을 전달할 수 있고, 이에 따라 대중은 사실을 다르게 판단할 수 있다. 따라서 대중은 대중문화가 제공하는 지식이나 정보를 여러 매체를 통해 비교하여 비판적으로 수용해야 한다.

┃ 바로 알기 ┃ ② 대중 매체가 항상 객관적이고 중립적인 정보를 제공하는 것은 아니기 때문에 동일한 현상이라도 대중 매체가 현상을 보는 관점에 따라 다르게 평가된다. 따라서 대중은 대중 매체가 제공하는 지식이나 정보를 비판적으로 수용하는 자세를 길러야 한다.

서술형 문제

119쪽

01 주제: 반문화의 의미와 기능

(1) 반문화

(2) **예시 답안** 반문화는 주류 문화에 적대적인 경우가 많아 사회 갈등이나 사회적 혼란을 초래할 수 있다. 그러나 주류 문화의 변동을 유도함으로써 새로운 문화 형성의 계기가 되거나 사회 변화의 원동력이 되기도 한다.

채점 기준

상	반문화의 기능을 두 가지 이상 정확하게 서술한 경우
하	반문화의 기능을 한 가지만 서술한 경우

02 주제: 대중 매체의 종류

(1) A – 뉴 미디어, B – 인쇄 매체

(2) **예시 답안** • 쌍방향 정보 전달에 유리한가?

• 정보의 생산자와 소비자의 경계가 모호한가?

• 정보의 실시간 전달이 용이한가?

채점 기준

상	인쇄 매체와 뉴 미디어의 차이점이 드러나는 질문을 두 가지 이상 정확하게 서술한 경우
하	인쇄 매체와 뉴 미디어의 차이점이 드러나는 질문을 한 가지만 서술한 경우

STEP 3 1등급 정복하기

120~121쪽

1 ④   2 ③   3 ②   4 ⑤

1 하위문화의 유형

자료 분석

김치는 우리나라의 여러 지역에서 나타나는 고유한 생활 양식이므로, 지역 문화에 해당해.

• 한국의 대표적인 음식 문화인 김치는 각 지역에 따라 독특한 특색이 있다. 전라도에서는 고춧가루와 젓갈 등의 양념을 많이 사용하는 반면, 강원도에서는 오징어, 명태 등의 해산물을 재료로 활용한다. ─ 사투리는 지역의 역사와 전통, 지역민의 독특한 정서가 배어 있는 지역 문화에 해당해.

• 최근 사투리를 보존하려는 지방 자치 단체의 움직임이 활발하게 전개되고 있다. 울산광역시에서는 울산 방언사전을 펴내 사투리 보존에 나서고 있으며, 강원도에서는 강릉 사투리 보존회가 다양한 문화 콘텐츠를 통해 사투리 알리기에 나서고 있다.

제시된 두 사례에 공통으로 나타난 하위문화의 유형은 지역 문화이다. ④ 지역 문화는 한 사회를 구성하는 여러 지역 사회에서 나타나는 고유한 생활 양식으로, 각 지역 사람들이 서로 다른 자연환경, 역사적 배경, 사회적 상황 등에 적응하는 과정에서 형성되었다.

바로 알기 ①, ② 지역 문화는 국가 전체적으로 문화적 다양성을 높이는 역할을 하고, 지역 문화가 활성화되면 지역 주민의 정체성 및 유대감이 강화된다. ③ 세대 문화에 대한 설명이다. 세대 문화는 공통의 체험을 토대로 사고방식이나 생활 양식이 비슷한 일정 범위의 연령층이 공유하는 문화로, 나이와 시대적 경험이 결합하여 형성된다. ⑤ 반문화에 대한 설명이다. 반문화는 사회의 지배적인 문화에 저항하고 대립하는 문화로, 주류 문화에 적대적인 경우가 많아 사회 갈등 및 사회적 혼란을 초래할 수 있다.

2 다양한 하위문화

A 문화는 주류 문화, B 문화는 하위문화, C 문화는 반문화이다. ㄴ. 반문화를 포함한 하위문화는 서로 다른 하위문화 간의 차이를 인정하지 않을 경우 문화적 갈등을 초래하여 사회 통합을 저해할 수 있다. ㄷ. 반문화는 주류 문화의 문제를 노출시킴으로써 이에 대한 성찰의 계기를 마련하여 사회가 바람직한 방향으로 변화하는 데 도움을 주기도 한다.

바로 알기 ㄱ. 반문화는 사회의 지배적인 문화에 대립하는 문화로, 주류 문화에 적대적인 경우가 많지만 주류 문화의 문제를 노출시킴으로써 주류 문화의 변동을 유도하기도 한다. 따라서 반문화는 주류 문화와 공존이 가능하다. ㄹ. 하위문화와 반문화는 모두 시대나 사회에 따라 상대적으로 규정되므로, 사회가 변화함에 따라 주류 문화가 되기도 한다.

3 대중문화의 기능

자료 분석

┌ 대중문화는 이익을 추구하는 대중 매체에 의해 형성되지.

(가) 오늘날 대중 매체를 보유한 기업이 대중문화를 생산하고, 대중은 그것을 소비하는 역할에 한정된다. 기업은 이윤 추구라는 목적에 따라 소비자인 대중의 주목을 받기 위해 저질 문화를 양산한다. ┌ 대중문화는 대중 매체를 통해 동일한 정보를 동시에 제공하지.

(나) 텔레비전에 나오는 유명 연기자의 옷차림과 스타일은 유행에 영향을 준다. 많은 사람들은 개인의 개성을 추구하기보다는 텔레비전이나 스마트폰을 통해 최신 유행을 접하며 유행에 동화되고 있다.

(가)는 대중문화가 지나치게 상업성을 추구할 경우 문화의 질이 낮아질 수 있다고 본다. (나)는 대중문화가 대중 매체에 의해 널리 퍼지고 공유되면서 개인의 독창성과 개성이 쇠퇴하고 생활 양식이 획일화된다고 본다.

바로 알기 ① (가)는 대중문화의 상업성이 지나치게 강조될 경우 대중문화의 질이 낮아질 수 있고, 이를 접하는 대중의 비판 의식 또한 약화될 수 있다고 본다. ③ 제시된 사례와는 관련 없다. ④ (가)와 (나)는 모두 대중문화의 역기능을 우려한다. ⑤ (가)와 (나)는 모두 대중 매체가 대중문화의 형성 및 확산에 영향을 미친다고 본다.

4 대중 매체의 종류

A는 정보 생산자와 정보 소비자 간의 경계가 뚜렷하지 않다고 했으므로 뉴 미디어, C는 시각 정보를 제공하지 않는다고 했으므로 음성 매체에 해당한다. 따라서 나머지 B는 영상 매체이다. ⑤ 뉴 미디어는 인터넷, 스마트폰 등 정보 전달이 쌍방향으로 이루어지는 매체로, 정보 수용자에 의한 정보 수정 및 재가공이 용이하다.

｜바로 알기｜ ① 뉴 미디어는 음성 매체에 비해 정보 복제 및 전송이 용이하므로, 정보 확산의 시·공간적 제약이 적은 편이다. ② 영상 매체는 시각과 청각 정보를 이용하여 정보를 전달하므로, 청각 정보만을 이용하여 정보를 전달하는 음성 매체에 비해 청각 정보에 대한 의존도가 낮다. ③ 음성 매체는 정보가 대중에게 일방적으로 전달되는 일방향 매체이고, 뉴 미디어는 정보 전달이 쌍방향으로 이루어지는 쌍방향 매체이다. ④ 초기의 대중 매체는 신문, 라디오, 텔레비전 등과 같은 일방향 매체였다면, 최근에는 정보 통신 기술의 발달로 뉴 미디어와 같은 쌍방향 매체가 등장하였다.

03 문화 변동의 양상과 대응

STEP 1 핵심 개념 확인하기
124쪽

1 (1) 발명 (2) 발견 2 ㉠ 강제적 ㉡ 자발적 3 (1) ㄱ (2) ㄷ (3) ㄴ
4 (1) – ㉠ (2) – ㉢ (3) – ㉡ 5 (1) × (2) ○

STEP 2 내신 만점 공략하기
124~127쪽

01 ② 02 ① 03 ② 04 ① 05 ③ 06 ⑤ 07 ③
08 ④ 09 ② 10 ④ 11 ⑤ 12 ③

01 발명과 발견

｜자 료 분 석｜

┌ 축음기라는 새로운 문화 요소를 만들어
　낸 것이므로 발명에 해당해.

- 에디슨의 축음기 (㉠)(으)로 소리를 녹음하고 재생할 수 있게 되었고, 이후 레코드가 상업적으로 발달하여 많은 사람이 쉽게 음악을 접할 수 있게 되었다.

- 얼베르트 센트죄르지는 체내의 각 기관에서 출혈 장애가 나타나는 괴혈병에 비타민 C를 공급하면 효과가 있다는 의학적 지식을 (㉡)하였고, 이후 사람들은 식생활에서 비타민 C를 섭취하기 위해 노력하게 되었다.

└ 괴혈병에 비타민 C의 공급이 효과적이라는 의학적
　지식을 찾아낸 것이므로 발견에 해당해.

㉠은 발명, ㉡은 발견이다. ㄱ. 발명은 이전에는 없었던 새로운 문화 요소를 만들어 내는 것으로 전구, 전화, 자동차의 발명 등을 예로 들 수 있다. ㄹ. 발명과 발견은 모두 한 사회의 내부에서 등장하여 문화 변동을 초래하므로, 문화 변동의 내재적 요인에 해당한다.

｜바로 알기｜ ㄴ. 불교 사상이라는 새로운 사상의 등장은 발명에 해당한다. 발명의 대상은 물질적인 것일 수도 있고 종교, 관념과 같이 비물질적인 것일 수도 있다.

02 간접 전파

제시된 사례에서는 텔레비전, 인터넷 등을 통해 우리나라의 대중 문화가 외국에 전파되고 있으므로, 간접 전파가 나타났음을 알 수 있다. ① 간접 전파는 인쇄물, 텔레비전, 인터넷 등과 같은 매개체를 통해 간접적으로 문화 요소가 전파되는 것을 말한다.

｜바로 알기｜ ② 간접 전파는 사회 외부의 요인에 의한 문화 전파에 해당한다. ③ 직접 전파에 대한 설명이다. 직접 전파는 전쟁, 교역 등 두 문화 간의 직접적인 접촉에 따른 전파이다. ④, ⑤ 자극 전파에 대한 설명이다. 자극 전파는 다른 사회의 문화 요소에서 아이디어를 얻어 새로운 문화 요소를 만들어 낸 것으로, 문화 전파와 발명이 동시에 일어나 문화를 변동시킨다는 특징을 갖는다.

03 직접 전파와 자극 전파

자료 분석

(가) 고유의 문자가 없었던 북아메리카의 체로키족은 백인들과 접촉하면서 백인의 문자인 알파벳의 영향을 받아 체로키족의 고유 문자인 세쿼야를 만들었다. └─ 체로키족이 백인과 접촉하면서 영어의 영향을 받아 만들어 낸 문자

(나) 751년, 당나라군은 탈라스강 근처에서 이슬람군과 전투를 벌였고 크게 패하였다. 이때 이슬람군에 붙잡힌 당나라 병사 중 제지 기술자가 있었고, 이 전투를 계기로 중국의 제지술이 이슬람 세계에 퍼지게 되었다. └─ 이슬람권에는 없었던 당나라의 문화 요소

(가)에서는 체로키족이 백인들과 접촉하면서 전파된 영어에 자극을 받아 세쿼야라는 새로운 문자를 발명하였으므로, 자극 전파가 나타났음을 알 수 있다. (나)에서는 당나라군과 이슬람군이 직접적으로 접촉하는 과정에서 중국의 제지술이 이슬람 세계에 전파되었으므로, 직접 전파가 나타났음을 알 수 있다. ㄹ. 자극 전파와 직접 전파는 모두 외재적 요인에 의한 문화 변동으로, 한 사회가 다른 문화와 교류하거나 접촉하는 과정에서 새로운 문화 요소가 전달되는 문화 전파에 해당한다.

바로 알기 ㄴ. 간접 전파에 대한 설명이다. ㄷ. 자극 전파와 직접 전파는 모두 사회 외부의 요인에 의한 문화 전파에 해당한다.

04 문화 변동의 요인

(가)는 문화 변동의 내재적 요인에 해당하므로 발명, (나)는 문화 요소가 매개체에 의해 전달되는 것이므로 간접 전파에 해당한다. 따라서 나머지 (다)는 직접 전파이다. ① 발명은 이전에는 없었던 새로운 문화 요소를 만들어 내는 것으로, 물질적인 것뿐만 아니라 비물질적인 것도 발명의 대상이 될 수 있다.

바로 알기 ② 고구려의 담징이 일본에 종이와 먹의 제조 방법을 전한 것은 사람이 다른 문화와 직접 접촉하여 문화 요소가 전해진 것으로, 직접 전파의 사례에 해당한다. ③ 직접 전파는 사람이 다른 문화와 직접 접촉하여 문화 요소가 전해지는 것으로, 전쟁, 정복, 교역, 사신 교류 등이 모두 직접 전파에 해당한다. 따라서 직접 전파는 지배 사회의 강제력에 의해서만 나타나는 것은 아니다. ④ 전통 한복을 입기 편한 한복으로 개량한 것은 전파에 의한 문화 변동이라고 볼 수 없다. ⑤ 발명, 간접 전파, 직접 전파는 모두 사회의 문화적 다양성에 기여한다.

완자 정리 노트 문화 변동의 요인

내재적 요인	• 발명: 이전에는 없었던 새로운 문화 요소를 만들어 내는 것 • 발견: 이미 존재하고 있었지만 알려지지 않았던 것을 찾아 내는 것
외재적 요인 (문화 전파)	• 직접 전파: 전쟁, 교역 등을 통해 사람이 다른 문화와 직접 접촉하여 문화 요소가 전해지는 것 • 간접 전파: 문화 요소가 인쇄물, 텔레비전, 인터넷 등과 같은 매개체를 통해 간접적으로 전파되는 것 • 자극 전파: 다른 사회의 문화 요소에서 아이디어를 얻어 새로운 문화 요소를 만들어 내는 것

05 강제적 문화 접변

제시된 사례에서는 식민 지배의 상황에서 A국이 자기 사회의 문화 요소를 B국의 문화 체계 속에 강제로 이식하였으므로, 강제적 문화 접변이 나타났음을 알 수 있다. ③ 강제적 문화 접변은 정복이나 식민 지배 등과 같이 강제적인 힘에 의해 일어나는 문화 변동이다.

바로 알기 ① 제시된 사례에서는 발명이나 발견에 의한 문화 변동을 찾을 수 없다. ②, ④ 자발적 문화 접변에 대한 설명이다. ⑤ 문화 융합에 대한 설명이다.

06 문화 공존

자료 분석

┌─ 문화 접변의 결과 필리핀어와 영어가 함께 쓰이고 있어.
• 미국의 식민 지배를 받은 필리핀에서는 필리핀 고유어인 타갈로그어와 영어를 공용어로 사용하고 있다.

• 우리나라의 차이나타운에 거주하는 중국인들은 우리나라의 생활 양식을 받아들이면서도 중국의 고유문화를 유지하면서 살아가고 있다. └─ 우리나라의 문화와 중국의 문화가 고유한 성격을 잃지 않고 나란히 존재하고 있어.

제시된 두 사례에서는 서로 다른 사회의 문화 요소가 고유한 성격을 잃지 않고 한 사회의 문화 체계 속에 함께 존재하는 문화 공존(문화 병존)이 나타났다.

바로 알기 ①, ③ 문화 동화에 대한 설명이다. ② 발명에 대한 설명이다. ④ 문화 융합에 대한 설명이다.

07 문화 동화와 문화 융합

(가)는 문화 동화에 대한 설명이다. ㄷ에서 프랑스의 지배를 받은 세네갈 사람들은 고유 언어를 잃어버리고 프랑스어를 사용하게 되었으므로, 문화 동화의 사례에 해당한다. (나)는 문화 융합에 대한 설명이다. ㄴ에서 죽염 치약은 우리의 소금 양치 문화에 외국의 치약 문화가 결합하여 만들어진 새로운 문화 요소이므로, 문화 융합의 사례에 해당한다.

바로 알기 ㄱ, ㄹ. 문화 공존의 사례에 해당한다.

08 문화 공존과 문화 융합

A는 문화 공존(문화 병존), B는 문화 융합에 해당한다. ① 문화 공존은 서로 다른 사회의 문화 요소가 한 사회의 문화 체계 속에 나란히 존재하는 것을 말한다. ② 돌침대는 우리의 온돌 문화와 외국의 침대 문화가 결합하여 만들어진 새로운 문화 요소이므로, 문화 융합의 사례에 해당한다. ③ 문화 공존과 문화 융합은 자문화의 정체성이 보존된다는 공통점이 있다. ⑤ 문화 공존은 서로 다른 두 문화가 고유한 성격을 잃지 않고 한 사회의 문화 체계 속에 나란히 존재하는 것이고, 문화 융합은 서로 다른 사회의 문화 요소가 결합하여 제 3의 새로운 문화를 형성하는 것이다.

바로 알기 ④ A, B는 모두 문화 접변에 따른 문화 변동 양상이다. 문화 접변은 직접적인 접촉뿐만 아니라 매개체를 통한 간접적인 전파에 의해서도 나타날 수 있다.

09 문화 접변의 결과

(가)에서는 서로 다른 사회의 문화 요소가 고유한 성격을 잃지 않고 한 사회의 문화 체계 속에서 공존하고 있으므로, 문화 공존(문화 병존)이 나타났음을 알 수 있다. (나)에서는 서로 다른 문화 요소가 결합하여 새로운 문화 요소가 등장하였으므로, 문화 융합이 나타났음을 알 수 있다. (다)에서는 기존 문화 요소가 새로운 문화에 흡수되어 정체성을 상실하였으므로, 문화 동화가 나타났음을 알 수 있다.

10 문화 접변의 결과

(가)는 한 사회의 문화가 다른 사회의 문화 체계 속에 흡수되는 문화 동화를, (나)는 서로 다른 문화 요소가 한 사회의 문화 체계 속에 공존하는 문화 공존(문화 병존)을, (다)는 서로 다른 문화 요소가 결합하여 새로운 문화 요소가 등장한 문화 융합을 나타낸다. ㄴ. 캐나다 퀘백에서 영어와 프랑스어를 공용어로 사용하는 것은 문화 공존의 사례에 해당한다. ㄹ. 문화 동화, 문화 공존, 문화 융합은 모두 문화 접변의 결과이다. 문화 접변은 두 사회가 장기간에 걸쳐 전면적인 접촉을 함으로써 일어나는 변동으로, 외재적 요인에 의한 문화 변동에 해당한다.

┃ **바로 알기** ┃ ㄱ. 문화 융합에 대한 설명이다. 문화 융합으로 인해 새로운 문화 요소가 형성되므로 문화적 다양성이 확대될 수 있다. ㄷ. 문화 융합은 새로운 문화 요소가 등장하는 것이므로, 전체 사회의 문화적 다양성의 확대에 기여한다.

┌──┐
│ **완자 정리 노트**　문화 접변의 결과

문화 공존 (문화 병존)	• 의미: 서로 다른 사회의 문화 요소가 한 사회의 문화 체계 속에 나란히 존재하는 것 • 사례: 필리핀 사람들이 영어와 타갈로그어를 공용어로 사용하는 것
문화 동화	• 의미: 한 사회의 문화가 다른 사회의 문화 체계 속에 흡수되어 정체성을 상실하는 것 • 사례: 아메리카 원주민이 백인 문화와 접촉하면서 원주민 고유의 문화를 상실한 것
문화 융합	• 의미: 한 사회의 기존 문화가 외래문화와 결합하여 새로운 성격을 지닌 제3의 문화가 나타나는 것 • 사례: 인도의 간다라 지방에서 인도의 불교문화와 서양의 문화가 만나 간다라 미술이 나타난 것
└──┘

11 문화 지체

제시된 사례에서는 휴대 전화라는 물질문화는 발달하였지만, 이를 사용하는 사람들의 의식이 그에 미치지 못하는 문화 지체 현상이 나타나 있다. 병, 정. 문화 지체 현상은 물질문화의 빠른 변동 속도를 비물질문화의 변동 속도가 따라가지 못하여 나타나는 문화 요소 간의 부조화 현상을 말한다.

┃ **바로 알기** ┃ 갑, 을. 문화 변동 과정에서 발생하는 문제점에 해당하지만 제시된 사례와는 관련 없다.

12 문화 변동 과정에서 발생하는 문제점과 대응 방안

㉠ 문화가 변동하는 과정에서 비물질문화의 변동 속도가 물질문화의 변동 속도를 따라가지 못하여 문화 요소 간의 부조화가 발생하는 문화 지체 현상이 나타날 수 있다. ㉡ 문화 변동 과정에서 기존의 전통적 규범과 가치관을 대체할 새로운 규범 및 가치관이 아직 정립되지 못하여 혼란과 무규범 상태에 빠지는 아노미 현상이 발생할 수 있다. ㉣, ㉤ 문화 변동 과정에서 발생하는 문제점에 대응하기 위해서는 새로 유입되는 문화 요소를 능동적이고 주체적으로 수용해야 한다. 또한 빠르게 변화하는 물질문화의 변동을 뒷받침할 수 있는 새로운 사회 규범이나 제도를 확립해야 한다.

┃ **바로 알기** ┃ ㉢ 새로운 문화 요소 중 자기 문화에 필요하다고 판단되는 것은 적극적으로 수용하면서도 외래문화가 자문화의 정체성을 훼손할 것으로 판단되는 경우에는 그것을 거부하거나 변형하여 받아들여야 한다.

서술형 문제
127쪽

01 주제: 문화 접변의 결과

(1) (가) 문화 동화 (나) 문화 융합

(2) **예시 답안** 문화 동화는 한 사회의 문화가 다른 사회의 문화 체계 속에 흡수되는 것으로, 외래문화와 교류하는 과정에서 자문화의 정체성을 상실할 우려가 있다. 그러나 문화 융합은 서로 다른 사회의 문화가 결합하여 새로운 문화가 만들어지는 것으로, 자문화의 정체성이 보존될 수 있다.

채점 기준

상	자문화의 정체성을 보존 또는 상실하는지 여부를 포함하여 문화 동화와 문화 융합의 차이점을 정확하게 서술한 경우
하	문화 동화와 문화 융합의 의미만 비교하여 서술한 경우

02 주제: 문화 변동 과정에서 발생하는 문제점

(1) 문화 지체

(2) **예시 답안** 문화 지체는 빠른 물질문화의 변동 속도를 비물질문화의 변동 속도가 따라가지 못하여 나타난다. 이를 해결하기 위해서는 빠르게 변화하는 물질문화의 변동을 뒷받침할 수 있는 새로운 사회 규범이나 제도를 확립해야 한다.

채점 기준

상	문화 지체의 원인과 그 해결 방안을 모두 정확하게 서술한 경우
하	문화 지체의 원인과 해결 방안 중 한 가지만 서술한 경우

1 ②   2 ③   3 ⑤   4 ④

1 문화 변동의 요인

㉠, ㉡은 문화 변동의 요인이 내부에 있다고 했으므로 각각 발명과 발견 중 하나이고, ㉢, ㉣은 각각 직접 전파와 간접 전파 중 하나이다. ㉤은 문화 변동의 요인이 외부에 있고, 새로운 문화 요소를 만들었다고 했으므로 자극 전파에 해당한다. ② (나)가 '문화 요소가 매체에 의해 전달되었는가?'이면, ㉣은 간접 전파이다. 정보 통신 기술이 발달할수록 간접 전파를 통한 문화 변동은 더욱 용이해진다.

┃바로 알기┃ ① (가)가 '존재하지 않던 문화 요소를 새롭게 만들어 냈는가?'이면, ㉠은 발명이다. 전구라는 새로운 문화 요소의 개발은 발명의 사례에 해당하므로, ㉠의 사례에 해당한다. ③ (가)가 '존재하고 있었으나 알려지지 않았던 문화 요소를 찾아냈는가?'이면, ㉠은 발견이다. 그러나 '활의 원리를 이용하여 현악기를 만든 것'은 발명의 사례이므로, (가)의 질문으로 적절하지 않다. ④ (나)가 '문화 요소의 전달이 직접 이루어졌는가?'이면, ㉢은 간접 전파이다. 그러나 '전쟁을 통해 유럽에 설탕이 전파된 것'은 직접 전파의 사례이므로, (나)의 질문으로 적절하지 않다. ⑤ '외국인 선교사에 의해 외래 종교가 전래된 것'은 직접 전파의 사례에 해당한다.

2 문화 변동의 양상

> **자료 분석**
>
>   ┌ 자발적 문화 접변에 따른 문화 변동에 해당해.
> (가) 아메리카의 나바호족은 멕시코인과 <u>적극적으로 교류하면서 직조 기술, 금속 세공술 등을 배워 자신들의 고유문화와 결합한 공예 양식을 발전시켰다.</u>
> (나) 일제 강점기 때 일본은 우리 민족에게 신사 참배 및 일본식 성명 사용 등을 강요하였다. 그러나 우리 민족은 이를 강하게 거부하며 <u>우리 문화를 지키고자 노력하였다.</u>
>   └ 식민 지배의 상황에서 강제적 문화 접변이 나타났음을 알 수 있어.

(가)에서는 나바호족이 멕시코인과 자발적으로 교류하면서 기술을 배워 고유의 문화와 결합하였으므로, 자발적 문화 접변이 나타났음을 알 수 있다. (나)에서는 식민 지배의 상황에서 일본이 자기 사회의 문화 요소를 우리 사회의 문화 체계 속에 강제로 이식하였으므로, 강제적 문화 접변이 나타났음을 알 수 있다. ㄴ. (나)에서는 우리 사회가 일본의 강제적 문화 접변에 대항하는 문화적 저항이 일어났다. ㄷ. (가)에서는 한 사회가 스스로의 필요에 의해 다른 사회의 문화 요소를 자기 사회의 문화 체계 속으로 받아들임으로써 문화 변동이 나타났다.

┃바로 알기┃ ㄱ. 강제적 문화 접변에 대한 설명이다. ㄹ. 강제적 문화 접변은 서로 다른 두 사회가 장기간에 걸쳐 전면적인 접촉을 함으로써 변동이 일어나는 문화 접변에 해당한다. 따라서 발명이나 발견에 의한 문화 변동을 찾아볼 수 없다.

3 문화 접변의 결과

ㄷ. ㉢은 우리나라가 식량 부족 문제를 해결하기 위해 일본의 라면 생산 기술을 도입한 것으로, 자발적 문화 접변에 해당한다. 자발적 문화 접변이란 문화 수용자의 자발적인 필요와 의지에 의해 나타나는 문화 변동을 말한다. ㄹ. 기존 문화인 멕시코 토착 인디언의 전통과 외래문화인 에스파냐의 정복 문화가 만나 새로운 성격의 메스티소 문화가 형성된 것은 우리나라의 김치 라면, 사골 라면과 같이 서로 다른 사회의 문화 요소가 결합하여 제3의 문화가 만들어진 것으로, 문화 융합의 사례에 해당한다.

┃바로 알기┃ ㄱ. 라면은 일본으로 건너온 중국인과의 직접적인 접촉을 통해 전파된 것이므로, 직접 전파로 인해 등장한 문화 요소이다. ㄴ. 인스턴트 라면은 어묵을 기름에 튀기는 것에 아이디어를 얻어 만들어 낸 새로운 문화 요소이므로, 자극 전파의 사례에 해당한다.

4 문화 접변의 결과

제시된 자료를 통해 갑국에서는 을국과의 접촉 이후 갑국의 음식 문화와 을국의 음식 문화가 나란히 존재하고 있으므로, 갑국은 음식 문화에서 문화 공존이 나타났음을 알 수 있다. 한편 을국에서는 갑국과의 접촉 이후 을국의 의복 문화가 갑국의 의복 문화로 대체되고 있으므로, 을국은 의복 문화에서 문화 동화가 나타났음을 알 수 있다. 을국의 음식 문화는 갑국과의 접촉 이후 새로운 문화 요소가 만들어졌으므로, 을국은 음식 문화에서 문화 융합이 나타났음을 알 수 있다. ④ 갑국과 을국 간에 이루어진 문화 접변으로 갑국에서는 음식 문화에서 문화 공존이, 을국에서는 음식 문화에서 문화 융합이 나타났다.

┃바로 알기┃ ①, ③ 을국과 달리 갑국의 의복 문화에서는 문화 변동이 나타나지 않았다. ②, ⑤ 갑국과 을국은 모두 주거 문화에서 문화 변동이 나타나지 않았다.

01 ④   02 ①   03 ②   04 ④   05 ②   06 ③   07 ⑤
08 ①   09 ④   10 ②   11 ③   12 ①   13 ⑤   14 ⑤
15 ①   16 ③

01 문화의 의미

(가)는 좁은 의미의 문화, (나)는 넓은 의미의 문화이다. ① 문화 상품권에서 사용된 문화는 공연이나 예술 등 특정 분야에 관련된 것이므로, 좁은 의미의 문화에 해당한다. ② 좁은 의미의 문화는 공연이나 예술 등 특정 분야에 관련된 것 또는 교양 있거나 세련된 것을 의미한다. ③ 넓은 의미의 문화는 한 사회의 구성원이 주어진 환경에 적응하면서 만들어 온 행동 양식이나 사고방식 등의 모든 생활 양식을 의미한다.

| 바로 알기 | ④ 아프리카의 다양한 음식 문화에서의 문화는 한 사회의 구성원이 공유하는 생활 양식을 의미하므로, 넓은 의미의 문화에 해당한다.

02 문화의 보편성과 특수성

㉠은 인사 문화와 같이 어느 사회에서나 공통으로 나타나는 생활 양식이 있다는 것을 보여 준다. 이를 통해 문화의 보편성을 확인할 수 있다. ㉡은 나라마다 인사를 하는 모습이 다르다는 것을 보여 준다. 이를 통해 문화의 특수성을 확인할 수 있다.

03 문화의 속성

(가)를 통해 문화는 고정불변한 것이 아니라 시간이 흐르면서 그 형태와 내용이 변화하는 것임을 알 수 있다. 이를 문화의 변동성이라고 한다. (나)를 통해 문화는 태어날 때부터 가지고 있는 것이 아니라 후천적으로 습득하는 것임을 알 수 있다. 이를 문화의 학습성이라고 한다. ② 문화의 변동성은 문화가 고정불변한 것이 아니라 기존의 문화 요소가 사라지거나 새로운 문화 요소가 나타나면서 변화한다는 것을 의미한다.

| 바로 알기 | ① 문화의 전체성에 대한 설명이다. ③ 문화는 태어나면서부터 타고나는 것이 아니라 후천적으로 학습하는 것이다. ④ 문화의 축적성에 대한 설명이다.

04 문화의 속성

㉠은 우리나라의 전통 음식인 김치가 언어와 문자를 통해 한 세대에서 다음 세대로 전해지면서 다양해지고 있음을 보여 준다. 이를 통해 문화의 축적성을 알 수 있다. ㉡은 우리나라의 김장 문화가 우리나라의 특수한 자연환경 및 전통적인 생활 방식 등과 상호 연관되어 있다는 것을 보여 준다. 이를 통해 문화의 전체성을 알 수 있다.

| 바로 알기 | ㄱ. 문화의 공유성에 대한 설명이다. 한 사회의 구성원들은 같은 문화를 공유하고 있기 때문에 특정한 상황에서 서로의 행동을 예측할 수 있다. ㄷ. 문화의 변동성에 대한 설명이다.

05 비교론적 관점

제시된 글에서는 일본과 우리나라의 장례 문화 간에 나타나는 유사성과 차이점을 분석하는 비교론적 관점에서 문화를 바라보고 있다. ② 비교론적 관점에서 문화를 바라보면 자기 문화의 특징을 객관적으로 이해할 수 있으며, 다른 문화에 대한 이해의 폭을 넓힐 수 있다.

| 바로 알기 | ① 비교론적 관점은 서로 다른 문화 간의 유사성과 차이점을 모두 분석하여 한 사회의 문화가 지닌 문화의 보편성과 특수성을 이해하려는 관점이다. ③ 상대론적 관점에 대한 설명이다. 상대론적 관점은 한 사회의 문화를 그 사회의 자연환경, 사회적 상황, 역사적 맥락 등을 고려하여 이해하려는 관점이다. ④, ⑤ 총체론적 관점에 대한 설명이다. 총체론적 관점은 문화의 각 구성 요소가 상호 유기적인 관계를 맺고 있기 때문에, 한 사회의 문화는 다른 문화 요소나 전체와의 관계 속에서 파악해야 한다고 본다.

06 문화 사대주의

밑줄 친 일부 우리나라 사람들은 브런치라는 외국어를 우월한 것으로 여기고, 그것을 기준으로 우리말을 열등하게 평가하고 있으므로, 문화 사대주의적 태도를 가지고 있음을 알 수 있다. ㄴ. 문화 사대주의는 문화의 우열을 평가하는 절대적 기준이 있다고 보는 태도이다. ㄷ. 문화 사대주의적 태도를 가지고 다른 사회의 문화를 무분별하게 수용할 경우 자기 문화의 정체성을 상실할 수 있다.

| 바로 알기 | ㄱ. 문화 사대주의는 다른 문화의 장점을 받아들여 자기 문화가 발전하는 계기가 될 수 있다는 장점이 있다. ㄹ. 문화 사대주의는 다른 사회의 문화를 우월한 것으로 여기고, 그것을 기준으로 자기 문화를 열등하게 평가하는 태도이다.

07 자문화 중심주의와 문화 사대주의

A는 자문화 중심주의, B는 문화 사대주의에 해당한다. 제시된 표에서 (가)의 질문에 대해 A와 B 모두 '예'라고 답변하였으므로, (가)에는 자문화 중심주의와 문화 사대주의의 공통점을 묻는 질문이 들어가야 한다. ⑤ 자문화 중심주의와 문화 사대주의는 모두 특정 문화를 기준으로 문화의 우열을 평가하는 태도이다.

08 문화 상대주의

제시된 글에는 티베트의 장례 풍습을 그 사회의 자연환경을 고려하여 이해하는 문화 상대주의적 태도가 나타나 있다. ㄱ, ㄴ. 문화 상대주의는 각 사회의 문화가 가진 고유성을 인정하며 있는 그대로 존중하는 태도로, 문화의 다양성을 보존하는 데 도움을 준다.

| 바로 알기 | ㄷ. 문화 상대주의는 다양한 문화 현상을 편견 없이 이해할 수 있게 하므로 문화 간 교류가 빈번한 현대 사회에서 가져야 하는 태도이다. ㄹ. 자문화 중심주의에 대한 설명이다.

09 하위문화의 의미와 특징

㉠에 들어갈 개념은 하위문화이다. ① 하위문화는 같은 문화를 누리는 구성원의 문화 정체성 및 소속감 형성에 도움을 준다. ②, ③ 하위문화는 다양한 문화적 욕구를 충족하게 하여 전체 사회의 문

화를 풍부하고 다양하게 한다. ⑤ 하위문화는 주류 문화에 지나치게 적대적일 경우 사회 갈등 및 사회적 혼란을 초래할 수 있다는 문제점이 있다.

바로 알기 ④ 하위문화는 주류 문화의 범주를 어떻게 규정하느냐에 따라 상대적인 성격을 띤다.

10 세대 문화

ㄱ. 청소년 문화는 기성세대의 문화에 비판적이고 저항적인 성격을 띤다. ㄹ. 서로 다른 세대의 경험이나 사고를 이해하지 못할 경우 세대 갈등을 유발할 수 있다.

바로 알기 ㄴ. 청소년 문화는 기성세대의 문화에 비해 새로운 것을 추구하는 변화 지향적인 성격이 강하다. ㄷ. 청소년 문화는 기존 문화에 대해 저항적인 경향이 있으므로, 반문화적 성격이 나타나기도 한다.

11 대중문화의 역기능

제시된 두 사례에서는 수많은 사람이 대중 매체를 통해 같은 정보와 지식, 문화 요소를 접하고 그것에 동화됨으로써 대중의 삶의 모습이 획일화되고 있음을 보여 준다. 이처럼 대중문화는 사회 구성원들의 생활 양식이나 가치관을 획일화할 수 있다.

12 대중 매체의 종류

㉠은 인쇄 매체, ㉡은 뉴 미디어이다. ① 신문, 잡지 등과 같은 인쇄 매체는 문자와 사진을 이용하여 정보를 전달하는 매체로, 복잡하고 심층적인 정보 전달이 가능하다.

바로 알기 ② 뉴 미디어는 문자, 사진, 소리, 영상 등 다양한 수단으로 정보를 전달하는 매체이다. ③ 뉴 미디어는 정보 전달이 쌍방향으로 이루어지는 쌍방향 매체이므로, 정보 생산 과정에서 대중의 의사를 반영할 수 있다. ④ 뉴 미디어는 디지털 방식으로 정보를 제작하고 유통하기 때문에 인쇄 매체에 비해 정보의 복제와 전송이 용이하다. ⑤ 뉴 미디어는 인쇄 매체에 비해 정보 전달의 범위가 넓으므로, 정보 전달 범위의 제약이 적은 편이다.

13 문화 변동의 요인

(가)는 발명, (나)는 직접 전파, (다)는 자극 전파이다. ① 계몽사상이라는 새로운 사상의 등장은 발명에 해당한다. 발명의 대상은 물질적인 것일 수도 있고, 종교, 관념, 제도와 같이 비물질적인 것일 수도 있다. ② 문익점이 중국에서 목화씨를 가져온 것은 사람이 다른 문화와 직접 접촉하여 문화 요소가 전해진 것으로, 직접 전파의 사례에 해당한다. ③ 이두는 중국에서 전파된 문화 요소인 한자의 영향을 받아 우리나라에서 새로운 문자를 만들어낸 것으로, 자극 전파의 사례에 해당한다. ④ 자극 전파는 다른 사회의 문화 요소에서 아이디어를 얻어 새로운 문화 요소를 만들어 내는 것으로, 직접 전파는 자극 전파의 원인이 될 수 있다.

바로 알기 ⑤ 발명, 직접 전파, 자극 전파는 모두 문화 변동을 일으키는 요인이므로, 문화 변동 과정에서 문화 지체 현상을 초래할 수도 있다.

14 문화 변동의 양상

에스파냐 군대가 멕시코를 정복하는 과정에서 멕시코 사람들에게 가톨릭교를 믿도록 강요한 것은 강제적 문화 접변에 해당한다. 또한 과달루페 성모상은 유럽의 문화와 멕시코의 문화가 결합하여 만들어진 새로운 형태의 성모상으로, 문화 융합의 사례에 해당한다.

15 문화 접변의 결과

(가)는 제3의 문화 요소가 새롭게 형성되는 것이므로, 문화 융합, (다)는 서로 다른 문화 요소가 한 사회 안에서 공존하는 것이므로, 문화 공존에 해당한다. 따라서 나머지 (나)는 문화 동화이다. ㄱ. 문화 융합은 서로 다른 문화 요소가 결합하여 새로운 문화 요소가 등장하는 현상이므로, 전체 사회의 문화적 다양성 확대에 기여한다. ㄴ. 강제적 문화 접변은 정복이나 식민 지배와 같은 상황에서 지배 사회의 문화 요소를 피지배 사회의 문화 체계 속에 강제로 이식함으로써 나타나는 문화 변동으로, 문화 동화를 목적으로 한다.

바로 알기 ㄷ. 미국에서 아프리카 흑인 음악과 백인 음악이 만나 새로운 문화 요소인 재즈가 등장한 것은 문화 융합의 사례에 해당한다. ㄹ. 문화 융합과 문화 공존은 모두 문화 변동 과정에서 자문화의 정체성이 보존된다.

16 문화 변동 과정에서 발생하는 문제점과 대응 방안

제시된 글에서는 가상 화폐와 같이 새로운 기술이 적용되는 금융 시스템의 발전 속도를 현행 제도가 따라가지 못하는 문화 지체 현상이 나타나고 있음을 보여 준다. ③ 문화 지체 현상은 물질문화의 빠른 변동 속도를 비물질문화의 변동 속도가 따라가지 못하여 나타나는 문화 요소 간의 부조화 현상을 말한다.

바로 알기 ①, ⑤ 문화 변동 과정에서 발생하는 문제점에 해당하지만 제시된 글과는 관련 없다. ② 문화 지체 현상에 대응하기 위해서는 물질문화의 변동을 뒷받침할 수 있는 새로운 사회 규범이나 제도를 확립해야 한다. ④ 아노미 현상에 대한 설명이다. 아노미 현상은 문화 변동 과정에서 기존의 전통적 규범과 가치관이 무너졌으나, 이를 대체할 새로운 규범이 아직 정립되지 못하여 사회적 혼란이 발생하는 현상을 말한다.

Ⅳ. 사회 계층과 불평등

01 사회 불평등 현상과 사회 계층의 이해

STEP 1 핵심 개념 확인하기   142쪽

1 사회 불평등   2 (1) – ㉠, ㉣ (2) – ㉡, ㉢   3 (1) 계급론 (2) 계층론 (3) 계급론   4 ㉠ 이동 방향 ㉡ 이동 원인   5 (1) ○ (2) × (3) ×

STEP 2 내신 만점 공략하기   142~147쪽

01 ④	02 ④	03 ②	04 ②	05 ⑤	06 ③	07 ③
08 ①	09 ⑤	10 ③	11 ③	12 ④	13 ⑤	14 ①
15 ③	16 ②	17 ⑤	18 ③	19 ④	20 ④	

01 사회 불평등 현상의 특징

㉠은 사회 불평등 현상이다. ㄱ. 사회 불평등 현상은 사람의 욕구에 비해 사회적 자원이 희소하기 때문에 나타난다. ㄴ. 권력의 소유와 행사의 차이로 나타나는 불평등을 정치적 불평등이라고 한다. ㄹ. 사회 불평등 현상은 사회 구성원 간 경쟁을 유도하여 효율성을 높이기도 하지만, 갈등을 유발하여 사회 통합을 저해하기도 한다.

▮ 바로 알기 ▮ ㄷ. 사회 불평등 현상의 구체적인 형태나 양상은 사회마다 다르게 나타난다.

02 다양한 영역의 사회 불평등

(가)는 경제적 불평등이고, (나)는 사회·문화적 불평등이다. ① 경제적 불평등은 소득이나 재산의 차이로 나타나는데, 이를 빈부 격차라고도 한다. ② 사회·문화적 불평등은 교육 수준과 같은 사회·문화적 생활의 기회와 수준의 차이로 나타난다. ③ 경제적 불평등은 사회·문화적 불평등으로 이어지기도 한다.

▮ 바로 알기 ▮ ④ 한 영역의 불평등은 그것으로 그치는 것이 아니라 다른 영역의 불평등과 서로 영향을 주고받는다. 따라서 사회·문화적 불평등도 경제적 불평등에 영향을 주기도 한다.

03 사회 불평등 현상을 바라보는 기능론적 관점

제시문의 필자는 최고 경영자가 기능적으로 중요한 일을 하기 때문에 높은 연봉을 받는다고 보고 있다. 이는 기능론적 관점에 해당한다. ㄱ. 기능론적 관점에서는 사회 불평등 현상을 사회적 자원이 차등적으로 분배됨에 따라 나타나는 자연스럽고 불가피한 현상이라고 본다. ㄷ. 기능론적 관점은 사회적 희소 자원이 개인의 능력이나 노력, 사회적 기여도 등에 따라 합리적으로 배분된다고 본다.

▮ 바로 알기 ▮ ㄴ, ㄹ. 갈등론적 관점에 부합하는 진술이다.

04 균등 분배를 바라보는 기능론적 관점

제시된 그래프는 균등 분배 기대치가 높을수록 성취동기가 낮아짐을 보여 준다. 이는 기능론적 관점에 해당한다. ② 기능론적 관점에서는 차등 분배에 따른 사회 불평등이 성취동기를 자극한다고 본다.

▮ 바로 알기 ▮ ①, ③, ④, ⑤ 갈등론적 관점에 부합하는 진술이다.

05 사회 불평등 현상을 바라보는 갈등론적 관점

제시문은 기득권층이 자신의 지배적 위치를 유지하기 위해 업종에 따라 가치를 달리 부여했기 때문에 임금 격차가 발생했다고 보고 있다. 이는 갈등론적 관점에 해당한다. ⑤ 갈등론적 관점에 따르면 사회 불평등은 불가피하지 않으며, 극복해야 할 현상이다.

▮ 바로 알기 ▮ ①, ②, ③, ④ 기능론적 관점에 대한 설명이다.

06 사회 불평등 현상을 바라보는 갈등론적 관점

을은 갈등론적 관점에서 사회 불평등 현상을 바라보고 있다. ㄷ. 갈등론에서는 사회적 자원이 개인의 능력이나 노력이 아닌, 권력이나 가정의 사회·경제적 배경과 같은 요인에 의해 불공정하게 분배된다고 본다. ㄹ. 갈등론에서는 사회적 자원이 사회 전체적으로 합의된 기준이 아닌, 지배 집단에 유리한 기준에 따라 불공정하게 분배된다고 본다.

▮ 바로 알기 ▮ ㄱ. 기능론에서는 직업마다 중요도에 차이가 있고, 더 중요한 직업에 더 능력이 있는 사람을 배치하기 위해 사회적 자원을 차등적으로 분배하여 사회 불평등 현상이 발생한다고 본다. ㄴ. 기능론에서는 사회적 자원이 개인의 능력이나 노력, 직업의 사회적 기여도 등에 따라 합리적으로 분배한 결과 사회 불평등 현상이 발생한다고 본다.

07 사회 불평등 현상을 바라보는 관점

차등 분배가 개인의 성취동기를 자극한다고 보는 관점은 기능론적 관점이다. 따라서 A는 기능론적 관점이고, B는 갈등론적 관점이다. ㄴ. 직업에는 귀천이 없다는 속담은 직업의 기능적 중요도에 차이가 없다는 내용으로, 갈등론적 관점과 관련이 있다. ㄷ. 기능론적 관점은 기득권층에 유리한 사회 구조와 사회 불평등이 초래하는 문제 등을 간과한다는 한계가 있다.

▮ 바로 알기 ▮ ㄱ. 사회 불평등을 불가피한 현상으로 보는 관점은 기능론적 관점이다.

완자 정리 노트   사회 불평등을 바라보는 관점

구분	기능론	갈등론
사회 불평등은 불가피한 현상인가?	예	아니요
사회 불평등은 극복해야 할 현상인가?	아니요	예
직업마다 기능적 중요도에 차이가 있는가?	예	아니요
지배 집단의 가치가 반영된 기준에 따라 희소 자원이 배분되는가?	아니요	예

08 계급론

제시문은 계급론에 대한 설명이다. ② 계급론은 정치적·사회적 요인 등이 경제적 요인에 종속된다고 본다. 따라서 계급론에 따르면 정치적·사회적 불평등은 경제적 불평등에 종속되어 나타나는 현상이다. ③, ④ 계급론은 자본가 계급과 노동자 계급이 지배와 피지배 관계에 있기 때문에 집단 간에 필연적으로 갈등이 발생한다고 본다. ⑤ 생산 수단에 대해 공통의 관계를 맺는 집단을 계급이라고 한다. 마르크스는 계급을 생산 수단을 소유한 자본가 계급과 그렇지 못한 노동자 계급으로 구분하였다.

‖ **바로 알기** ‖ ① 계급론은 서로 다른 경제적 지위에 있는 집단 간의 위계가 불연속적이라고 본다.

09 계층론

제시문은 경제적 지위와 사회적 지위가 동일한 수준에 있지 않은 지위 불일치 현상에 대한 내용이다. 이와 같은 지위 불일치 현상을 설명하기에 적합한 이론은 계층론이다. ㄷ. 계층론은 경제적 측면뿐 아니라 정치적 측면과 사회적 측면 등에서도 사회 불평등 현상을 파악한다. ㄹ. 계층론은 불평등의 각 측면은 서로 영향을 주고받으나, 기본적으로 그 기원이 독립적이라고 본다.

‖ **바로 알기** ‖ ㄱ. 계층을 불연속적으로 구분하는 것은 계급론이다. ㄴ. 같은 계급에 속하는 사람들끼리 강한 귀속 의식을 갖는다고 보는 것은 계급론이다.

10 계급론과 계층론

① 계급론은 경제적 요인으로만, 계층론은 경제적 요인은 물론 정치적 요인 및 사회적 요인 등으로 사회 불평등 현상을 설명한다. 따라서 계급론과 계층론 모두 사회 불평등 현상에 경제적 요인이 작용한다고 본다. ② 지위 불일치 현상을 설명하는 데 적합한 이론은 계층론이다. ④ 동일 계층에 속한 사람들 간 계층 의식이 미약하다고 보는 이론은 계층론이다. ⑤ 사회 계층 구조를 연속선상에 서열화된 상태로 보는 이론은 계층론이다.

‖ **바로 알기** ‖ ③ 계층론은 다차원적 측면에서 사회 불평등 현상을 파악한다. 따라서 제시된 질문은 (나)에 들어갈 수 없다.

완자 정리 노트 ── 계급론과 계층론

구분	계급론	계층론
의미	계급은 생산 수단의 소유 여부에 따라 구분된 위치 혹은 집단임	계층은 계급, 지위, 권력 등 다양한 요인에 따라 서열화된 위치 혹은 집단임
층위	자본가 계급 – 노동자 계급	상류층 – 중류층 – 하류층
특징	• 계급 간 갈등과 대립이 불가피함 • 자신의 계급에 대해서는 강한 계급 의식을, 다른 계급에 대해서는 강한 적대감을 느낌	• 계층 간 경계가 명확하지 않음 → 계층 의식이 미약하고, 다른 계층에 대해 적대감이 약함 • 현대 사회의 지위 불일치 현상을 설명하기에 적합함

11 사회 이동의 유형

① 을은 기업의 소유주였던 아버지와 달리 일용직 노동자가 되었다. 이는 세대 간 이동에 해당한다. ② 을은 경험의 미숙과 방탕한 생활 끝에 가산을 모두 탕진하고 일용직 노동자가 되었다. 이는 개인적 이동에 해당한다. ④ 회사원이었던 갑이 현재 노숙자 생활을 하고 있는 것과 중견 기업을 물려받은 을이 현재 일용직 노동자 생활을 하고 있는 것은 자신의 생애 동안에 일어난 일이고, 계층적 지위가 하강한 것이므로 세대 내 하강 이동에 해당한다. ⑤ 갑과 을은 모두 세대 내 수평 이동을 경험하지 않았다.

‖ **바로 알기** ‖ ③ 갑은 '정보 혁명'이라는 사회 구조의 변동에 영향을 받아 계층적 위치가 변화하였다. 이는 구조적 이동에 해당한다.

12 세대 내 이동과 세대 간 이동

(가)는 한 세대와 그다음 세대 간에 나타나는 계층적 위치의 변화를 측정하는 것이므로, 세대 간 이동에 해당한다. 세대 간 이동은 세대 간에 계층이 상승하거나 하강하는 등 수직 이동이 나타난 경우만을 의미한다. (나)는 한 개인의 일생 동안에 나타난 계층적 위치의 변화를 측정하는 것이므로, 세대 내 이동에 해당한다. 세대 내 이동은 수직 이동과 수평 이동이 모두 나타날 수 있다.

13 사회 이동의 유형

(가)는 수평 이동이고, (나)는 수직 이동이면서 구조적 이동이고, (다)는 수직 이동이면서 개인적 이동에 해당한다. ㄱ. 총무부 사원이 영업부 사원으로 이동한 것은 동일한 계층 내에서의 위치 변화이므로 수평 이동에 해당한다. ㄷ. 평사원이 열심히 일해서 임원으로 승진한 것은 개인의 노력으로 계층적 위치가 높아진 것이다. 따라서 수직 이동(상승 이동)이면서 개인적 이동에 해당한다. ㄹ. 수평 이동은 계층적 위치에 변화가 없으나, 수직 이동은 계층적 위치가 높아지거나 낮아지는 등의 변화가 있다.

‖ **바로 알기** ‖ ㄴ. 기업의 사장이 잘못된 투자로 사업에 실패하여 실업자로 전락한 것은 계층적 위치가 낮아진 것으로 수직 이동(하강 이동)에 해당하나, 개인에게 사회 이동의 원인이 있으므로 구조적 이동이 아닌 개인적 이동에 해당한다.

14 사회 이동

제시된 자료를 표로 다시 정리하면 다음과 같다.

(단위: 명)

구분		부모 계층			계
		상층	중층	하층	
자녀 계층	상층	50	20	30	100
	중층	30	140	90	260
	하층	20	40	180	240
계		100	200	300	600

② 부모의 계층을 세습한 자녀는 370명(50명 + 140명 + 180명)이고, 그렇지 않은 자녀는 230명(600명 − 370명)이다. ③ 세대 간 상

승 이동한 자녀의 수는 중층이 20명이고, 하층이 120명이다. ④ 세대 간 상승 이동한 자녀는 140명(20명 + 30명 + 90명)이고, 세대 간 하강 이동한 자녀는 90명(30명 + 20명 + 40명)이다. ⑤ 부모 계층이 중층일 때, 세대 간 상승 이동한 자녀는 20명이고, 세대 간 하강 이동한 자녀는 40명이다.

▮ 바로 알기 ▮ ① 부모 계층 대비 계층 대물림 비율은 상층이 50%, 중층이 70%, 하층이 60%이다.

15 사회 계층 구조의 유형

(가)는 피라미드형 계층 구조이고, (나)는 다이아몬드형 계층 구조이다. ① 피라미드형 계층 구조는 신분제 사회에서 주로 나타난다. ② 다이아몬드형 계층 구조는 중간 계층에 속하는 구성원의 비율이 높아진 근대 이후 산업 사회에서 주로 나타난다. ④ 다이아몬드형 계층 구조는 두텁게 형성된 중층이 상층과 하층 사이에서 완충 역할을 하기 때문에 사회 안정을 실현하는 데 유리하다. ⑤ 피라미드형 계층 구조와 다이아몬드형 계층 구조는 계층 구성원의 비율에 따라 구분된다.

▮ 바로 알기 ▮ ③ 피라미드형 계층 구조는 세대 간 이동이 불가능하다고 단정할 수 없다.

16 사회 계층 구조의 유형

(가)는 폐쇄적 계층 구조이고, (나)는 개방적 계층 구조이다. ㄱ. 폐쇄적 계층 구조와 개방적 계층 구조는 계층 간 이동 가능성에 따라 구분된다. ㄷ. 폐쇄적 계층 구조에서는 타고난 신분이 개인의 계층적 위치를 결정하므로 귀속 지위가 중시된다. 반면 개방적 계층 구조에서는 개인의 노력이나 능력이 사회 이동의 중요 요인으로 작용하므로 성취 지위가 중시된다.

▮ 바로 알기 ▮ ㄴ. 신분 제도가 폐지된 근대 이후 대부분의 사회에서는 주로 개방적 계층 구조가 나타난다. ㄹ. 폐쇄적 계층 구조는 다른 계층으로 상승하거나 하강할 가능성이 닫혀 있는 계층 구조로, 수직 이동은 제한되나 수평 이동은 가능하다. 개방적 계층 구조는 다른 계층으로 상승하거나 하강할 가능성이 열려 있는 계층 구조로 수평 이동과 수직 이동이 모두 가능하다.

17 사회 계층 구조의 변화

제시문은 정보화를 비관적으로 보는 시각이다. 정보화를 비관적으로 보는 사람들은 정보화가 진전됨에 따라 오히려 정보 격차가 발생하여 기존의 불평등이 더욱 심화할 것이라고 주장한다. 그리고 이에 따라 모래시계형 계층 구조가 나타날 것으로 예측한다. ⑤ 모래시계형 계층 구조는 중층의 비율이 현저히 낮고 압도적 다수가 하층을 차지한다.

▮ 바로 알기 ▮ ①, ② 다이아몬드형 계층 구조나 타원형 계층 구조에 대한 설명이다. ③ 수직형 계층 구조에 대한 설명이다. ④ 피라미드형 계층 구조에 대한 설명이다.

18 사회 계층 구조

① T년의 하층 비율은 30%이고, T + 10년의 하층 비율은 70%이

다. ② T + 10년에 상층과 하층의 비율이 모두 증가하였으므로, 사회 계층 구조의 양극화 현상이 심화되었음을 알 수 있다. ④ T년의 계층 구조는 다이아몬드형이고, T + 10년의 계층 구조는 모래시계형이다. ⑤ 다이아몬드형 계층 구조가 모래시계형 계층 구조보다 사회 안정 실현에 유리하다.

▮ 바로 알기 ▮ ③ T년의 상층 인구 비율과 T + 10년의 중층 인구 비율은 10%로 같으나, T년과 T + 10년의 전체 인구수가 제시되어 있지 않으므로 인구수를 비교할 수 없다.

19 사회 계층 구조

각 국가의 계층 구성 비율을 표로 정리하면 다음과 같다.

(단위: %)

구분	갑국	을국	병국
상층	20	10	30
중층	60	30	10
하층	20	60	60
계	100	100	100

ㄴ. 을국과 병국의 인구수가 동일하고 하층 비율도 60%로 동일하므로, 을국과 병국의 하층 인구수는 같다. ㄹ. 사회 통합의 필요성은 중층의 비율이 낮을수록 높다. 따라서 병국이 갑국보다 사회 통합의 필요성이 더 크다.

▮ 바로 알기 ▮ ㄱ. 갑국의 중층 비율은 60%이고, 을국의 중층 비율은 30%이다. 갑국과 을국의 인구수가 동일하므로 갑국의 중층 인구수가 을국의 중층 인구수보다 많다. ㄷ. 갑국의 상층 비율은 20%이고, 병국의 상층 비율은 30%이다.

20 사회 이동과 사회 계층 구조

제시된 자료를 표로 다시 정리하면 다음과 같다.

부모 세대보다 계층이 높은 자녀의 비율이야. (단위: %)

구분		부모 세대의 계층			계
		상층	중층	하층	
자녀 세대의 계층	상층	10	10		20
	중층	10	25	15	50
	하층		15	15	30

부모 세대보다 계층이 낮은 자녀의 비율이야.   부모 세대와 계층이 일치하는 자녀의 비율이야.

④ 세대 간 하강 이동한 자녀는 25%(10% + 15%)이고, 세대 간 상승 이동한 자녀도 25%(10% + 15%)이다.

▮ 바로 알기 ▮ ① 부모의 계층을 세습한 자녀는 상층이 10%이고, 하층이 15%이다. ② 중층과 하층에서 상층으로 세대 간 상승 이동한 자녀는 10%이다. 그러나 중층에서 상층으로 세대 간 상승 이동한 자녀와 하층에서 상층으로 세대 간 상승 이동한 자녀의 구체적인 비율은 제시된 자료를 통해 알 수 없으므로 비교할 수 없다. ③ 부모의 계층을 세습한 자녀는 50%(10% + 25% + 15%)이고, 세대 간 이동을 한 자녀도 50%(10% + 15% + 10% + 15%)이다. ⑤ 자녀 세대에서는 다이아몬드형 계층 구조가 나타나지만, 부모 세대의 계층 구조는 알 수 없다.

서술형 문제

147쪽

01 주제: 사회 불평등 현상을 바라보는 관점

(1) 기능론

(2) **예시 답안** 사회 불평등은 개인에게 성취동기를 부여하고, 경쟁을 유발함으로써 인재를 적재적소에 배치하는 데 기여한다.

채점 기준	
상	기능론의 관점에서 사회 불평등의 기능 두 가지를 정확하게 서술한 경우
하	기능론의 관점에서 사회 불평등의 기능을 한 가지만 서술한 경우

02 주제: 사회 계층 구조

(1) B 사회

(2) **예시 답안** 중층의 비율이 높으면 중층이 상층과 하층 사이에서 완충 역할을 하기 때문에 사회 안정을 실현하는 데 유리하다.

채점 기준	
상	중층의 비율이 높으면 중층이 상층과 하층 사이에서 완충 역할을 하기 때문에 사회의 안정성이 높다라고 정확하게 서술한 경우
하	중층의 비율이 높기 때문이라고만 서술한 경우

STEP 3 1등급 정복하기

148~151쪽

1 ④	2 ⑤	3 ③	4 ②	5 ⑤	6 ③	7 ③	8 ①

1 사회 불평등 현상을 바라보는 관점

갑은 명문 대학에 입학하는 데 부모의 경제력이 결정적으로 작용한다고 보는 반면 을은 개인의 노력이 중요하다고 보고 있다. 이를 통해 갑은 갈등론적 관점, 을은 기능론적 관점에서 사회 불평등 현상을 바라보고 있음을 알 수 있다. ㄱ. 갈등론적 관점은 사회 계층화 현상을 불가피한 것으로 보지 않으며, 사회 구조의 근본적인 개혁을 통해 해결해야 할 현상으로 본다. ㄴ. 기능론적 관점은 직업마다 기능적 중요도가 다르기 때문에 중요한 업무를 수행하는 사람에게 더 많은 보상이 주어지도록 차등 보상이 이루어져야 한다고 본다. 그리고 이러한 차등 보상은 개인에게 성취동기를 부여하고, 경쟁을 유발하여 인재를 적재적소에 배치하기 때문에 사회의 유지 및 발전에 기여한다고 본다. ㄷ. 갈등론적 관점은 가정 배경과 같은 개인의 귀속적 요인이 사회 불평등에 미치는 영향이 크다고 본다.

바로 알기 ㄹ. 부의 분배 구조가 공정하지 않다고 보는 관점은 갈등론적 관점이다.

2 사회 불평등 현상을 설명하는 이론

(가)는 부와 권력을 비례적으로 보고 있다. 이는 경제적 지위에 따라 정치적 지위가 결정된다고 보는 계급론의 주장에 해당한다. (나)는 명예와 권력 사이에 유의미한 상관관계가 존재하지 않는다고 보고 있다. 이는 지위 불일치 현상이 나타날 수 있다고 보는 계층론의 주장에 해당한다. ⑤ 계급론과 계층론은 모두 불평등의 원인을 사회적 희소 자원의 차등 분배에서 찾는다.

바로 알기 ① 계층 의식이 미약하다고 보는 이론은 계층론이다. ② 계층을 불연속적인 두 계급으로 구분하는 이론은 계급론이다. ③ 현대 사회의 지위 불일치 현상을 설명하기 용이한 이론은 계층론이다. ④ 일원론적 관점에서 사회 불평등 현상을 설명하는 이론은 계급론이다.

3 사회 불평등 현상을 설명하는 이론

ㄴ. 병은 주관적 계층 의식과 실제 계층이 세 측면에서 모두 일치하고 있다. ㄷ. 실제 계층에서 갑, 을, 병은 모두 여러 지위 중 하나 이상이 동일한 수준에 있지 않은 지위 불일치 상태에 있다.

바로 알기 ㄱ. 갑은 재산에서 자신의 계층적 위치를 실제보다 높게 평가하고 있다. ㄹ. 계층적 지위를 경제적, 정치적, 사회적 차원에서 파악하는 것은 계층론이다.

4 사회 이동

〈세대별 계층의 상대적 비율〉을 통해 부모 세대와 자녀 세대의 계층별 비율을 구할 수 있다.

(단위: %)

구분		부모 세대			계
		상층	중층	하층	
자녀 세대	상층				15
	중층				50
	하층				35
계		25	55	20	100

〈자녀 계층 대비 부모와 자녀의 계층 일치 비율〉과 부모 세대 상층에서 자녀 세대 중층으로 이동한 인구와 부모 세대 상층에서 자녀 세대 하층으로 이동한 인구는 같다는 전제를 통해 다음과 같이 구할 수 있다.

(단위: %)

구분		부모 세대			계
		상층	중층	하층	
자녀 세대	상층	9(60%)	2	4	15
	중층	8	33(66%)	9	50
	하층	8	20	7(20%)	35
계		25	55	20	100

ㄱ. 세대 간 계층 이동 비율은 51%(2%+4%+9%+8%+8%+20%)이다. ㄹ. 부모 세대 상층에서 자녀 세대 하층으로 이동한 비율은 8%이고, 부모 세대 하층에서 자녀 세대 상층으로 이동한 비율은 4%이다.

| 바로 알기 | ㄴ. 자녀 세대 계층 대비 부모와 자녀의 계층 불일치 비율은 상층이 40%(100%-60%)이고, 중층이 34%(100%-66%), 하층이 80%(100%-20%)이다. ㄷ. 세대 간 상승 이동한 자녀의 비율은 15%(2%+4%+9%)이고, 세대 간 하강 이동한 자녀의 비율은 36%(8%+8%+20%)이다.

5 사회 계층 구조

C가 상위 계층으로 갈수록 비율이 낮아지는 피라미드형 계층 구조이므로, (가)는 상층, (나)는 중층, (다)는 하층이다. 따라서 A는 중층의 비율이 현저히 낮고 압도적 다수가 하층을 차지하는 모래시계형 계층 구조이고, B는 중층의 비율이 상층이나 하층보다 높은 다이아몬드형 계층 구조이다. ③ 피라미드형 계층 구조는 소수의 상층이 사회적 희소 자원을 독점하여 불평등이 심하게 나타나 사회가 불안정할 가능성이 크다. ④ 모래시계형 계층 구조, 다이아몬드형 계층 구조, 피라미드형 계층 구조는 계층 구성원의 비율에 따라 사회 계층 구조를 구분한 것이다.

6 사회 이동과 사회 계층 구조

A 사회에서 부모 세대와 자녀 세대는 모두 계층 구성원의 비율이 상층이나 하층보다 중층이 높으므로, 다이아몬드형 계층 구조를 보이고 있다. 반면 B 사회에서 부모 세대는 계층 구성원의 비율이 상층 < 중층 < 하층이므로 피라미드형 계층 구조를 보이고 있으며, 자녀 세대는 다이아몬드형 계층 구조를 보이고 있다. ① A 사회는 부모 세대와 자녀 세대의 계층 연관성이 낮으므로, 계층 간 이동이 활발하다고 볼 수 있다. ② A 사회는 부모 세대와 자녀 세대의 계층 구조가 다이아몬드형으로 같다. ④ B 사회에서 부모 세대의 계층 구조는 피라미드형인데 반해 자녀 세대의 계층 구조는 다이아몬드형이다. ⑤ A 사회에서는 중층 → 상층, 하층 → 중층 및 상층으로 세대 간 상승 이동이 나타났으며, B 사회에서는 하층 → 중층으로 세대 간 상승 이동이 나타났다.

| 바로 알기 | ③ B 사회에서도 수직 이동이 나타났으므로, 폐쇄적 계층 구조라고 할 수 없다.

7 사회 이동과 사회 계층 구조

세대 간 하강 이동한 사람은 없고, 세대 간 상승 이동한 사람만 있는 A는 상층이다. 세대 간 상승 이동한 사람은 없고, 세대 간 하강 이동한 사람만 있는 B는 하층이다. 세대 간 상승 이동과 세대 간 하강 이동이 모두 있는 C는 중층이다. 이를 토대로 자료의 내용을 다시 정리하면 다음과 같다.

(단위: %)

구분		부모 세대의 계층		
		상층(A)	중층(C)	하층(B)
자녀 세대의 계층	상층(A)	30	70	
	중층(C)	20	30	50
	하층(B)	40		60

ㄴ. 자녀 세대에서 계층을 세습한 사람의 비율은 상층(A)이 30%이고, 중층(C)도 30%이다. ㄷ. 신분제 사회에서는 일반적으로 하층(B)의 비율이 가장 높다.

| 바로 알기 | ㄱ. 중층(C)의 비율이 높을수록 사회 통합에 유리하다. ㄹ. 자녀 세대의 계층 구조가 피라미드형이나 계층별로 구체적인 비율을 알 수 없기 때문에 세대 간 하강 이동을 한 사람이 세대 간 상승 이동을 한 사람보다 많은지는 알 수 없다.

8 사회 이동과 사회 계층 구조

제시된 자료를 표로 정리하면 다음과 같다.

(단위: %)

구분		부모 세대의 계층			계
		상층	중층	하층	
자녀 세대의 계층	상층	6 – 10×60/100			10
	중층		24 – 60×40/100		60
	하층		30×50/100 –15		30
계		–	–	–	100

ㄱ. 부모와 계층이 일치하는 자녀는 45%(6%+24%+15%)이다.
ㄴ. 하층 자녀 30% 중 절반이 세대 간 하강 이동을 하였다. 즉, 2명 중 1명이 세대 간 하강 이동을 하였다.

| 바로 알기 | ㄷ. 부모와 계층이 일치하지 않는 자녀는 상층이 4%, 중층이 36%, 하층이 15%이다. ㄹ. 자녀 세대의 계층 구조는 다이아몬드형이나, 부모 세대의 계층 구조는 제시된 자료만으로 알 수 없다.

02 다양한 사회 불평등 현상

STEP 1 핵심 개념 확인하기　156쪽

1 (1) × (2) ○ (3) ○ (4) ○ (5) ○　2 성 불평등　3 (1) 생물학적
성 (2) 개인적 (3) 차별적 사회화　4 (1) 최저 생계비 (2) 중위 소득의
50% (3) 절대적 빈곤 (4) 상대적 빈곤

STEP 2 내신 만점 공략하기　156~160쪽

01 ②	02 ④	03 ①	04 ④	05 ⑤	06 ③	07 ④
08 ①	09 ②	10 ⑤	11 ③	12 ③	13 ⑤	14 ⑤
15 ④	16 ②					

01 사회적 소수자의 특징

우리 사회에서 시각 장애인과 외국인 노동자는 사회적 소수자에
해당한다. ㄱ. 사회적 소수자는 사회·경제적 약자의 위치에 있기
때문에 주류 집단에 비해 권력의 열세에 놓여 있다. ㄷ. 사회적 소
수자는 주류 집단과 구별되는 신체적 또는 문화적 특징을 가진다.

바로 알기 ㄴ. 사회적 소수자는 스스로 차별받는 집단의 구성원이라는
인식 또는 소속감을 가진다. ㄹ. 사회적 소수자는 특정 집단에 속해 있다는
이유만으로 사회적 차별을 받는다.

완자 정리 노트　사회적 소수자의 성립 요건

성립 요건	내용
식별 가능성	신체적 또는 문화적으로 다른 집단과 구별됨
권력의 열세	사회적 권한의 행사에서 주류 집단보다 열세에 있음
사회적 차별	소수자 집단이라는 이유만으로 차별을 받음
집합적 정체성	스스로 차별받는 집단의 일원이라는 인식을 가짐

02 사회적 소수자에 대한 차별 발생 과정

① 성별, 피부색과 같은 선천적 요소뿐 아니라 문화와 같은 후천적
요소도 사회적 소수자 집단을 인식하는 기준이 된다. ②, ③ ㉠은
주류 집단이고, ㉡은 사회적 소수자 집단이다. ⑤ 사회적 소수자
에 대한 차별은 사회적 갈등을 유발하여 사회 통합을 저해하는 결
과를 낳을 수 있다.

바로 알기 ④ 사회적 소수자를 판단하는 핵심 기준은 집단 구성원의 수
가 아니라 사회적 영향력의 크기이다.

03 사회적 소수자의 특징

제시된 사례는 상황과 여건에 따라 누구나 사회적 소수자가 될 수
있다는 내용으로, 이를 통해 사회적 소수자가 상대적으로 규정되

는 개념임을 알 수 있다.

바로 알기 ② 역차별은 사회적 소수자에 대한 차별을 시정하기 위한 제
도로 인해 소수자가 아닌 집단이 도리어 차별을 받게 되는 경우를 말한다.
③ 사회적 소수자는 집단의 크기가 아닌, 사회적 영향력의 크기에 의해 규
정된다. ④ 제시된 자료를 통해 알 수 없는 내용이다. ⑤ 사회적 소수자에
대한 차별 문제를 해결하기 위해서는 개인의 의식 개선과 더불어 사회 제도
를 개선해야 한다.

04 사회적 소수자의 특징

제시문은 흑인 및 유색 인종이 다수이고, 백인이 소수인 사회에서
다수인 흑인 및 유색 인종이 사회적 소수자인 사례이다. 이는 사회
적 소수자가 수적으로 반드시 소수를 의미하는 것이 아님을 보여
준다.

바로 알기 ② 사회적 소수자는 다양한 기준에 의해 규정되나, 제시된 사
례와는 관련 없다. ③, ⑤ 사회적 소수자는 사회적 맥락 속에서 상대적으로
규정되나, 제시된 사례와는 관련 없다.

05 사회적 소수자 문제의 해결 방안

제시문은 장애인 의무 고용제에 대한 설명이다. ⑤ 장애인 의무 고
용제는 사회적 소수자인 장애인을 적극적으로 우대함으로써 그들
이 실질적으로 기회의 평등을 누릴 수 있도록 하기 위한 제도적 노
력에 해당한다.

바로 알기 ①, ②, ③, ④ 정책의 시행 취지로 볼 수 없다.

06 사회적 소수자 문제의 해결 방안

제시문은 사회적 소수자 문제를 해결하기 위해서는 사회적 차원의
방안이 마련되어야 한다고 강조하고 있다. ③ 사회적 소수자에 대
한 차별을 금지하는 법을 만드는 것은 사회적 차원의 해결 방안에
해당한다.

바로 알기 ① 사회적 소수자 문제를 해결하기 위한 방안으로 볼 수 없
다. ②, ④, ⑤는 개인적 차원의 해결 방안에 해당한다.

07 성 불평등 현상

ㄱ. 생물학적 성은 선천적으로 타고나는 성으로, 유전적·신체적
특징에 근거한 성을 말한다. ㄴ. 사회적 성은 사회·문화적으로 형
성되는 성으로, 사회화를 통해 개인에게 내면화된다. ㄹ. 성 불평
등 현상은 정치, 경제, 사회 등 여러 영역에서 다양한 형태로 나타
난다.

바로 알기 ㄷ. 성 불평등 현상은 남녀 모두에게 나타날 수 있다.

08 우리나라 남녀의 연령별 경제 활동 참가율 추이

제시된 자료에 따르면 남성의 경제 활동 참가율은 30세 이후 크게
증가하여 계속 비슷한 수준을 유지하다가 55세 이후 점차 감소하
는 반면, 여성의 경제 활동 참가율은 출산과 육아가 주로 이루어지
는 30세 이후 급격히 낮아지며, 자녀가 어느 정도 성장한 40세 이
후 다시 높아지는 M자형 구조를 보인다. 이를 통해 성 불평등 현상
이 나타나고 있음을 알 수 있다. ② 성 불평등 현상을 해결하기 위

해서는 양성평등 의식을 함양하여 육아를 남녀 공동의 역할로 인식해야 한다. ③ 출산과 육아가 이루어지는 시기에 남성의 경제 활동 참가율은 증가하는 반면, 여성의 경제 활동 참가율은 낮아지고 있다. 이를 통해 여성이 주로 출산과 육아를 담당하고 있음을 알 수 있다. ④ 전반적으로 여성보다 남성의 경제 활동 참가율이 높게 나타난다. ⑤ 육아 휴직과 육아기 근로 시간 단축제 등의 제도는 육아기 여성의 경제 활동 참가율을 높이기 위한 방안이다.

∥ 바로 알기 ∥ ① 가부장제적 사회 구조에 따른 성별 분업은 성 불평등 현상의 원인 중 하나이다.

09 우리나라 남성 근로자 대비 여성 근로자의 임금 변화

자료는 남성 근로자의 임금을 100으로 볼 때, 여성 근로자의 임금 비율을 나타낸 것이다. ㄱ, ㄹ. 남성 근로자 대비 여성 근로자의 임금 비율이 100% 미만이므로, 여성 근로자는 남성 근로자에 비해 적은 임금을 받고 있다. 이를 통해 남녀 간 임금 격차가 발생하고 있음을 알 수 있다.

∥ 바로 알기 ∥ ㄴ. 남성 근로자의 임금에 변화가 없다면 여성 근로자의 임금이 0.3% 감소한 것이 맞지만, 남성 근로자의 임금이 제시되어 있지 않으므로 단정 지어 말할 수 없다. ㄷ. 남성 근로자의 임금에 변화가 없었다면 여성 근로자의 임금이 지속적으로 하락한 것이 맞지만, 남성 근로자의 임금이 제시되어 있지 않으므로 단정 지어 말할 수 없다.

10 차별적 사회화

제시된 글에는 대중 매체에 의해 이루어지는 차별적 사회화의 모습이 나타나 있다. ⑤ 대중 매체는 차별적 사회화를 통해 성 역할에 대한 고정 관념을 강화한다. 이는 성별에 따른 차별과 억압으로 이어질 수 있다.

11 성 불평등 문제의 해결 방안

필자는 성 불평등 문제를 근본적으로 해결하기 위해서는 개인의 의식을 개선해야 한다고 강조하고 있다. ㄴ, ㄷ. 성 불평등 문제를 해소하기 위한 개인의 의식적 차원의 노력에 해당한다.

∥ 바로 알기 ∥ ㄱ, ㄹ. 성 불평등 문제를 해소하기 위한 사회의 제도적 차원의 노력에 해당한다.

12 빈곤 문제

㉠에 들어갈 사회 불평등 현상은 빈곤이다. ① 현대 사회는 예전보다 풍요로워졌지만 여전히 빈곤 현상이 나타나고 있다. ② 빈곤은 사회 불안 및 갈등을 유발하여 사회 통합을 어렵게 할 수 있다. ④ 빈곤에 처한 개인은 상대적 박탈감 등으로 인해 심리적으로 위축되거나 절망감을 느낄 수 있다. ⑤ 빈곤이 대물림되는 현상이 나타나면 분배 구조를 둘러싼 사회적 갈등이 심화할 수 있다.

∥ 바로 알기 ∥ ③ 빈곤의 구체적인 내용은 시대와 사회에 따라 변화한다.

13 빈곤의 유형

㉠은 절대적 빈곤이고, ㉡은 상대적 빈곤이다. ⑤ 절대적 빈곤과 상대적 빈곤은 모두 일정한 기준에 따라 객관적으로 파악되는 빈곤이다.

∥ 바로 알기 ∥ ① 우리나라에서는 절대적 빈곤을 파악하기 위해 최저 생계비를 기준선으로 활용한다. ② 사회의 전반적인 생활 수준이 향상될수록 절대적 빈곤보다 상대적 빈곤의 문제가 더 심각해진다. ④ 절대적 빈곤은 사회 발전이 더딘 저개발국에서, 상대적 빈곤은 사회가 발전하면서 빈부 격차가 커진 선진국에서 두드러지게 나타난다.

┌───┐
│ **완자 정리 노트** 빈곤의 유형   │

절대적 빈곤	• 인간으로서 최소한의 생활을 유지하는 데 필요한 자원이나 소득이 절대적으로 부족한 상태 → 절대적 빈곤선에 미치지 못하는 상태 • 우리나라에서는 최저 생계비를 기준으로 이에 미달할 경우 절대적 빈곤으로 봄
상대적 빈곤	• 한 사회에서 다른 사람들보다 자원이나 소득을 상대적으로 적게 가져 사회 구성원 대다수가 누리는 생활 수준을 영위하지 못하는 상태 → 상대적 빈곤선에 미치지 못하는 상태 • 우리나라에서는 중위 소득의 50%를 기준으로 그에 미달할 경우 상대적 빈곤으로 봄

14 빈곤율의 변화

제시된 모든 연도에서 상대적 빈곤율이 절대적 빈곤율보다 높다. 이는 제시된 모든 연도에서 상대적 빈곤선인 중위 소득의 50%가 절대적 빈곤선인 최저 생계비보다 크다는 것을 의미한다.

∥ 바로 알기 ∥ ① 2011년에 절대적 빈곤 가구는 모두 상대적 빈곤 가구에 속한다. ② 2011년과 2013년 절대적 빈곤율은 같다. 하지만 2011년과 2013년의 전체 가구 수가 제시되어 있지 않으므로, 절대적 빈곤 가구 수의 동일 여부를 판단할 수 없다. ③ 2015년에 상대적 빈곤 가구는 절대적 빈곤 가구보다 많으나, 2배 많은 것은 아니다. ④ 2017년에 상대적 빈곤율이 절대적 빈곤율보다 크기 때문에 상대적 빈곤선인 중위 소득의 50%가 절대적 빈곤선인 최저 생계비보다 높다. 따라서 중위 소득은 최저 생계비의 2배 이상이다.

15 빈곤율의 변화

ㄴ. 갑국에서는 2010년 대비 2015년 상대적 빈곤율이 높아졌다. 이를 통해 소득 불평등이 심화되었음을 알 수 있다. ㄹ. 2010년 을국의 절대적 빈곤율과 상대적 빈곤율은 21%로 같다. 이를 통해 절대적 빈곤선과 상대적 빈곤선이 일치함을 알 수 있다.

∥ 바로 알기 ∥ ㄱ. 상대적 빈곤율은 상대적 빈곤선인 중위 소득의 50%에 미달하는 가구의 비율을 나타내는 지표에 불과하다. 따라서 중위 소득 자체의 증감 여부는 자료를 통해 알 수 없다. ㄷ. 을국의 절대적 빈곤율은 2010년과 2015년이 동일하나 전체 가구 수의 증감 여부가 제시되어 있지 않으므로, 절대적 빈곤 가구 수의 동일 여부를 판단할 수 없다.

16 빈곤 문제의 해결 방안

ㄴ, ㄹ. 일자리를 창출하고 직업 훈련의 기회를 제공하는 것과 누진세나 최저 임금제 등을 시행하여 소득 분배의 형평성을 강화하는 것은 빈곤 문제를 해결하기 위한 사회적·제도적 측면의 지원에

해당한다.

┃ 바로 알기 ┃ ㄱ, ㄹ. 빈곤 문제를 해결하기 위한 개인적·의식적 측면의 노력에 해당한다.

서술형 문제

160쪽

01 **주제:** 적극적 차별 시정 조치

(1) 적극적 차별 시정 조치

(2) **예시 답안** 사회적 소수자 집단에 대한 우대가 사회적 소수자가 아닌 집단의 구성원들을 도리어 차별하고, 그들의 권리를 침해하는 역차별의 문제를 초래할 수 있다.

채점 기준

상	역차별이 발생할 수 있다는 내용을 포함하여 적극적 차별 시정 조치의 부작용에 대해 정확하게 서술한 경우
하	적극적 차별 시정 조치의 부작용에 대해 서술하였으나 미흡한 경우

02 **주제:** 빈곤의 유형

(1) (가) 절대적 빈곤 (나) 상대적 빈곤

(2) **예시 답안** 상대적 빈곤이 심화할 경우 사회 구성원의 상대적 박탈감이 커져 사회 통합을 저해할 수 있다.

채점 기준

상	상대적 박탈감 유발과 사회 통합 저해라는 내용을 포함하여 상대적 빈곤이 초래할 사회 문제를 정확하게 서술한 경우
하	상대적 빈곤이 초래할 사회 문제를 서술하였으나 미흡한 경우

STEP 3 1등급 정복하기

161~163쪽

1 ①   2 ②   3 ③   4 ③   5 ④   6 ⑤

1 사회적 소수자의 특징

제시된 글에서 사회적 소수자가 아니었던 갑과 을은 각각 여성 우위 문화가 지배적인 사회와 소수 민족을 차별하는 지역으로 이주하면서 사회적 소수자가 되었다. 이를 통해 사회적 소수자는 사회적 맥락 속에서 상대적으로 규정되기 때문에 인간은 누구나 상황과 여건에 따라 사회적 소수자가 될 수 있음을 알 수 있다.

┃ 바로 알기 ┃ ② 사회적 소수자는 선천적 요인뿐만 아니라 후천적 요인에 의해서도 규정된다. ③ 수적으로 소수라고 해서 반드시 사회적 소수자는 아니지만, 제시된 사례와는 관련 없다. ④ 사회적 소수자는 자신이 차별받

는 집단에 속해 있다는 인식 즉, 집합적 정체성을 가진다. ⑤ 사회적 소수자는 상대적으로 규정되기 때문에 한 사회에서 사회적 소수자로 규정된 사람이 다른 사회에서는 사회적 소수자로 규정되지 않을 수도 있다.

2 사회 불평등 현상

ㄱ. 2011년의 경우 '여성의 능력 부족'을 여성 취업의 장애 요인이라고 생각하는 여성의 비율은 1.7%이고, '구인 정보 부족'을 여성 취업의 장애 요인이라고 생각하는 여성의 비율은 2.3%이다. ㄹ. 2011년과 2017년 여성과 남성은 모두 '육아 부담'을 여성 취업의 가장 큰 장애 요인으로 생각한다.

┃ 바로 알기 ┃ ㄴ. 2017년의 경우 '사회적 편견'을 여성 취업의 장애 요인으로 생각하는 남성의 비율이 여성의 비율보다 높지만 여성과 남성의 응답자 수가 제시되어 있지 않으므로, 그 수를 비교할 수 없다. ㄷ. 2011년과 2017년 '육아 부담'을 여성 취업의 장애 요인으로 생각하는 남성의 비율은 43.9%로 같지만 남성의 연도별 응답자 수가 제시되어 있지 않으므로, 그 수를 비교할 수 없다.

3 사회 불평등 현상

ㄴ. 대졸 이상인 경우 여성의 취업률은 42.1%이고, 남성의 취업률은 48.0%이다. 따라서 여성보다 남성의 취업률이 더 높다. ㄷ. 초졸 이하의 남성 중 94.9%가 취업을 하지 못하였다.

┃ 바로 알기 ┃ ㄱ. 고졸 여성의 취업률은 38.5%이고, 대졸 이상 여성의 취업률은 42.1%이다. 고졸 여성과 대졸 이상 여성의 응답자 수를 알 수 없으므로, 단순히 두 비율을 더해서 값을 구해서는 안 된다. ㄹ. 중졸 여성보다 초졸 이하 여성의 취업률이 더 높다.

4 성 불평등 문제의 해결 방안

③ 성 인지 예산 제도, 성별 영향 분석 평가 제도, 양성평등 채용 목표제는 모두 양성평등을 실현하기 위한 제도에 해당한다.

┃ 바로 알기 ┃ ① 역차별은 사회적 소수자를 보호하기 위한 제도로 인해 오히려 소수자가 아닌 집단이 받게 되는 차별을 말한다. ② 차별적 사회화는 사회 전반에 자리 잡은 성별에 관한 선입견과 편견을 토대로 남성과 여성이 서로 다른 성 정체성과 성 역할을 습득하는 사회화 과정을 말하는데, 이는 성 불평등 현상의 원인 중 하나이다. ④ 특정 성이 아닌, 양성평등을 위한 제도이다. ⑤ 성 불평등 문제의 해결을 위한 제도적 차원의 노력에 해당한다.

5 절대적 빈곤율과 상대적 빈곤율

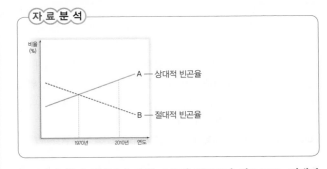

자료분석

2010년에 최저 생계비가 중위 소득의 50%보다 작으므로, 절대적 빈곤율은 상대적 빈곤율보다 작다. 따라서 A는 상대적 빈곤율이

고, B는 절대적 빈곤율이다. ④ 절대적 빈곤과 상대적 빈곤에 모두 해당하는 가구의 비율은 1970년까지 증가하다가 1970년 이후부터 감소하므로, 1970년이 가장 높다.

| 바로 알기 | ① 1970년에는 중위 소득의 50%와 최저 생계비가 같으므로, 중위 소득은 최저 생계비보다 크다. ②, ③ 연도별 전체 가구 수가 제시되어 있지 않으므로 알 수 없다.

6 빈곤선의 변화

2000년에는 최저 생계비가 중위 소득과 같으므로 절대적 빈곤율이 상대적 빈곤율보다 크다. 2005년에는 최저 생계비가 중위 소득의 50%이므로 절대적 빈곤율과 상대적 빈곤율이 같다. 2010년에는 최저 생계비가 중위 소득의 40%이므로 절대적 빈곤율이 상대적 빈곤율보다 작다. 2015년에는 최저 생계비가 중위 소득의 80%이므로 절대적 빈곤율이 상대적 빈곤율보다 크다. ⑤ 2015년에 최저 생계비는 중위 소득의 80%이므로, 중위 소득의 50%인 상대적 빈곤선보다 크다.

| 바로 알기 | ① 중위 소득 대비 최저 생계비는 2000년이 가장 크지만, 최저 생계비 자체는 비교할 수 없다. ② 2000년에 상대적 빈곤 가구는 모두 절대적 빈곤 가구이다. ③ 2005년에 절대적 빈곤 가구 수와 상대적 빈곤 가구 수는 같다. ④ 연도별로 절대적 빈곤선과 상대적 빈곤선의 크기만 비교할 수 있을 뿐, 빈곤율의 증감 여부는 알 수 없다.

---

03 사회 복지와 복지 제도

STEP 1 핵심 개념 확인하기   168쪽

1 사회 복지 **2** (1) ○ (2) × (3) ○ **3** (1) 공공 부조 (2) 사회 서비스 (3) 사회 보험 **4** (1) – ㉠ (2) – ㉢ (3) – ㉡ **5** (1) 생산적 복지 (2) 조세 (3) 복지병

STEP 2 내신 만점 공략하기   168~171쪽

| 01 ⑤ | 02 ① | 03 ④ | 04 ③ | 05 ③ | 06 ② | 07 ④ |
| 08 ② | 09 ⑤ | 10 ③ | 11 ① | 12 ⑤ | | |

01 사회 복지 이념의 등장 배경

산업 혁명 이후 자본주의의 발전 과정에서 빈부 격차 심화, 실업 증가 등과 같은 국민의 안전한 삶을 위협하는 다양한 사회적 위험이 나타났다. 이러한 문제를 해결하기 위해 국가의 개입이 필요해졌으며, 이를 계기로 사회 복지 이념이 등장하였다.

02 사회 복지에 대한 인식 변화

ㄱ. 초기 자본주의 사회의 복지는 약자를 위해 베푸는 자선적 성격이 강하였다. ㄴ. 초기 자본주의 사회의 복지는 빈곤층을 대상으로 이들의 빈곤 해결을 주된 목적으로 하였다.

| 바로 알기 | ㄷ. 현대 사회의 복지는 모든 국민을 대상으로 한다. ㄹ. 초기 자본주의 사회의 복지는 사후 처방적 성격이 강하였고, 현대 사회의 복지는 사후 처방적 성격뿐 아니라 사전 예방적 성격도 지닌다.

완자 정리 노트   사회 복지에 대한 인식 변화

구분	초기 자본주의 사회	현대 사회
빈곤의 책임	개인의 책임	사회의 책임
대상	빈곤층	모든 국민
목적	빈곤 구제	빈곤 구제뿐만 아니라 모든 국민의 인간다운 생활과 삶의 질 보장

03 베버리지 보고서

이 보고서는 '베버리지 보고서'이다. ㄱ. 베버리지 보고서는 국민의 삶의 질 향상을 가로막는 사회악을 제시하고, 이러한 사회악을 제거하려면 국가의 적극적인 역할이 요구된다는 점을 강조하고 있다. 이를 통해 베버리지 보고서가 국민의 삶의 질 향상을 목적으로 하였음을 알 수 있다. ㄷ, ㄹ. 베버리지 보고서는 국민들이 사회악으로 인해 어려움을 겪지 않도록 국가가 적극적으로 사회 복지 제도

를 마련해야 한다고 주장하였다. 베버리지 보고서는 영국에서 '요람에서 무덤까지'라고 불리는 복지 국가가 발달하는 데 이바지하였고, 이후 전 세계에서 복지 국가가 형성되는 데 영향을 미쳤다.

바로 알기 ㄴ. 베버리지 보고서는 빈곤은 물론 질병, 무지, 불결, 나태 등까지 사회 보장의 영역을 확대하였다.

04 사회 보험의 유형

(가)는 고용 보험, (나)는 산업 재해 보상 보험, (다)는 국민연금에 해당한다. 사회 보험은 국민에게 발생하는 질병, 장애, 노령, 실업, 사망 등의 사회적 위험에 보험 방식으로 대처함으로써 국민의 건강과 소득을 보장하는 제도이다. 사회 보험은 민간 보험과 달리 국가가 사회 복지를 목적으로 시행하기 때문에 법률이 정한 기준에 해당하는 사람은 의무적으로 가입해야 한다.

05 사회 보험

제시문은 노인 장기 요양 보험에 대한 설명으로, 사회 보험에 해당한다. ①, ⑤ 사회 보험은 가입자의 소득 수준 등 부담 능력에 따라 비용을 부담하기 때문에 소득 재분배 효과가 있다. ② 사회 보험은 미래의 위험에 대비하는 사전 예방적 성격을 지닌다. ④ 사회 보험은 가입자 모두가 비용을 공동으로 부담하여 사회적 위험에 처한 가입자를 돕는다는 점에서 상호 부조의 원리에 따라 운영된다.

바로 알기 ③ 노인 장기 요양 보험은 미래에 발생할 수 있는 사회적 위험을 보험의 방식으로 대처한다. 따라서 사회 보험에 해당한다.

06 공공 부조

제시문은 65세 이상의 소득이 낮은 노인들을 대상으로 연금을 지급하는 기초 연금 제도에 관한 법률이다. 기초 연금 제도는 공공 부조에 해당한다. ② 공공 부조는 모든 국민을 대상으로 하지 않으므로, 보편적 복지보다는 선별적 복지의 성격이 강하다.

바로 알기 ① 공공 부조는 세금을 재원으로 저소득층을 지원하기 때문에 소득 재분배 효과가 크다. ③ 공공 부조는 빈곤 등 현재 직면한 사회적 위험에 대응하는 사후 처방적 성격을 지닌다. ④ 공공 부조는 금전적 지원을 원칙으로 한다. ⑤ 능력별 비용 부담의 원칙이 적용되는 것은 사회 보험이다. 공공 부조는 복지 수혜자가 비용을 부담하지 않는다.

07 사회 보험과 공공 부조

(가)의 사례는 국민 기초 생활 보장 제도에 대한 설명이다. 따라서 (가)는 공공 부조에 해당한다. (나)의 사례는 국민 건강 보험에 대한 설명이다. 따라서 (나)는 사회 보험에 해당한다. ④ 공공 부조는 국가와 지방 자치 단체가 세금을 재원으로 저소득층을 지원하기 때문에 사회 보험보다 소득 재분배 효과가 크다.

바로 알기 ① 의무 가입을 원칙으로 하는 것은 사회 보험이다. ② 납부자와 수혜자가 일치하는 것은 사회 보험이다. ③ 국가가 비용을 전액 부담하는 것은 공공 부조이다. ⑤ 공공 부조는 사후 처방적 성격을, 사회 보험은 사전 예방적 성격을 지닌다.

08 사회 서비스

제시된 자료의 아이 돌봄 사업은 사회 서비스에 해당한다. 사회 서비스는 국가와 지방 자치 단체 및 민간 부문의 도움이 필요한 모든 국민에게 복지, 보건 의료, 교육, 고용, 주거, 문화, 환경 등의 분야에서 인간다운 생활을 보장하고, 국민의 삶의 질이 향상되도록 서비스를 제공하는 제도이다. ㄱ, ㄷ. 사회 서비스는 비금전적 지원을 원칙으로 하고, 개별 국민의 서로 다른 필요에 부합하는 차별화된 지원을 중시한다.

바로 알기 ㄴ. 수혜자 부담의 원칙이 적용되지 않는 것은 공공 부조이다. ㄹ. 사회 서비스는 사회 보험이나 공공 부조에 비해 소득 재분배 효과가 크지 않다.

09 우리나라 사회 보장 제도의 유형

금전적 지원을 원칙으로 하는 것은 사회 보험과 공공 부조인데, 공공 부조가 사회 보험보다 복지 수혜 대상의 범위가 좁으므로 (가)는 공공 부조이고, (나)는 사회 보험이다. 비금전적 지원을 원칙으로 하는 (다)는 사회 서비스이다. ㄷ. 사회 서비스는 수혜자의 삶의 질 향상을 위해 각종 서비스를 제공한다. ㄹ. 의료 급여 제도는 공공 부조, 국민연금 제도는 사회 보험, 산모·신생아 건강 관리 지원은 사회 서비스의 사례이다.

바로 알기 ㄱ. 공공 부조는 국가가 비용을 전액 부담한다. ㄴ. 사회 보험은 강제 가입을 원칙으로 한다.

완자 정리 노트 사회 보장 제도의 유형

구분	대상	특징
사회 보험	모든 국민	강제 가입, 능력에 따른 비용 부담
공공 부조	생활 유지 능력이 없거나 생활이 어려운 국민	비용 전부를 국가가 부담, 소득 재분배 효과가 큼, 근로 의욕 저하 우려
사회 서비스	도움이 필요한 모든 국민	비금전적 지원

10 복지 제도의 한계

제시문은 복지 제도를 악용하여 급여를 부정 수급한 사례이다. 이와 같은 부정 수급을 막기 위해서는 복지 제도 운용상의 미비점을 보완하여 도움이 필요한 사람에게 실질적인 복지 혜택이 돌아갈 수 있도록 해야 한다.

11 기본 소득제

ㄱ. 사회 구성원 모두에게 최소 생활비를 지급하는 기본 소득제는 보편적 복지 정책으로 분류된다. ㄴ. 사회 구성원 모두에게 기본 소득을 지급하기 위해서는 막대한 재원이 필요하다. 따라서 정부의 재정이 악화할 우려가 있다.

바로 알기 ㄷ, ㄹ. 기본 소득제는 사회 구성원 모두가 복지의 수혜 대상이기 때문에 부정적 낙인의 발생 우려가 없으며, 복지 사각지대를 해소하는 효과가 있다.

12 생산적 복지

밑줄 친 '새로운 형태의 복지 제도'는 생산적 복지이다. ①, ②, ③ 생산적 복지는 근로를 조건으로 복지를 지원한다. 따라서 이를 통해 국가는 일할 능력이 있는 사람의 근로 의욕을 높여 경제적 효율성을 달성할 수 있고, 장기적으로 정부의 재정 부담을 완화할 수 있다. ④ 생산적 복지는 일할 능력이 없는 사람을 복지 혜택에서 소외시킬 우려가 있다는 한계가 있다.

┃바로 알기┃ ⑤ 생산적 복지는 사회적 약자 보호와 경제적 효율성 달성을 동시에 지향한다.

서술형 문제

171쪽

01 주제: 사회 보장 제도의 유형

(1) (가) 공공 부조 (나) 사회 보험

(2) [예시 답안] 공공 부조는 생활 유지 능력이 없거나 생활이 어려운 국민을 대상으로 하는 반면 사회 보험은 모든 국민을 대상으로 한다. 공공 부조는 국가가 비용을 전액 부담하지만, 사회 보험은 가입자, 사용자 또는 국가가 공동 부담한다.

채점 기준

상	공공 부조와 사회 보험의 차이점을 '복지 수혜 대상'과 '비용 부담 주체'를 모두 포함하여 정확하게 서술한 경우
하	공공 부조와 사회 보험의 차이점을 '복지 수혜 대상'과 '비용 부담 주체' 중 한 가지만 포함하여 서술한 경우

02 주제: 생산적 복지

(1) 생산적 복지

(2) [예시 답안] 일할 능력이 있는 사람의 근로 의욕을 높여 경제 활동 참여를 장려함으로써 경제적 효율성과 복지의 형평성을 동시에 추구한다.

채점 기준

상	경제적 효율성과 복지의 형평성을 모두 포함하여 생산적 복지의 목적을 정확하게 서술한 경우
하	경제적 효율성과 복지의 형평성 중 한 가지만 포함하여 생산적 복지의 목적을 서술한 경우

STEP 3 1등급 정복하기 172~173쪽

1 ④	2 ①	3 ③	4 ①

1 사회 보장 제도

④ 2015년 대비 2017년 장애 연금 수급자는 감소하였지만 전체 국민연금 수급자는 증가하였으므로, 국민연금 수급자 중 장애 연금 수급자의 비중은 감소하였다.

┃바로 알기┃ ① 국민연금 수급자가 가장 많다고 해서 수급액이 가장 많다고 단정할 수는 없다. ② 유족 연금 수급자 수는 50만 명, 60만 명, 70만 명으로 계속 증가하였다. ③ 2013년도 노령 연금 수급자가 그대로 2015년에도 노령 연금을 수급하였는지는 알 수 없다. ⑤ 2015년 대비 2017년 노령 연금 수급자 증가율(10만 명/330만 명×100)과 유족 연금 수급자 증가율(10만 명/60만 명×100)은 같지 않다.

2 사회 보장 제도의 급여 체제

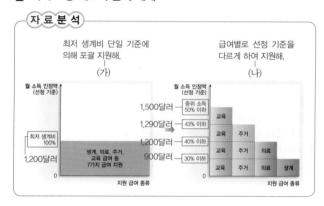

갑국의 최저 생계비가 1,200달러이며, 이는 중위 소득의 40%와 동일하다는 조건을 통해 갑국의 중위 소득이 3,000달러임을 알 수 있다. ㄱ. 월 소득 인정액이 1,200달러 이하인 가구는 (가)에서 7가지 급여를 모두 받았다. ㄴ. 월 소득 인정액이 900달러인 가구는 중위 소득의 30% 이하에 해당하므로, (나)에서 생계 급여를 받을 수 있다.

┃바로 알기┃ ㄷ. (나)에서 모든 급여를 받을 수 있는 기준은 중위 소득의 30% 이하에 해당하는 가구로, 월 소득 인정액이 900달러 이하인 가구이다. ㄹ. (가)에서 급여를 받던 가구는 월 소득 인정액이 1,200달러 이하인 가구이다. 이들 가구의 소득은 중위 소득의 40% 이하에 해당하므로, (나)에서 적어도 교육, 주거, 의료 급여를 받을 수 있다.

3 사회 보장 제도의 유형

ㄴ. 상호 부조의 원리를 기반으로 하는 것은 사회 보험만이다. 따라서 (가)에 들어갈 수 있다. ㄷ. 국가가 비용을 전액 부담하는 것은 공공 부조만이다. 따라서 (나)에 들어갈 수 있다.

┃바로 알기┃ ㄱ. 사회 보험, 공공 부조, 사회 서비스는 모두 사회 보장 제도로서, 사회 구성원의 삶의 질 향상을 목적으로 한다. 따라서 (가)에 들어갈 수 없다. ㄹ. 비금전적 지원을 원칙으로 하는 것은 사회 서비스만이다. 따라서 (나)에 들어갈 수 없다.

4 복지 제도의 한계를 극복하기 위한 노력

자료분석

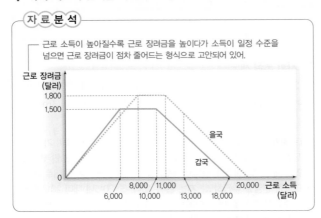

┌ 근로 소득이 높아질수록 근로 장려금을 높이다가 소득이 일정 수준을
  넘으면 근로 장려금이 점차 줄어드는 형식으로 고안되어 있다.

② 을국의 경우 근로 소득 9,000달러인 가구와 10,000달러인 가구의 근로 장려 지급액은 1,800달러로 같다. ③ 근로 소득이 8,000달러인 경우, 갑국의 근로 장려 지급액은 1,500달러이고, 을국의 근로 장려 지급액은 1,800달러이다. ④ 갑국과 을국은 모두 근로 소득이 없는 가구에는 근로 장려금을 지급하지 않는다. ⑤ 갑국과 을국의 근로 장려금은 근로를 하는 조건으로 지급된다는 점에서 생산적 복지 이념을 반영하고 있다.

┃바로 알기┃ ① 갑국의 경우 근로 소득이 0~6,000달러 구간에서는 제시된 선의 기울기가 25/100(← (1,500-0)/(6,000-0))이므로, 근로 소득의 25%가 근로 장려금으로 지급된다. 따라서 근로 소득이 5,000달러이면 근로 장려 지급액이 1,250달러(5,000달러×25%)이다.

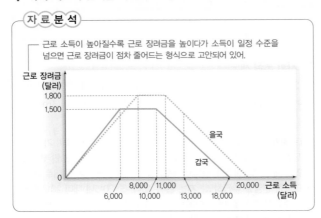
대단원 **실력 굳히기**   176~179쪽

01 ④   02 ②   03 ①   04 ④   05 ⑤   06 ③   07 ④
08 ⑤   09 ⑤   10 ①   11 ②   12 ②   13 ④   14 ④
15 ③   16 ⑤

01 사회 불평등 현상을 바라보는 갈등론적 관점

제시된 글은 교육의 양과 질이라는 사회적 희소 자원이 집안 형편과 지역 배경 등에 의해 불평등하게 분배된다는 내용으로, 갈등론적 관점에 해당한다. ㄴ. 갈등론적 관점에서는 차등 분배가 사회 구성원 간 위화감과 갈등을 초래한다고 본다. ㄹ. 갈등론적 관점에 따르면 사회 불평등 현상은 지배 집단이 자신들의 기득권을 유지하기 위한 강제와 통제에 따른 결과이다.

┃바로 알기┃ ㄱ, ㄷ. 기능론적 관점에 부합하는 진술이다.

02 사회 불평등 현상을 바라보는 관점

(가)는 기능론적 관점, (나)는 갈등론적 관점에 해당한다. ① 기능론적 관점은 사회적으로 필요한 인재가 희소하다고 보고, 그 인재를 중요한 기능을 수행하는 직업에 배치하기 위해서는 사회적 희소 자원을 차등적으로 분배해야 한다고 본다. ③ 갈등론적 관점은 사회적 희소가치의 분배 기준에 특정 계층의 이해관계가 반영되어 불공정하다고 본다. ④ 기능론적 관점은 직업의 기능적 중요도에 차이가 있다고 보지만, 갈등론적 관점은 직업의 기능적 중요도에 차이가 없다고 본다. ⑤ 갈등론적 관점은 기능론적 관점과 달리 사회 불평등 현상이 사회 발전을 저해한다고 보기 때문에 사회 불평등 현상을 극복해야 한다고 본다.

┃바로 알기┃ ② 갈등론적 관점의 한계이다.

03 계급론과 계층론

생산 수단의 소유 여부에 따라 계급을 구분하는 (가)는 계급론이고, 사회 불평등이 다양한 차원에서 형성된다고 보는 (나)는 계층론이다. ㄱ. 계급론은 자본가 계급이 유리한 경제적 지위를 이용하여 노동자 계급을 착취하고 지배하기 때문에 두 계급 사이에 지배와 피지배 관계가 형성된다고 본다. ㄴ. 계층론은 사회 불평등 현상에 정치적·사회적 요인과 더불어 경제적 요인도 작용한다고 본다.

┃바로 알기┃ ㄷ. 지위 불일치 현상을 설명하는 데 유용한 이론은 계층론이다. ㄹ. 계급론과 계층론은 모두 사회적 자원이 희소하다고 본다.

04 사회 이동의 유형

ㄱ, ㄷ. 갑이 생산직 사원에서 개인의 노력과 능력으로 회장이 된 것은 수직 이동이면서 개인적 이동에 해당한다. ㄹ. 갑의 부모님은 가난한 농부인데 반해 갑은 기업의 회장이 되었다. 이는 세대 간 이동에 해당한다.

┃바로 알기┃ ㄴ. 수평 이동은 제시된 사례에 나타나 있지 않다.

---

05 사회 계층 구조의 유형

A의 계층 구성원의 비율은 '상층 : 중층 : 하층 = 3 : 1 : 6'이고, B의 계층 구성원의 비율은 '상층 : 중층 : 하층 = 1 : 4 : 1'이며, C의 계층 구성원의 비율은 '상층 : 중층 : 하층 = 2 : 5 : 10'이다. 따라서 A는 모래시계형 계층 구조이고, B는 다이아몬드형 계층 구조이며, C는 피라미드형 계층 구조이다.

┃바로 알기┃ ① 모든 사회 구성원이 같은 계층을 이루고 있는 계층 구조는 수평형 계층 구조이다. ② 다이아몬드형 계층 구조는 계층 구조의 안정성이 높다. ③ 피라미드형 계층 구조는 계층 구성원의 비율이 '하층 > 중층 > 상층'이다. ④ 제시된 자료만으로 세대 간 이동 가능성의 크기를 비교할 수 없다.

06 사회 이동과 사회 계층 구조

┌자 료 분 석┐

(단위: %)

구분		부모 세대의 계층			계
		상층	중층	하층	
자녀 세대의 계층	상층	5	3	17	25
	중층	4	14	32	50
	하층	1	13	11	25
계		10	30	60	100

└─ 하강 이동 ┘ └ 대물림 ┘

① 세대 간 상승 이동한 비율은 52%(3% + 17% + 32%)이고, 세대 간 하강 이동한 비율은 18%(4% + 1% + 13%)이다. ② 자녀 세대 중 부모가 하층이고 자녀가 중층인 자녀는 32%이다. ④ 부모 세대와 자녀 세대 간 계층 이동을 한 비율은 70%(3% + 17% + 32% + 4% + 1% + 13%)이고, 계층을 대물림한 비율은 30%(5% + 14% + 11%)이다. ⑤ 부모 세대는 하층의 비율이 가장 높은 피라미드형 계층 구조이고, 자녀 세대는 중층의 비율이 가장 높은 다이아몬드형 계층 구조이다.

┃바로 알기┃ ③ 세대 간 이동으로 다른 계층에서 유입된 사람의 비율은 상층이 20%, 중층이 36%, 하층이 14%이다. 따라서 다른 계층에서 유입된 사람은 중층이 가장 많다.

07 사회적 소수자의 특징

㉠은 사회적 소수자에 해당한다. ㄱ. 사회적 소수자는 성, 인종, 장애, 국적 등 다양한 기준에 따라 규정된다. ㄷ. 사회적 소수자는 시대, 장소, 소속 집단의 범주 등에 따라 사회적으로 만들어지는 상대적인 개념이다. ㄹ. 사회적 소수자는 정치, 경제, 사회적으로 약자의 위치에 있으므로, 사회적 권한의 행사에서 주류 집단보다 열세에 있다.

┃바로 알기┃ ㄴ. 사회적 소수자라고 해서 수적으로 반드시 소수인 것은 아니다.

08 사회적 소수자 차별 문제의 해결 방안

제시된 자료를 통해 우리나라의 많은 국민이 사회적 소수자에 대해 배타적인 태도를 지니고 있음을 알 수 있다. 이러한 문제를 해결하기 위해서는 사회적 소수자를 동등한 사회 구성원으로 인정하고 존중하는 개인의 의식적 측면의 노력이 필요하다.

┃바로 알기┃ ①, ②, ③, ④ 사회적 소수자 차별 문제를 해결하기 위한 사회의 제도적 측면의 노력에 해당한다.

09 차별적 사회화

제시된 사례는 특정 색깔과 내용물로 성별을 구분하고 있다는 내용으로, 우리 사회에서 이루어지고 있는 차별적 사회화의 모습을 보여 준다. ⑤ 차별적 사회화는 남성에게는 남성다움을, 여성에게는 여성다움을 강요하여 성 역할에 관한 고정 관념을 형성한다.

┃바로 알기┃ ① 역차별은 사회적 소수자에 대한 우대 조치로 인해 소수자가 아닌 집단이 차별을 받게 되는 경우를 말하는 것으로, 제시된 사례와는 관련 없다. ② 차별적 사회화는 남성에게는 남성다움을, 여성에게는 여성다움을 강요하므로 남성과 여성이 모두 피해를 볼 수 있다. ③ 차별적 사회화는 가부장제적 사회 구조를 더욱 고착화할 수 있다. ④ 제시된 사례는 남녀의 생물학적 차이와는 관련 없다.

10 상대적 빈곤

㉠은 상대적 빈곤이다. 상대적 빈곤은 사회 구성원 대다수가 누리는 생활 수준을 영위하지 못하는 상태를 말하며, 부의 불평등한 분배와 관련이 있다. 상대적 빈곤은 선진국과 같이 경제가 성장하더라도 경제 성장의 혜택이 고루 분배되지 않을 경우 심화할 수 있으며, 어느 사회에나 존재할 수 있다.

┃바로 알기┃ ① 절대적 빈곤에 대한 설명이다.

11 절대적 빈곤율과 상대적 빈곤율

ㄱ. A 시기에 절대적 빈곤율이 상대적 빈곤율보다 크기 때문에 최저 생계비는 중위 소득의 50%보다 크다. ㄷ. C 시기에 상대적 빈곤율이 절대적 빈곤율보다 크기 때문에 중위 소득의 50%가 최저 생계비보다 크다. 따라서 중위 소득은 최저 생계비의 2배보다 크다.

┃바로 알기┃ ㄴ. B 시기에 최저 생계비와 중위 소득의 50%가 일치한다. ㄹ. C 시기에 절대적 빈곤 가구는 모두 상대적 빈곤 가구에 속한다.

12 사회 복지

㉠은 사회 복지이다. ① 과거 전통 사회에서는 복지를 국민의 권리로 인식하지 못하였다. 따라서 민간단체의 자선 활동에 의한 시혜적 복지가 중심이 되었다. ③ 이미 발생한 사회적 위험으로부터의 구제를 목적으로 하는 사후 처방적인 복지뿐만 아니라, 사회적 위험의 발생을 방지하는 것을 목적으로 하는 사전 예방적인 복지도 강조되고 있다. ④ 사회적 약자의 최저 생활 보장뿐만 아니라 모든 사회 구성원의 삶의 질 보장이 사회 복지의 목적이 되고 있다. ⑤ 자본주의 발전 과정에서 빈부 격차의 확대, 대량 실업의 발생 등과 같은 사회 구조적 모순이 심화함에 따라 이를 극복하기 위해 사회 복지 이념이 등장하였다.

┃바로 알기┃ ② 오늘날에는 모든 국민이 사회 복지의 대상이다.

13 사회 보험

장애 연금은 국민연금의 한 종류로서, 사회 보험에 해당한다. ① 사회 보험은 민간 보험과 달리 강제 가입을 원칙으로 한다. ② 사회 보험은 금전적 지원을 원칙으로 하며, 그 비용은 가입자와 사용자 또는 국가가 공동으로 부담한다. ③ 사회 보험은 가입자 간 상호 부조의 원리를 기반으로 한다. ⑤ 사회 보험은 미래에 발생할 수 있는 사회적 위험에 대비하고자 하는 제도로서, 사전 예방적 성격이 강하다.

‖ 바로 알기 ‖ ④ 사회 보험은 수혜 정도와 무관하게 소득 수준 등 부담 능력에 따라 비용을 부담한다.

14 국민 기초 생활 보장 제도

ㄱ. 국민 기초 생활 보장 제도는 급여별로 선정 기준을 다르게 하여 지원한다. ㄷ. 국민 기초 생활 보장 제도는 중위 소득의 50% 이하에 해당하는 가구만을 대상으로 하므로, 선별적 복지에 해당한다. ㄹ. 국민 기초 생활 보장 제도에서 생계 급여 수급자는 교육 급여뿐 아니라 주거 급여와 의료 급여도 받을 수 있다.

‖ 바로 알기 ‖ ㄴ. 중위 소득의 50%를 기준으로 급여를 지원하기 때문에 상대적 빈곤층을 대상으로 함을 알 수 있다.

15 사회 보장 제도의 유형별 특징

① 사회 보험은 가입자 간 상호 부조의 원리를 기반으로 한다. ② 사회 보험과 공공 부조는 둘 다 금전적 지원을 원칙으로 한다. ④ 공공 부조는 무상으로 지원하기 때문에 수혜자의 근로 의욕이 저하될 우려가 있다. ⑤ 사회 서비스는 복지 제공에 있어서 국가와 지방 자치 단체뿐 아니라 민간 부문의 참여가 나타나기도 한다.

‖ 바로 알기 ‖ ③ 대상자를 선별하여 시행하는 것은 공공 부조이다.

16 생산적 복지

㉠은 생산적 복지이다. ㄷ. 생산적 복지는 소외 계층이 자활 사업에 참여하거나 노동하는 것을 조건으로 복지 혜택을 제공한다. ㄹ. 생산적 복지는 일할 능력이 있는 사람의 근로 의욕을 높여 경제 활동 참여를 장려함으로써 경제적 효율성 달성과 사회적 약자 보호를 동시에 추구한다.

‖ 바로 알기 ‖ ㄱ. 생산적 복지는 장기적으로 국가의 재정 부담을 완화할 수 있다. ㄴ. 모든 국민에게 복지 혜택을 제공하는 복지 형태는 보편적 복지이다. 생산적 복지는 보편적 복지와 선별적 복지에 대한 대안으로 등장한 새로운 형태의 복지이다.

V. 현대의 사회 변동

01 사회 변동과 사회 운동

STEP 1 핵심 개념 확인하기   186쪽

1 사회 변동 2 (1) – ⓒ (2) – ⓔ (3) – ⓛ (4) – ⑦ 3 (1) 순 (2) 진
(3) 순 (4) 진 4 (1) × (2) ○ (3) ○ (4) × 5 (1) 사회 운동 (2) 사회
변동

STEP 2 내신 만점 공략하기   186~189쪽

01 ④   02 ⑤   03 ①   04 ②   05 ④   06 ③   07 ③
08 ⑤   09 ②   10 ①   11 ②   12 ②

01 사회 변동의 특징
⑦은 사회 변동이다. ①, ③ 사회 변동의 규모와 형태는 사회마다
다르게 나타나지만, 어느 사회에서나 찾아볼 수 있는 보편적인 현
상이다. ② 사회 변동을 일으키는 요인은 과학과 기술의 발달, 가
치관이나 이념의 변화, 인구나 자연환경의 변화 등 매우 다양하며,
이러한 요인이 서로 복합적으로 작용하면서 사회 변동이 일어난
다. ⑤ 사회 변동은 어느 한 영역에서 나타나는 변화가 다른 영역
의 변화를 유발하거나 촉진하면서 서로 영향을 미친다.

바로 알기 ④ 과거에는 사회 변동이 완만하게 이루어졌다면, 최근에는
급격하고 광범위한 사회 변동이 이루어지고 있다.

완자 정리 노트   사회 변동의 의미와 요인

의미	인간의 생활 방식, 의식 구조, 사회적 관계, 사회 구조 등이 총체적으로 변화하는 현상
요인	과학과 기술의 발달, 가치관이나 이념의 변화, 자연환경의 변화, 인구 변화, 새로운 문화 요소의 전파 등

02 사회 변동의 요인
(가)는 가치관이나 이념과 같은 정신적 요인이 사회 변동을 이끌 수
있음을 보여 주며, (나)는 과학과 기술의 발달로 인한 사회 변동을
보여 준다.

03 사회 변동의 요인
① 천부 인권 사상과 자유주의 이념이 민주주의 사회로의 변화를
이끌어낸 것은 가치관이나 이념과 같은 정신적 요인의 변화가 사회
변동에 영향을 미친 것이다.

바로 알기 ②는 가치관이나 이념의 변화, ③은 새로운 문화 요소의 전
파, ④는 인구 변화, ⑤는 자연환경의 변화가 사회 변동에 영향을 미친 사
례에 해당한다.

04 사회 변동을 바라보는 진화론
제시된 글에서는 생물 유기체의 진화와 마찬가지로 사회도 일정한
방향성을 가지고 단계적으로 변동하며, 모든 단계는 이전 단계보
다 복잡하고 분화된 것이라고 보고 있으므로, 진화론적 관점임을
알 수 있다. ㄱ. 진화론은 사회 변동을 진보와 발전으로 보는 관점
으로, 사회 변동을 긍정적인 것으로 여긴다. ㄷ. 진화론은 서구 사
회가 가장 발전된 사회 형태라고 전제하므로, 서구 제국주의 역사
를 정당화하는 수단으로 악용될 수 있다.

바로 알기 ㄴ, ㄹ. 사회 변동을 바라보는 순환론에 대한 설명이다.

05 사회 변동을 바라보는 순환론
제시된 글에서는 유목민과 정착민의 갈등이 주기적으로 반복되면
서 문명이 변동한다고 보고 있으므로, 순환론적 관점에서 사회 변
동을 바라보고 있음을 알 수 있다. ④ 순환론에서는 장기적인 역
사의 관점에서 인류 문명이 생성, 성장, 쇠퇴, 해체의 과정을 되풀
이하면서 순환한다고 본다.

바로 알기 ①, ②, ⑤ 사회 변동을 바라보는 진화론에 부합하는 진술이
다. ③ 사회 변동을 바라보는 갈등론에 부합하는 진술이다.

06 진화론에 대한 비판
(가)는 순환론적 관점, (나)는 진화론적 관점에서 사회 변동을 바라
보고 있다. ③ 진화론은 모든 사회가 같은 방향으로 변동한다고 보
며, 순환론은 사회가 발전하기도 하지만 소멸하기도 한다고 본다.
따라서 순환론적 관점에서는 현대 사회가 과거 사회보다 모든 면
에서 발전된 것으로 볼 수 없다는 측면에서 진화론이 사회 변동 과
정에서 나타나는 사회의 퇴보나 멸망을 설명하기 어렵다고 비판할
수 있다.

바로 알기 ①, ④, ⑤ 사회 변동을 바라보는 순환론에 대한 비판에 해당
한다. 순환론이 전제하는 순환 과정은 매우 오랜 시간에 걸쳐 일어나기 때문
에 특정 사회의 중·단기적인 사회 변동을 설명하기 어렵다. 또한 미래를 예
측하여 대응하기에는 한계가 있고, 모든 문명이 생성과 쇠퇴를 반복한다는
운명론적 시각에 해당하므로 인간 행위의 역동성과 자율성을 과소평가한다
는 비판을 받는다. ② 사회 변동을 바라보는 갈등론의 한계에 해당한다.

완자 정리 노트   사회 변동의 방향에 관한 관점

진화론	• 사회는 일정한 방향으로 변동하며, 변동이 곧 진보임 • 사회는 단순하고 미분화된 상태에서 복잡하고 분화된 상태를 향하여 변화함
순환론	• 사회는 생성, 성장, 쇠퇴, 해체를 반복함 • 사회는 특정 방향으로 지속해서 진보하는 것이 아니라 발전과 퇴보를 반복함

07 사회 변동을 바라보는 진화론과 순환론

자료 분석

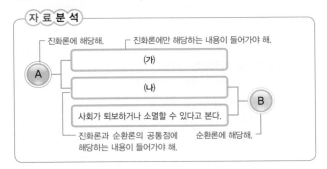

A는 진화론, B는 순환론에 해당한다. ㄴ. 진화론과 순환론 모두 사회가 어떤 방향으로 변화하는가를 기준으로 사회 변동을 바라보는 관점이므로, (나)는 '사회 변동의 방향에 관해 설명한다.'가 적절하다. ㄷ. 진화론은 서구 사회를 가장 진보한 사회로 전제한 결과 서구 제국주의 역사를 정당화한다는 비판을 받는다.

┃바로 알기┃ ㄱ. 사회 변동을 바라보는 순환론에 대한 설명이다. ㄹ. 사회 변동을 바라보는 진화론에 대한 설명이다.

08 사회 변동을 바라보는 기능론

제시된 글에서는 사회의 균형과 통합을 저해하는 현상이 발생하고, 이를 해결하기 위한 사회 각 부분의 유기적 움직임이 나타나며, 그 결과 새로운 균형이 달성되는 과정을 설명하고 있다. 따라서 기능론적 관점에서 사회 변동을 바라보고 있음을 알 수 있다. ㄷ. 기능론은 사회가 상호 의존적인 부분들로 구성되어 있으며, 이들 각 부분은 균형을 이루면서 통합되어 있어 사회가 안정적으로 유지된다고 전제한다. ㄹ. 기능론에서는 사회를 구성하는 부분들 간에 긴장이나 기능적 불균형이 나타나면 이를 조정하는 과정, 즉 균형과 안정을 되찾는 과정에서 사회 변동이 발생한다고 본다.

┃바로 알기┃ ㄱ, ㄴ. 사회 변동을 바라보는 갈등론에 부합하는 진술이다.

09 사회 변동을 바라보는 갈등론

제시된 글에서는 사회 구조가 갖는 내재적인 갈등에 주목하여 사회 변동을 바라보고 있으므로, 갈등론적 관점임을 알 수 있다. ② 갈등론에서는 사회 변동을 사회적 희소가치를 둘러싼 집단 간의 갈등 속에서 나타나는 자연스러운 현상으로 본다.

┃바로 알기┃ ①, ③, ④, ⑤ 사회 변동을 바라보는 기능론에 대한 설명이다.

10 사회 변동을 바라보는 기능론과 갈등론

갑은 사회가 새로운 균형을 찾아가는 과정에서 사회가 변동한다고 보고 있으므로, 기능론적 관점에 해당한다. 을은 지배 집단에 대한 피지배 집단의 저항으로 사회가 변동한다고 보고 있으므로, 갈등론적 관점에 해당한다. ① 기능론에서는 사회 변동을 사회적 균형과 통합을 저해하는 비정상적인 현상을 극복하고 사회 전체의 균형과 안정을 되찾는 과정이라고 본다.

┃바로 알기┃ ② 갈등론에서는 사회 변동을 자연스러운 현상으로 본다. ③ 갈등론에서는 사회 변동을 대립과 갈등의 산물로만 이해하여 사회 속에 존재하는 협력과 안정을 경시한다는 비판을 받기도 한다. ④ 기능론과 갈등론 모두 사회 구조적 측면에서 사회 변동을 바라보는 관점에 해당한다. ⑤ 기능론은 사회의 질서와 안정을 바탕으로 한 점진적 사회 변동을, 갈등론은 혁명과 같은 급격한 사회 변동을 설명하기 유용하다.

완자 정리 노트　사회 변동에 관한 구조적 관점

기능론	• 사회를 이루는 각 부분이 기능적으로 통합하면서 사회 전체의 질서와 안정을 유지함 • 사회 변동은 사회의 부분이나 전체가 일시적 불균형을 극복하면서 새로운 균형의 상태를 찾아가는 과정임
갈등론	• 사회 변동은 사회적 희소가치를 둘러싼 집단 간의 갈등 속에서 나타나는 자연스러운 현상임 • 기득권을 유지하려는 지배 집단에 피지배 집단이 저항하면서 사회 변동이 발생함

11 사회 운동

밑줄 친 '이것'은 사회 운동이다. ①, ③ 사회 운동은 일반적으로 뚜렷한 목표와 그 목표를 달성하기 위한 구체적인 활동 방법을 가지고 있다. 또한 목표와 활동 방식을 정당화하는 이념을 가지고 있다. ④ 기존 사회에 새로운 이질적인 요소가 개입하면서 기존의 구성원이 위협을 느낄 때 기존의 질서를 고수하는 사회 운동이 나타나기도 한다. ⑤ 흑인 인권 신장을 위한 흑인들의 투쟁은 지속적이고 조직적인 행동을 통해 사회를 변화시키려고 했다는 점에서 사회 운동의 사례라고 볼 수 있다.

┃바로 알기┃ ② 사회 운동은 목표 달성을 위한 체계적인 조직을 가지고 있다.

12 사회 운동의 유형

(가)는 개혁적 사회 운동, (나)는 혁명적 사회 운동, (다)는 복고적 사회 운동의 사례에 해당한다. ㄱ. 사회가 다원화되면서 현대 민주주의 사회에서는 환경 운동 등과 같은 형태의 개혁적 사회 운동이 주로 나타난다. ㄹ. 노동자들의 기계 파괴 운동은 산업 혁명이라는 사회 변동에 저항함으로써 사회 변동의 속도를 늦추기도 한다.

┃바로 알기┃ ㄴ. (가), (나) 모두 사회의 구조적 모순에 대한 해결책을 제시하고자 한다. ㄷ. 절대 왕정이라는 구제도에 저항한 프랑스 혁명은 기존 질서의 유지가 아니라 기존 질서의 변화를 지향한다.

완자 정리 노트　사회 운동의 유형

개혁적 사회 운동	기존 사회 질서에 만족하지만 어떤 개혁이 필요할 때 발생함 → 사회 체계의 일부를 바꾸려는 제한적인 목표를 가짐
혁명적 사회 운동	기존 사회 질서에 불만을 가지고 급진적인 변동을 추구할 때 발생함 → 사회 체제 자체를 변화시키려 함
복고적 사회 운동	급격한 사회 변동에 대항하여 기존의 질서를 고수하고자 할 때 발생함

 서술형 문제

189쪽

01 주제: 사회 변동을 바라보는 진화론과 순환론

(1) A – 순환론, B – 진화론

(2) **예시 답안** • 사회 변동을 곧 진보와 발전이라고 본다.

• 사회는 일정한 방향으로 변동한다고 본다.

• 서구 사회가 가장 진보된 사회라고 전제한다.

채점 기준

상	순환론과 구분되는 진화론의 특징을 두 가지 이상 정확하게 서술한 경우
하	순환론과 구분되는 진화론의 특징을 한 가지만 서술한 경우

02 주제: 사회 변동을 바라보는 기능론

(1) 기능론

(2) **예시 답안** 기능론은 사회의 질서와 안정성을 바탕으로 한 점진적인 사회 변동을 설명하기 유용하다는 장점이 있다. 그러나 혁명과 같은 급진적인 사회 변동을 설명하기 어렵다는 단점이 있다.

채점 기준

상	기능론의 장점과 단점을 모두 정확하게 서술한 경우
하	기능론의 장점과 단점 중 한 가지만 서술한 경우

STEP 3 1등급 정복하기

190~191쪽

1 ①　　2 ④　　3 ②　　4 ④

1 사회 변동의 요인

갑은 증기 기관의 발명, 을은 프로테스탄트 윤리에 근거한 자본주의 정신의 형성이 산업 사회로의 변화에 영향을 미쳤다고 보고 있다. ㄱ. 갑은 증기 기관의 발명, 즉 기술의 발달을 사회 변동의 주요 요인으로 보고 있다. ㄷ. 을은 프로테스탄트 윤리의 등장, 즉 가치관이나 이념과 같은 정신적 요인이 사회 변동에 영향을 미쳤다고 보고 있다.

바로 알기 ㄴ, ㄹ. 을은 가치관이나 이념과 같은 비물질문화가 사회 변동의 요인으로 작용하며, 다른 영역의 변화에도 영향을 미친다고 본다.

2 사회 변동을 바라보는 관점

제시된 글에서는 사회가 신학적 단계에서 형이상학적 단계, 그리고 실증적 단계의 세 가지 단계를 밟아 발전한다고 보고 있다. 즉 사회가 일정한 방향성을 가지고 단계적으로 변동한다고 보고 있으므로, 진화론적 관점에 해당한다. ㄴ, ㄹ. 진화론에 따르면 사회는 일정한 방향으로 진보·발전하며, 모든 단계는 이전 단계보다 복잡하고 분화된 것이다.

바로 알기 ㄱ. 진화론은 사회 변동을 진보와 발전으로 보는 관점으로, 사회 변동을 긍정적인 것으로 여긴다. ㄷ. 사회 변동을 바라보는 순환론에 대한 설명이다.

3 사회 변동을 바라보는 관점

② 사회 변동을 긍정적이고 발전적인 것으로 보는 관점은 진화론이므로, A는 진화론, B는 순환론에 해당한다. 서구 사회가 밟아왔던 변동의 과정이 최선의 것은 아니라는 관점은 순환론에 해당하므로, (다)에는 적절하다.

바로 알기 ① 사회 변동을 동일한 과정의 주기적 반복이라고 보는 것은 순환론에만 해당하므로 (가)에는 적절하지 않다. ③ 모든 사회가 일정한 방향으로 발전한다고 보는 관점은 진화론이므로, A는 순환론, B는 진화론에 해당한다. 제국주의를 정당화하는 근거로 사용될 수 있는 관점은 진화론이므로, (나)에는 적절하지 않다. ④ A가 진화론이라면 B는 순환론이므로, (다)에는 순환론에만 해당하는 내용이 들어가야 한다. 사회 변동이 항상 발전을 의미하지는 않는다는 점을 간과하는 관점은 진화론이므로, (다)에는 적절하지 않다. ⑤ B가 순환론이라면 A는 진화론이므로, (나)에는 진화론에만 해당하는 내용이 들어가야 한다. 미래의 사회 변동에 대한 역동적 대응이 곤란한 관점은 순환론이므로, (나)에는 적절하지 않다.

4 사회 변동을 바라보는 관점

사회가 본질적으로 변동을 지향한다고 보는 관점은 갈등론이다. 따라서 A는 갈등론, B는 기능론에 해당한다. ④ 갈등론은 사회가 안정과 질서를 이루고 있는 부분과 사회를 구성하는 다양한 요소의 상호 의존성을 간과한다는 비판을 받는다.

바로 알기 ① (가)에는 기능론과 갈등론 모두 '예'라는 답변을 할 수 있는 질문이 들어가야 한다. 사회 변동을 일시적이고 병리적인 현상으로 보는 관점은 기능론이다. ② (나)에는 갈등론은 '아니요', 기능론은 '예'라는 답변을 할 수 있는 질문이 들어가야 한다. '사회 변동을 사회 구조적 측면에서 바라보는가?'라는 질문에 기능론과 갈등론 모두 '예'라는 답변을 할 수 있다. ③ 사회의 구성 요소들이 균형을 회복하려는 성향을 갖는다고 보는 관점은 기능론이다. 따라서 ㉠에는 '아니요', ㉡에는 '예'가 들어간다. ⑤ 기능론은 사회 질서와 안정을 강조하는 보수적인 관점이며, 혁명과 같은 급격한 사회 변동을 설명하기 어렵다는 비판을 받는다.

02 현대 사회의 변화와 대응 방안

STEP 1 핵심 개념 확인하기
196쪽

1 (1) ○ (2) × 2 (1) 정보화 (2) 직접 (3) 정보 격차 3 (1) 증가 (2) 감소 (3) 증가 4 ㄷ, ㄹ 5 ㉠ 동화주의 ㉡ 다문화주의

STEP 2 내신 만점 공략하기
196~199쪽

01 ④   02 ②   03 ③   04 ①   05 ①   06 ④   07 ⑤
08 ③   09 ⑤   10 ④   11 ②   12 ②

01 세계화
제시된 글은 세계화에 대한 설명이다. ㄴ. 세계화로 인해 세계 각국으로 상품, 노동력, 자본 등이 자유롭게 이동하면서 전 세계가 단일한 시장으로 통합되고 있다. ㄹ. 세계화는 교통·통신 기술의 발달로 국가 간 교류가 활성화되면서 빠르게 이루어지고 있다.
▌**바로 알기** ▌ ㄱ. 세계화는 국경을 넘어 전 세계가 상호 의존하는 현상으로, 국경의 의미를 약화시킨다. ㄷ. 세계화로 국가 간 상호 의존성이 높아지면서 한 국가에서 나타나는 변동은 전 세계적으로 영향을 미친다.

02 세계화의 영향
㉠, ㉣ 세계화로 국가 간 거래를 가로막는 다양한 장벽이 철폐되면서 생산자는 더 넓은 시장을 확보할 수 있으며, 소비자는 세계 곳곳의 다양한 제품을 더욱 싼값에 소비할 수 있다. 반면 기업이나 개인의 경쟁 대상이 전 세계로 확대되어 경쟁력을 갖추지 못한 개발 도상국의 산업이 위축되면서 국가 간 빈부 격차가 심화하기도 한다. ㉢, ㉤ 세계화로 세계 각국의 문화가 활발하게 교류하면서 다양한 문화를 접할 수 있고, 이를 통해 더욱 창의적이고 새로운 문화를 창출할 수 있다. 반면 강대국 중심의 일방적인 문화 전파로 지역의 고유문화가 훼손되고 문화의 획일화를 초래할 수 있다.
▌**바로 알기** ▌ ㉡ 세계화 과정에서 국제기구의 역할, 다국적 기업과 국제적인 거대 자본의 영향력이 강화되고 있다. 이에 따라 개별 국가의 정부가 취할 수 있는 정책 자율성이 침해될 우려가 커지고 있다.

완자 정리 노트   세계화에 따른 변화

경제적 측면	전 세계의 단일 시장화, 생산자의 넓은 시장 확보, 소비자의 상품 선택의 폭 확대 등 ↔ 국가 간 빈부 격차 심화, 경쟁력 없는 기업 및 산업 도태 등
정치적 측면	지구촌 문제에 공동 대응, 민주주의나 인권 등의 가치 확산 등 ↔ 주권 국가의 자율성 침해 등
사회·문화적 측면	다양한 문화의 체험·향유 기회 확대, 새로운 문화 창출의 기회 확대 등 ↔ 고유문화의 훼손, 문화의 획일화 등

03 세계화의 영향
제시된 글은 문화적 측면에서 진행되는 세계화의 모습을 보여 준다. ㄴ, ㄷ. 영화, 음악, 음식 문화와 패션 등이 빠르게 확산되면서 세계 각국은 다양한 문화를 공유할 수 있게 된다. 또한 이 과정에서 서로의 문화가 비슷해지는 현상이 발생하기도 한다.
▌**바로 알기** ▌ ㄱ. 제시된 글과는 관련 없는 내용이다. ㄹ. 세계화에 따라 특정 국가 또는 지역의 생활 양식이나 언어 등이 널리 확산되면서 국가의 문화적 정체성이 위협받을 가능성도 커지고 있다.

04 정보화
제시된 글은 정보화에 대한 설명이다. ② 정보화가 진전되면서 생산 방식이 소품종 대량 생산 방식에서 다품종 소량 생산 방식으로 변화하였다. ③ 정보화로 시민들이 전자 투표에 참여하거나 가상 공간에서 다양한 방식으로 의견을 표출할 수 있게 되면서 직접 민주 정치의 실현 가능성이 높아졌다. ④ 정보화로 유연하고 창의적인 조직 형태의 필요성이 증가하면서 탈관료제와 같은 수평적 사회 조직이 증가하고 있다. ⑤ 정보화로 원격 근무와 재택근무가 수월해지면서 근로자는 시간과 장소에 상관없이 언제 어디서나 효율적으로 근무할 수 있게 되었다.
▌**바로 알기** ▌ ① 정보화로 가상 공간에서 맺는 사회적 관계가 활성화되면서 구성원 간 비대면적인 접촉이 증가하였다.

05 정보화의 문제점
제시된 사례에서는 개인의 여러 가지 정보가 인터넷을 통해 타인에게 노출되면서, 이로 인한 범죄가 발생하고 있음을 보여 준다. 이처럼 정보 사회에서는 개인 정보 유출로 인한 사생활 침해가 심각해지고 있다.
▌**바로 알기** ▌ ②, ③, ④, ⑤ 정보 사회의 문제점에 해당하지만, 제시된 사례와는 관련 없다.

06 정보화의 대응 방안
제시된 글에 따르면 가상 공간에서 과잉 유포되는 정보 중 어떤 정보가 자신에게 필요하고 정확한 정보인지 파악하고, 특정 목적을 가지고 유포되는 정보를 정확하게 걸러내기 위해서는 정보를 비판적으로 분석하고 평가하는 안목을 키워야 한다.

07 저출산·고령화 현상의 원인과 영향
①, ② 저출산 현상은 출산과 양육에 대한 경제적 부담 증가, 여성의 사회 진출 증가 등 다양한 요인에 의해 나타난다. 저출산 현상이 지속되면 인구 정체와 감소가 나타나며, 부양 인구가 줄어들어 사회 유지에 어려움을 야기한다. ③ 고령화 현상은 의료 기술 발달에 따른 평균 수명의 연장, 저출산 현상 등의 요인에 의해 나타난다. ④ 노동력이 고령화되면서 노동 생산성의 약화를 초래할 수 있다.
▌**바로 알기** ▌ ⑤ 노인을 대상으로 한 사회 보장 제도를 유지하는 비용이 증가하여 정부의 재정 건전성이 악화되는 문제가 나타날 수 있다.

08 저출산·고령화 현상

자료 분석

전체 인구에서 차지하는 비율을 나타내므로, 인구수의 변화를 정확히 비교할 수는 없어. (단위: %)

구분 \ 연도	2015년	2035년	2055년
유소년 인구 (0~14세 인구)	13.8	11.3	9.4
생산 가능 인구 (15~64세 인구)	73.4	60.0	51.4
노인 인구 (65세 이상 인구)	12.8	28.7	39.2

전체 인구에서 유소년 인구와 생산 가능 인구의 비중은 줄어들고 노인 인구의 비중은 늘어날 것이라고 예측하고 있어. 이를 통해 갑국에서 저출산·고령화 현상이 심화할 것이라고 추론할 수 있어.

ㄴ. 저출산·고령화 현상이 심화하면 생산 가능 인구가 줄어들어 노동 생산성이 낮아져 경제 활력이 저하될 수 있다. ㄷ. 2055년에는 2015년에 비해 노인 인구의 비율은 증가하고 생산 가능 인구의 비율은 감소할 것으로 예측하고 있다. 따라서 2055년은 2015년에 비해 생산 가능 인구 대비 노인 인구의 비율이 증가할 것이다.

바로 알기 ㄱ. 갑국에서는 저출산·고령화 현상이 나타나고 있으므로, 출산 장려 정책의 필요성이 커질 것이다. ㄹ. 전체 인구가 어떻게 변할지에 대한 예측이 나타나 있지 않으므로, 노인 인구가 증가하고 유소년 인구가 감소한다고 볼 수 없다.

09 저출산·고령화 현상의 대응 방안

제시된 자료에서 맞벌이 부부의 자녀 양육 부담을 경감시키기 위한 아이 돌봄 서비스와 가족 친화 제도를 모범적으로 운영하고 있는 기업에 인센티브를 제공하는 것은 모두 직장의 일과 가정의 일을 같이 하는 것을 가능하도록 지원하는 제도이다. 이는 자녀 양육에 대한 부담을 줄여줌으로써 궁극적으로 출산을 장려하는 것을 목적으로 한다.

10 다문화 사회의 형성 배경과 영향

① 오늘날 교통·통신 기술의 발달과 함께 국가 간 인적·물적 교류가 증가하면서 다양한 인종, 종교, 문화를 가진 사람들이 함께 살아가는 다문화 사회가 형성되고 있다. ② 우리나라에서는 1990년대부터 결혼 이민자, 외국인 노동자, 북한 이탈 주민 등이 증가하면서 다문화적 변화가 나타나기 시작하였다. ③ 다문화 사회에서는 여러 문화가 공존하여 문화 다양성이 높아진다. 이를 통해 사회 구성원은 풍부한 문화적 경험을 할 수 있으며, 이는 문화 발전의 원동력이 된다. ⑤ 다문화 사회에서 서로 다른 문화를 가진 구성원이 서로를 이해하지 못하면 갈등이 발생할 수 있다.

바로 알기 ④ 다문화 사회로의 변화는 저출산·고령화에 따른 노동력 부족 문제를 해소하는 데 도움이 될 수 있다.

11 다문화 사회의 대응 방안

갑, 정. 다문화 사회에서 나타나는 갈등을 해결하기 위해서는 문화적 차이를 인정하는 관용의 자세를 갖추어야 한다. 또한 이주민 집단에 대한 편견이나 차별을 비판적으로 성찰할 필요가 있다.

바로 알기 을. 서로 다른 문화적 배경을 가진 사람들이 우리 사회의 구성원으로서 함께 살아가며 적응할 수 있도록 모든 사회 구성원을 대상으로 다문화 교육을 실시해야 한다. 병. 이주민을 기존 사회 구성원으로부터 엄격히 분리하는 정책은 이주민을 기존 사회 구성원과 다른 존재로 인식하는 것으로, 다문화 사회의 갈등을 해결하는 데 도움을 주지 못한다.

12 다문화 정책

(가)는 동화주의, (나)는 다문화주의에 해당한다. ㄱ. 동화주의는 이주민을 기존 사회에 동화시켜야 하는 대상으로 인식한다. ㄷ. 다문화주의는 이주민 문화의 고유성을 인정하고 존중하므로, 동화주의보다 문화 다양성 실현에 유리하다.

바로 알기 ㄴ. 주류 문화와 이주민 문화의 동질성을 추구하는 것은 동화주의이다. ㄹ. 문화의 다원화를 중시하는 것은 다문화주의, 사회적 통합을 중시하는 것은 동화주의이다.

완자 정리 노트 동화주의와 다문화주의

구분	동화주의	다문화주의
문화적 지향	이주민 문화와 주류 문화의 문화적 동질성 추구	이주민 문화와 주류 문화의 문화적 이질성 존중
정책 목표	이주민의 주류 사회 동화	이주민 문화의 고유성 인정 및 다양한 문화 공존
이주민에 대한 관점	이방인, 통합의 대상	사회 구성원, 공존의 주체

서술형 문제

199쪽

01 주제: 저출산·고령화 현상

(1) A – 저출산, B – 고령화

(2) **예시 답안** 저출산·고령화 현상을 해결하기 위해 정부에서는 일·가정 양립을 위한 제도적 지원 강화, 노후 소득 보장을 위한 연금 제도 개선, 고령화에 따른 산업 구조 개편 등의 노력을 기울여야 한다.

채점 기준

상	저출산·고령화 현상을 해결하기 위한 정책적 차원의 노력을 두 가지 이상 정확하게 서술한 경우
중	저출산·고령화 현상을 해결하기 위한 정책적 차원의 노력을 한 가지만 서술한 경우
하	정책적 차원에서 제시하지는 않았지만, 저출산·고령화 현상의 대응 방안을 서술한 경우

02 주제: 다문화 사회의 영향

(1) 다문화 사회

(2) **예시 답안** 다문화 사회에서 사회 구성원은 풍부한 문화적 경험을 할 수 있으며, 다양하고 풍부한 문화는 새로운 문화 창조의 원동력이 될 수 있다. 그러나 한 사회 내에서 서로 다른 문화를 가진 구성원이 서로를 이해하지 못하거나 수용하지 못하면 갈등이 발생할 수 있으며, 외국인 이주민들의 사회 부적응 문제가 나타나기도 한다.

채점 기준

상	다문화 사회로의 변화가 미치는 긍정적 영향과 부정적 영향을 모두 정확하게 서술한 경우
하	다문화 사회로의 변화가 미치는 긍정적 영향과 부정적 영향 중 한 가지만 서술한 경우

STEP 3 1등급 정복하기
200~201쪽

1 ② 2 ② 3 ④ 4 ⑤

1 세계화의 요인과 영향

다양한 측면에서 전 세계가 상호 의존하면서 삶의 공간이 국경을 넘어 전 지구로 확대되는 과정을 세계화라고 한다. ② 세계화는 경제적 측면에서 소비자에게 보다 다양한 상품을 저렴하게 소비할 수 있는 기회를 제공한다.

바로 알기 ① 관세 및 비관세 장벽과 같은 무역 장벽이 철폐 및 완화되면서 세계화가 촉진되었다. ③ 세계화는 경제적 측면에서 경쟁력 있는 기업의 시장을 확대시킨다. ④, ⑤ 세계화는 정치적 측면에서 개별 주권 국가의 자율성을 침해할 수도 있지만, 민주주의 이념을 전 세계로 확산시키는 데 기여하기도 한다.

2 정보화의 영향

ㄱ. A가 정보 사회라면 B는 산업 사회이다. 정보 사회에서는 가상 공간을 통한 사회적 관계가 활성화되면서 구성원 간 비대면적 접촉이 증가하였다. 또한 유연하고 창의적인 조직 형태의 필요성이 커지면서 탈관료제와 같은 수평적 조직이 늘어나고 있다. 따라서 정보 사회에서는 산업 사회에 비해 비대면적 접촉 비중이 높게 나타나고, 관료제 조직의 비중이 낮게 나타난다. ㄹ. 정보 사회는 산업 사회에 비해 업무의 표준화 정도는 낮고, 전자 상거래의 이용 비중이 높다. 따라서 A는 산업 사회, B는 정보 사회이다. 산업 사회에서는 부가 가치 창출의 원천으로 노동과 자본을 중시했다면, 정보 사회에서는 부가 가치 창출의 원천으로 지식과 정보를 중시한다.

바로 알기 ㄴ. 정보 사회는 산업 사회에 비해 사회의 다원화 정도가 높게 나타나며, 재택근무가 확산되므로 가정과 일터의 결합 정도도 높게 나타난다. ㄷ. 정보 사회는 산업 사회에 비해 구성원 간 익명성 정도가 높고, 산업 사회는 정보 사회에 비해 소품종 대량 생산의 비중이 높다. 따라서 A는 정보 사회, B는 산업 사회이다. 정보 사회는 산업 사회보다 정보 확산의 시·공간적 제약에서 비교적 자유롭다.

3 저출산·고령화 현상

ㄱ. 1965년의 생산 가능 인구를 100명이라고 가정하면 노인 인구는 6명, 유소년 인구는 90명이다. 즉, 유소년 인구는 노인 인구의 15배이다. ㄷ. 2065년의 생산 가능 인구를 100명이라고 가정하면 노인 인구는 85명, 유소년 인구는 20명이다. 따라서 전체 인구는 205명이고 생산 가능 인구는 100명이므로, 생산 가능 인구는 전체 인구의 50% 미만이 될 것이다. ㄹ. 노인 인구의 증가율이 생산 가능 인구의 증가율보다 높으면 노년 부양비는 높아진다. 제시된 그림에서 2015년 이후 노년 부양비가 지속적으로 높아질 것으로 예측하고 있으므로, 2015년 이후 노인 인구의 증가율은 생산 가능 인구의 증가율보다 높을 것이다.

바로 알기 ㄴ. 갑국의 생산 가능 인구가 지속적으로 증가할 것으로 예측하고 있고, 2065년의 노년 부양비가 2015년의 5배가 될 것으로 예측하고 있다. 따라서 예측대로라면 2065년의 노인 인구는 2015년의 5배를 넘을 것이다.

4 다문화 정책

㉠은 동화주의, ㉡은 다문화주의이다. ㄷ. 다문화주의에 근거하여 다문화 정책을 시행할 경우 우리 사회의 문화 다양성이 높아질 수 있다. ㄹ. 타 문화에 대한 관용적 태도를 중시하는 것은 다문화주의이다.

바로 알기 ㄱ. 여러 문화의 공존과 화합을 중시하는 것은 다문화주의에 해당한다. ㄴ. '로마에 가면 로마법을 따르라.'는 속담은 주류 집단에 대한 소수 집단의 동화를 강조하는 동화주의와 관련이 깊다.

03 전 지구적 수준의 문제와 지속 가능한 사회

STEP 1 핵심 개념 확인하기 204쪽

1 (1) × (2) ○ (3) ○ 2 (1) – ㉢ (2) – ㉠ (3) – ㉡ 3 ㉠ 전쟁 ㉡ 테러 4 (1) 지구 온난화 (2) 신·재생 5 (1) 지속 가능한 사회 (2) 세계 시민

STEP 2 내신 만점 공략하기 204~206쪽

01 ③ 02 ④ 03 ⑤ 04 ④ 05 ① 06 ④ 07 ⑤ 08 ②

01 전 지구적 수준의 문제

제시된 사례에 나타난 환경 문제와 자원 문제는 한 지역이나 한 국가의 문제가 다른 국가나 전 지구적 차원에까지 영향을 미치는 전 지구적 수준의 문제에 해당한다. ③ 전 지구적 수준의 문제는 그 원인과 영향 측면에서 개별 국가만의 문제가 아니라 국가의 경계를 넘어 유기적으로 얽힌 여러 국가가 공통으로 직면한 문제이므로, 문제 해결을 위한 국제적 공동 대응이 필요하다.

바로 알기 ① 전 지구적 수준의 문제는 특정 지역에만 국한하지 않고 주변 지역과 전 세계에 영향을 미친다. ② 전 지구적 수준의 문제는 다음 세대에까지 그 피해가 이어지기 때문에 현재 세대뿐만 아니라 미래 세대에게도 치명적인 영향을 미칠 수 있다. ④ 전 지구적 수준의 문제는 특정 지역이나 특정 국가의 노력만으로 해결할 수 없다는 특징이 있다. ⑤ 전 지구적 수준의 문제를 해결하기 위해서는 국제 연합(UN)과 같은 국제기구의 노력은 물론, 개인과 개별 국가 차원에서의 노력 및 적극적인 협력이 필요하다.

완자 정리 노트 전 지구적 수준의 문제

환경 문제	지구 온난화로 인한 기상 이변, 무분별한 개발로 인한 사막화와 열대 우림 파괴, 황사 및 미세 먼지 발생, 토양·수질·대기 오염 등
자원 문제	석유, 석탄 등과 같은 에너지 자원의 고갈 문제, 식량 자원의 부족 및 물 부족 문제, 한정된 자원을 둘러싼 국가 간 분쟁 발생 등
전쟁과 테러	민족 간의 대립, 이념 및 종교 갈등, 이해관계의 충돌 등으로 전쟁과 테러 발생

02 환경 문제

을. 지구 온난화로 인한 피해가 다른 지역에 비해 아프리카 지역에서 더 크게 나타나고 있다고 제시되어 있으므로, 지구 온난화가 각 국가에 미치는 영향은 다르다는 점을 알 수 있다. 정. 지구 온난화를 야기한 선진국들이 이를 해결하기 위해 적극적으로 나서야 한다고 주장하고 있으므로, 지구 온난화를 야기한 국가들이 관련 문제에 대해 책임 의식을 가져야 한다는 점을 알 수 있다.

바로 알기 갑. 지구 온난화는 세계 여러 지역에 이상 기후를 유발함으로써 피해를 끼친다. 병. 아프리카 지역에서 나타나는 지구 온난화로 인한 피해에 대해 선진국들이 책임 의식을 가져야 한다고 본다.

03 자원 문제

ㄷ. 지구 생태 용량 초과의 날은 인간의 활동이 지구 환경에 미치는 부담을 수치화한 것이다. ㄹ. 지구 생태 용량 초과의 날이 늦어진다는 것은 인간이 지구 환경에 부담을 덜 주면서 생활하고 있음을 의미한다. 따라서 자연과 더불어 살아가려는 인식의 확산은 지구 생태 용량 초과의 날을 늦추는 데 기여한다.

바로 알기 ㄱ. 지구 생태 용량 초과의 날이 빨라질수록 자원 고갈 시기는 빨라진다. ㄴ. 친환경적인 대체 자원을 개발하는 것은 지구 생태 용량 초과의 날을 늦추는 요인이 될 수 있다.

04 자원 문제의 해결 방안

제시된 글에서는 자원 사용량의 급증으로 자원이 고갈되고 있으며, 한정된 자원을 둘러싸고 국가 간 분쟁이 발생하고 있음을 보여 준다. ① 자원 고갈 및 분쟁 문제를 해결하기 위해서는 기존의 화석 연료를 대신할 신·재생 에너지를 개발하려는 노력이 필요하다. ② 자원 재활용을 적극적으로 실천하려는 노력은 자원 소비량을 줄임으로써 자원 문제의 해결 방안이 될 수 있다. ③ 고효율·저소비 방식의 자원 소비 시스템을 개발하면 한정된 자원을 더 오래 사용할 수 있게 하므로, 자원 문제의 해결 방안이 될 수 있다. ⑤ 자원 문제를 해결하기 위해서는 자원 이용과 개발에 대한 국제적 협약을 체결하고, 이를 실천하기 위한 국제 사회의 노력도 필요하다.

바로 알기 ④ 국가 간 자원 이동의 장벽을 높이면 자원을 둘러싸고 국가 간 갈등이나 분쟁이 발생할 가능성이 커진다.

05 전 지구적 수준의 문제에 대한 대응 방안

ㄱ, ㄴ. 경제 개발 과정에서 자원의 한계를 고려하고, 환경친화적인 상품을 생산하는 산업을 육성하는 것은 생태 중심의 사고방식을 바탕으로 하는 것이다.

바로 알기 ㄷ. 성장 위주의 정책과 소비 위주의 문화는 인류가 끊임없이 자원을 사용하게 하므로, 자원 고갈을 촉진할 수 있다. ㄹ. 자연을 인간의 필요와 욕구를 충족하기 위한 도구로 인식하는 인간 중심적 자연관은 환경 오염과 자원 고갈을 심화하는 요인이 된다.

06 전쟁과 테러

A는 전쟁, B는 테러이다. ① 전쟁은 서로 대립하는 국가들이나 이에 준하는 집단들이 군사력을 사용하여 상대의 의지를 강제하려 하는 행위나 상태를 의미한다. ② 오늘날 테러는 정치적 갈등 또는 종교적 갈등에 의해 발생하는 경우가 많다. ③ 테러는 개인 또는 특정 조직이 자신들의 목적을 위해 무차별적으로 위해를 가하는 것이다. 이를 통해 테러가 이해관계가 없는 불특정 다수에게 피해를 준다는 점을 알 수 있다. ⑤ 전쟁과 테러로 인한 피해는 특정

지역에 국한되지 않고 전 세계로 파급될 수 있다는 점에서 전 지구적 수준에 문제에 해당한다.

┃바로 알기┃ ④ 전쟁과 테러 모두 민간인에 대한 살상이 이루어진다는 점에서 그 문제가 심각하다.

07 지속 가능한 사회

밑줄 친 '이것'은 지속 가능한 사회에 해당한다. ㄷ, ㄹ. 지속 가능한 사회는 미래 세대가 자신들의 필요를 충족시키기 위해 갖추어야 할 여건을 저해하지 않으면서, 현재 세대가 필요로 하는 다양한 욕구를 충족시키는 사회로, 세계 시민 의식 없이는 실현하기 어렵다.

┃바로 알기┃ ㄱ. 지속 가능한 사회는 개발의 필요성을 인정하면서도 환경 보전, 사회의 안정과 통합 등이 균형을 이루는 것을 지향한다. ㄴ. 대량 생산 및 대량 소비 체제를 추구하다 보면 환경이 파괴되고 자원이 고갈될 가능성이 높아지므로, 지속 가능한 사회를 실현하기 어려워진다.

08 세계 시민

㉠은 세계 시민에 해당한다. 세계 시민은 세계의 모든 인류는 평등하다는 관점에서 전 지구적 수준의 문제에 주체적이고 능동적으로 참여할 권리를 가진 주체라고 볼 수 있다. 따라서 세계 시민은 환경 문제, 자원 문제, 전쟁과 테러 등과 같은 전 지구적 수준의 문제에 지속적인 관심을 가지고, 국가를 초월한 반성과 참여 및 연대를 할 수 있어야 한다. 또한 특정한 이해관계를 초월하여 인류 보편의 가치를 추구하고 그것을 위해 능동적으로 행동하는 시민성을 갖추어야 한다.

┃바로 알기┃ ② 세계 시민은 지구 전체를 고려하는 지구적 세계관을 바탕으로 편견 없는 사고와 열린 마음으로 다른 문화를 바라보는 태도를 갖추어야 한다.

서술형 문제

206쪽

01 주제: 전 지구적 수준의 문제

(1) (가) 환경 문제 (나) 전쟁과 테러

(2) **예시 답안** 환경 문제를 해결하기 위해 우리는 자연을 우리의 목적을 달성하기 위한 수단이 아닌 더불어 살아가는 존재로 재인식할 필요가 있다. 이와 함께 환경 문제 개선을 위한 개인적·사회적 관심과 실천, 환경 문제에 대한 국제 사회의 유기적이고 전폭적인 협력이 요구된다.

채점 기준

상	환경 문제를 해결하기 위한 노력을 두 가지 이상 정확하게 서술한 경우
하	환경 문제를 해결하기 위한 노력을 한 가지만 서술한 경우

02 주제: 지속 가능한 사회와 세계 시민

(1) 지속 가능한 사회

(2) **예시 답안** 세계 시민으로서 우리는 다른 사람들과 더불어 살아가려는 태도를 보여야 한다. 그리고 일상생활에서도 다양한 문화를 이해하고 수용하는 개방적인 자세를 지니고, 나의 작은 실천이 지구촌 전체 구성원들의 삶과 연관되어 있음을 이해해야 한다.

채점 기준

상	세계 시민의 자질을 두 가지 이상 정확하게 서술한 경우
하	세계 시민의 자질을 한 가지만 서술한 경우

STEP 3 1등급 정복하기

207쪽

1 ①   2 ③

1 전 지구적 수준의 문제

ㄱ. 파리 협정은 지구 온난화라는 전 지구적 수준의 문제에 대응하기 위한 국제적인 공조의 결과이다. ㄹ. 지구 온난화로 인한 문제가 특정 국가에 한정되지 않고 전 세계에서 발생한다는 것은 지구 온난화가 전 지구적 수준의 문제임을 보여주는 것이다.

┃바로 알기┃ ㄴ. ㉡에 따르면 지구 온도가 높아질수록 사망률이 높아진다. 즉, 지구 온도와 사망률 간에 정(+)의 관계가 있음을 알 수 있다. ㄷ. 대량 생산 및 대량 소비는 지구 온난화를 촉진하는 요인이다.

2 지속 가능한 사회와 세계 시민

③ 생태계의 수용 능력을 고려하는 경제 개발, 친환경적인 대체 자원 개발, 환경친화적인 상품 개발 등은 현재와 미래 사회의 지속 가능한 발전에 기여한다.

┃바로 알기┃ ① 전 지구적 수준의 문제는 지형, 기후 등 자연환경의 변화와 같이 자연적 원인에서 비롯하기도 하고, 자원 고갈, 환경 오염, 전쟁과 테러 등과 같이 인간으로부터 비롯하기도 한다. ② 환경 문제, 자원 고갈 문제는 경제 성장을 우선시하는 정책으로 인해 심화되었다. ④ 현재와 미래 사회의 지속 가능한 발전을 위해서는 자연을 인간의 욕구를 충족하는 수단으로 여기는 태도에서 벗어나 자연과 더불어 살아가려는 태도를 갖는 것이 필요하다. ⑤ 자신이 속한 국가의 이해관계를 최우선으로 하는 태도는 세계 시민이라는 정체성 형성에 도움을 주지 못한다. 세계 시민이라는 정체성을 갖기 위해서는 지구촌 전체를 하나의 운명 공동체로 여기는 태도가 필요하다.

01 ④　02 ③　03 ②　04 ③　05 ⑤　06 ⑤　07 ②
08 ③　09 ④　10 ②　11 ②　12 ⑤　13 ①　14 ③
15 ④　16 ①

01 사회 변동의 특징

제시된 글에서는 인류가 농업 사회, 산업 사회를 거쳐 정보 사회로 나아가는 모습을 통해 사회 변동의 양상에 대해 설명하고 있다. ①, ②, ⑤ 기술의 발달은 산업 사회, 정보 사회로의 변화를 촉진하였고 이 변화는 다시 사회적 관계와 제도에도 영향을 미쳤다. 이를 통해 사회 변동은 사회 전반에 걸쳐 복합적이고 총체적으로 진행되며, 한 영역에서의 변화가 다른 영역에서의 변화를 유발한다는 점을 알 수 있다. ③ 기술의 발달과 같은 물질문화의 변동이 사회 변동에 영향을 미친다는 점을 알 수 있다.

바로 알기 ④ 인류는 오랜 세월 동안 농업 사회를 지속하다가 18세기 무렵부터 산업 사회로 이행하였고, 최근에는 기술의 급속한 발달로 정보화를 경험하고 있다. 이를 통해 사회 변동의 속도는 시간이 흐를수록 점차 빨라지고 있음을 알 수 있다.

02 사회 변동의 요인

제시된 사례에서는 지구 온난화라는 기후 변화에 대응하기 위해 환경친화적 생산 체제로의 변화가 나타났음을 보여 준다. 이를 통해 자연환경의 변화가 사회 변동에 영향을 미친다는 점을 알 수 있다.

바로 알기 ①, ②, ④, ⑤ 과학과 기술의 발달, 인구의 변화, 가치관이나 이념의 변화, 새로운 문화 요소의 전파는 모두 사회 변동의 요인에 해당하나, 제시된 사례와는 관련 없다.

03 사회 변동을 바라보는 진화론과 순환론

(가)는 사회 변동을 진보와 발전으로 보고 있으므로, 진화론에 해당한다. (나)는 사회가 발전과 퇴보를 되풀이한다고 보고 있으므로, 순환론에 해당한다. ② 진화론은 서구 사회가 가장 발전된 사회 형태라고 전제하므로, 제국주의 지배를 정당화할 우려가 있다.

바로 알기 ①, ④ 사회 변동을 바라보는 순환론에 대한 설명이다. ③, ⑤ 사회 변동을 바라보는 진화론에 대한 설명이다.

04 사회 변동을 바라보는 순환론

사회 변동의 방향에 대한 관점인 진화론과 순환론 중 A는 사회 변동을 진보와 동일시하지 않으므로 순환론에 해당한다. 따라서 (가)에는 순환론적 관점에서 '예'라고 응답할 수 있는 질문이, (나)에는 순환론적 관점에서 '아니요'라고 응답할 수 있는 질문이 들어가야 한다. ㄴ. 순환론은 흥망성쇠를 거듭한 국가의 사회 변동 사례를 설명하기에 유용하다. ㄷ. 순환론은 사회 변동의 일정한 방향성은 존재하지 않는다고 본다.

바로 알기 ㄱ. 순환론은 과거 문명의 사후 분석에만 치중하여 미래 사회의 변동을 예측하고 대응하는 데 적합하지 않다는 점에서 한계를 가진다. ㄹ. 순환론은 문명이 퇴보할 수 있다는 점을 인정한다.

05 사회 변동을 바라보는 기능론

제시된 내용은 사회를 구성하는 부분들 간에 긴장이나 기능적 불균형이 나타나면 전체적으로 이를 조정하는 과정에서 사회 변동이 발생한다고 보고 있다. 이를 통해 기능론적 관점임을 알 수 있다. ⑤ 기능론은 사회가 상호 의존적인 부분들로 구성되어 있으며, 이들 각 부분은 균형을 이루면서 기능적으로 통합되어 있어 안정적으로 유지된다고 전제한다.

바로 알기 ①, ③, ④ 사회 변동을 바라보는 갈등론에 부합하는 진술이다. ② 사회 변동을 바라보는 순환론에 부합하는 진술이다.

06 사회 변동을 바라보는 갈등론

제시된 글에서는 가족 내 양성평등이 가능해진 것을 지배 집단인 남성에 대해 피지배 집단인 여성이 지속적인 문제 제기를 통해 변화를 이끌어낸 결과로 보고 있으므로, 갈등론적 관점임을 알 수 있다. ㄷ. 갈등론에 따르면 사회 변동은 사회적 희소가치를 둘러싼 집단 간의 갈등 속에서 나타나는 필연적이며 보편적인 현상이다. ㄹ. 갈등론은 사회 변동을 갈등과 대립의 산물로만 이해한다는 비판을 받기도 한다.

바로 알기 ㄱ, ㄴ. 사회 변동을 바라보는 기능론에 대한 설명이다.

07 사회 변동을 바라보는 기능론과 갈등론

② B가 갈등론이면 A는 기능론이다. 따라서 (나)에는 기능론은 '예', 갈등론은 '아니요'라는 답변을 할 수 있는 질문이 들어가야 한다. 기능론은 사회 질서와 안정을 중시하는 보수적 관점이므로, (나)에는 적절하다.

바로 알기 ① A가 기능론이면 B는 갈등론이다. 사회 변동을 일시적인 현상으로 보는 관점은 기능론이므로, (가)에는 적절하지 않다. ③ 사회 변동을 사회의 부분이나 전체가 갈등과 마찰의 일시적 불균형을 극복하고 새로운 균형의 상태로 나아가는 과정으로 보는 관점은 기능론이다. 따라서 A는 갈등론, B는 기능론이다. ④ 사회가 본질적으로 변동을 지향한다고 보는 관점은 갈등론이다. 따라서 A는 갈등론, B는 기능론이다. ⑤ (다)에는 기능론과 갈등론 모두 '예'라는 답변을 할 수 있는 질문이 들어가야 한다. 사회 변동을 불평등한 사회 구조를 개선하는 과정으로 보는 관점은 갈등론이므로, A, B는 모두 '예'라는 답변을 할 수 없다.

08 사회 운동의 특징

(가)에서 갑국의 ○○ 경제 단체는 생활 임금제 도입에 반대하는 사회 운동을 벌이는 반면, (나)에서 을국의 청소년들은 청소년 참정권 실현이라는 사회 운동을 벌임으로써 기존 질서의 변화를 추구하고 있다.

바로 알기 ①, ②, ④, ⑤ (가), (나) 모두 사회 운동이다. 사회 운동은 달성하고자 하는 목표가 있고, 구성원 간 역할이 분담되어 있으며, 체계적인 조직을 갖추고 이루어진다.

09 세계화

제시된 사례에서는 다국적 기업의 상품이 세계 각국에서 함께 만들어지고 있음을 보여 준다. 이를 통해 국가 간 경계가 약화되고 상호 의존성이 심화되어 가는 세계화가 진행되고 있음을 알 수 있다.

바로 알기 ①, ②, ⑤ 세계화는 국가 간 경계를 약화하고, 문화 간 교류를 증가시키며, 소비자의 상품 선택 범위를 확대한다. ③ 세계화에 따라 국가 간 경쟁이 심화하면서 국가 간·계층 간 소득 격차가 확대되기도 한다.

10 세계화의 영향

제시된 글에서는 (가)를 근거로 세계화에 반대하고 있으므로, (가)에는 세계화의 부정적 측면에 관한 내용이 들어가야 한다. ①, ③, ④, ⑤ 세계화의 부정적 영향에 해당한다.

바로 알기 ② 세계화로 국제기구나 국제 행위 주체의 역할이 강화되므로, (가)에 들어갈 내용으로 적절하지 않다.

11 정보화

비대면 접촉 비중은 가상 공간을 통한 사회적 관계가 이루어지는 정보 사회에서 높게 나타난다. 따라서 A는 정보 사회, B는 산업 사회이다. ㄱ. 정보 사회에서는 산업 사회보다 전자 상거래의 비중이 높게 나타난다. ㄹ. 정보 사회에서는 재택근무가 확산되므로, 가정과 일터의 분리 정도는 산업 사회가 정보 사회보다 더 높게 나타난다.

바로 알기 ㄴ. 지식 산업을 통한 부가 가치 창출이 유리한 사회는 정보 사회이다. ㄷ. 구성원 간 익명성 정도는 가상 공간을 통한 사회적 관계가 활성화되는 정보 사회에서 높게 나타난다.

12 정보 격차

자료 분석

정보화 지수의 수치가 낮을수록 일반 국민의 정보화 수준 대비 해당 계층의 정보화 수준이 낮은 것을 의미해.

표는 갑국에서 일반 국민의 정보화 수준을 100이라 할 때 A, B 계층의 정보화 수준을 비교한 것이다.

A 계층의 정보화 수준은 매년 높아지고 있어.

구분	2016년	2017년	2018년
A 계층	70	80	90
B 계층	60	50	40

└ B 계층의 정보화 수준은 매년 낮아지고 있어.

ㄷ. A 계층의 정보화 수준은 매년 지속적으로 높아지고 있다. 일반 국민의 정보화 수준인 100에 점차 가까워지고 있으므로, A 계층과 일반 집단 간의 정보화 수준 격차가 점차 줄어들고 있음을 알 수 있다. ㄹ. A 계층의 정보화 수준은 매년 높아지는 반면, B 계층의 정보화 수준은 매년 낮아지고 있다. 즉 정보화 교육의 필요성은 A 계층보다 B 계층에서 더 크게 요구될 것이다.

바로 알기 ㄱ. 2016년에 A 계층의 정보화 수준은 70, B 계층의 정보화 수준은 60으로, A 계층의 정보화 수준이 더 높다. ㄴ. 2017년 A 계층의 정보화 수준은 80, 2018년 B 계층의 정보화 수준은 40이다. 해당 연도에 일반 국민의 정보화 수준이 변동했는지 제시되어 있지 않으므로, 2017년의 A 계층이 2018년의 B 계층에 비해 정보화 수준이 두 배 높다고 단정할 수 없다.

13 저출산·고령화 현상

(가)는 우리나라에서 나타나는 저출산 현상, (나)는 우리나라에서 나타나는 고령화 현상의 양상을 나타낸다. ② 저출산 현상은 생산 가능 인구의 감소를 초래한다. ③ 고령화 현상은 의료 기술의 발달에 따른 평균 수명의 연장에 기인한다. ④ 고령화 현상은 노인 인구에 대한 복지 비용을 증가시켜 정부의 재정 악화를 초래한다. ⑤ 저출산·고령화 현상은 생산 가능 인구의 감소를 초래하여 노동력 부족 문제를 일으킬 수 있고, 이로 인해 생산성이 감소하여 국민 경제의 활력이 저하될 수 있다.

바로 알기 ① 저출산 현상은 자녀 양육에 대한 경제적 부담 증가로 출산을 기피하는 경향이 높아지면서 나타난다.

14 저출산·고령화 현상

ㄴ. 2005년의 생산 가능 인구를 100명이라고 가정했을 때 노인 인구는 25명, 유소년 인구는 25명이다. 따라서 생산 가능 인구는 노인 인구와 유소년 인구의 합의 2배가 된다. ㄷ. 1995년의 노인 인구와 2015년의 유소년 인구 모두 해당 연도의 생산 가능 인구의 10%이다. 생산 가능 인구는 2015년이 1995년보다 많으므로 1995년의 노인 인구보다 2015년의 유소년 인구가 많다.

바로 알기 ㄱ. 1995년, 2005년, 2015년 모두 생산 가능 인구는 총인구의 2/3이다. 즉, 세 연도의 총인구는 생산 가능 인구의 3/20이다. 생산 가능 인구가 지속적으로 증가하였으므로 총인구는 2015년이 가장 많고, 1995년이 가장 적다. ㄹ. 유소년 인구에 대한 노인 인구의 비는 1995년이 1/40이고, 2015년이 40이다. 즉, 2015년이 1995년의 16배이다.

15 다문화 사회

갑은 동화주의, 을은 다문화주의의 입장에서 다문화 정책을 마련해야 한다고 본다. ④ 이주민 문화를 주류 문화에 동화시키려는 동화주의와 달리 다문화주의는 서로 다른 문화의 공존을 모색한다.

바로 알기 ① 다문화주의의 입장에 해당한다. ②, ③, ⑤ 동화주의의 입장에 해당한다.

16 지속 가능한 사회를 위한 소비

ㄱ, ㄴ. 일회용품을 사용하지 않고, 이산화 탄소를 절감하는 소비를 하며, 에너지를 절약하는 것은 환경 문제와 자원 고갈 문제의 해결에 기여하는 세계 시민으로서의 자세이다. 이러한 자세는 지속 가능한 사회를 실현하는 데 기여한다.

바로 알기 ㄷ. 제시된 소비 행태는 국가 간 소득 격차 해소와는 관련이 없다. ㄹ. 제시된 소비 행태는 전 지구적 수준의 문제를 해결하는 데 기여한다.

논술형 문제 풀이

주제 01 사회·문화 현상을 바라보는 관점

논술 SOLUTION

(가)는 정부, 기업, 노동 단체가 사회 유지를 위해 맡은 기능을 제대로 수행하지 못함으로써 노동 문제를 해결하지 못했다고 본다.

⬇

(나)는 노동 시장 구조가 기득권을 가진 대기업 – 정규직과 그렇지 못한 중소기업 – 비정규직으로 이원화되어 지배와 피지배의 관계를 이룬다고 본다.

● POINT ● 사회·문화 현상을 보는 기능론과 갈등론의 입장을 구분하고, 이를 통해 가족 내 성별 분업에 관한 입장을 정리하여 논술한다.

1. 예시 답안 (가)에서는 사회 구성 요소가 제 기능을 제대로 수행하지 못하여 사회 문제가 발생한다고 보고 있으므로, 기능론적 관점임을 알 수 있다. (나)에서는 한 사회에서 희소가치를 많이 가진 집단과 그렇지 않은 집단이 지배와 피지배 관계를 이루고 있다고 보고 있으므로, 갈등론적 관점임을 알 수 있다.

2. 예시 답안 • (가)의 입장을 선택한 경우: 남자가 바깥일을 하고 여자가 집안일을 하는 성별 분업은 여성과 남성이 각자 자기 역할을 하도록 함으로써 가족을 안정적으로 유지할 수 있도록 한다. 또한 남성과 여성 각각의 역할과 기능은 사회 전체적으로 합의된 것이다.
• (나)의 입장을 선택한 경우: 남성 중심의 가부장제 사회에서 여성은 남성 중심의 세상에 살도록 강요받았고, 자본주의가 발달하면서 가정과 일터가 분리되고 가정을 담당하는 여성이 경제권을 가진 남편에게 예속됨으로써 성별 분업이 더욱 강화되었다.

주제 02 사회·문화 현상의 탐구 방법

논술 SOLUTION

(가)는 경험적 자료를 수량화하고 이를 통계 분석하여 사회·문화 현상에 존재하는 인과 법칙을 발견하고자 하므로, 양적 연구 방법에 해당한다.

⬇

(나)는 행위의 사회적 맥락을 중시하고 겉으로 드러난 행위의 이면에 담긴 동기나 목적을 파악하고자 하므로, 질적 연구 방법에 해당한다.

● POINT ● 사회·문화 현상을 탐구하는 양적 연구 방법과 질적 연구 방법을 구분하고, 청소년 비행 문제라는 현상을 탐구하기 위해 어떤 방법이 더 적절할지 연구의 목적에 따라 정리하여 논술한다.

1. 예시 답안 (가)는 양적 연구 방법, (나)는 질적 연구 방법에 해당한다. 양적 연구 방법은 인간의 주관적이고 정신적인 영역에 대한 탐구가 곤란하며, 사회·문화 현상을 인간의 가치로부터 분리하여 연구한다는 한계가 있다. 반면, 질적 연구 방법은 연구자의 주관이 개입될 가능성이 크고, 연구 결과를 일반화하기 어렵다는 한계가 있다.

2. 예시 답안 • (가)를 선택한 경우: 양적 연구 방법은 연구 대상자의 가치나 태도 등이 외적 행동으로 그대로 나타나며, 겉으로 드러난 인간의 행동만이 객관적으로 관찰되고 검증 가능하다고 본다. 따라서 인간의 내면적인 정신이 아닌 외적 행동을 연구의 대상으로 삼아야 한다고 생각한다. 청소년 비행 문제를 탐구하는 경우도 마찬가지이다. 비행을 저지른 청소년들의 성별과 그들의 가정환경, 청소년 비행의 유형별 빈도수 등 객관적으로 관찰이 가능한 자료들을 수집하고 계량화함으로써, 이들 간의 상관관계를 찾아낸다면 청소년 비행이 일어난 원인과 양상을 파악할 수 있다.
• (나)를 선택한 경우: 질적 연구 방법에 따르면 사회·문화 현상을 탐구함에 있어서 겉으로 드러난 사람들의 말이나 행동보다는 내면의 생활 세계를 이해하는 것이 중요하다. 사회적 사실은 주어진 것이 아니라, 행위자들에 의해 구성되며 항상 역동적으로 변화하기 때문이다. 청소년 비행 문제를 탐구하는 경우도 마찬가지이다. 비행 청소년들과 이야기를 나누고 그들과 함께 생활하면서, 그들이 왜 비행을 저지르게 되었고 비행을 통해 얻고자 하는 것이 무엇인지 등을 파악해야 청소년 비행에 대한 심층적인 이해가 가능하다. 청소년들이 처한 상황의 맥락을 이해하지 않고서는 사회·문화 현상에 대한 탐구가 어렵다.

주제 03 연구자가 지켜야 할 연구 윤리

논술 SOLUTION

(가)에서는 연구자가 연구 목적을 속이고 자료를 수집하였으며, 연구 대상자에게 해로운 영향을 끼칠 수 있는 실험을 하였다.

⬇

(나)에서는 연구 결과가 사회 다수에게 악영향을 끼치거나 비윤리적으로 사용되는 모습을 보여 준다.

●**POINT**● (가)는 연구 대상자에 관한 윤리, (나)는 연구 결과의 활용에서의 윤리가 지켜지지 않은 모습을 보여 준다. 이를 토대로 연구 윤리를 위반하는 행위가 연구 대상자와 사회에 어떤 영향을 끼칠지 고려하여 논술한다.

1. 예시 답안 (가)에서는 실험이 연구 대상자들에게 미칠 수 있는 부정적인 영향을 고려하지 않았다. 연구 대상자들은 상대에게 전기 충격을 가하는 명령에 따르면서 심리적으로 매우 커다란 고통을 느꼈을 수 있는데 연구자는 연구 대상자들에게 이를 미리 설명해 주지도 않았고 이러한 영향에 관한 동의를 구하지도 않았다는 점에서 연구 윤리에 어긋난다.

2. 예시 답안 사회·문화 현상에 대한 연구를 하는 목적은 사회·문화 현상에 대한 심층적 이해를 바탕으로 사회 문제를 예방 또는 해결하기 위한 다양한 방법을 제안하기 위함이다. 따라서 연구 결과를 활용하는 단계에서도 연구 윤리가 지켜져야 한다. 또한 연구 결과가 사회 다수에게 비윤리적으로 사용되는 일에 대한 책임도 져야 한다. 연구 결과에 따라 정책 제안을 하는 것은 사회 문제를 해결하기 위한 내용이 되어야 한다. 만약 연구 결과가 사회 다수에게 악영향을 미치거나 비윤리적으로 사용된다면 그에 대한 책임도 연구자의 몫이어야 한다.

주제 04 **사회 실재론과 사회 명목론**

논술 SOLUTION

(가)는 개인들이 자신들의 권리를 보장받기 위해 국가를 만들었다는 사회 계약설의 내용이다.

(나)는 법, 관습 등과 같은 사회적 사실이 개인에 외재하면서 개인을 제약한다는 내용이다.

(다)는 개인의 의식이 실재하는 사회에 의해 구속된다는 내용이다.

●**POINT**● 개인과 사회의 관계를 바라보는 (가), (나)의 관점을 파악하고, (다)의 주장을 두 관점과 관련지어 해석한다. 그리고 개인과 사회를 바라보는 바람직한 관점에 대해 논술한다.

1. 예시 답안 (가)에 따르면 시민들은 개개인의 권리를 보장하기 위해 계약에 따라 국가를 만들었다. 이는 사회보다 개인의 우월성을 중시하는 사회 명목론의 관점에 해당한다. 이와는 달리 (나)에 따르면 사회 구성원들은 법과 관습이 규정한 바에 따라 사고하고 행동하며, 이러한 법과 관습은 개인보다 앞서 개인의 외부에 존재한다. 이는 사회 실재론의 관점에 해당한다.

2. 예시 답안 '어떤 고통을 '질병'이라고 부르거나 '아프다'고 표현하는 것은 사회적으로 정해진 것이다.'는 것은 개인의 의식이 실재하는 사회에 의해 구속된다는 것을 의미하므로, (다)는 (나)의 사회 실재론을 정당화한다. (다)에서처럼 사회는 개인의 외부에 존재하면서 개인의 삶을 구속한다. 그러나 개인이 사회에 전적으로 종속되는 것은 아니다. 개인은 사회의 규범을 거부하기도 하고, 사회 구조를 변화시키는 데 앞장서기도 한다. 따라서 사회·문화 현상을 제대로 이해하기 위해서는 개인과 사회의 밀접한 상호 연관성에 중점을 두고 사회 실재론과 사회 명목론을 상호 보완적으로 적용해야 한다.

주제 05 **관료제와 탈관료제**

논술 SOLUTION

(가)는 인간이 조직의 부속품으로 전락하는 현상을 나타낸다.

(나)에 나타난 '수평적 조직 체계'와 '성과에 따른 보상 체계'는 탈관료제 조직의 특징이다.

●**POINT**● 관료제 조직의 문제점을 파악하고, 그와 관련지어 탈관료제 조직의 등장 배경을 논술한다.

1. 예시 답안 (가)는 정해진 규칙과 절차에 따른 획일적인 업무 수행으로 인해 인간이 조직의 부속품으로 전락하는 관료제 조직의 문제점을 보여 주고 있다. 이처럼 관료제 조직은 조직의 구성원이 정해진 규칙과 절차에서 벗어나 창의성과 자율성을 발휘할 기회를 주지 않고, 인간을 조직이라는 거대한 기계의 일부 부품과 같은 존재로 전락시켜 인간 소외 현상을 유발하기도 한다.

2. 예시 답안 (가)에는 관료제 조직이, (나)에는 탈관료제 조직이 나타나 있다. 탈관료제 조직은 관료제 조직이 급속하게 변화하는 사회 환경에 대처하기 어렵고, 구성원들이 창의성을 발휘하기 어렵다는 한계에 대응하여 나타난 새로운 조직 형태이다.

주제 06 일탈 행동을 설명하는 다양한 이론

 SOLUTION

> (가)는 문화적 목표와 이를 달성하기 위한 제도적 수단의 괴리에서 일탈 행동이 발생한다는 내용으로, 머튼의 아노미 이론에 해당한다.

↓

> (나)는 타인이 가한 낙인에 맞추어 자신의 정체성을 형성함으로써 일탈 행동이 발생한다는 내용으로, 낙인 이론에 해당한다.

↓

> (다)는 일탈자와의 상호 작용을 통해 일탈 행동을 학습하게 된다는 내용으로, 차별 교제 이론에 해당한다.

> ●POINT● 일탈을 규정하는 객관적 기준의 존재 여부를 중심으로 머튼의 아노미 이론, 낙인 이론, 차별 교제 이론을 비교한다. 그리고 각 이론에서 강조하는 일탈의 해결 방안에 대해 논술한다.

1. 예시 답안 머튼의 아노미 이론인 (가)와 차별 교제 이론인 (다)는 일탈을 규정하는 객관적 기준이 존재한다고 본다. 하지만 낙인 이론인 (나)는 일탈을 규정하는 객관적 기준이 존재하지 않는다고 본다. 낙인 이론은 특정 행위가 일탈 행동으로 규정되는 것은 행위 자체가 가지는 본질적인 특성이 아니라, 그 행위에 대한 주변 사람들의 반응에 달려 있다고 본다.
2. 예시 답안 머튼의 아노미 이론은 사회 구성원에게 문화적 목표를 달성할 수 있도록 적절한 기회를 제공하여 목표와 수단 간의 괴리를 줄여야 한다고 강조한다. 낙인 이론은 특정 행위에 대한 주변 사람들의 낙인이 일탈 행동을 초래한다고 보므로, 타인의 행동에 대한 신중한 낙인을 강조한다. 차별 교제 이론은 일탈 행동을 하는 사람들과의 교류를 차단하여 일탈 행동을 학습하지 않도록 하는 것이 중요하다고 본다.

주제 07 문화 이해의 태도

 SOLUTION

> (가)는 다른 문화의 존재와 가치를 인정해야 한다는 내용이다.

↓

> (나)는 특정 사회의 가치를 기준으로 다른 문화를 평가해서는 안 된다는 내용이다.

> ●POINT● 문화 상대주의를 극단적으로 적용하여 인류의 보편적 가치를 훼손하는 문화까지 존중해서는 안 된다는 측면에서 논술한다.

1. 예시 답안 (가)에서는 모든 문화는 그 나름대로의 가치를 지니기 때문에 문화 간 우열을 가릴 수 없으며, 다른 문화의 존재와 가치를 인정해야 한다고 주장하고 있다. (나) 역시 모든 문화는 나름대로의 타당성을 지니고 있으므로, 특정 문화의 관점에서 다른 사회의 문화를 판단하는 것은 바람직하지 않다고 보고 있다. 즉 (가), (나)는 공통적으로 문화 상대주의적 태도를 강조하고 있다.
2. 예시 답안 (나)에서는 모든 문화는 가치 있는 것이므로 문화에 관해 옳거나 그르다고 판단해서는 안 된다고 하는데, 이는 문화 상대주의를 극단적으로 이해한 것이다. 인간이라면 지켜야 할 가치인 생명 존중, 인권, 정의와 같은 보편적 가치를 무시하는 문화까지도 인정하려는 극단적인 태도는 경계해야 한다.

주제 08 대중문화의 기능

 SOLUTION

> (가)는 대중 매체의 발달로 일반 대중들도 고급문화를 쉽게 접할 수 있게 되었음을 나타낸다.

↓

> (나)에서 대중문화를 매스 컬처라고 보는 관점은 대중문화가 수준 낮은 열등한 문화라는 인식을 토대로 한다는 점을 나타낸다.

> ●POINT● 대중문화의 순기능과 역기능을 파악하고, 대중문화의 비판적 수용 자세를 고려하여 논술한다.

1. 예시 답안 (가)에 따르면 대중문화는 많은 사람에게 문화적 혜택을 주고, 대중은 대중문화를 통해 정신적 위안과 삶의 활력소를 얻는다. 이처럼 대중문화는 모든 사람이 평등하게 다양한 문화적 욕구를 충족하게 하여 문화의 민주화에 이바지한다. (나)에 따르면 수준 낮은 대중문화의 확산은 오히려 문화의 질적 저하를 가져온다. 대중 매체를 통해 수많은 사람이 같은 정보와 지식, 문화 요소를 접하고 그것에 동화되어 대중은 획일적이고 정형화된 사고와 행동을 하게 된다. 결국 문화는 획일화되고 평준화된다.
2. 예시 답안 만약 클래식을 듣기 위해 반드시 공연장에 가야 한다면 많은 사람들은 시간과 비용 때문에 포기할 수 있다. 그러나 음원 사이트나 음악 플레이어 등의 대중 매체를 통해 언제든지 클래식을 들을 수 있기 때문에 누구나 마음만 먹으면 클래식을 접할

수 있다. 책이나 스포츠 등도 마찬가지이다. 과거에는 높은 비용이나 폐쇄성 등으로 인해 소수의 사람들만 누리던 것들이 대중화되면서 대중들의 생활 양식이 다양하고 풍부해지게 된다. 따라서 문화에 일종의 등급이 있다고 보는 (나)의 입장은 적절하지 않다. 대중들이 누리는 일상적이고 평범한 대중문화에도 그 나름대로의 창의성, 예술성, 심미성, 역동성 등이 존재할 수 있기 때문이다.

주제 09 문화 변동에 대처하는 자세

 SOLUTION

> (가)는 주거 문화의 변화 속도를 사람들의 주거 의식이 따라가지 못해 아파트 층간 소음과 같은 문제가 발생하는 모습을 보여 준다.

> ↓

> (나)에서는 다른 사회의 새로운 문화 요소가 전파되면서 고유문화의 정체성이 약화할 수 있음을 우려하고 있다.

●POINT● 문화가 급속하게 변동하는 과정에서 다양한 문제점이 나타날 수 있음을 파악하고, 문화 변동 과정에서 나타나는 문제점에 대처하는 자세를 논술한다.

1. 예시 답안 아파트 층간 소음 문제는 아파트와 같은 주거 문화의 변화 속도에 비해 사람들의 주거 의식의 변화는 그에 미치지 못하여 발생하는 문화 지체 현상에 해당한다. 문화 지체 현상은 기술의 발달에 따라 물질문화의 변동은 비교적 빠르게 이루어지는 데 비해, 비물질문화의 변동은 상대적으로 느리게 이루어지기 때문에 나타난다.

2. 예시 답안 문화 전파는 한 사회의 문화가 다른 사회로 전해지는 것을 의미하는데, 어떤 사회에서는 다른 사회의 문화 요소를 일방적으로 수용하기만 하는 양상이 나타날 수 있다. 만약 우리가 누리는 대중문화가 일방적으로 전파된 것이고, 그 대중문화가 우리의 전통 가치로부터 괴리된 것이라면 우리 문화의 정체성은 사라질 수 있다. 이러한 문제를 해결하기 위해서는 문화 변동에 능동적으로 대처하는 자세가 필요하다. 우리 사회에 새롭게 등장한 문화 요소 중 필요하다고 인식되는 것은 우리 문화 체계 속에 적극적으로 정착시켜야 한다. 반면 새롭게 등장한 문화 요소가 바람직하지 않거나 우리 문화의 정체성을 훼손한다고 여겨지면 그것을 거부하거나 우리 문화에 도움이 되도록 변형하여 새로운 문화를 창조해야 한다.

주제 10 사회 불평등 현상을 설명하는 이론

 SOLUTION

> (가)는 경제적 요인·사회적 요인·정치적 요인 등 다양한 요인에 의해 사회 불평등이 발생한다는 내용으로, 계층론에 해당한다.

> ↓

> (나)는 경제적 요인이 다른 모든 사회 불평등을 결정한다는 내용으로, 계급론에 해당한다.

●POINT● 사회 불평등 현상을 설명하는 (가), (나) 이론을 파악하고, 두 관점 중 어느 것이 현대 사회의 지위 불일치 현상을 설명하기에 적합한지 서술한다.

1. 예시 답안 (가)는 계층론이고, (나)는 계급론이다. 계층론은 사회 불평등이 경제적 요인뿐만 아니라 정치적 요인과 사회적 요인에 의해서도 나타난다고 보는 반면 계급론은 경제적 요인에 의해서만 나타난다고 본다는 점에서 차이가 있다. 그리고 계층론은 한 계층에 속한 사람들과 그렇지 않은 사람들 간의 경계가 모호하기 때문에 계층 구성원 간 연대 의식이 나타나기 어렵다고 본다. 반면 계급론은 같은 계층에 속한 사람들 간에 강한 연대 의식, 즉 계급 의식이 형성된다고 본다.

2. 예시 답안 오늘날에는 경제적으로는 부자이지만 정치적 권력을 갖지 못한 경우나 사회적 지위는 높지만 경제적으로는 가난한 경우 등 한 개인이 가진 여러 지위들의 수준이 일치하지 않는 지위 불일치 현상이 나타나고 있다. 따라서 한 가지 측면에서 불평등 현상을 파악하는 계급론에 비해 다양한 측면에서 불평등 현상을 파악하는 계층론이 현대 사회의 사회 불평등 현상을 설명하는 데 더 적합하다고 볼 수 있다.

주제 11 빈곤의 측정

 SOLUTION

> (가)는 최저 생계비가 중위 소득의 50%에 미치지 못하고 있음을 보여 준다.

> ↓

> (나)는 우리나라 사회 복지 사업의 기준이 최저 생계비에서 중위 소득의 50%로 바뀌었다는 내용이다.

1. 예시 답안 우리나라는 최저 생계비를 기준으로 절대적 빈곤을 측정하고, 중위 소득의 50%를 기준으로 상대적 빈곤을 측정한다. 2014년에 최저 생계비가 중위 소득의 50% 이하이므로, 절대적 빈곤율보다 상대적 빈곤율이 크다.

2. 예시 답안 (가)에 따르면 최저 생계비가 상대적 빈곤선인 중위 소득의 50%에 미치지 못하고 있다. 이는 최저 생계비가 경제 발전에 따른 생활 수준의 향상을 반영하지 못하고 있음을 보여 준다. 이를 통해 최저 생계비가 국민 전체의 생활 수준의 변화를 반영하지 못하기 때문에 사회 복지 사업의 기준이 최저 생계비에서 중위 소득의 50%로 바뀌었음을 추론할 수 있다.

주제 12 복지 제도의 문제점과 새로운 방향

논술 SOLUTION

(가)는 복지 제도의 악용 사례를 보여 주고 있다.

⬇

(나)는 경제적 효율성과 사회적 약자 보호를 동시에 달성하기 위해 노동을 전제로 한 복지 제도를 세워야 한다는 내용이다.

⬇

(다)의 희망 키움 통장은 근로를 조건으로 복지 혜택을 제공하는 복지 제도이다.

1. 예시 답안 (가)는 복지 혜택을 받을 자격 조건이 되지 않음에도 불구하고 부정한 방법으로 복지 혜택을 받아 가는 사람들이 많다는 것을 보여 준다. 이는 복지 제도 운용상에 미비점이 존재한다는 것으로, 복지 제도를 개편하여 필요한 사람에게 실질적인 복지 혜택이 돌아갈 수 있도록 해야 한다.

2. 예시 답안 희망 키움 통장 제도는 근로를 조건으로 복지 혜택을 제공한다는 점에서 경제적 효율성 달성과 사회적 약자의 보호를 동시 추구하는 제3의 길에 부합하는 복지 제도라고 할 수 있다.

주제 13 사회 변동의 방향에 관한 관점

논술 SOLUTION

(가)는 사회가 일정한 단계를 거쳐 발전한다고 보고 있으므로, 진화론적 관점에 해당한다.

⬇

(나)는 사회가 주기적으로 동일한 과정을 반복하며 변동한다고 보고 있으므로, 순환론적 관점에 해당한다.

1. 예시 답안 (가)는 사회 변동이 일정한 방향을 가지고 있으며, 사회가 단순하고 미분화된 상태에서 복잡하고 분화된 상태를 향하여 변동한다고 보고 있으므로, 진화론적 관점에 해당한다. 반면 (나)는 사회가 생성, 성장, 쇠퇴, 해체의 과정을 주기적으로 반복한다고 보고 있으므로, 순환론적 관점에 해당한다.

2. 예시 답안 ・(가)의 관점에 대한 비판: 사회 변동은 진화론의 설명과 달리 여러 방향에서 일어날 수 있다. 즉, 모든 사회가 반드시 같은 방향으로 변동하는 것은 아니다. 그리고 사회 변동이 반드시 진보를 의미하지도 않는다. 진화론에서 진보된 사회라고 전제하는 서구 사회가 비서구 사회에 비해 기술적・경제적으로는 발전해 있지만, 다른 측면에서는 비서구 사회에 비해 열등할 수도 있기 때문이다.

・(나)의 관점에 대한 비판: 순환론은 사회 변동을 사회 구조적 수준에서 구체적으로 논의하기보다는 거시적 입장에서 문명의 성장과 쇠퇴를 설명하고 있어서 특정 사회의 중・단기적인 사회 변동을 제대로 설명하기 어렵다. 또한 운명론적 시각을 견지하기 때문에 인간의 행위가 내포한 역동성과 자율성을 간과하고 사회 변동에 대한 논의를 단순히 역사 철학적 예언으로 전락시켰다는 점에서 한계가 있다.

주제 14 정보화의 영향

논술 SOLUTION

(가)는 정보화의 영향으로 온라인 공간에서 사람들 간에 자유로운 소통이 이루어지고 있음을 보여 준다.

⬇

(나)는 온라인 공간에서 나타나는 다양한 문제점을 지적하고 있다.

●POINT● 정보화로 긍정적 변화와 부정적 변화가 모두 나타난다는 점을 염두에 두고 정보 사회의 미래에 관해 논술한다.

1. 예시 답안 (가)와 (나)는 모두 정보화의 영향으로 온라인 공간을 통한 사회적 관계가 활성화되고 있음을 보여 준다는 공통점이 있다. (가)에서는 온라인 공간에서 시민들이 사회적 쟁점에 대해 많은 정보를 얻고, 다양한 방식으로 의견을 표출할 수 있게 된다는 점에서 정보화의 긍정적 측면을 강조하고 있다. 반면 (나)에서는 온라인 공간에서 자유로운 정보 교환이 이루어지는 가운데 검증되지 않은 정보가 확산될 수 있으며, 다른 의견을 가진 사람에게 악성 댓글을 다는 등 일탈 행위가 증가하고 있다는 점에서 정보화의 부정적 측면을 강조하고 있다.

2. 예시 답안 민주주의의 발전과 관련하여 정보 사회의 미래는 긍정적이라고 본다. 왜냐하면 (가)에 나타난 바와 같이 정보 사회에서는 구성원 간에 자유로운 정보 소통이 이루어지면서 직접 민주 정치의 실현 가능성을 높일 수 있기 때문이다. 물론 (나)와 같은 부작용을 근거로 정치권력이 자유로운 정보 유통을 통제하려는 움직임이 있을 수 있지만, 기술 발전의 큰 흐름이나 시민의 요구를 거스를 수 없다.

주제 15 다문화 사회와 다문화 정책

논술 SOLUTION

(가)를 통해 현대 사회에서 다문화적 변화가 나타나고 있으며, 우리나라도 문화적·인종적 다양성이 높아지면서 다문화 사회로 변화하고 있음을 알 수 있다.

(나)에서는 문화적 동질성과 이질성에 대한 서로 다른 접근 방식인 동화주의와 다문화주의를 제시하고 있다.

●POINT● 다문화 사회에서 나타나는 문제점을 예측하고, 이에 대응하기 위한 정책 방향을 동화주의와 다문화주의 각각의 입장에서 논술한다.

1. 예시 답안 (가)는 현대 사회가 다문화 사회로 변화하고 있음을 보여 준다. 다문화 사회에서는 서로 다른 문화를 가진 구성원이 언어나 생활 양식의 차이를 이해하지 못해 오해가 생길 수 있고, 직장이나 사회에서 외국인 이주민에게 편견을 가지거나 차별 대우를 하여 갈등이 발생할 수 있다. 또한 다문화 가정의 자녀들이 학교생활에 쉽게 적응하지 못하는 등의 문제가 나타나기도 한다.

2. 예시 답안 • ㉠이 적절하다고 판단한 경우: 한 사회 내에서 문화적 동질성을 높임으로써 사회 통합을 이룰 수 있다. 따라서 이주민들을 기존 주류 사회의 문화에 동화시킴으로써 하나의 정체성을 갖도록 하기 위해서는 동화주의에 기초한 다문화 정책이 필요하다.

• ㉡이 적절하다고 판단한 경우: 새로운 문화를 가진 사람들에게 기존 문화를 강요할 경우 서로 다른 문화를 가진 구성원 간에 갈등이 나타날 가능성이 높아진다. 따라서 서로 다른 집단의 문화들이 고유한 특성을 유지하면서 공존하는 사회를 만들어 가기 위해서는 다문화주의에 기초한 다문화 정책이 필요하다.

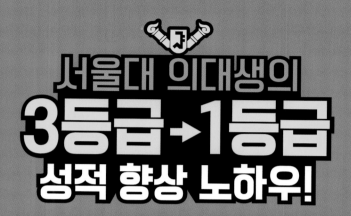

SKY 선배의
수능 1등급
리얼 공부 비법!

#일차별 학습계획 #수능 경향 분석 #상세한 해설

서울대 의대생의
3등급➜1등급
성적 향상 노하우!

#직관적인 지문 구조도 #기출 문제 Full수록 #N회독

Full수록
수능기출
문제집

딱! 30일, 풀수록 1등급!

- Full수록 수능기출

  국어 : 독서 기본 / 문학 기본 / 독서 / 문학 / 화법과 작문
  영어 : 독해 기본 / 독해 / 어법·어휘
  수학 : 수학Ⅰ / 수학Ⅱ / 확률과 통계 / 미적분

  사회 : 한국 지리 / 생활과 윤리 / 사회·문화
  과학 : 물리학Ⅰ / 화학Ⅰ / 생명과학Ⅰ / 지구과학Ⅰ

- Full수록 전국연합 학력평가 고1 모의고사

  국어 영역, 영어 영역

visang

발행일 2018년 12월 1일
펴낸날 2020년 11월 1일
펴낸곳 (주)비상교육
펴낸이 양태회
신고번호 제2002-000048호
출판사업총괄 최대찬
개발총괄 채진희
개발책임 송경화
디자인책임 김재훈
영업책임 이지웅
마케팅책임 김동남
품질책임 석진안
대표전화 1544-0554
주소 서울특별시 구로구 디지털로 33길 48
　　　대륭포스트타워 7차 20층